C0-ARS-531

LES APOPHTEGMES DES PÈRES

SOURCES CHRÉTIENNES

N° 474

LES APOPHTEGMES DES PÈRES

COLLECTION SYSTÉMATIQUE

CHAPITRES X-XVI

INTRODUCTION, TEXTE CRITIQUE,
TRADUCTION, ET NOTES

par

† Jean-Claude GUY, s.j.

Ouvrage publié avec le concours
de l'Œuvre d'Orient

LES ÉDITIONS DU CERF, 29, Bd La Tour-Maubourg, PARIS 7e
2003

La publication de cet ouvrage a été préparée avec le concours de l'Institut des «Sources Chrétiennes» (U.M.R. 5189 du Centre National de la Recherche Scientifique)

ISBN 2-204-07252-4

ISSN 0750-1978

AVANT-PROPOS

Voici, après un trop long délai, le deuxième et avant-dernier volume des *Apophtegmes des Pères,* dix ans après le premier (*SC* 387) et dix-sept ans après la mort de leur auteur, le P. Jean-Claude Guy. Le manuscrit du P. Guy a dû changer de mains plusieurs fois, ce qui explique en partie ce retard : Bernard Flusin s'était chargé, pour le premier volume, de la révision scientifique et de la mise au point du manuscrit, avec la collaboration de Marie-Ange Calvet. L'un, puis l'autre, accaparés par d'autres tâches, n'ont pu poursuivre la préparation de ce nouveau volume qu'ils avaient commencée. Je l'ai achevée en suivant, bien entendu, les mêmes principes. Le lecteur doit cependant être averti que j'ai parfois légèrement assoupli la règle donnée par B. Flusin (cf. *SC* 387, p. 7-8), dans la mesure où je n'ai pas toujours privilégié l'accord de la version latine ancienne avec un manuscrit grec ; la fréquentation de cette version latine a fait voir peu à peu qu'elle se permettait assez souvent des adaptations du texte original, à l'intention d'un public peu familier des réalités du monachisme oriental et de son vocabulaire. Elle reste donc un témoin important, mais pas totalement sûr ; là où elle fournissait un texte qui semblait moins bon, là où elle poussait de façon assez arbitraire à choisir tel témoin grec, puis tel autre au sein du même apophtegme, je ne lui ai pas toujours donné priorité.

Il faut signaler enfin que dans quelques rares cas, on trouvera dans l'apparat critique une variante après laquelle le sigle (?) remplace l'indication des témoins : cette indication manquait dans le manuscrit du P. Guy, et, n'ayant pu consulter ses collations, j'ai dû laisser la lacune en l'état, préférant néanmoins ne pas supprimer totalement le lemme, afin de ne pas priver les utilisateurs de cette édition d'un renseignement même incomplet.

On trouvera dans le volume III, outre l'index des mots grecs et la concordance annoncés dans le premier volume (p. 87), un index des noms propres et un index des citations scripturaires.

Outre mes deux prédécesseurs dans ce travail, je tiens à remercier pour leur aide les PP. Louis Neyrand et Joseph Paramelle, de Sources Chrétiennes, et M. Louis Basset de l'Université Lyon II.

Bernard Meunier

RÉFÉRENCES MARGINALES

Collection alphabético-anonyme

Abr	Abraham	Dou	Doulas
Ach	Achillas	Él	Élie
Aga	Agathon	Ép	Épiphane
Alô	Alônios	Ephr	Ephrem
Amm	Ammonas	Eul	Euloge
Ammoès	Ammoès	Eup	Euprépios
Amou	Amoun de Nitrie	Év	Évagre
An	Anoub	Fél	Félix
And	André	Gél	Gélase
Ant	Antoine	Gér	Gérontios
Ap	Apphy	Gré	Grégoire
Ar	Arès	Hel	Helladios
Ars	Arsène	Hér	Héraclios
Ben	Benjamin	Hyp	Hypéréchios
Bes	Bessarion	Is	Isaac
Car	Carion	Isa	Isaïe
Cas	Cassien	IsC	Isaac des Cellules
Cho	Chomai	Isi	Isodore le Prêtre
Cop	Coprès	IsiS	Isidore de Scété
Cro	Cronios	IsT	Isaac le Thébain
Cyr	Cyros	J	Pièces anonymes du *Sinaïticus Graecus 448*
Dan	Daniel		
Dio	Dioscore		

Jac	Jacques	Pam	Pambo
JnC	Jean Colobos	Pap	Paphnuce
JnCe	Jean des Cellules	PCo	Paul le Cosmète
JnP	Jean le Perse	PGr	Paul le Grand
JnPa	Jean de Paul	Phi	Philagrios
JnT	Jean le Thébain	Pio	Pior
JoP	Joseph de Panepho	PiP	Pierre le Pionite
JoT	Joseph le Thébain	Pis	Pistamon
Lon	Longin	Poe	Poemen
Luc	Lucius	Ps	Pistos
Mac	Macaire l'Égyptien	Rom	Un Romain
MacC	Macaire le Citadin	Ruf	Rufus
Mar	Marcien	Sar	Sarra
Mat	Matoès	Sarm	Sarmatas
McÉ	Marc l'Égyptien	Sér	Sérapion
McSil	Marc de Silvain	Sil	Silvain
Még	Mégéthios	Sim	Simon
Mil	Milésios	Sis	Sisoès
Miôs	Miôs	So	Sopratos
Mos	Moïse	Syn	Synclétique
Môt	Môtios	ThE	Théodore de l'Ennaton
N	Pièces anonymes du *Parisinus Coisl. 126*	ThEleuth	Théodore d'Éleuthéropolis
Nat	Natêra	Théd	Théodote
Nic	Nicon	ThP	Théodore de Phermé
Nil	Nil		
Nis	Nisthériôos le Cénobite	Theo	Théonas
		Thp	Théophile
NisGr	Nisthériôos le Grand	Tim	Timothée
		Tit	Tithoès
Oly	Olympios	Xan	Xanthias
Or	Or	Xoi	Xoios
Ors	Orsisios	Zac	Zacharie
Pal	Palladios	Zén	Zénon

Autres sources

Bas *GR* = Basilius Caesariensis, *Asceticon magnum* (*CPG* 2875)

Cas *Coll* = Cassianus, *Collationes*

Dia *Cap. gn.* = Diadochus Photicensis, *Capita centum de perfectione spirituali* (*CPG* 6106)

Ev *Pract.* = Evagrius Ponticus, *Practicus* (*CPG* 2430)

Ev R*er. mon.* = Evagrius Ponticus, R*erum monasticarum rationes* (*CPG* 2441)

Hist. Mon. = *Historia monachorum in Aegypto* (*CPG* 5620), éd. Festugière

Hyp *Adhort.* = Hyperechius, *Adhortatio ad monachos* (*CPG* 5618)

Isa + chiffres arabes = Isaias Gazaeus, *Asceticon* (*CPG* 5555), éd. Schoinas

Isa + chiffres romains = Isaias Gazaeus, *Asceticon* (*CPG* 5555), version syriaque, éd. Draguet

Mc *Op.* = Marcus Eremita, *Opuscula* (*CPG* 6090-6094)

Nil *cap. par.* = Nilus Ancyranus (Ps-), *Capita paraenetica* (cf. *CPG* 2443 et 6583)

Pall *HL* = Palladius Helenopolitanus, *Historia Lausiaca* (*CPG* 6036), éd. Butler

VSyn = Athanasius Alexandrinus (Ps.-), *Vita sanctae Syncleticae* (*CPG* 2293)

SIGLES ET ABRÉVIATIONS

H	Ambrosianus C 30-Inf	XIIe s.
M	Parisinus Coislin. 282	XIe s.
O	Mosquensis Bibl. Syn. 452 (Vlad. 344)	XIIe s.
Q	Parisinus gr. 917	XIIe s.
R	Parisinus gr. 914	XIIe s.
S	Marcianus gr. 346	XIe s.
T	Atheniensis Bibl. Nat. 500	XIIe s.
V	Vaticanus Ottobon. gr. 174	X^e-XIe s.
W	Athous Lavra B 37	970
Y	Athous Protaton 86	IXe s.
Z	Parisinus gr. 1600	XIe s.

Alph. série alphabétique des *Apohtegmes*

l version latine de Pélage-Jean; *PL* 73, 855-1022; 1060-1062

Car Athous Caracallou 38 (pour le prologue seulement) XIIIe s.

Par Parisinus gr. 1629 (pour le prologue seulement) 1681

TEXTE ET TRADUCTION

X

Περὶ διακρίσεως

1 Εἶπεν ἀββᾶ Ἀντώνιος ὅτι· Εἰσί τινες κατατρίψαντες τὰ ἑαυτῶν σώματα ἐν ἀσκήσει, καὶ διὰ τὸ μὴ ἐσχηκέναι αὐτοὺς διάκρισιν, μακρὰν τοῦ θεοῦ γεγόνασιν.

2 Ἀδελφοί τινες παρέβαλον τῷ ἀββᾷ Ἀντωνίῳ ἀναγγεῖλαι αὐτῷ φαντασίας τινὰς ἃς ἔβλεπον καὶ μαθεῖν παρ' αὐτοῦ εἰ ἀληθιναί εἰσιν ἢ ἀπὸ δαιμόνων. Εἶχον δὲ ὄνον καὶ ἀπέθανεν κατὰ τὴν ὁδόν. Ὡς οὖν ἦλθον πρὸς τὸν γέροντα, 5 προλαβὼν αὐτοὺς λέγει αὐτοῖς· Πῶς ἀπέθανεν ὁ μικρὸς ὄνος ἐν τῷ ὁδῷ; Λέγουσιν αὐτῷ ἐκεῖνοι· Πόθεν οἶδας, ἀββᾶ; Ὁ δὲ εἶπεν αὐτοῖς· Οἱ δαίμονες ἔδειξάν μοι. Λέγουσιν αὐτῷ· Καὶ ἡμεῖς διὰ τοῦτο ἤλθομεν πρός σε ἐρωτῆσαί σε ὅτι βλέπομεν φαντασίας καὶ πολλάκις γίνονται ἀληθιναί, 10 μήπως πλανηθῶμεν. Καὶ ἐπληροφόρησεν αὐτοὺς ὁ γέρων ἐκ τοῦ κατὰ τὸν ὄνον ὑποδείγματος ὅτι ἀπὸ δαιμόνων εἰσίν.

3 Ἦν τις κατὰ τὴν ἔρημον θηρεύων ἄγρια ζῷα, καὶ εἶδεν τὸν ἀββᾶ Ἀντώνιον χαριεντιζόμενον μετὰ τῶν ἀδελφῶν καὶ ἐσκανδαλίσθη. Θέλων δὲ αὐτὸν πληροφορῆσαι ὁ γέρων

Tit. YORTMSH *l*
διακρίσεων S
1 YORTMSH *l*
2 ἐν : ἐν τῇ TM ‖ 3 *post* μακρὰν *add.* τῆς ὁδοῦ R
2 YORTMSH *l*
2 καὶ *om.* MS ‖ 3 *post* δαιμόνων *add.* illuderentur *l* ‖ δὲ : δὲ καὶ RT ‖

X

Du discernement

1 Abba Antoine dit : « Il y a des gens qui ont broyé leur corps dans l'ascèse ; mais, pour avoir manqué de discernement, ils se sont éloignés de Dieu. »

Ant 8 (77 B)

2 Certains frères vinrent chez abba Antoine pour l'informer d'apparitions qu'ils voyaient et apprendre de lui si elles étaient véridiques ou venaient des démons. Or ils avaient un âne qui mourut en chemin. Lors donc qu'ils arrivèrent chez le vieillard, celui-ci, les devançant, leur dit : « Comment le petit âne est-il mort sur le chemin ? » Ils lui disent : « D'où le sais-tu, abba ? » Il leur dit : « Les démons me l'ont montré. » Ils lui disent : « C'est justement pour cela que nous venions t'interroger, car nous voyons des apparitions qui souvent se révèlent vraies, de peur de nous égarer. » Et le vieillard les convainquit à partir de l'exemple de l'âne que ces visions venaient des démons.

Ant 12 (77 C-D)

3 Il y avait dans le désert quelqu'un qui chassait des bêtes sauvages. Il vit abba Antoine qui se récréait avec des frères, et il en fut scandalisé. Le vieillard, voulant le

Ant 13 (77 D-80 A)

5 αὐτοὺς MS *l* : αὐτὸς *cett.* || ὁ : ἡ O || 8 πρός σε : ὧδε H || 10 πλανώμεθα O

3 YORTMSH *l*

1 κατὰ τὸν ἔρημον : in siluam *l* || 3 καὶ ἐσκανδαλίσθη *om* YOH || αὐτὸν : τοὺς ἀδελφοὺς YOR

ὅτι χρὴ μίαν μίαν συγκαταβαίνειν τοῖς ἀδελφοῖς, λέγει
5 αὐτῷ · Βάλε βέλος εἰς τὸ τόξον σου καὶ τεῖνον. Ἐποίησεν δὲ οὕτως. Λέγει αὐτῷ πάλιν · Τεῖνον · καὶ ἔτεινε. Καὶ πάλιν φησί · Τεῖνον. Λέγει αὐτῷ ὁ θηρευτής · Ἐὰν ὑπὲρ τὸ μέτρον τείνω, κλᾶται τὸ τόξον. Λέγει αὐτῷ ἀββᾶ Ἀντώνιος · Οὕτως καὶ εἰς τὸ ἔργον τοῦ Θεοῦ. Ἐὰν πλεῖον
10 τοῦ μέτρου ἐπιτείνωμεν κατὰ τῶν ἀδελφῶν, ταχέως προσρήσσουσιν. Χρὴ οὖν μίαν μίαν συγκαταβαίνειν αὐτοῖς. Ταῦτα ἀκούσας ὁ θηρευτὴς κατενύγη καὶ πολλὰ ὠφεληθεὶς παρὰ τοῦ γέροντος ἀπῆλθεν. Καὶ οἱ ἀδελφοὶ στηριχθέντες ἀνεχώρησαν εἰς τὸν τόπον αὐτῶν.

4 Ἀδελφός τις εἶπε τῷ ἀββᾷ Ἀντωνίῳ · Εὖξαι ὑπὲρ ἐμοῦ. Καὶ λέγει αὐτῷ ὁ γέρων · Οὐδὲ ἐγώ σε ἐλεῶ οὐδὲ ὁ Θεὸς ἐὰν μὴ σεαυτὸν ἐλεήσῃς καὶ εὐαρεστήσῃς αὐτῷ.

5 Εἶπε πάλιν ἀββᾶ Ἀντώνιος ὅτι · Ὁ Θεὸς οὐκ ἀφίει τοὺς πολέμους τοῦ ἐχθροῦ ἐπὶ τὴν γενεὰν ταύτην ὥσπερ ἐπὶ τῶν ἀρχαίων. Οἶδε γὰρ ὅτι ἀσθενεῖς εἰσιν καὶ οὐ βαστάζουσιν.

6 Ἠρώτησεν ἀδελφὸς τὸν ἀββᾶ Ἀρσένιον λέγων · Διὰ τί εἰσί τινες καλοὶ ἄνθρωποι καὶ ἐν τῷ ἀποθνήσκειν αὐτοὺς ἐν πολλῇ θλίψει περιπίπτουσιν πλησσόμενοι εἰς τὸ σῶμα

5 αὐτῷ : τῷ κοσμικῷ YR ‖ *post* τεῖνον *add.* αὐτὸ YR ‖ 6 καὶ ἔτεινε *om.* YORSH ‖ 7 *post* φησί *add.* ei *l* ‖ *post* τεῖνον *add.* et traxit *l* ‖ 8 αὐτῷ *om.* YR ‖ 14 εἰς τὸν τόπον : εἰς τὰ κελλία YRT

4 YORTMSH *l*

2 ἐγώ *om.* M ‖ 3 ἐὰν – αὐτῷ : nisi pro teipso sollicitus fueris et poposceris a Deo *l* ἐὰν μὴ σὺ αὐτὸς σπουδάσῃς καὶ αἰτήσῃς τὸν Θεόν *Alph.*

5 YORTMSH *l*

1 ἀββᾶ Ἀ. *om.* RTMS ‖ ἀφῇ OS ‖ 2 πολέμους : πειρασμοὺς H ‖ 2-3 ὥσπερ – ἀρχ. *om. l*

6 YORTMSH

convaincre qu'il faut de temps en temps user de condescendance envers les frères, lui dit : « Mets une flèche à ton arc et bande-le. » Ainsi fit-il. Et il lui dit à nouveau : « Bande-le », et il le banda. Il lui dit encore : « Bande-le ». Le chasseur lui dit : « Si je bande mon arc au-delà de la mesure, il va se casser. » Abba Antoine lui dit : « Il en va de même pour l'œuvre de Dieu. Si nous sommes tendus outre mesure à l'égard des frères, ils seront bientôt brisés. Il faut donc de temps en temps leur être condescendant. » Entendant cela, le chasseur fut rempli de componction et il se retira très édifié par le vieillard. Quant aux frères, ils retournèrent fortifiés dans leur monastère[1].

4 Un frère dit à abba Antoine : « Prie pour moi. » Et le vieillard lui dit : « Je ne te prendrai pas en pitié, ni Dieu non plus, si toi-même ne te prends pas en pitié et ne cherches à lui plaire[2]. » Ant 16 (80 C)

5 Abba Antoine dit encore : « Dieu ne permet pas les combats de l'ennemi contre cette génération comme au temps des anciens. Il sait, en effet, qu'elle est faible et ne peut le supporter. » Ant 23 (84 B)

6 Un frère interrogea abba Arsène disant : « Pourquoi y a-t-il des hommes bons qui, au moment de mourir, tombent dans une grande affliction, frappés dans leur N 568

1. Ce thème que l'on trouve déjà chez Phèdre *(Cito rumpes arcum semper si tensum habueris...)* a été très souvent réemployé dans la tradition chrétienne, en particulier : CASSIEN, *Conférences,* XXIV, 21 (éd. Pichery, p. 191 s.) qui l'attribue à l'évangéliste Jean ; GRÉGOIRE LE GRAND, *Moralia in Job,* 28, 11 (*PL* 76, 465) ; GRIMLAÏC, *Regula solitariorum,* 60 (*PL* 103, 652 A) ; THOMAS D'AQUIN, *Summa th.*, IIa IIae, q. 168, a.2 ; JACQUES DE VORAGINE, *Légende dorée,* qui reproduit Cassien ; IGNACE DE LOYOLA, *Epist.* 169 (*MHSI,* Epp. Ign. I, 499) etc.

2. La fin de cet apophtegme se présente sous une forme différente dans la version latine *l,* qui confirme la collection alphabétique : « Je ne te prendrai pas en pitié, ni Dieu non plus, si toi-même tu ne fais pas des efforts et ne présentes pas ta demande à Dieu. »

αὐτῶν; Καὶ ἀπεκρίθη ὁ γέρων· Ἵνα ὥσπερ ἐν ἅλατι
5 ἁλισθέντες ἐνταῦθα[a], καθαροὶ ἀπέλθωσιν ἐκεῖ.

7 Εἶπέ τις γέρων τῷ μακαρίῳ Ἀρσενίῳ· Πῶς ἡμεῖς ἀπὸ τῆς τοσαύτης παιδεύσεως καὶ σοφίας οὐδὲν ἔχομεν, οὗτοι δὲ οἱ ἀγροῖκοι αἰγύπτιοι τοιαύτας ἀρετὰς κέκτηνται; Λέγει αὐτῷ ἀββᾶ Ἀρσένιος· Ἡμεῖς ἀπὸ τῆς τοῦ κόσμου
5 παιδεύσεως οὐδὲν ἔχομεν, οὗτοι δὲ οἱ ἀγροῖκοι αἰγύπτιοι ἀπὸ τῶν ἰδίων πόνων τὰς ἀρετὰς κέκτηνται.

8 Ἔλεγεν ὁ μακάριος ἀββᾶ Ἀρσένιος ὅτι· Ξένος μοναχὸς εἰς ἀλλοτρίαν χώραν μηδὲν μεσαζέτω, καὶ ἀναπαύεται.

9 Ἠρώτησεν ἀββᾶ Μακάριος τὸν ἀββᾶ Ἀρσένιον λέγων· Καλὸν τὸ μὴ ἔχειν ἐν τῷ κελλίῳ ἑαυτοῦ τινα παράκλησιν; Εἶδον γὰρ ἀδελφόν τινα ἔχοντα μικρὰ λάχανα καὶ ἐκριζοῦντα αὐτά. Καὶ εἶπεν ἀββᾶ Ἀρσένιος· Καλὸν μέν
5 ἐστιν, ἀλλὰ πρὸς τὴν ἕξιν τοῦ ἀνθρώπου· ἐὰν γὰρ μὴ ἔχῃ ἰσχὺν ἐν τῷ τοιούτῳ τρόπῳ πάλιν φυτεύει ἄλλα.

10 Ἔλεγεν ἀββᾶ Δανιὴλ ὅτι· Μέλλων τελευτᾶν ὁ ἀββᾶ Ἀρσένιος παρήγγειλεν ἡμῖν λέγων· Μὴ φροντίσητε περὶ ἐμοῦ ποιεῖν ἀγάπην· ἐγὼ γὰρ εἰ ἐποίησα ἐμαυτῷ ἀγάπην ἐν τῇ ζωῇ μου, ταύτην ἔχω εὑρεῖν ἐκεῖ.

4 ἐν *om.* R || 5 ἔντευθεν T || ἀπέλθωμεν YO

7 YOQRTMS *l*

1 τις γέρων : τις M aliquando abbas Euagrius *l* || μακαρίῳ : abbati *l* || 2 οὐδὲν : οὐδὲν ἀγαθὸν R nullas uirtutes *l* || 3 τοιαύτας *om.* RM || 5 *post* οὐδὲν *add.* ἀγαθὸν QRT || 6 κέκτηται Q ἐκτήσαντο OMS *cf. Alph.*

8 YOQRTMS *l*

1 ἔλ. – Ἀρσ. : ὁ αὐτὸς εἶπεν Q || μακάριος : beatae memoriae *l* *om.* RT

9 YOQRTMS *l*

1 Μάκαρις YR Marcus *l cf. Alph.* || 2 ἑαυτοῦ τινα : μικρὰν QRT || 3 τινα *om.* Y || 4 καὶ – Ἀρσένιος O *l cf. Alph.* : λέγει ὁ γέρων *cett.* || 5 ἕξιν : exercitationem *l* || γὰρ *om.* MS *l*

10 YOQRTMS *l*

3 εἰ *om.* R || 3-4 ἀγάπην – μου *om. l* || 4 ταύτην : καὶ ταύτην R || ἔχω : ἔχω καὶ QT || ἐκεῖ *om. l*

corps?» Et le vieillard répondit : «C'est pour qu'ils soient ici-bas comme salés dans le sel[a], et qu'ils s'en aillent là-bas purifiés.»

7 Un vieillard[1] dit au bienheureux Arsène : «Comment se fait-il que nous, avec toute notre éducation et notre sagesse, nous n'obtenions rien, tandis que ces paysans égyptiens acquièrent de telles vertus?» Abba Arsène lui dit : «Nous, nous n'obtenons rien avec notre éducation mondaine; mais ces paysans égyptiens, c'est avec leurs propres peines qu'ils acquièrent les vertus.» Ars 5 (88 D-89 A)

8 Le bienheureux abba Arsène disait : «Un moine vivant dans un pays étranger doit ne se mêler de rien, et ainsi il reste dans le repos.» Ars 12 (89 CD)

9 Abba Macaire interrogea abba Arsène en disant : «Est-il bon de ne pas avoir de provisions dans sa cellule? J'ai vu, en effet, un frère qui avait quelques légumes et qui les arrachait.» Abba Arsène dit : «Cela est bien, mais selon la capacité de chacun : car s'il n'a pas la force pour une telle pratique, il en plantera bientôt d'autres[2].» Ars 22 (93 A)

10 Abba Daniel disait : «Sur le point de mourir, abba Arsène nous prescrivit ceci : Ne vous souciez pas de faire pour moi une agape; en effet, si j'ai fait pour moi une agape dans ma vie, je la retrouverai là-bas[3].» Ars 39 (105 B)

a. Cf. Mc 9, 49-50

---

1. L'identification de ce vieillard avec Évagre est peu vraisemblable, puisqu'il meurt en 399, alors qu'Arsène ne commence pas son renoncement avant 394 (cf. *introduction,* vol. 1, *SC* 387, p. 75-76)

2. Comparer avec X, 66 (Poemen) qui traite de la même façon la question posée.

3. Jeu sur ἀγάπη qui signifie ici à la fois charité et repas funéraire pris en commun.

11 Διηγήσατο ἀββᾶ Λὼτ ὅτι· Ἐν τῷ κελλίῳ τοῦ ἀββᾶ Ἀγάθωνος ἤμην ποτὲ καὶ ἦλθεν πρὸς αὐτὸν ἀδελφὸς λέγων· Θέλω οἰκῆσαι μετὰ ἀδελφῶν, εἰπέ μοι οὖν πῶς μετ' αὐτῶν οἰκήσω. Λέγει ὁ γέρων· Ὡς ἐν τῇ πρώτῃ 5 ἡμέρᾳ ὅτε εἰσέρχῃ πρὸς αὐτούς, οὕτως φύλαξον τὴν ξενιτείαν σου πάσας τὰς ἡμέρας σου ἵνα μὴ παρρησιασθῇς. Λέγει αὐτῷ ἀββᾶ Μακάριος· Τί γὰρ ποιεῖ ἡ παρρησία; Λέγει ὁ γέρων· Ἔοικεν καύσωνι μεγάλῳ ὃς ὅταν γένηται πάντες φεύγουσιν ἀπὸ προσώπου αὐτοῦ καὶ τῶν δένδρων 10 τὸν καρπὸν διαφθείρει. Λέγει ἀββᾶ Μακάριος· Οὕτως χαλεπή ἐστιν ἡ παρρησία; Καὶ εἶπεν ἀββᾶ Ἀγάθων· Οὐκ ἔστιν ἕτερον πάθος χαλεπώτερον τῆς παρρησίας· γεννήτρια γάρ ἐστι πάντων τῶν παθῶν. Πρέπει δὲ τῷ ἐργάτῃ μὴ παρρησιάζεσθαι κἂν μόνος ᾖ ἐν τῷ κελλίῳ.

12 Ἔλεγον περὶ τοῦ ἀββᾶ Ἀγάθωνος ὅτι· Ἀπῆλθόν τινες πρὸς αὐτὸν ἀκούσαντες ὅτι μεγάλην διάκρισιν ἔχει. Καὶ θέλοντες δοκιμάσαι αὐτὸν εἰ ὀργίζεται, λέγουσιν αὐτῷ· Σὺ εἶ Ἀγάθων; Ἀκούομεν περί σου ὅτι πόρνος εἶ καὶ 5 ὑπερήφανος. Ὁ δὲ ἔφη· Ναί, οὕτως ἔχει. Καὶ πάλιν εἶπον αὐτῷ· Σὺ εἶ Ἀγάθων ὁ φλύαρος καὶ κατάλαλος; Ὁ δὲ εἶπεν· Ἐγώ εἰμι. Καὶ πάλιν λέγουσιν αὐτῷ· Σὺ εἶ Ἀγάθων ὁ αἱρετικός; Καὶ ἀπεκρίθη· Οὔκ εἰμι αἱρετικός. Καὶ παρεκάλεσαν αὐτὸν λέγοντες· Εἰπὲ ἡμῖν, διὰ τί 10 τοσαῦτα εἴπαμέν σοι καὶ κατεδέξω, τὸν δὲ λόγον τοῦτον οὐκ ἐβάστασας; Λέγει αὐτοῖς· Τὰ πρῶτα ἐμαυτῷ ἐπιγράφω, ὠφέλεια γάρ ἐστι τῆς ψυχῆς μου· τὸ δὲ αἱρετικὸν ἀκοῦσαι χωρισμός ἐστιν ἀπὸ τοῦ Θεοῦ μου, καὶ οὐ θέλω χωρισθῆναι ἀπὸ τοῦ Θεοῦ μου. Οἱ δὲ ἀκούσαντες ἐθαύμασαν 15 τὴν διάκρισιν αὐτοῦ καὶ ἀπῆλθον οἰκοδομηθέντες.

11 YOQRTMSH *l*
1 διηγ. ἀβ. Λὼτ : narrauit abbas Petrus qui fuit discipulus abbatis Lot *l cf. Alph.* ‖ 3 μετὰ : μετὰ τῶν QRT ‖ 5 πρὸς αὐτούς : μετ' αὐτῶν MS ‖ 7 Μακάριος QTH *l*: Μάκαρις R Μάρκος *cett.* ‖ 9 προσώπου *om.* RMS ‖ 10 ἀββᾶ *om.* O ‖ Μακάριος : Μάκαρις OR Μάρκος YMS ‖ 11-12 καὶ εἶπεν – παρρησίας *om.* Q ‖ 13 δὲ : γὰρ S ‖ 14 ᾖ : ἐστιν RT

11 Abba Lot racontait ceci : «J'étais une fois dans la cellule d'abba Agathon lorsque vint un frère qui lui dit : «Je veux habiter avec des frères ; dis-moi comment habiter avec eux.» Le vieillard dit : «Comme au premier jour où tu entres chez eux, ainsi garde toute ta vie ta mentalité d'étranger afin de ne pas devenir trop familier.» Abba Macaire lui dit : «Que fait la familiarité ?» Le vieillard dit : «Elle ressemble à un vent brûlant et violent ; chaque fois qu'il se lève, tout le monde fuit devant lui et il détruit le fruit des arbres.» Abba Macaire dit : «La familiarité est-elle si dangereuse ?» Et abba Agathon dit : «Il n'y a pas de passion plus dangereuse que la familiarité, car elle est génératrice de toutes les passions. Aussi convient-il au moine laborieux de s'en abstenir, même s'il vit seul en cellule.»

Aga 1 (108 D-109 B)

12 On disait d'abba Agathon que certains vinrent le trouver ayant entendu dire qu'il avait beaucoup de discernement. Et voulant éprouver s'il se mettait en colère, ils lui disent : «Est-ce toi Agathon ? Nous avons entendu dire de toi que tu es fornicateur et orgueilleux.» Il dit : «Oui, c'est bien vrai.» Ils lui dirent encore : «Es-tu cet Agathon qui raconte des niaiseries et qui médit ?» Il dit : «C'est moi.» Et à nouveau ils lui dirent : «Est-ce toi Agathon l'hérétique ?» Il répondit : «Je ne suis pas hérétique.» Alors ils lui demandèrent : «Dis-nous pourquoi tu as accepté tout ce que nous te disions, mais cette dernière parole tu ne l'as pas supportée.» Il leur dit : «Les premières accusations, je me les fais à moi-même, car cela est utile à mon âme ; mais m'entendre traiter d'hérétique, c'est une séparation de mon Dieu, et je ne veux pas être séparé de mon Dieu.» En l'entendant parler, ils admirèrent son discernement et s'en retournèrent édifiés.

Aga 5 (109 BC)

12 YOQRTMSH *l*
1 *post* ἀπῆλθόν *add.* ποτε OQ || 13-14 καὶ οὐ – Θεοῦ μου *om.* YQRTH || μου *post* Θεοῦ *om. l bis*

13 Ἠρωτήθη ὁ αὐτὸς ἀββᾶ Ἀγάθων · Τί μεῖζόν ἐστιν τοῦ σωματικοῦ κόπου ἢ τῆς φυλακῆς τῶν ἔνδον; Καὶ ἀπεκρίθη · Ἔοικεν ὁ ἄνθρωπος δένδρῳ · ὁ τοίνυν σωματικὸς κόπος φύλλα ἐστίν, ἡ δὲ τῶν ἔνδον φυλακὴ καρπός ἐστιν. Ἐπειδὴ 5 κατὰ τὸ γεγραμμένον · « Πᾶν δένδρον μὴ ποιοῦν καρπὸν καλὸν ἐκκόπτεται καὶ εἰς πῦρ βάλλεται[b] », φανερὸν ὅτι διὰ τοὺς καρποὺς πᾶσα ἡμῶν ἡ σπουδή ἐστιν, τουτέστι ἡ τοῦ νοὸς φυλακή. Χρεία δέ ἐστι καὶ τῆς τῶν φύλλων σκέπης καὶ εὐκοσμίας, ἅτινά ἐστιν ὁ σωματικὸς κόπος.

14 Ἦν δὲ ἀββᾶ Ἀγάθων σοφὸς ἐν τῷ διανοητικῷ καὶ αὐτάρκης ἐν πᾶσιν, ἔν τε τῷ ἐργοχείρῳ καὶ ἐν τῇ τροφῇ καὶ ἐν τῇ ἐσθῆτι.

15 Ὁ αὐτὸς ἀββᾶ Ἀγάθων, συνεδρίου γενομένου περὶ πράγματός τινος ἐν τῇ Σκήτει καὶ λαβόντος τύπον, ὕστερον ἐλθὼν εἶπεν αὐτοῖς · Οὐ καλῶς ἐτυπώσατε τὸ πρᾶγμα. Οἱ δὲ πρὸς αὐτὸν εἶπον · Σὺ γὰρ τίς εἶ ὅλως, ὅτι καὶ λαλεῖς; 5 Ὁ δὲ εἶπεν · Υἱὸς ἀνθρώπου. Γέγραπται γάρ · « Εἰ ἀληθῶς ἄρα δικαιοσύνην λαλεῖτε, εὐθείας κρίνετε, υἱοὶ τῶν ἀνθρώπων[c]. »

16 Εἶπεν ἀββᾶ Ἀγάθων · Ἐὰν ὀργίλος νεκρὸν ἐγείρῃ, οὐκ ἔστι δεκτὸς τῷ Θεῷ.

17 Ἠρωτήθη ἀββᾶ Ἀθανάσιος · Πῶς ἴσος τῷ Πατρὶ ὁ Υἱός; Καὶ ἀπεκρίθη · Ὡς ἐν δυσὶν ὀφθαλμοῖς ἓν τὸ ὁρᾶν.

13 YOQRT *l*

4-5 ἐπειδὴ κ. τὸ. γεγρ. : διὰ τοῦτο [καὶ *om.* QR] γέγραπται ὅτι QRT ‖ 6 *post* φανερὸν *add.* οὖν QRT ‖ 8 τῶν : ἐκ τῶν QRT ‖ 9 ὁ *om.* Y

14 YOQRT *l*

1 *post* διανοητ. *add.* et impiger ad laborandum *l cf.* καὶ ἄοκνος ἐν τῷ σωματικῷ *Alph.* ‖ 2 *post* πᾶσιν *add.* intentus etiam assidue *l* ‖ 3 καὶ : parcus *l*

15 YOQRTH *l*

2 καὶ O*l* *(cf. Alph.)* : *om. cett.* ‖ *post* ὕστ. *add.* δὲ R ‖ 4 ὅτι O qui *l (cf. Alph.)* : *om. cett.*

13 On demanda au même abba Agathon : « Lequel est le meilleur, la peine corporelle ou la vigilance intérieure ? » Il répondit : « L'homme ressemble à un arbre : la peine corporelle en est le feuillage et la vigilance intérieure le fruit ; puisque, selon ce qui est écrit, *tout arbre ne produisant pas de bon fruit est coupé et jeté au feu*[b], il est clair que tout notre soin est relatif aux fruits, c'est-à-dire à la garde de l'esprit. Mais il y a aussi besoin de la protection et de l'ornement des feuilles qui sont la peine corporelle. » Aga 8 (112 AB)

14 Abba Agathon était sage dans sa façon de voir les choses, et il se suffisait en tout : travail manuel, nourriture, vêtement. Aga 10 (112 C)

15 Le même abba Agathon, après une réunion tenue à Scété pour une affaire, et une fois la décision prise, vint ensuite leur dire : « Vous n'avez pas bien décidé de l'affaire. » Ils lui dirent : « Qui es-tu donc que tu oses même parler ? » Il dit : « Un fils d'homme ; il est écrit en effet : *Si vraiment vous dites la justice, jugez droitement, fils des hommes*[c]. » Aga 14 (113 A)

16 Abba Agathon dit : « Un homme sujet à la colère, même s'il ressuscite un mort, n'est pas agréé par Dieu. » Aga 19 (113 C)

17 On interrogea abba Athanase : « Comment le Fils est-il égal au Père ? » Et il répondit : « Comme dans les deux yeux une est la vue. » N 1

16 YOQRTMSH *l*
1 εἶπεν – Ἀγάθων OS *l* : εἶπεν ἀββᾶ H || ὁ αὐτὸς εἶπεν TM *(cf. Alph.)* εἶπε πάλιν YQR || 2 *post* θεῷ *add.* propter iracundiam suam *l*
17 YOQRTMSH
1 ἀββᾶ : ὁ πάπας H || 2 καὶ : καὶ εὐθέως QT || ἓν τὸ : ἐν τῷ H ἓν *del.* Q

b. Mt 7, 19 c. Ps 57, 2

18 Παρέβαλόν ποτε τρεῖς γέροντες πρὸς τὸν ἀββᾶ Ἀχιλλᾶν, καὶ ὁ εἷς ἐξ αὐτῶν εἶχε φήμην κακήν. Εἶπε δὲ αὐτῷ εἷς τῶν γερόντων· Ἀββᾶ, ποίησόν μοι μίαν σαγήνην. Ὁ δὲ εἶπεν· Οὐ ποιῶ. Καὶ ὁ ἄλλος εἶπεν αὐτῷ· Ποίησον 5 ἀγάπην, ἵνα ἔχωμέν σου μνημόσυνον εἰς τὴν μονήν, ποίησον ἡμῖν μίαν σαγήνην. Ὁ δὲ εἶπεν· Οὐ σχολάζω. Λέγει αὐτῷ ὁ ἀδελφὸς ὁ ἔχων τὴν κακὴν φήμην· Ἐμοὶ ποίησον μίαν σαγήνην ἵνα ἔχω ἐκ τῶν χειρῶν σου, ἀββᾶ. Ὁ δὲ ἀποκριθεὶς εὐθὺς εἶπεν αὐτῷ· Ἐγώ σοι ποιῷ. Εἶπον δὲ αὐτῷ κατ' 10 ἰδίαν οἱ δύο γέροντες· Πῶς ἡμεῖς παρεκαλέσαμέν σε καὶ οὐκ ἠθέλησας ποιῆσαι ἡμῖν, καὶ τούτῳ λέγεις· Σοι ποιῶ; Ὁ δὲ ἔφη· Εἶπον ὑμῖν· Οὐ ποιῶ, καὶ οὐκ ἐλυπήθητε ὡς μὴ σχολάζοντός μου· τούτῳ δὲ ἐὰν μὴ ποιήσω, ἐρεῖ ὅτι· Διὰ τὴν ἁμαρτίαν μου ἀκούσας ὁ γέρων οὐκ ἠθέλησε 15 ποιῆσαι, καὶ εὐθέως ἐκόπτομεν τὸ σχοινίον. Ἀλλὰ διήγειρα αὐτοῦ τὴν ψυχὴν ἵνα μὴ τῇ λύπῃ καταποθῇ ὁ τοιοῦτος.

19 Ἔλεγον περί τινος γέροντος ὅτι· Ἐποίησε πεντήκοντα ἔτη μήτε ἄρτον ἐσθίων μήτε ὕδωρ πίνων ταχύ. Καὶ ἔλεγεν ὅτι· Ἀπέκτεινα τὴν πορνείαν καὶ τὴν φιλαργυρίαν καὶ τὴν κενοδοξίαν. Καὶ ἦλθε πρὸς αὐτὸν ἀββᾶ Ἀβραὰμ 5 ἀκούσας ὅτι λέγει τοῦτο. Καὶ λέγει αὐτῷ· Σὺ εἶπας τόν λόγον τοῦτον; Ὁ δὲ λέγει· Ναί. Καὶ εἶπεν αὐτῷ· Ἰδοὺ εἰσέρχῃ εἰς τὸ κελλίον σου καὶ εὑρίσκεις εἰς τὸ ψιάθιόν σου γυναῖκα· δύνασαι μὴ λογίσασθαι ὅτι γυνή ἐστιν; Καὶ λέγει· Οὔ, ἀλλὰ πολεμῶ τῷ λογισμῷ μὴ ἅψασθαι αὐτῆς. 10 Λέγει αὐτῷ ἀββᾶ Ἀβραάμ· Ἰδοὺ οὐκ ἀπέθανε ἀλλὰ ζῇ

18 YOQRTMSH *l*

1 Ἀχιλᾶν QRM Ἀχειλλᾶν H ‖ 2-3 αὐτῷ εἷς τῶν γερ. : τῷ γέροντι εἷς ἐξ αὐτῶν QRT ‖ 5 ἀγάπην *om. l* ‖ *post* ἀγάπην *add.* καὶ ὑπάκουσον QRT ‖ μνημοσ. : μνήμην QRT ‖ εἰς τὴν μονήν *om.* MS ‖ 5-6 ποίησον – σαγήνην *om.* QRT *l* ‖ 6 μίαν *om.* QRT ‖ 8 *post* σου *add.* benedictionem *l* ‖ 9 εὐθὺς *om.* YQRT ‖ 10 οἱ : οἱ ἄλλοι QRT ‖ *post* γέροντες *add.* quibus non acquieuerat *l* ‖ 12 ὁ δὲ ἔφη *om.* O ‖ ὁ δὲ – ποιῶ *om.* Q ‖ *post* εἶπον *add.* οὖν O ‖ 14 διὰ τ. ἁμαρτ. μου : de opinione mea quae mala est *l* ‖ 15 ἐκόπτομεν O incidebamus *l*: εὐκόπτομεν

18 Trois vieillards, dont l'un avait mauvaise réputation, vinrent un jour chez abba Achillas. L'un d'eux lui dit : «Abba, fais-moi une seine.» Il dit : «Je ne le ferai pas.» L'autre lui dit : «Par charité, afin que nous ayons un souvenir de toi au monastère, fais-nous une seine.» Il dit : «Je n'ai pas le temps.» Le frère qui avait mauvaise réputation lui dit : «Fais pour moi une seine afin que j'aie quelque chose de tes mains, abba.» Et il lui répondit aussitôt : «Je vais te la faire.» Alors les deux vieillards lui dirent en particulier : «Pourquoi as-tu refusé de nous faire ce que nous te demandions et dis-tu à celui-ci que tu vas le lui faire?» Il leur dit : «Je vous ai dit que je ne le ferais pas, et vous n'en avez pas été chagrinés, pensant que je n'avais pas le temps. Mais si je ne le fais pas pour celui-ci, il dira : 'C'est parce qu'il a entendu parler de ma faute que le vieillard ne veut pas le faire'; et aussitôt nous coupions le lien. J'ai donc réveillé son âme afin qu'un tel homme ne sombre pas dans le chagrin.»

Ach 1 (124 BC)

19 On disait d'un vieillard qu'il avait passé cinquante ans sans manger de pain ni boire facilement de l'eau, et qu'il disait : «J'ai tué la fornication, l'avarice et la vaine gloire.» Abba Abraham, ayant appris qu'il disait cela, vint le trouver et lui dit : «As-tu prononcé cette parole?» Il répondit que oui. Il lui dit : «Imagine que tu rentres dans ta cellule et que tu trouves une femme sur ta natte; peux-tu ne pas penser que c'est une femme?» Il dit : «Non, mais je lutte contre ma pensée pour ne pas la toucher.» Abba Abraham lui dit : «Tu vois que la passion n'est pas morte,

Abr 1 (129 D-131 B)

cett. || 15-16 ἀλλὰ – ψυχὴν : ad sedandum animum eius *l* || 15 *post* ἀλλὰ *add.* διὰ τοῦ λόγου QRT

19 YOQRTMSH *l*

2 ὕδωρ H *l* : οἶνον *cett.* || ταχύ MSH facile *l* : *om. cett.* || 7 εὑρήσεις Q || ἐν τῷ ψιαθίῳ MS || 9 τῷ λογισμῷ *om.* H || 10 οὐκ – ζῇ : non fornicationem interfecisti quia uiuit *l*

τὸ πάθος· δέδεται δέ. Πάλιν, περιπατεῖς ἐν ὁδῷ καὶ βλέπεις λίθους καὶ ὄστρακα, μέσον δὲ τούτων χρυσίον, δύνασαι τῇ διανοίᾳ σου ἀμφότερα ἴσως λογίσασθαι; Καὶ λέγει· Οὐχί, ἀλλὰ πολεμῶ τῷ λογισμῷ μὴ λαβεῖν αὐτό.
15 Λέγει ὁ γέρων· Ἰδοὺ οὖν ζῇ τὸ πάθος, δέδεται δέ. Καὶ λέγει πάλιν ἀββᾶ Ἀβραάμ· Ἰδοὺ ἀκούεις περὶ δύο ἀδελφῶν ὅτι ὁ εἷς ἀγαπᾷ σε, ὁ δὲ ἄλλος μισεῖ σε καὶ κακολογεῖ· ἐὰν ἔλθωσι πρός σε τοὺς δύο ἐξ ἴσου ἔχεις; Λέγει· Οὐχί, ἀλλὰ πολεμῶ τῷ λογισμῷ ἀγαθοποιῆσαι τῷ
20 μισοῦντι με ὡς τῷ ἀγαπῶντί με. Λέγει αὐτῷ ἀββᾶ Ἀβραάμ· Ὥστε οὖν ζῶσι τὰ πάθη, μόνον δὲ δεσμοῦνται ὑπὸ τῶν ἁγίων.

20 Διηγήσατό τις τῶν πατέρων ὅτι· Γέρων τις ἦν πονικὸς εἰς τὰ Κελλία φορῶν ψιάθιον μόνον. Καὶ ἀπελθὼν παρέβαλε τῷ ἀββᾷ Ἀμμωνᾷ. Ἰδὼν δὲ αὐτὸν ὁ γέρων φοροῦντα τὸ ψιάθιον λέγει αὐτῷ· Τοῦτο οὐδέν σε ὠφελεῖ. Καὶ ἠρώτησεν
5 αὐτὸν λέγων· Τρεῖς λογισμοὶ ὀχλοῦσί μοι· ἢ τὸ πελάζεσθαι ἐν τῇ ἐρήμῳ, ἢ ἵνα ἀπέλθω ἐπὶ ξένης ὅπου οὐδείς με γινώσκει, ἢ ἵνα ἐγκλείσω ἐμαυτὸν εἰς κελλίον καὶ μηδενὶ ἀπαντήσω διὰ δύο ἐσθίων. Λέγει αὐτῷ ἀββᾶ Ἀμμωνᾶς· Οὐδὲ ἓν ἐκ τῶν τριῶν συμφέρει σοι ποιῆσαι, ἀλλὰ μᾶλλον
10 κάθου εἰς τὸ κελλίον σου καὶ ἔσθιε μικρὸν τὸ καθ' ἡμέραν, καὶ ἔχε διὰ παντὸς ἐν τῇ καρδίᾳ σου τὸν λόγον τοῦ τελώνου[d], καὶ δύνασαι σωθῆναι.

13 δύναται ἡ διανοία σου H ‖ ἀμφότερα : quod uideris *l* ‖ ἴσως : ἴσα Q uelut lapides *l* ‖ 14 τῷ λογισμῷ *om.* Y ‖ 15 οὖν *om.* MS ‖ 16 ἀβ. Ἀβραάμ *om.* MS ‖ *post* οὖν *add.* ἰδοὺ YQR *l* ‖ 17 *post* σε[1] *add.* et bona de te loquitur *l* ‖ ἄλλος : ἕτερος MS ‖ κακολαλεῖ M καταλαλεῖ S ‖ 18 ἐξ ἴσου : ἴσως ἐξίσης O ‖ 19 τῷ λογισμῷ *om.* Y ‖ 21 ὥστε οὖν MSH ergo *l*: ὥστε O ἰδοὺ βλέπε ὅτι QRT βλέπε ὅτι Y ‖ 21-22 ὑπὸ τῶν ἁγίων H a sanctis uiris quodammodo *l*: *om. cett.*

20 YO[Q]RTMSH *l*

2 εἰς τὰ κ. : in cella *l* ‖ μόνον *om. l* ‖ 4 *post* ψιάθιον *add.* μόνον QRT ‖ καὶ : ὁ δὲ QRT ‖ 5 πελάζεσθαι : alicubi recedam *l* ‖ 6 ἐν ταῖς

mais qu'elle vit, quoiqu'enchaînée. Et encore, si, marchant sur le chemin, tu vois des pierres et des tessons de poterie et milieu d'eux de l'or, peux-tu dans ton esprit estimer les deux choses de même valeur ?» Il dit : «Non, mais je lutte contre ma pensée pour ne pas le prendre.» Le vieillard dit : «Tu vois donc que ta passion vit, quoiqu'enchaînée.» Et abba Abraham dit encore : «Voilà : tu entends dire de deux frères que l'un t'aime et que l'autre te hait et dit du mal de toi ; s'ils viennent chez toi, les considères-tu tous deux de la même façon ?» Il dit : «Non, mais je lutte contre ma pensée pour être aussi bon avec celui qui me hait qu'avec celui qui m'aime.» Abba Abraham lui dit : «Ainsi donc les passions continuent de vivre ; elles sont seulement enchaînées par les saints.»

20 L'un des pères racontait qu'il y avait aux Cellules un vieillard laborieux qui ne portait qu'une natte. Il s'en alla trouver abba Ammônas ; et le vieillard, voyant qu'il portait une natte, lui dit : «Cela ne te sert à rien.» Et l'autre l'interrogea disant : «Trois pensées me préoccupent : ou bien errer dans le désert, ou bien partir à l'étranger où personne ne me connaît, ou bien m'enfermer dans une cellule et ne rencontrer personne, mangeant un jour sur deux.» Abba Ammônas lui dit : «Aucun de ces trois projets non plus ne t'est utile à réaliser ; mais demeure plutôt dans ta cellule, mangeant un petit peu chaque jour et conservant sans cesse en ton cœur la parole du publicain[d] et tu peux être sauvé.»

Amm 4 (120 BC)

ἐρήμοις OMSH || 7-8 καὶ μηδ. ἀπαντ. *om.* QR || 9 οὐδὲ ἓν : οὐδὲν QT nihil *l* || 10 εἰς τὸ κ. σου *om.* MS || [καὶ ἔσθιε *desin.* Q || μικρὸν RH parum *l* : παρὰ μικρὸν μικρὸν *cett.* || 11 λόγον : λογισμὸν Y

d. Cf. Lc 18, 13

21 Ἔλεγον περὶ τοῦ ἀββᾶ Δανιὴλ εἰς Σκῆτιν ὅτι · Ὅτε ἦλθον οἱ βάρβαροι ἔφυγον οἱ ἀδελφοί. Καὶ λέγει ὁ γέρων · Εἰ οὐ φροντίζει μου ὁ Θεός, διὰ τί καὶ ζῶ; Καὶ παρῆλθε διὰ τῶν βαρβάρων καὶ οὐκ εἶδον αὐτόν. Λέγει οὖν ὁ 5 γέρων · Ἰδοὺ ἐφρόντισέ μου ὁ Θεὸς καὶ οὐκ ἀπέθανον. Ὀφείλω κἀγὼ ποιῆσαι τὸ ἀνθρώπινον καὶ φυγεῖν ὥσπερ καὶ οἱ πατέρες.

22 Εἶπε ἀββᾶ Δανιὴλ ὅτι · Ὅσον τὸ σῶμα θάλλει, τοσοῦτον ἡ ψυχὴ λεπτύνεται, καὶ ὅσον τὸ σῶμα λεπτύνεται, τοσοῦτον ἡ ψυχὴ θάλλει.

23 Διηγήσατο πάλιν ἀββᾶ Δανιὴλ ὅτι · Ὅτε ἦν ἐν Σκήτει ὁ ἀββᾶ Ἀρσένιος ἦν ἐκεῖ τις μοναχὸς κλέπτων τὰ σκεύη τῶν γερόντων. Καὶ ἔλαβεν αὐτὸν ἀββᾶ Ἀρσένιος εἰς τὴν κέλλαν αὐτοῦ, θέλων αὐτὸν κερδῆσαι καὶ τοὺς γέροντας 5 ἀναπαῦσαι. Καὶ λέγει αὐτῷ · Εἴ τι ἂν θέλῃς, ἐγώ σοι παρέχω, μόνον μὴ κλέψῃς. Καὶ ἔδωκεν αὐτῷ χρυσίον καὶ κέρμα καὶ ἱμάτια καὶ πᾶσαν τὴν χρείαν αὐτοῦ. Ἀπελθὼν δὲ πάλιν ἔκλεπτεν. Οἱ οὖν γέροντες ἰδόντες ὅτι οὐκ ἐπαύσατο ἐδίωξαν αὐτὸν λέγοντες · Ἐὰν εὑρεθῇ ἀδελφὸς 10 ἀσθενῶν ἐν ἐλαττώματί τινι, χρὴ βαστάζειν αὐτόν · ἐὰν δὲ κλέπτῃ καὶ νουθετούμενος οὐ παύεται, διώξατε αὐτόν, ὅτι καὶ τὴν ψυχὴν αὐτοῦ ζημιοῖ καὶ ὅλους τοὺς ἐν τῷ τόπῳ ταράσσει.

24 Παρέβαλεν ἀδελφὸς πρός τινα γέροντα καὶ λέγει αὐτῷ · Ἀββᾶ, εἰπέ μοι λόγον πῶς σωθῶ. Ὁ δὲ εἶπεν αὐτῷ · Ἐὰν θέλῃς σωθῆναι, ὅταν παραβάλῃς τινὶ μὴ προλάβῃς

21 YORTMSH
3 διὰ *om.* MS ‖ 6 ὥσπερ : ὡς Y ‖ 7 πατέρες : ἄνθρωποι YRT
22 ORMS *l*
1 εἶπε : ἔλεγε O ‖ 3 *post* θάλλει *add.* dixit iterum abbas Daniel : quia quantum corpus fouetur, tantum anima subtiliatur, et quantum fuerit corpus subtiliatum, tantum anima fouetur *l*

21 On disait à propos d'abba Daniel à Scété que, lorsque vinrent les barbares, les frères prirent la fuite et que le vieillard dit : « Si Dieu ne se soucie pas de moi, à quoi bon vivre ? » Et il passa au milieu des barbares sans être vu. Il dit alors : « Voici que Dieu s'est soucié de moi et que je ne suis pas mort. Il me faut donc à mon tour faire ce qui est humain et fuir comme les pères. »

Dan 1 (153 B)

22 Abba Daniel a dit : « Plus le corps prospère, plus l'âme s'affaiblit, et plus le corps s'affaiblit, plus l'âme prospère. »

Dan 4 (156 B)

23 Abba Daniel racontait encore que, lorsqu'abba Arsène était à Scété, il y avait là-bas un moine qui volait les affaires des vieillards. Et abba Arsène le prit dans sa cellule afin de le gagner et de procurer du repos aux vieillards. Il lui dit : « Je te fournirai tout ce que tu désires ; seulement ne vole plus. » Et il lui donna de l'or, des pièces de monnaie, des vêtements et tout ce dont il avait besoin. Mais à nouveau il s'en allait voler. Alors les vieillards voyant qu'il ne cessait pas, le chassèrent en disant : « S'il se trouve un frère qui commette un péché par faiblesse, il faut le supporter ; mais s'il vole et ne s'arrête pas malgré les avertissements, chassez-le car il nuit à son âme en même temps qu'il trouble tous les voisins. »

Dan 6 (156 B-C)

24 Un frère alla trouver un vieillard et lui dit : « Abba, dis-moi une parole pour que je sois sauvé ». Celui-ci lui dit : « Si tu veux être sauvé, chaque fois que tu vas chez

Eup 7 (172 D)

23 YORTMSH *l*
1 πάλιν : ὁ αὐτὸς RT *om.* MH || 2 τὰ *om.* RTMSH || 3-4 τὴν κέλλαν : τὸ κελλίον T || 4 *post* αὐτὸν *add.* τε Y μὲν RT || καὶ τοὺς : τοὺς δὲ RT || 6 κλέπτης T || 7 ἱμάτια : rescellas *l* || πᾶσαν τ. χρ. αὐτοῦ : omne quod in responso suo habebat *l* || 10 ἐν *om.* MS
24 YORTMSH *l*
1 παρέϐ. ἀδ. uenit in initio conuersationis suae abbas Euagrius *l*

λαλῆσαί τι πρὶν ἐξετάσει σε. Ὁ δὲ ἐπὶ τῷ λόγῳ κατανυγεὶς
5 ἔβαλεν αὐτῷ μετάνοιαν λέγων· Ὄντως πολλὰ βιβλία ἀνέγνων, τοιαύτην δὲ παιδείαν οὐδέποτε ἔγνων. Καὶ ὠφεληθεὶς ἀπῆλθεν.

25 Εἶπε γέρων· Νοῦν μὲν πλανώμενον ἵστησιν ἀνάγνωσις καὶ ἀγρυπνία καὶ προσευχή, ἐπιθυμίαν δὲ φλεγομένην μαραίνει πεῖνα καὶ κόπος καὶ ἀναχώρησις, θύμον δὲ καταπαύει ψαλμῳδία καὶ μακροθυμία καὶ ἔλεος· καὶ ταῦτα
5 τοῖς προσήκουσιν χρόνοις τε καὶ μέτροις γινόμενα· τὰ γὰρ ἄμετρα καὶ ἄκαιρα ὀλιγοχρόνια, βλαβερὰ μᾶλλον καὶ οὐκ ὠφέλιμα.

26 Παριόντος ποτὲ τοῦ ἀββᾶ Ἐφραίμ, μία ἑταιρὶς ἐξ ὑποβολῆς τινος προσῆλθεν αὐτῷ κολακεύουσα αὐτὸν εἰς αἰσχρὰν μίξιν, εἰ δὲ μὴ κἂν εἰς ἀγανάκτησιν κινήσει αὐτόν, ὅτι οὐδέποτε αὐτόν τις εἶδεν ἀγανακτοῦντα ἢ μαχόμενον.
5 Αὐτὸς δὲ εἶπεν πρὸς αὐτήν· Ἀκολούθει μοι. Πλησιάσας δὲ τόπῳ πολυοχλουμένῳ λέγει αὐτῇ· Δεῦρο ἐν τῷ τόπῳ τούτῳ, καθὼς ἠθέλησας· Ἐκείνη δὲ θεασαμένη τὸν ὄχλον λέγει αὐτῷ· Πῶς δυνάμεθα τοῦτο ποιῆσαι τοσούτου ὄχλου ἑστῶτος· Αὐτὸς δὲ εἶπεν πρὸς αὐτήν· Εἰ ἀνθρώπους
10 αἰσχύνῃ, πῶς οὐκ ὀφείλομεν τὸν Θεὸν αἰσχύνεσθαι τὸν τὰ κρυπτὰ τοῦ σκότους ἐλέγχοντα[e]; Ἡ δὲ αἰσχυνθεῖσα ἀπῆλθεν.

4 ἐξετάσει : ἐρωτήσει RT || ὁ δὲ : Euagrius autem *l* || 5 βιβλία : codices *l* || 6 παιδείαν (eruditionem *l, cf. X,7*) : διδασκαλίαν MS || 7 ἀπῆλθεν : ἐξῆλθεν OMH

25 YORTMS *l*

1 γέρων : ἀββᾶ Νεῖλος RT abbas Euagrius *l* || μὲν *om.* TM || 2 ἀγρυπ. καὶ : ἀγρυπνίαν YOMS || 3 πεῖνα *om.* O || ἀναχ. : sollicitudo *l* || 5 τε καὶ μετροῖς *om.* RT || 6 *post* ὀλιγοχρ. *add.* καὶ RTMS || 6-7 καὶ οὐκ : ἢ TMS || 7 *post* ὠφέλ. *add.* εἰσιν R

26 YORTMSH *l*

2 τινος : τινῶν RT || αὐτὸν *om.* RT || 4 μαχόμ. : μάχην ποιοῦντα MSH || 6 πολυόχλῳ RT || 7 *post* ἠθέλησας *add.* commisceor tecum *l* ||

quelqu'un ne commence pas à parler avant qu'il ne t'interroge.» Lui, touché de componction à cette parole, lui fit la métanie en disant : «Vraiment, j'ai lu beaucoup de livres, mais je n'ai jamais reçu une telle instruction.» Et, ainsi aidé, il s'en alla.

25 Un vieillard dit : «L'esprit instable est fixé par la lecture, la veille et la prière; une ardente concupiscence est éteinte par la faim, la peine et l'anachorèse; la colère est calmée par la psalmodie, la patience et la pitié, si cela est accompli au temps et dans la mesure convenables. Car ce qui est démesuré et à contre-temps dure peu et est plus nuisible qu'utile[1].»

Ev *Pract.* 15

26 Un jour qu'abba Éphrem était sur le chemin, une courtisane sur la suggestion de quelqu'un s'approcha de lui pour l'amener par ses flatteries, sinon à un commerce honteux, du moins à se mettre en colère. Car on ne l'avait jamais vu en colère ou en train de se quereller. Mais il lui dit : «Suis-moi.» Et, arrivé à un endroit très fréquenté, il lui dit : «Ici dans ce lieu, comme tu désires.» Mais elle, voyant la foule, lui dit : «Comment pourrons-nous faire cela en présence d'une foule si nombreuse?» Et lui, il lui dit : «Si tu rougis devant les hommes, comment ne devons-nous pas rougir devant Dieu, lui qui dénonce ce qui est caché dans les ténèbres[e]?» Et elle se retira honteuse.

Ephr 3 (168 C-D)

8 τοσούτου : τούτου τοῦ OMSH || 9 *post* ἑστῶτος *add.* confundemur enim *l* || 10 αἰσχυνθῆναι RTH || 11 αἰσχυνθ. : ἐντραπεῖσα M confusa et confutata *l* || 12 *post* ἀπῆλθεν *add.* ἄπρακτος H absque opere uoluptatis suae *l*

e. Cf. 1 Co 4, 5

1. Reprise anonyme de Évagre, *Traité pratique,* 15 (éd. Guillaumont, *SC* 171, p. 536-539, avec le commentaire), ou *PG* 40, 1224 A.

27 Ἦλθον ποτὲ πρὸς τὸν ἀββᾶ Ζήνωνα ἀδελφοὶ καὶ ἠρώτησαν αὐτὸν λέγοντες · Τί ἐστι τὸ ἐν τῷ Ἰὼβ γεγραμμένον · «Οὐρανὸς δὲ οὐ καθαρὸς ἐνώπιον αὐτοῦ[f]»; Ἀποκριθεὶς δὲ ὁ γέρων εἶπεν αὐτοῖς · Ἀφῆκαν οἱ ἀδελφοὶ 5 τὰς ἁμαρτίας αὐτῶν καὶ περὶ τῶν οὐρανίων ἐρευνῶσιν. Αὕτη δέ ἐστιν ἡ ἑρμηνεία τοῦ λόγου · ἐπειδὴ μόνος ἐστὶν ὁ Θεὸς καθαρός, διὰ τοῦτο εἶπεν ὅτι οὐδὲ ὁ οὐρανὸς καθαρὸς ἐνώπιον αὐτοῦ.

28 Εἶπεν ἀββᾶ Ἡσαίας · Ἡ ἁπλότης καὶ τὸ μὴ μετρεῖν ἑαυτὸν ἁγνίζει ἀπὸ τῶν πονηρῶν λογισμῶν.

29 Εἶπε πάλιν · Ὅστις περιπατεῖ μετὰ τοῦ ἀδελφοῦ αὐτοῦ ἐν πανουργίᾳ οὐ μὴ παρῆλθεν αὐτὸν λύπη καρδίας.

30 Εἶπε πάλιν · Ὅστις λαλεῖ ἄλλο καὶ ἄλλο ἔχει ἐν τῇ καρδίᾳ αὐτοῦ ἐν πονηρίᾳ, ἡ λειτουργία τοῦ τοιούτου ματαία ἐστίν[g]. Μὴ οὖν κολληθῇς τινι τοιούτῳ ἵνα μὴ σπιλώσῃ σε ἐκ τοῦ ἰοῦ αὐτοῦ τοῦ μεμιασμένου.

31 Εἶπε πάλιν · Τὸ κέρδος καὶ ἡ τίμη καὶ ἡ ἀνάπαυσις πολεμοῦσιν τὸν ἄνθρωπον ἕως θανάτου · οὐ χρὴ δὲ τούτοις συγκαταβαίνειν.

32 Εἶπεν ἀββᾶ Θεόδωρος ὁ τῆς Φέρμης · Ἐὰν ἔχῃς φιλίαν μετά τινος καὶ συμβῇ αὐτῷ περιπεσεῖν εἰς πειρασμὸν πορνείας, ἐὰν δύνασαι δὸς αὐτῷ χεῖρα καὶ ἕλκυσον αὐτὸν ἄνω. Ἐὰν δὲ αἵρεσιν ἐμπέσῃ καὶ μὴ πεισθῇ σοι 5 ἀποστραφῆναι ταχέως ἔκκοψον ἑαυτὸν ἀπ' αὐτοῦ μήποτε βραδύνων συγκατασπασθῇς αὐτῷ εἰς τὸν βυθόν.

27 YORTMS *l*
1 ποτὲ *om.* TMS ‖ 5 οὐρανῶν YM ‖ 7 ὁ Θεὸς *om.* O
28 OMS
29 ORMS
1 πάλιν : ἀββᾶ Ἡσαΐας R ‖ 2 παρέλθῃ O
30 ORMS
4 τοῦ[2] *om.* MS ‖ μεμιαμμένου ORS

27 Des frères vinrent un jour chez abba Zénon et lui demandèrent : « Que signifie ce qui est écrit dans Job : *Le ciel n'est pas pur en sa présence*[f] ? » Le vieillard leur répondit : « Les frères ont laissé leurs péchés et s'enquièrent des choses célestes ! Voici l'interprétation de cette parole : c'est parce que seul Dieu est pur qu'il dit que même le ciel n'est pas pur en sa présence. » Zén 4 (176 D)

28 Abba Isaïe dit : « La simplicité et ne pas se mesurer soi-même purifient des mauvaises pensées. » Isa XIII, 6

29 Il dit encore : « Celui qui marche avec son frère dans la fourberie n'échappera pas à la peine du cœur. » Isa XIII, 7

30 Il dit encore : « Celui qui, avec malice, dit une chose et en a une autre en son cœur, vaine est sa liturgie[g] ; ne t'attache donc pas à un tel homme afin qu'il ne te souille pas de son venin impur. » Isa XIII, 8a

31 Il dit encore : « Le gain, l'honneur et le repos combattent l'homme jusqu'à sa mort ; il ne faut pas y consentir. » Isa XXV, 63

32 Abba Théodore de Phermé dit : « Si tu as de l'amitié pour quelqu'un et qu'il lui arrive de tomber dans une tentation de fornication, si tu le peux donne-lui la main et dégage-le de là ; mais s'il tombe dans l'hérésie et que tu ne le persuades pas vite de s'en détourner, sépare-toi de lui, de peur qu'en tardant tu ne sois attiré avec lui dans l'abîme. » ThP 4 (188 C)

31 ORMS
32 YORTMS *l*
1 ἀβ. Θ. ὁ τῆς Φ : *πάλιν* M ‖ 3 πορνείας *om.* M ‖ 5 ἐπιστραφῆναι MS ‖ ἔκκοψον : κόψον O ‖ ἑαυτὸν ἀπ' αὐτοῦ : αὐτὸν ἀπό σου RT amicitias eius abs te *l* ‖ μήπως RT ‖ 6 βραδύνων : βραδύνοντός σου Y

f. Jb 15, 15   g. Cf. Jc 1, 26

33 Παρέβαλέ ποτε ὁ αὐτὸς ἀββᾶ Θεόδωρος πρὸς τὸν ἀββᾶ Ἰωάννην τὸν εὔνουχον ἀπὸ γεννήσεως, καὶ λαλούντων αὐτῶν εἶπεν· Ὅτε ἤμην ἐν Σκήτει, τὰ ἔργα τῆς ψυχῆς ἦν τὸ ἔργον ἡμῶν, τὸ δὲ ἐργόχειρον ὡς πάρεργον εἴχομεν· 5 νυνὶ δὲ ἐγένετο τὸ ἔργον τῆς ψυχῆς παρέργιον καὶ τὸ παρέργιον ἔργον.

34 Ἦλθέ τις τῶν πατέρων ποτὲ πρὸς αὐτὸν καὶ εἶπεν αὐτῷ· Ἰδοὺ ὁ δεῖνα ὁ ἀδελφὸς ὑπέστρεψεν εἰς τὸν κόσμον. Καὶ εἶπεν αὐτῷ ἀββᾶ Θεόδωρος· Μὴ θαυμάσῃς ἐπὶ τούτῳ· ἀλλ' ἐὰν ἀκούσῃς ὅτι ἠδυνήθη τις ἐκφυγεῖν ἐκ τοῦ στόματος 5 τοῦ ἐχθροῦ, ἐπὶ τούτῳ μᾶλλον θαύμασον.

35 Dixit memoratus abbas Theodorus : multi eligunt in hoc saeculo temporalem quietem, antequam praestet eis Dominus requiem.

36 Ἔλεγον περὶ τοῦ ἀββᾶ Ἰωάννου τοῦ Κολοβοῦ ὅτι· Εἶπέ ποτε τῷ ἀδελφῷ αὐτοῦ τῷ μειζοτέρῳ· θέλω ἀμέριμνος εἶναι ὥσπερ οἱ ἄγγελοι εἰσὶν ἀμέριμνοι μηδὲν ἐργαζόμενοι ἀλλ' ἀδιαλείπτως λατρεύοντες τῷ Θεῷ. Καὶ ἀποδυσάμενος 5 τὸ ἱμάτιον αὐτοῦ ἐξῆλθεν εἰς τὴν ἔρημον. Καὶ ποιήσας ἑβδομάδα μίαν ἀνέκαμψε πρὸς τὸν ἀδελφὸν αὐτοῦ. Καὶ ὡς ἔκρουσε τὴν θύραν ὑπήκουσεν αὐτῷ ἔσωθεν πρὶν ἀνοίξαι αὐτῷ λέγων· Τίς εἶ σύ; Ὁ δὲ εἶπεν· Ἐγώ εἰμι Ἰωάννης. Ὁ δὲ ἀποκριθεὶς εἶπεν· Ἰωάννης ἄγγελος γέγονε καὶ 10 οὐκέτι ἐστὶν ἐν ἀνθρώποις. Ὁ δὲ παρεκάλει λέγων· Ἐγώ εἰμι· ἄνοιξόν μοι. Καὶ οὐκ ἤνοιξεν αὐτῷ ἀλλ' ἀφῆκεν

33 YORTMS *l*
1-2 τῷ ἀβ. Ἰωάννῃ τῷ ἀ. γ. εὐνούχῳ OTMS ‖ 3 εἰς Σκήτην M ‖ *post* ψυχῆς *add.* ἡμῶν YOR ‖ 4 παρέργιν O ‖ 5-6 παρέργιν *bis* O ‖ 5 παρέργιον *ad fin.* : πάρεργον καὶ πάρεργον ἐγένετο ἔργον T ὡς [*om.* S] πάρεργον καὶ τὸ ἐργόχειρον ἔργον MS uelut cum in transitu factum est opus *l* ‖ 6 *post* παρέργιον *add.* ἐγένετο R
34 YORTMS *l*
1 πατέρων : γερόντων TMS ‖ ποτὲ *om.* MS ‖ πρὸς αὐτὸν : ad eumdem

33 Le même abba Théodore vint un jour trouver abba Jean, l'eunuque de naissance, et, dans la conversation, il lui dit : « Lorsque j'étais à Scété, les travaux de l'âme étaient notre travail, et nous considérions le travail manuel comme accessoire ; mais à présent, c'est le travail de l'âme qui est devenu l'accessoire et l'accessoire le travail. »

ThP 10 (189 B)

34 L'un des pères vint un jour le trouver et lui dit : « Voici que le frère un tel est retourné dans le monde. » Abba Théodore lui dit : « Ne t'étonne pas de cela, mais si tu entends dire que quelqu'un a pu échapper à la gueule de l'ennemi, étonne-toi plutôt de cela. »

ThP 8 (189 A)

35 Le même abba Théodore dit : « Beaucoup choisissent la tranquillité temporelle dans ce siècle avant que le Seigneur ne leur accorde le repos. »

ThP 16 (192 A)

36 On disait d'abba Jean Colobos qu'il dit un jour à son frère aîné : « Je veux être sans souci comme le sont les anges qui ne travaillent pas mais rendent sans cesse un culte à Dieu. » Et se défaisant de son vêtement, il partit dans le désert. Au bout d'une semaine, il revint chez son frère. Lorsqu'il frappa à la porte, celui-ci l'écouta de l'intérieur avant de lui ouvrir en disant : « Qui es-tu ? » L'autre dit : « C'est moi, Jean. » Il répondit : « Jean est devenu un ange, il n'est plus parmi les hommes. » Mais il suppliait en disant : « C'est moi ; ouvre-moi. » Et il ne lui ouvrit

JnC 2 (204 C-205 A)

abbatem Theodorum *l om.* T || 3 τούτῳ : τοῦτο ORTM || 5 τούτῳ : τοῦτο ORTM || μᾶλλον *om. l*

35 *l*

36 YORTMSH *l*

2 ποτε *om.* M || θέλων TMS ἤθελον H uolebam *l* || ἀμέριμνος : securus *l (et lin. 3)* || 3 εἶναι : μεῖναι RTMS || ὥσπερ : ὡς TH ὥσπερ καὶ O || 3-4 μηδὲν ἐργ. ἀλλ' *om.* RT || 5 αὐτοῦ : ἑαυτοῦ O || 7 τὴν θύρα YO || ἔσωθεν : ἔνδοθεν T *om. l* || ἀνοίξει R || 8 ἐγώ εἰμι *om.* H || 10 παρεκάλει : pulsabat *l* || *post* παρεκ. *add.* αὐτὸν YOTSH || 11 ἄνοιξόν μοι *om. l cf. Alph.*

αὐτὸν ἕως πρωὶ θλίβεσθαι. Ὕστερον δὲ ἀνοίξας λέγει αὐτῷ· Ἰδοὺ ἄνθρωπος εἶ, χρεία οὖν ἐστι πάλιν ἐργάσασθαι ἵνα τραφῇς. Καὶ ἔβαλε μετάνοιαν λέγων· Συγχώρησόν μοι.

37 Εὑρέθησάν ποτε γέροντες εἰς Σκῆτιν ἐσθίοντες μετ' ἀλλήλων. Ἦν δὲ μετ' αὐτῶν καὶ ὁ ἀββᾶ Ἰωάννης ὁ Κολοβός. Καὶ ἀνέστη τις πρεσβύτερος δοῦναι τὸ βαυκάλιον τοῦ ὕδατος, καὶ οὐδεὶς κατεδέξατο λαβεῖν αὐτὸ παρ' αὐτοῦ 5 εἰ μὴ μόνος Ἰωάννης ὁ Κολοβός. Ἐθαύμασαν δὲ καὶ εἶπαν αὐτῷ· Πῶς σὺ μικρότερος πάντων ὤν, ἐτόλμησας ὑπηρετηθῆναι παρὰ τοῦ πρεσβυτέρου; Ὁ δὲ λέγει αὐτοῖς· Ἐγὼ ὅτε ἐγείρομαι δοῦναι τὸ βαυκάλιον, χαίρω ἐὰν πάντες δέξωνται ἵνα ἔχω μισθόν· κἀγὼ οὖν διὰ τοῦτο ἐδεξάμην 10 ἵνα ποιήσω αὐτῷ μισθόν, μήπως καὶ λυπηθῇ ὡς μηδενὸς δεξαμένου παρ' αὐτοῦ. Ταῦτα εἰπόντος αὐτοῦ ἐθαύμασαν, πάνυ ὠφεληθέντες ἐπὶ τῇ διακρίσει αὐτοῦ.

38 Ἠρώτησεν ἀββᾶ Ποιμὴν τὸν ἀββᾶ Ἰωσὴφ λέγων· Τί ποιήσω ὅταν προσεγγίσῃ τὰ πάθη; ἀντιστῶ αὐτοῖς ἢ ἀφήσω αὐτὰ εἰσελθεῖν; Λέγει αὐτῷ ὁ γέρων· Ἄφες αὐτὰ εἰσελθεῖν καὶ πολέμησον μετ' αὐτῶν. Ἀνακάμψας οὖν ἐν 5 Σκήτει ἐκάθετο. Καὶ ἐλθών τις τῶν θηβαίων εἰς τὴν Σκῆτιν ἔλεγε τοῖς ἀδελφοῖς· Ηρώτησα τὸν ἀββᾶ Ἰωσὴφ λέγων· Ἐὰν προσεγγίσῃ μοι πάθος, ἀντιστῶ αὐτῷ ἢ ἐάσω αὐτὸ εἰσελθεῖν; Καὶ λέγει μοι· Μὴ ἀφήσῃς ὅλως εἰσελθεῖν τὰ πάθη, ἀλλ' εὐθέως ἀπὸ πρώτης προσβολῆς ἔκκοψον αὐτά. 10 Ἀκούσας οὖν ἀββᾶ Ποιμὴν ὅτι οὕτως εἶπε τῷ θηβαίῳ ὁ

12 ἕως πρωῒ *om.* *l* || 13 ἐργάζεσθαι TM || 14 *post* τραφῇς *add.* si autem angelus es, quid quaeris intrare in cellam *l* || *post* μοι *add.* frater, quia peccaui *l*

37 YORTMSH *l*

1 εὑρέθ. : εὐκαίρησαν H uenerunt *l* || ποτε *om.* O || 2-3 ὁ κολοβός *om.* M || 3 *post* πρεσβύτ. *add.* uir magnus *l* || δοῦναι : ut daret per singulos *l* || 4 *post* ὕδατος *add.* ad bibendum *l* || 5 μόνον YOTS || *post* δὲ [οὖν TM] *add.* caeteri *l* || 6 ὤν *om.* R || 7 πρεσβ. : uiri senis et magni *l* || 8 τὸ *om.* YO || 9 δέξωνται : biberint *l* || 10 μήπως καὶ :

pas mais le laissa à s'affliger jusqu'au matin. Alors, en lui ouvrant, il lui dit : « Tu vois, tu es un homme ; il te faut donc à nouveau travailler pour te nourrir. » Et il lui fit la métanie en disant : « Pardonne-moi. »

37 A Scété, des vieillards se trouvaient un jour à manger ensemble, et parmi eux était aussi abba Jean Colobos. Un prêtre se leva pour offrir la cruche d'eau, et personne n'accepta de la recevoir de lui sinon seulement Jean Colobos. Aussi s'étonna-t-on et lui dit-on : « Comment toi, qui de tous es le plus jeune, as-tu osé te faire servir par le prêtre ? » Il leur dit : « Moi, lorsque je me lève pour offrir la cruche, je suis heureux quand tout le monde l'accepte afin que j'aie ma récompense ; c'est donc pour cela que j'ai accepté, afin de lui procurer sa récompense et de peur aussi qu'il ne s'afflige de ce que personne ne l'accepte de lui. » En entendant cela, ils furent admiratifs et retirèrent grand profit de son discernement.

JnC 7 (205 B-C)

38 Abba Poemen interrogea abba Joseph : « Que faire lorsque les passions s'approchent : leur résister ou les laisser entrer ? » Le vieillard lui dit : « Laisse-les entrer et combats avec elles. » Il revint alors à Scété et y demeura. Or, un thébain qui venait à Scété dit aux frères : « J'ai demandé à abba Joseph : lorsque s'approche une passion, dois-je lui résister ou la laisser entrer ? » Et il m'a dit : « Ne laisse jamais entrer les passions, mais dès la première attaque retranche-les aussitôt. » Apprenant qu'abba

JoP 3 (228 C-229 A)

καὶ μὴ RT ‖ 11 ταῦτα εἰπόντος αὐτοῦ : καὶ ταῦτα ἀκούσαντες YRT *om.* MSH ‖ 12 πάνυ ὠφελ. Y : καὶ ὠφελήθησαν *cett.* admirati sunt omnes *l*

38 YORTMSH *l*

3 *post* εἰσελθεῖν *add.* καὶ πολεμήσω μετ' αὐτῶν RT ‖ 4 *post* οὖν *add.* πάλιν ἀββᾶ Ποιμὴν RT ‖ 7 ἐὰν : τί ποιήσω ἐὰν RT ‖ αὐτῷ *om.* Y ‖ ἐάσω : ἀφήσω MSH ‖ 9 κόψον OMS

ἀββᾶ Ἰωσήφ, ἀναστὰς πάλιν ἀπῆλθεν εἰς Πανέφω καὶ
λέγει αὐτῷ· Ἐπίστευσά σοι τοὺς λογισμούς μου καὶ ἰδοὺ
ἄλλως εἶπας τῷ θηβαίῳ. Λέγει αὐτῷ ὁ γέρων· Οὐκ οἶδας
ὅτι ἀγαπῶ σε; Καὶ λέγει ὁ γέρων· Ναί. Ὁ δὲ εἶπεν·
15 Οὐ σὺ ἔλεγες ὅτι ὡς σεαυτῷ οὕτως εἰπέ μοι; Καὶ διὰ
τοῦτο εἶπον οὕτως. Ἐὰν γὰρ εἰσέλθῃ τὰ πάθη καὶ δῷς
καὶ λαβῇς μετ' αὐτῶν δοκιμώτερόν σε καθιστῶσιν. Ἐγὼ
οὖν ὡς ἐμαυτῷ ἐλάλησά σοι. Εἴσι δὲ ἄλλοι οἷς οὐδὲ
προσεγγίσαι τὰ πάθη συμφέρει, ἀλλ' εὐθέως αὐτὰ ἐκκόψαι
20 χρείαν ἔχουσιν.

39 Παρέβαλέ ποτέ τις τῶν ἀδελφῶν τῷ ἀββᾶ Ἰωσὴφ εἰς
τὴν Ἡρακλέου τὴν κάτω. Ἦν δὲ ἐν τῷ μοναστηρίῳ
συκαμινέα πεπληρωμένη καρπῶν. Καὶ λέγει ὁ γέρων ἀπὸ
πρωὶ τῷ ἀδελφῷ· Ὕπαγε, φάγε ἀπὸ τῆς συκαμινέας.
5 Ἦν δὲ παρασκευή. Ὁ δὲ ἀδελφὸς οὐκ ἀπῆλθεν διὰ τὴν
νηστείαν. Ὕστερον δὲ παρεκάλει τὸν γέροντα λέγων· Διὰ
τὸν Κύριον, εἰπέ μοι τὸν λογισμὸν τοῦτον. Ἰδοὺ σὺ ἔλεγές
μοι ὕπαγε, φάγε, ἐγὼ δὲ διὰ τὴν νηστείαν οὐκ ἀπῆλθον καὶ
ἤμην αἰσχυνόμενος καταλείψας τὴν ἐντολήν σου λογιζόμενος
10 ποίῳ λογισμῷ ἄρα ἔλεγές μοι ἀπελθεῖν καὶ φαγεῖν; Ὁ δὲ
εἶπεν· Οἱ πατέρες οὐ λαλοῦσιν τοῖς ἀδελφοῖς ἐξ ἀρχῆς
ὀρθῶς, ἀλλὰ μᾶλλον τὰ στρεβλά· καὶ ὅταν ἴδωσιν ὅτι
ὑπακούουσιν καὶ ποιοῦσιν αὐτὰ οὐκ ἔτι λαλοῦσιν αὐτοῖς
τὰ στρεβλά, ἀλλὰ τὴν ἀλήθειαν, εἰδότες ὅτι εἰς πάντα
15 ὑπήκοοι εἰσίν.

11 πάλιν ἀπῆλθεν : ἀνῆλθεν RM ‖ 12-13 ἐπίστευσα – γέρων *om.* YORT ‖ 13 *post* εἶπας *add.* mihi aliter autem *l* ‖ 14 *post* ναί *add.* καὶ λέγει· διατί οὕτως ἐλάλησάς μοι Y + καὶ οὐχὶ ὡς τῷ θηβαίῳ ORT ‖ 15 οὕτως *om.* RTMSH ‖ 15-16 καὶ διὰ τ. εἶπον οὕτως : καὶ εἶπεν οὕτως ἔχει· λέγει αὐτῷ πάλιν ὁ γέρων MS ‖ 16 εἰσέλθῃ : -θεις R -θωσι T ‖ τὰ πάθη *om.* YORT ‖ 18 ὡς ἐμαυτῷ : ὡς εἴδην σε YRT *om.* O ‖ 19 αὐτὰ : ταῦτα R *om.* TM

39 YORTMSH *l*

1 παρέβ. – ἀδελφῶν : item dixit abbas Pastor : ueni aliquando *l* ‖

Joseph avait ainsi parlé au thébain, abba Poemen se leva, retourna à Panépho et lui dit : « Je t'ai confié mes pensées, et voilà que tu as dit autre chose au thébain. » Le vieillard lui dit : « Ne sais-tu pas que je t'aime ? » Et le vieillard dit : « Oui. » Il lui dit : « N'as-tu pas dit : parle-moi comme à toi-même ? Voilà pourquoi je t'ai ainsi parlé. En effet, si les passions entrent et que tu échanges des coups avec elles, elles te rendront plus éprouvé. Pour moi, je t'ai parlé comme à moi-même, mais il y en a d'autres pour qui il n'est pas bon du tout que s'approchent les passions, mais qui doivent aussitôt les retrancher. »

39 Un frère se rendit un jour chez abba Joseph à Héraclée d'en-bas. Or, il y avait dans le monastère un mûrier plein de fruits ; et le matin le vieillard dit au frère : « Va manger des mûres. » Mais c'était vendredi ; aussi le frère n'y alla pas à cause du jeûne. Plus tard, il demanda au vieillard : « Par le Seigneur, dis-moi cette pensée : voici que tu m'as dit : va manger, et que moi, à cause du jeûne, je n'y suis pas allé ; mais j'avais honte d'avoir négligé ton ordre, me demandant dans quelle pensée tu m'avais dit d'aller manger. » Il dit : « Au début, les pères ne parlent pas droitement aux frères, mais disent plutôt des choses détournées ; et quand ils voient que les frères obéissent et les font, ils ne leur disent plus alors de choses détournées mais la vérité, sachant qu'ils sont obéissants en tout. »

JoP 5
(229 B-C)

3 συκ. – καρπῶν : arborem sycomorum pulchram nimis *l* || 4 τῷ ἀδελφῷ : mihi *l* || 5 ἦν δε παρασκ. *om.* M || ὁ – ἀπῆλθεν : ego non comedi *l (sic postea prima pers.)* || 7 Κύριον : Θεὸν TMSH || 9 ἤμην : εἰμι TH || καταλείψας T quia non feceram *l* : *om.* R διὰ *cett.* || 10 ποίῳ – φαγεῖν : quia sine ratione mihi haec non praeceperas *l* || ἄρα *om.* RTMS || ἔλεγε TM || 11 τοῖς ἀδελφοῖς *om.* YORTSH || 13 *post* ὑπακούουσι *add.* αὐτοῖς τὰ στρεβλὰ H || λαλοῦσιν : λέγουσιν R || 14 τὰ – ἀλήθειαν : nisi quae expediunt *l* || εἰδότες : ἴδοντες H || 15 ὑπ. εἰσίν : ὑπακούουσιν H

40 Ἀδελφὸς ἠρώτησε τὸν ἀββᾶ Ἰωσὴφ λέγων· Τί ποιήσω ὅτι οὔτε κακοπαθῆσαι δύναμαι οὔτε ἐργάσασθαι καὶ δοῦναι ἀγάπην; Λέγει αὐτῷ ὁ γέρων· Εἰ οὐ δύνασαι ἓν τούτων ποιῆσαι, κἂν τήρησον τὴν συνείδησίν σου ἀπὸ τοῦ πλησίον καὶ 5 ἄπεχε ἀπὸ παντὸς κακοῦ καὶ σώζει· ἀναμάρτητον γὰρ τὴν ψυχὴν ζητεῖ ὁ Θεός.

41 Εἶπεν ἀββᾶ Ἰσίδωρος· Εἰ νομίμως ἀσκεῖτε, μὴ ἐπαίρεσθε, νηστεύοντες· εἰ δὲ ἐπὶ τοῦτο μεγαλοφρονεῖτε, τί χρεία νηστεύειν; Συμφέρει γὰρ ἀνθρώπῳ κρέα φαγεῖν ἢ τυφοῦσθαι καὶ μεγαλαυχεῖν.

42 Εἶπε πάλιν· Χρὴ τοὺς μαθητευομένους ἀγαπᾶν τοὺς ὄντας διδασκάλους ὡς πατέρας καὶ φοβεῖσθαι ὡς ἄρχοντας, καὶ μήτε διὰ τὴν ἀγάπην ἐκλύειν τὸν φόβον, μήτε διὰ τὸν φόβον ἀμαυροῦν τὴν ἀγάπην.

43 Εἶπε πάλιν· Εἰ τῆς ὄντως σωτηρίας ἐρᾷς πάντα πράττε τὰ εἰς αὐτὴν ἄγοντά σε.

44 Ἔλεγεν ἀββᾶ Ἰσαὰκ ὁ θηβαῖος τοῖς ἀδελφοῖς· Μὴ φέρετε ὧδε παιδία, τέσσαρες γὰρ ἐκκλησίαι εἰς Σκῆτιν ἔρημοι γεγόνασι διὰ τὰ παιδία.

45 Ἠρώτησε τὸν ἀββᾶ Λουκιανὸν ὁ ἀββᾶ Λογγῖνος τρεῖς λογισμοὺς λέγων· Θέλω ξενιτεῦσαι. Λέγει αὐτῷ ὁ γέρων· Ἐὰν μὴ κρατήσῃς τῆς γλώσσης σου ὅπου ἐὰν ἀπέλθῃς, οὐκ εἶ ξένος· καὶ γὰρ ὧδε κράτησον τῆς γλώσσης σου

40 YORTMSH *l*
2 οὔτε[1] *om.* MS ‖ 3 εἰ *om.* OTSH ‖ ἓν τούτων : τοῦτο YRT ‖ 5 ἀπὸ – κακοῦ : ab omni malo proximi tui *l*
41 YORTMSH
1 ἀβ. Ἰσίδ. : πάλιν M ‖ 2 μέγα φρονεῖτε OMS ‖ τί χρεία : οὐ χρεία τοῦ RT ‖ 3 φαγεῖν : ἐσθίειν MSH ‖ 4 μεγαλοφρονεῖν RT
42 YORMSH
1 πάλιν : ἀββᾶ Ἰσίδωρος R
43 YORTMS
2 αὐτὴν : αὐτὸν M

40 Un frère demanda à abba Joseph : « Que dois-je faire, car je n'ai la force ni de supporter des choses pénibles, ni de travailler pour faire la charité ? » Le vieillard lui dit : « Si tu ne peux pas faire l'une de ces choses garde du moins ta conscience à l'égard du prochain et abstiens-toi de tout mal, et tu seras sauvé. Dieu cherche, en effet, l'âme sans péché. »

JoP 4 (229 A-B)

41 Abba Isidore dit : « Si vous pratiquez régulièrement l'ascèse, ne vous glorifiez pas de votre jeûne ; si cela vous donne de l'orgueil, quel besoin avez-vous de jeûner ? Il vaut mieux, en effet, pour l'homme manger de la viande que de se monter la tête et se vanter. »

Isi 4 (236 B)

42 Il dit encore : « Il faut que les disciples aiment comme des pères ceux qui sont leurs maîtres et les craignent comme des chefs, et qu'ils n'évacuent pas la crainte à cause de l'amour ni n'effacent l'amour à cause de la crainte. »

Isi 5 (236 B)

43 Il dit encore : « Si vraiment tu désires le salut, fais tout ce qui t'y conduit. »

Isi 6 (236 B)

44 Abba Isaac le thébain dit aux frères : « N'amenez pas d'enfants ici, car quatre églises à Scété sont devenues désertes à cause des enfants. »

IsC 5 (225 A-B)

45 Abba Lucien questionna abba Longin sur trois pensées, lui disant : « Je veux vivre à l'étranger. » Le vieillard lui dit : « Si tu ne maîtrises pas ta langue, où que tu ailles tu n'es pas un étranger ; en effet, maîtrise ici ta langue

Lon 1 (256 C-D)

44 YORTMS *l*
2 τέσσαρες : αἱ YMS δ̄ O || εἰς Σκῆτιν *om.* RT || 3 ἔρημον M eremus *l*
45 YORTMSH *l*
1 Λουκιανὸν [Lucium *l cf.* Λούκιον *Alph.*] ... Λογγῖνος H *l* : Λογγῖνον ... Λουκιανὸς *cett.* || 4 *post* ξένος *add.* sed refrena hic linguam tuam *l* || 4-5 καὶ γὰρ – εἶ *om.* TMSH

5 καὶ ξένος εἶ. Λέγει αὐτῷ πάλιν · Θέλω νηστεῦσαι δύο δύο. Λέγει αὐτῷ ἀββᾶ Λουκιανός · Εἶπεν Ἠσαίας ὁ προφήτης ὅτι · « Ἐὰν κάμψῃς ὡς κρίκον τὸν τράχηλόν σου οὐδὲ οὕτως καλέσεται νηστείαν δεκτήν[h] · » ἀλλὰ μᾶλλον κράτησον τῶν πονηρῶν λογισμῶν. Λέγει αὐτῷ τὸ τρίτον · 10 Θέλω φυγεῖν τοὺς ἀνθρώπους. Ὁ δὲ λέγει αὐτῷ · Ἐὰν μὴ πρότερον κατορθώσῃς μετὰ τῶν ἀνθρώπων, οὐδὲ καταμόνας δύνασαι κατορθῶσαι.

46 Παρέβαλεν ἀββᾶ Μακάριος πρὸς τὸν ἀββᾶ Παχώμιον τὸν τῶν Ταβεννησιωτῶν. Ὁ δὲ ἀββᾶ Παχώμιος ἠρώτα τὸν ἀββᾶ Μακάριον λέγων · Ὅτε εἰσὶν ἀδελφοὶ ἄτακτοι, καλόν ἐστι παιδεῦσαι αὐτούς; Λέγει αὐτῷ ἀββᾶ Μακάριος · 5 Παίδευσον καὶ κρῖνον δικαίως τοὺς ὑπό σε · ἔξω δὲ μὴ κρίνῃς τινά. Γέγραπται γάρ · « Οὐχὶ τοὺς ἔσω ὑμεῖς κρίνετε; Τοὺς δὲ ἔξω ὁ Θεὸς κρίνει[i]. »

47 Ἀδελφὸς ἠρώτησε τὸν ἀββᾶ Μακάριον λέγων · Πῶς σωθῶ; Ἀπεκρίθη ὁ γέρων · Γενοῦ ὡς νεκρὸς μηδὲ τὴν ἀτιμίαν τῶν ἀνθρώπων μηδὲ τὴν δόξαν λογιζόμενος ὡς οἱ νεκροί, καὶ σώζει.

48 Εἶπεν ἀββᾶ Μακάριος · Ἐὰν μνημονεύσωμεν τῶν λαλουμένων ἡμῖν ὑπὸ τῶν ἀνθρώπων κακῶν, ἀναιροῦμεν τὴν δύναμιν τῆς μνήμης τοῦ Θεοῦ · ἐὰν δὲ μνημονεύσωμεν ὡς παρὰ τῶν δαιμονίων λαλουμένων ἡμῖν τῶν κακῶν, ἐσόμεθα 5 ἄτρωτοι.

5-6 δύο δύο : biduanas leuando *l* || 6 Λουκανός H : Λούκιος O Lucius *l* Λογγῖνος *cett.* || 8 μᾶλλον : μόνον RM || 9 λογισμῶν OH cogitationibus *l*: διαλογισμῶν *cett.* || 10 ὁ δὲ : abbas Lucius *l* || 11 πρότερον : πρῶτον OMSH

46 YORTMSH

1 Μάκαρις YOR Μακαρῆς T || τῷ ἀββᾷ Παχωμίῳ RT || 2 τον Y : *om. cett.* || 3 Μάκαριν YO || 4 *post* αὐτοὺς *add.* ἢ οὔ H || Μάκαρις YO ὁ γέρων R || 5 τοὺς : τὸν T || 6 τινά : τινάς O || γέγρ. – κρίνετε *om.* H

et tu es un étranger.» Il lui dit ensuite : «Je veux jeûner un jour sur deux.» Abba Longin lui dit : «Le prophète Isaïe a dit : *Si tu courbes le cou comme un jonc, même cela on ne l'appellera pas un jeûne acceptable*[h] ; mais maîtrise plutôt tes mauvaises pensées.» Il lui dit en troisième lieu : «Je veux fuir les hommes.» Et l'autre lui dit : «Si d'abord tu n'as pas agi droitement avec les hommes, tu ne pourras pas non plus agir droitement en solitaire.»

46 Abba Macaire se rendit chez abba Pachôme, celui des Tabennésiotes. Et abba Pachôme interrogea abba Macaire : «Lorsque des frères sont indisciplinés, est-il bien de les corriger?» Abba Macaire lui dit : «Corrige et juge avec justice ceux qui te sont soumis; mais au dehors, ne juge personne. Car il est écrit : *N'est-ce pas vous qui jugez ceux du dedans? Mais ceux du dehors, Dieu les juge*[i].»

MacC 2 (304 D-305 A)

47 Un frère interrogea abba Macaire : «Comment me sauver?» Le vieillard répondit : «Fais le mort, ne comptant ni le mépris des hommes, ni la gloire, comme les morts, et tu seras sauvé.»

Mac 23 b (272 C)

48 Abba Macaire dit : «Si nous gardons le souvenir de ce que les hommes nous ont dit de mal, nous supprimerons la force du souvenir de Dieu; mais si nous en gardons le souvenir en nous disant que ces mauvaises paroles viennent des démons, nous serons invulnérables.»

Mac 36 (277 D)

47 YORTMSH

1 Μάκαριν YORT || 2-3 μηδὲ ... μηδὲ : μήτε ... μήτε MS || 3 ὡς οἱ : ὡσεὶ O

48 YORTH *l*

1 Μάκαρις YORT || 1-2 τῶν λαλουμένων : quae inferuntur *l* || 3 *post* δὲ *add.* μὴ YRT || 3-5 ὡς *ad fin.* : τῶν λαλουμένων ἡμῖν ὑπὸ τῶν ἀνθρώπων ἐσόμεθα ἄτρωτοι ἀπὸ τῶν δαιμόνων R ἐσόμεθα ἄτρωτοι ἀπὸ τῶν δαιμόνων T || 4 δαιμόνων H || λαλ. ἡμῖν *om.* H

---

h. Is 58, 5 i. 1 Co 5, 12-13

49 Εἶπεν ἀββᾶ Ματώης· Οὐκ οἶδεν ὁ Σατανᾶς ποίῳ πάθει ἡττᾶται ἡ ψυχή. Σπείρει μέν, ἀλλ' οὐκ οἶδεν εἰ θερίσει, τοὺς μὲν περὶ πορνείας, τοὺς δὲ περὶ καταλαλιᾶς, ὁμοίως καὶ τὰ λοιπὰ πάθη. Καὶ εἰς οἷον πάθος εἶδε τὴν ψυχὴν 5 κλίνουσαν ἐκεῖ καὶ χωρεῖ.

50 Διηγήσαντο περὶ τοῦ ἀββᾶ Νατῆρα τοῦ μαθητοῦ τοῦ ἀββᾶ Σιλουανοῦ ὅτι· Ὅτε ἐκάθετο εἰς τὸ κελλίον αὐτοῦ ἐν τῷ ὄρει Σινᾷ συμμέτρως ἐδιοίκει ἑαυτὸν πρὸς τὴν χρείαν τοῦ σώματος. Ὅτε δὲ ἐγένετο ἐπίσκοπος εἰς Φαράν, 5 πολλῇ σκληραγωγίᾳ ἐκέχρητο. Καὶ λέγει αὐτῷ ὁ μαθητὴς αὐτοῦ· Ἀββᾶ, ὅτε ἤμεθα εἰς τὴν ἔρημον οὕτως οὐκ ἤσκεις. Καὶ λέγει αὐτῷ ὁ γέρων· Ἐκεῖ ἔρημος ἦν, καὶ ἡσυχία, καὶ πτωχεία, καὶ ἤθελον κυβερνῆσαι τὸ σῶμά μου ἵνα μὴ ἀσθενήσω καὶ ζητήσω ἃ οὐκ εἶχον· νυνὶ δὲ εἰς τὸν κόσμον 10 ἐσμέν, καὶ πειρασμοὶ πολλοί εἰσιν, καὶ διὰ τοῦτο τήκω τὸ σῶμά μου ἵνα μὴ ἀπολέσω τὸν μοναχόν· ἐὰν δὲ καὶ ἀσθενήσω ὧδε, ἔστιν ὁ ἀντιλαμβανόμενός μου.

51 Ἀδελφὸς ἠρώτησε τὸν ἀββᾶ Ποιμένα λέγων ὅτι· Ταράσσομαι καὶ θέλω ἀφῆναι τὸν τόπον μου. Λέγει αὐτῷ ὁ γέρων· Διὰ ποῖον πρᾶγμα; Ἀπεκρίθη ὁ ἀδελφός· Ἐπειδὴ ἀκούω λόγους περί τινος ἀδελφοῦ μὴ ὠφελοῦντάς 5 με. Λέγει αὐτῷ ὁ γέρων· Οὐκ εἰσὶν ἀληθῆ ἃ ἤκουσας. Λέγει ὁ ἀδελφός· Ναί, πάτερ, καὶ γὰρ ὁ εἰπών μοι ἀδελφὸς πιστός ἐστιν. Λέγει ὁ γέρων· Οὐκ ἔστι πιστός· εἰ γὰρ ἦν πιστός, οὐκ ἂν ἔλεγέ σοι τοιαῦτα. Εἰ γὰρ ἀκούσας ὁ Θεὸς τῆς φωνῆς Σοδόμων οὐκ ἐπίστευσεν εἰ

49 YORTMSH *l*

2 εἰ : ἐὰν RT ‖ 3 τοὺς ... τοὺς : τοῖς ... τοῖς TMS ‖ *post* καταλαλιᾶς *add.* λογισμούς OH ‖ 4 εἰς τὰ λοιπά T ‖ πάθη H *l*: *om. cett.* ‖ 4-5 εἶδε – κλίνουσαν : ἡττᾶται ἡ ψυχὴ M ‖ 5 *post* χωρεῖ *add.* nam si sciret ad quid procliuis est anima, non ei diuersa uel uaria seminaret *l*

50 YORTMSH *l*

1 Νέτρᾶ O[pc] Nathyra *l* ‖ 3 ἐδιοίκει ἑ. : διοικεῖν ἑ. ἐβούλετο MS ‖ 6 ὅτε : ὅταν Y ‖ 7 *post* ἡσυχία *add.* πολλή M ‖ 8 μου *om.* YO ‖

49 Abba Matoès dit : « Satan ne sait pas par quelle passion l'âme est vaincue. Il ensemence, mais sans savoir s'il moissonnera : les uns avec la fornication, les autres avec la médisance, et de même avec les autres passions. Et la passion à laquelle il voit l'âme encline, c'est là qu'il s'introduit. »

Mat 4 (289 D)

50 On racontait d'abba Natêra, le disciple d'abba Silvain, que, lorsqu'il demeurait dans sa cellule au mont Sinaï, il se menait avec mesure pour les besoins corporels. Mais lorsqu'il devint évêque à Pharan, il vécut dans une grande austérité. Et son disciple lui dit : « Abba, lorsque nous étions au désert, tu ne pratiquais pas une telle ascèse. » Le vieillard lui dit : « Là-bas, c'était le désert, le recueillement et la pauvreté ; et je voulais conduire mon corps de façon à ne pas être malade et à ne pas chercher ce que je n'avais pas. Mais maintenant nous sommes dans le monde, et les tentations sont nombreuses ; aussi j'épuise mon corps afin de ne pas détruire le moine. Et si je tombe malade ici, il y a quelqu'un pour s'occuper de moi. »

Nat 1 (312 A)

51 Un frère interrogea abba Poemen disant : « Je suis dans le trouble et je veux quitter mon monastère. » Le vieillard lui dit : « Pour quel motif? » Le frère répondit : « Parce que j'entends parler d'un frère d'une façon qui ne me profite pas. » Le vieillard lui dit : « Ce que tu as entendu dire n'est pas vrai. » Le frère dit : « Si, père, car le frère qui me l'a dit est digne de foi. » Le vieillard dit : « Il n'est pas digne de foi ; car s'il était digne de foi, il ne t'aurait pas dit cela. En effet, si Dieu n'a pas cru à ce qu'il apprit des habitants de Sodome sans le voir de ses

N 391

10-12 καὶ διὰ *ad fin.* : et si in infirmitatem incurrero sunt hic qui succurrant ne propositum monachi perdam *l* || 12 ὧδε *om.* RT || μου *om.* Y

51 YORTMSH *l*

2 ἀφιέναι TMSH || τὸν τόπον : τὸ κελλίον T || 4 ὠφελοῦντός OH || 8 ἂν RT : *om. cett.*

10 μὴ εἶδε τοῖς ὀφθαλμοῖς[j], οὐδὲ ἡμεῖς ὠφείλομεν πιστεῦσαί ποτε τοῖς λεγομένοις. Λέγει ὁ ἀδελφός· Κἀγὼ εἶδον τοῖς ὀφθαλμοῖς μου. Ἀκούσας δὲ ὁ γέρων προσέσχεν εἰς τὴν γῆν καὶ λαβὼν μικρὸν κάρφος λέγει αὐτῷ· Τί ἐστι τοῦτο; Λέγει ὁ ἀδελφός· κάρφος ἐστίν. Καὶ προσέσχε ὁ γέρων 15 εἰς τὴν στέγην τοῦ κελλίου καὶ λέγει αὐτῷ· Τί ἐστι ἐκεῖνο; Λέγει ὁ ἀδελφός· Δοκός ἐστιν. Καὶ λέγει ὁ γέρων· Θὲς εἰς τὴν καρδίαν σου ὅτι αἱ ἁμαρτίαι σου ὥσπερ ἡ δοκὸς αὕτη εἰσίν, αἱ δὲ τοῦ ἀδελφοῦ σου ὡς τὸ μικρὸν κάρφος τοῦτο[k]. Ἀκούσας δὲ ὁ ἀββᾶ Τιθόης τὸν λόγον 20 τοῦτον ἐθαύμασε καὶ εἶπεν· Ἐν τίνι μακαρίσω σε, ἀββᾶ Ποιμήν, ὁ λίθος ὁ τίμιος; Οἱ λόγοι σου μέστοι χαρᾶς εἰσιν καὶ πάσης δόξης.

52 Εἶπεν ἀββᾶ Ποιμήν· Θέλω ἄνθρωπον ἁμαρτήσαντα καὶ ἐπιγνόντα τὴν ἁμαρτίαν αὐτοῦ καὶ μετανοοῦντα ἢ ἄνθρωπον μήτε ἁμαρτήσαντα μήτε ταπεινούμενον· ἐκεῖνος γὰρ ἔχει ἑαυτὸν ἁμαρτήσαντα καὶ ταπεινοῦται τῷ λογισμῷ, οὗτος 5 δὲ ἔχει ἑαυτὸν δίκαιον ὅτι ἐστι δίκαιος καὶ ἐπαίρεται.

53 Ἦλθόν ποτε πρεσβύτεροι τῆς χώρας εἰς τὰ μοναστήρια ὅπου ἦν ἀββᾶ Ποιμήν. Καὶ εἰσῆλθεν ἀββᾶ Ἀνοὺβ καὶ εἶπεν αὐτῷ· Κάλεσον τοὺς πρεσβυτέρους ὧδε σήμερον. Καὶ στάντος αὐτοῦ ἐπὶ πολύ, οὐκ ἔδωκεν αὐτῷ ἀββᾶ Ποιμὴν 5 ἀπόκρισιν. Καὶ λυπηθεὶς ἐξῆλθεν. Λέγουσιν αὐτῷ οἱ καθήμενοι ἐγγὺς αὐτοῦ· Ἀββᾶ, διὰ τί οὐκ ἔδωκας αὐτῷ ἀπόκρισιν; Ἀλλ' ἐξῆλθε λυπούμενος. Λέγει αὐτοῖς ἀββᾶ Ποιμήν· Ἐγὼ πρᾶγμα οὐκ ἔχω, ἀπέθανον γάρ. Ὁ δὲ

10 *post* μὴ *add.* descenderet et *l* || 10-11 οὐδὲ – λεγομ. *om. l* || 11 λεγομένοις : λαλουμ– RT || 14-15 προσέσχε ... καὶ λέγει : προσχὼν ... λέγει YR || 16 *post* ἐστιν *add.* quae portat tectum *l* || 18 αἱ : ἡ S || 20 μακαριῶ H || 21 χαρᾶς : gratia *l*

52 YORTMSH

2 ἐπιγινώσκοντα OMSH || μετανοήσαντα RT || 5 ὅτι – δίκαιος *om.* RTMH || καὶ : καὶ διὰ τοῦτο RT

yeux[j], nous non plus nous ne devrions jamais croire à ce qui nous est dit.» Le frère dit : «Moi aussi, je l'ai vu de mes yeux.» Entendant cela, le vieillard regarda par terre et, prenant une brindille, lui dit : «Qu'est-ce que c'est?» Le frère dit : «C'est une brindille.» Puis regardant le toit de la cellule, le vieillard lui dit : «Qu'est-ce que c'est?» Le frère dit : «Une poutre.» Le vieillard dit : «Mets-toi dans le cœur que tes fautes sont comme cette poutre, et celles de ton frère comme cette petite brindille[k].» Et abba Tithoès fut dans l'admiration en entendant cette parole, et il dit : «Comment te bénir, abba Poemen, pierre précieuse? Tes paroles sont pleines de joie et d'éclat.»

52 Abba Poemen dit : «Je préfère celui qui pèche, reconnaît son péché et s'en repent, à celui qui ne pèche pas et ne s'humilie pas. Car le premier se tient lui-même pour pécheur et s'humilie en pensée, tandis que l'autre se tient pour juste, car il l'est, et il s'en vante.»

Sarm 1 (413 B)

53 Des prêtres de la région vinrent un jour aux monastères où était abba Poemen. Et abba Anoub entra lui dire : «Invite les prêtres ici aujourd'hui.» Mais il attendit longtemps sans qu'abba Poemen lui donne réponse; et il partit triste. Ceux qui étaient assis auprès de lui, lui dirent : «Abba, pourquoi ne lui as-tu pas donné de réponse? Voici qu'il est parti dans la tristesse.» Abba Poemen leur dit : «Moi, ce n'est pas mon affaire, car je

Poe 3 (317 B-C)

53 YORTH *l*
1 *post* μοναστήρια *add.* uicina *l* || 3 καλέσωμεν H *l* || ὧδε σήμερον : hodie accipere hic in charitate dona Dei *l* || 7 ἀλλ' : καὶ RT || ἀλλ' ἐξ. λυπ. *om. l*

j. Cf. Gn 18, 21 k. Cf. Mt 7, 3

νεκρὸς οὐ λαλεῖ. Μὴ οὖν λογίσονταί με ὅτι ὧδε ἔσω εἰμὶ
10 μετ' αὐτῶν.

54 Ἀπῆλθέ ποτέ τις ἀδελφὸς ἀπὸ τῶν μερῶν τοῦ ἀββᾶ Ποιμένος εἰς ἄλλην χώραν, καὶ κατήντησε πρός τινα ἀναχωρητήν. Ἦν γὰρ ἀγάπην ἔχων πολλὴν καὶ πολλοὶ ἤρχοντο πρὸς αὐτόν. Ἀνήγγειλε δὲ αὐτῷ ὁ ἀδελφὸς περὶ
5 τοῦ ἀββᾶ Ποιμένος. Καὶ ἀκούσας τὴν ἀρετὴν αὐτοῦ ἐπεπόθησεν αὐτὸν ἰδεῖν. Ἀνακάμψαντος δὲ τοῦ ἀδελφοῦ εἰς Αἴγυπτον μετὰ χρόνον τινα ἀναστὰς ὁ ἀναχωρητὴς ἦλθεν ἀπὸ τῆς ξένης εἰς Αἴγυπτον πρὸς ἐκεῖνον τὸν ἀδελφὸν τὸν παραβαλόντα αὐτῷ. Ἦν γὰρ εἰπὼν αὐτῷ ποῦ μένει.
10 Ἰδὼν δὲ αὐτὸν ἐκεῖνος ἐθαύμασε καὶ ἐχάρη λίαν. Εἶπε δὲ αὐτῷ ὁ ἀναχωρητής· Ποίησον ἀγάπην καὶ λαβέ με πρὸς τὸν ἀββᾶ Ποιμένα. Καὶ λαβὼν αὐτὸν ἦλθε πρὸς τὸν γέροντα, καὶ ἀνήγγειλεν αὐτῷ τὰ περὶ αὐτοῦ λέγων ὅτι· Μέγας ἐστὶν ἄνθρωπος καὶ πολλὴν ἀγάπην ἔχει καὶ τιμὴν
15 εἰς τὴν χώραν αὐτοῦ. Ἀνήγγειλα δὲ αὐτῷ τὰ περί σου καὶ ἐπιθυμῶν σε ἰδεῖν ἦλθεν. Ἐδέξατο οὖν αὐτὸν μετὰ χαρᾶς, καὶ ἀσπασάμενοι ἀλλήλους ἐκάθισαν. Καὶ ἤρξατο ὁ ξενικὸς λέγειν ἀπὸ τῆς Γραφῆς περὶ πνευματικῶν καὶ ἐπουρανίων. Ἔστρεψε δὲ ἀββᾶ Ποιμὴν τὸ πρόσωπον αὐτοῦ
20 καὶ οὐκ ἔδωκεν αὐτῷ ἀπόκρισιν. Ἰδὼν δὲ ὅτι οὐ λαλεῖ μετ' αὐτοῦ λυπηθεὶς ἐξῆλθε καὶ λέγει τῷ ἐνέγκαντι αὐτόν ἀδελφῷ· Εἰς μάτην ἐποίησα τὴν ἀποδημίαν ταύτην· ἦλθον γὰρ πρὸς τὸν γέροντα, καὶ οὐδὲ λαλῆσαι θέλει μετ' ἐμοῦ. Εἰσῆλθε δὲ ἀδελφὸς πρὸς τὸν ἀββᾶ Ποιμένα
25 καὶ λέγει αὐτῷ· Ἀββᾶ, διά σε ἦλθεν ὁ μέγας ἄνθρωπος οὗτος, ἔχων τοσαύτην δόξαν εἰς τὸν τόπον αὐτοῦ, καὶ διατί οὐκ ἐλάλησας μετ' αὐτοῦ; Λέγει αὐτῷ ὁ γέρων·

9-10 μὴ οὖν *ad fin.* : non igitur reputetis me, quia hic uobiscum sum *l*

54 YO[Q]RTMSH *l*

2 Ποιμὴν YOR *(idem postea)* || 3 γὰρ : δὲ TMSH || 4 ἀπήγγειλε OR || 13 λέγων *om.* M || 15 ἀνήγγειλα – σου *om.* RT *l* || 16 *post* ἦλθεν

suis mort. Et un mort ne parle pas. Il ne faut donc pas qu'ils considèrent que je suis ici avec eux.»

54 Un frère du voisinage d'abba Poemen partit un jour dans une autre région et alla chez un anachorète. Ce dernier avait en effet une grande charité, et beaucoup venaient le trouver. Le frère lui parla d'abba Poemen. En entendant parler de sa vertu, il désira vivement le voir. Et lorsque le frère fut retourné en Égypte quelque temps plus tard, l'anachorète se leva et alla de l'étranger en Égypte chez ce frère qui lui avait rendu visite. Il lui avait dit, en effet, où il demeurait. En le voyant, ce frère s'étonna et se réjouit beaucoup. L'anachorète lui dit : «Fais-moi la charité de me conduire chez abba Poemen.» Il l'emmena donc et vint chez le vieillard qu'il mit au courant en lui disant : «C'est un grand homme, qui a beaucoup de charité et est estimé dans sa région. Je lui ai parlé de toi et, désirant te voir, il est venu.» Il le reçut donc avec joie et, après s'être embrassés, ils s'assirent. L'étranger commença à parler, à partir de l'Écriture, de sujets spirituels et célestes. Mais abba Poemen détourna son visage et ne lui répondit rien. Voyant qu'il ne parlait pas avec lui, l'autre s'en affligea, sortit et dit au frère qui l'avait conduit : «J'ai peiné en vain à faire ce voyage ; je suis en effet venu chez le vieillard, et il ne veut rien me dire.» Alors le frère entra chez abba Poemen et lui dit : «Abba, ce grand homme, qui a une telle réputation chez lui, est venu à cause de toi ; pourquoi n'as-tu pas parlé avec lui?» Le vieillard lui dit : «Lui, il est d'en haut

Poe 8 (321 B-324 B)

add. YRT || 16-18 ἐδέξατο – γραφῆς : ἤρξατο οὖν λαλεῖν Y ἤρξατο οὖν ἀπὸ τῆς γραφῆς O ὡς δὲ εἰσῆλθεν πρὸς τὸν ἀββᾶ Ποιμὴν ἤρξατο λαλεῖν RT || 18 πνευματικῶν : γραφικῶν RT || 20 [καὶ οὐκ *inc.* Q || 22 *post* μάτην *add.* ἐκοπίασα καὶ YQRT || ἐποίησα : ἐκοπίασα O || *post* ἐποίησα *add.* ὅλην YOMSH || 23 *post* γέροντα *add.* ὠφεληθῆναι YOQRTH || 25 ἀββᾶ *om.* YOQRH || 26 τοσαύτην : τοιαύτην TM

Αὐτὸς τῶν ἄνω ἐστὶν καὶ ἐπουράνια λαλεῖ· ἐγὼ δὲ τῶν κάτω εἰμι καὶ τὰ ἐπίγεια λαλῶ. Εἰ ἐλάλησέ μοι περὶ
30 παθῶν ψυχῆς ἐγὼ ἂν ἀπεκρινάμην αὐτῷ· εἰ δὲ περὶ πνευματικῶν ἐγὼ ταῦτα οὐκ οἶδα. Ἐξελθὼν δὲ ὁ ἀδελφὸς εἶπεν αὐτῷ· Ὁ γέρων οὐ ταχέως λαλεῖ ἀπὸ Γραφῆς, ἀλλ' ἐάν τις αὐτὸν περὶ παθῶν ψυχῆς λαλήσῃ διαλέγεται. Ὁ δὲ κατανυγεὶς εἰσῆλθε πρὸς τὸν γέροντα καὶ λέγει αὐτῷ·
35 Τί ποιήσω, ἀββᾶ, ὅτι κατακυριεύουσί μου τὰ πάθη τῆς ψυχῆς; Καὶ προσέσχεν αὐτῷ ὁ γέρων χαίρων καὶ εἶπεν αὐτῷ· ἄρτι καλῶς ἦλθες, νῦν ἀνοίξω τὸ στόμα μου περὶ τούτων καὶ πληρώσω[1] αὐτὸ ἀγαθῶν. Ὁ δὲ πολλὰ ὠφεληθεὶς ἔλεγεν· Ὄντως αὕτη ἐστὶν ἡ ἀληθινὴ ὁδός. Καὶ εὐχαριστῶν
40 τῷ Θεῷ ἀνέκαμψεν εἰς τὴν ἑαυτοῦ χώραν ὅτι τοιούτῳ ἁγίῳ κατηξιώθη συγτυχεῖν.

55 Εἶπεν ἀββᾶ Ποιμὴν ὅτι· Τίς χρεία οἰκοδομῆσαι ἄλλου οἶκον καὶ τὸν ἴδιον καταστρέψαι.

56 Εἶπε πάλιν· Τίς χρεία ἀπελθεῖν εἰς τέχνην καὶ μὴ μαθεῖν αὐτήν;

57 Ἀδελφὸς ἠρώτησε τὸν ἀββᾶ Ποιμένα λέγων ὅτι· Ἐποίησα ἁμαρτίαν μεγάλην καὶ θέλω μετανοῆσαι τρία ἔτη. Λέγει αὐτῷ ἀββᾶ Ποιμήν ὅτι· Πολύ ἐστιν. Λέγει ὁ ἀδελφός· Ἀλλ' ἕως ἐνιαυτοῦ; Καὶ εἶπε πάλιν ὁ γέρων·
5 Ἀκμὴν πολύ ἐστιν. Οἱ δὲ παρόντες ἔλεγον· Ἕως τεσσαράκοντα ἡμερῶν; Καὶ πάλιν εἶπεν ὁ γέρων ὅτι· Πολύ

29 τὰ *om.* O ‖ 30 ἂν *om.* H ‖ ἀπεκρινάμην : ἀνταπεκρ– Q ‖ 31 πνευματικῶν : ἐπουρανίων Y οὐρανιῶν QRT ‖ 32 λαλεῖ : ζητεῖ YOQ^ac RTH ‖ 33 λαλήσῃ MSH *l* : ἐπερωτῶν Y ἐπερωτήσει T –σῃ Q *om.* O ‖ διαλέγεται : ἀποκρίνεται αὐτῷ OMSH *om.* QT ‖ 37 ἀνοίξω ... μου : ἄνοιξον ... σου YOMSH ‖ 37-38 περὶ τούτων *om.* Y ‖ 38 πλήρωσον S ‖ αὐτὸ : σε R ‖ *post* αὐτῷ *add.* παντοίων QRT ‖ 39 ἀληθ. ὁδός : uia charitatis *l* ‖ 40 τῷ Θεῷ *om.* YOQRTH ‖ ἑαυτοῦ : ἰδίαν MSH ‖ 41 κατηξιώθην S

et dit des choses célestes ; mais moi je suis d'en bas et je parle de choses terrestres. S'il m'avait parlé des passions de l'âme, je lui aurais répondu ; mais s'il parle de choses spirituelles, moi je n'en sais rien. » Alors le frère sortit et lui dit : « Le vieillard ne parle pas volontiers de l'Écriture ; mais si on l'interroge sur les passions de l'âme, il en parle. » L'autre, pénétré de componction, entra chez le vieillard et lui dit : « Que faire, abba, car les passions de l'âme me dominent ? » Le vieillard se tourna vers lui et, tout joyeux, lui dit : « Cette fois, tu viens comme il faut ; maintenant, ouvre ta bouche sur ces sujets, et je vais la combler de biens[1]. » L'autre en tira grand profit et dit : « Telle est bien la véritable voie. » Et il retourna dans son pays en rendant grâces à Dieu d'avoir mérité de rencontrer un tel saint.

55 Abba Poemen dit : « A quoi bon construire la maison d'autrui et démolir la sienne ? » Poe 127 b (353 D)

56 Il dit encore : « A quoi bon s'adonner à un métier sans chercher à l'apprendre ? » Poe 128 (353 D)

57 Un frère interrogea abba Poemen en disant : « J'ai commis une grande faute, et je veux faire pénitence pendant trois ans. » Abba Poemen lui dit : « C'est beaucoup. » Le frère dit : « Mais pendant un an ? » Et le vieillard dit à nouveau : « C'est encore beaucoup. » Et ceux qui étaient là dirent : « Pendant quarante jours ? » Et le vieillard Poe 12 (325 A-B)

55 YOQRTMS
2 καταστρ. : καταλῦσαι QTMS
56 YOR
1 εἰς τὴν τέχνην O
57 YOQRTMSH *l*
1 Ποιμὴν YO || λέγων *om.* MS || 4 πάλιν *om.* S || 5 ἀκμὴν *om.* *l* || ἕως : ἀλλ' ἕως S || 5-6 σαράκοντα *sic* O

1. Cf. Ps 80, 11

ἐστιν. Εἶπε δέ· Ἐὰν ἐξ ὅλης καρδίας μετανοήσῃ ἄνθρωπος καὶ μὴ προσθήσῃ ἔτι ποιεῖν τὴν ἁμαρτίαν, καὶ εἰς τρεῖς ἡμέρας δέχεται αὐτὸν ὁ Θεός.

58 Ἠρώτησεν αὐτὸν ἀββᾶ Ἀμμῶ περί τινων λογισμῶν ἀκαθάρτων ὧν γεννᾷ ἡ καρδία τοῦ ἀνθρώπου καὶ τῶν ματαίων ἐπιθυμιῶν. Καὶ λέγει αὐτῷ ἀββᾶ Ποιμήν· «Μὴ δοξασθήσεται ἀξίνη ἄνευ τοῦ κόπτοντος ἐν αὐτῇ[m];» Καὶ σὺ 5 μὴ δῷς αὐτοῖς χεῖρα μηδὲ ἡδυνθῇς ἐν αὐτοῖς καὶ ἀργοῦσιν.

59 Ἠρώτησε τὸν αὐτὸν λόγον ἀββᾶ Ἡσαίας καὶ λέγει ἀββᾶ Ποιμήν· Ὥσπερ κάμπτραν μεστὴν ἱματίων ἐὰν ἀφῇ τις, σήπονται τῷ χρόνῳ, οὕτως καὶ οἱ λογισμοί· ἐὰν μὴ πράξωμεν αὐτοὺς σωματικῶς τῷ χρόνῳ σήπονται καὶ 5 ἀφανίζονται.

60 Ἠρώτησεν ἀββᾶ Ἰωσὴφ τὸν αὐτὸν λόγον, καὶ εἶπεν αὐτῷ ἀββᾶ Ποιμήν· Ὥσπερ ἐάν τις ὄφιν καὶ σκορπίον βάλῃ εἰς ἀγγεῖον καὶ φράξῃ τὸ στόμα αὐτοῦ, πάντως τῷ χρόνῳ ἀποθνήσκουσιν· οὕτως καὶ οἱ πονηροὶ λογισμοὶ διὰ 5 τῆς ὑπομονῆς ἐκλείπουσιν.

61 Ἠρώτησε πάλιν ἀββᾶ Ἰωσήφ· Πῶς χρὴ νηστεύειν; Καὶ εἶπεν ἀββᾶ Ποιμήν· Ἐγὼ θέλω τὸν ἐσθίοντα καθ' ἡμέραν παρὰ μικρὸν ἵνα μὴ χορτάζηται. Λέγει αὐτῷ ἀββᾶ Ἰωσήφ·

7 εἶπε δέ : ἐγὼ δὲ λέγω QT ἀλλ' R et adiecit dicens : ego puto *l* || 8 ἔτι τοῦ ποιεῖν QRTMSH || τὴν ἁμαρτίαν : unde poenitentiam agat *l* || 9 αὐτὸν : poenitentiam *l*

58 YOQRTMSH *l*

1 Ἀμμῶ : Παμβῶ QRT Ἀνοὺβ H || 4 ἡ ἀξίνη O || 5 δῷς : δώσῃς MS || χεῖρα *scripsi* : χεῖραν O[ac] H *l* χωραν *cett.* || μηδὲ ἡδυνθῇς *om. l*

59 YOQRTMSH *l*

1 Ἡσαΐας : ἄλλος ἀδελφὸς YQRT || 2 κάμπτρα μεστὴ τῶν YH κάμπτρα μεστῶν O || ἀφῇ : ἀφήσῃ Y || 3 σήπεται QRT || 4 σήπονται καὶ *om.* H

60 YOQRTMSH *l*

3 φράξῃ : κλείσῃ MS

dit encore : « C'est beaucoup. » Et il dit : « Si un homme se repent de tout son cœur et se propose de ne plus commettre la faute, même en trois jours Dieu le reçoit. »

58 Abba Ammô l'interrogea sur certaines pensées impures qu'engendre le cœur de l'homme et sur les vains désirs. Et abba Poemen lui dit : « *La hache sera-t-elle glorifiée sans celui qui s'en sert pour couper*[m] ? Toi aussi, ne leur prête pas la main et n'y prends pas plaisir, et elles sont inefficaces. »

Poe 15 (325 C)

59 Abba Isaïe posa la même question, et abba Poemen dit : « De même que si l'on abandonnait un coffret plein de vêtements, ceux-ci vont peu à peu s'abîmer ; de même en est-il pour les pensées : si nous ne les réalisons pas corporellement, elles s'abîment peu à peu et disparaissent. »

Poe 20 (328 A)

60 Abba Joseph posa la même question et abba Poemen lui dit : « De même que si quelqu'un met dans un vase un serpent et un scorpion et qu'il en ferme l'orifice, ceux-ci avec le temps crèvent tout à fait ; de même en est-il pour les mauvaises pensées : l'endurance les fait disparaître. »

Poe 21 (328 A)

61 Le même demanda encore : « Comment faut-il jeûner ? » Et abba Poemen dit : « Je préfère que l'on mange chaque jour en petite quantité pour ne pas se rassasier. » Abba Joseph lui dit : « Mais lorsque tu étais plus jeune, ne

Poe 31 (329 C)

61 YOQRTMSH *l*

1 *post* ἠρώτ. *add.* τὸν αὐτὸν Q αὐτὸν RT abbatem Pastorem *l* || ἀββᾶ Ἰωσήφ : ὁ αὐτὸς YOMSH (+ τὸν ἀββᾶ Ποιμὴν λέγων O) || 2 ἐγὼ O *l* : *om. cett.* || τὸν : τινὰ QRT || καθ' ἡμέραν *om.* Y || 3 παρὰ μικρὸν : sunbinde paululum subtrahat sibi *l* || *post* μικρὸν *add.* δὲ QRT ἐσθίειν OMSH

m. Is 10, 15

Ὅτε οὖν ἦς νεώτερος, οὐκ ἐνήστευες δύο δύο; Λέγει ὁ
5 γέρων· Φύσει τρεῖς καὶ ἑβδομάδα. Ἀλλὰ ταῦτα πάντα
ἐδοκίμασαν οἱ γέροντες ὡς δυνατοὶ καὶ εὗρον ὅτι καλὸν
τὸ καθ' ἡμέραν ἐσθίειν παρὰ μικρὸν δέ, καὶ παρέδωκαν
ἡμῖν τὴν ὁδὸν ταύτην ὅτι βασιλική ἐστι καὶ ἐλαφρά.

62 Ἀδελφὸς ἠρώτησεν αὐτὸν λέγων· Ἐὰν προληφθῇ ἄνθρωπος ἔν τινι παραπτώματι καὶ ἐπιστρέψῃ, συγχωρεῖ αὐτῷ
ὁ Θεός; Λέγει ὁ γέρων· ἀλλ' ὁ ἐντειλάμενος τοῖς ἀνθρώποις
τοῦτο ποιεῖν, πολλῷ μᾶλλον αὐτὸς τοῦτο ποιήσει. Ἐνε-
5 τείλατο γὰρ τῷ Πέτρῳ ὅτι ἕως ἑβδομηκοντάκις ἑπτὰ ἄφες
τῷ ἀδελφῷ σου[n].

63 Ἄλλος ἀδελφὸς ὀχλούμενος ὑπὸ τοῦ δαίμονος τῆς
βλασφημίας ἀπῆλθε πρὸς τὸν ἀββᾶ Ποιμένα θέλων
ἀναθέσθαι τὸν λογισμόν· ὑπέστρεψε δὲ μηδὲν εἰρηκὼς τῷ
γέροντι. Πάλιν οὖν ὁρῶν ἑαυτὸν σφόδρως ὀχλούμενον ὑπὸ
5 τοῦ αὐτοῦ πνεύματος ἀπῆλθε πρὸς τὸν γέροντα. Αἰσχυνθεὶς
δὲ πάλιν ἐξειπεῖν ὑπέστρεψεν ἄπρακτος μηδὲν εἰρηκὼς τῷ
γέροντι. Τοῦτο δὲ ἐποίησε πλειστάκις ἀπερχόμενος ἐπὶ τὸ
ἐξειπεῖν τὸν λογισμὸν τῷ γέροντι καὶ ἀπὸ αἰσχύνης μηδὲν
λέγων ὑπέστρεψεν. Ἔγνω οὖν ὁ γέρων τὸν ἀδελφὸν ὑπὸ
10 λογισμῶν πολεμούμενον καὶ αἰσχυνόμενον ἐξειπεῖν. Ἐλθόντι
οὖν αὐτῷ πάλιν κατὰ τὸ ἔθος καὶ μηδὲν εἰρηκότι, λέγει
αὐτῷ ἀββᾶ Ποιμήν· Τί ἐστιν, ἄδελφε, ἀπέρχῃ μηδὲν εἰρη-
κώς; Λέγει ὁ ἀδελφός· Τί ἔχω εἰπεῖν, πάτερ; Λέγει αὐτῷ
ἀββᾶ Ποιμήν· Αἰσθάνομαι ὅτι ὑπὸ λογισμῶν πολεμεῖ καὶ
15 οὐ θέλεις μοι ἐξειπεῖν αὐτοὺς λογιζόμενος μήποτε ἄρα

5 τρεῖς *om.* H ‖ *post* τρεῖς *add.* ἢ τέσσαρας YORMSH ‖ ἀλλὰ : καὶ YOMSH ‖ 6 ἐδοκίμ. ... καὶ : δοκιμάσαντες QR ‖ ὡς δυνατοὶ : magni *l* ‖ *post* καλὸν *add.* ἐστιν QRT ‖ 8 καὶ ἐλαφρά *om.* QRT

62 YOQRTH

1 *post* αὐτὸν *add.* γέροντα RT ‖ 2 *post* ἐπιστρ. *add.* ἄρα QRT ‖ 3 *post* ἐντειλ. *add.* Θεος RH ‖ 4 οὐ πολλῷ O ‖ τοῦτο² *om.* ORTH

63 YOQRTMSH

1 ἄλλος *om.* OMSH ‖ τοῦ δαίμονος : δαιμόνων O ‖ 2 Ποιμὴν YOR ‖

jeûnais-tu pas un jour sur deux ?» Le vieillard dit : « Facilement trois, et toute la semaine. » Et les anciens, en hommes capables, éprouvèrent tout cela, et ils trouvèrent qu'il est bien de manger chaque jour, mais en petite quantité. Et ils nous livrèrent cette voie, car elle est royale et légère. »

62 Un frère l'interrogea en disant : « Si un frère est empêtré dans un péché et qu'il se convertisse, Dieu lui pardonne-t-il ? » Le vieillard dit : « Mais celui qui a ordonné aux hommes de le faire, combien plus le fera-t-il lui-même ! Il a en effet ordonné à Pierre : Pardonne à ton frère jusqu'à soixante-dix-sept fois[n]. »

Poe 86 (341 D)

63 Un autre frère, accablé par le démon du blasphème, se rendit chez abba Poemen dans l'intention de lui exposer sa pensée ; mais il repartit sans avoir rien dit au vieillard. Se retrouvant à nouveau très accablé par le même esprit, il alla chez le vieillard. Mais éprouvant à nouveau de la honte à s'exprimer, il repartit inutilement sans avoir rien dit au vieillard. Et il recommença souvent, allant pour avouer sa pensée au vieillard et par fausse pudeur repartant sans avoir rien dit. Le vieillard remarqua donc que le frère était combattu par des pensées et qu'il avait honte de les avouer. Aussi, une fois qu'il revenait comme d'habitude et ne disait rien, abba Poemen lui dit : « Qu'y a-t-il, frère, que tu viennes sans rien dire ? » Le frère lui dit : « Qu'ai-je à dire, père ? » Abba Poemen lui dit : « Je sens que tu es combattu par des pensées et que tu ne veux pas me les avouer pensant que peut-être j'en par-

cf. Poe 93 (344 C-345 A)

6 ἄπρακτος *om.* OMSH || 8 ἐξειπεῖν : εἰπεῖν MS || 10 λογισμοῦ Q || πολεμ. : ὀχλούμενον QRTMS || 11 εἰρηκότος O || 13 τί YO : καὶ τί *cett.* || εἰπεῖν YQR : εἰπεῖν σοι *cett.* || 14 λογισμοῦ QRT || 15 αὐτοὺς : αὐτὸν OQRT || μήποτε Y : μήποτέ τινι *cett.* || ἄρα *om.* TM ||

n. Cf. Mt 18, 22

ἐξείπω αὐτούς. Λέγω δέ σοι, ἄδελφε, ὡς ὁ τοῖχος οὗτος οὐ λαλεῖ, οὐδὲ ἐγώ τινι λέγω λογισμὸν ἄλλου. Θαρρήσας οὖν ὁ ἀδελφὸς εἶπε τῷ γέροντι· Πάτερ, κινδυνεύω ἀπολέσθαι ὑπὸ τοῦ πνεύματος τῆς βλασφημίας· ζητεῖ γὰρ
20 σχέδον πεῖσαί με ὅτι Θεὸς οὐκ ἔστιν, ὅπερ οὔτε οἱ ἐθνικοὶ ποιοῦσιν ἢ λογίζονται. Λέγει αὐτῷ ὁ γέρων· Μὴ θορυβηθῇς ἐπὶ τούτῳ τῷ λογισμῷ· οἱ μὲν γὰρ σαρκικοὶ πόλεμοι πολλάκις ἐξ ἀμελείας ἡμῖν συμβαίνουσιν, οὗτος δὲ ὁ λογισμὸς οὐκ ἐξ ἀμελείας ἐπεισέρχεται ἡμῖν ἀλλ' αὐτοῦ
25 τοῦ ὄφεώς ἐστιν ἡ ὑποβολὴ αὕτη· ὅταν οὖν ἐπεισέρχηταί σοι οὗτος ὁ λογισμὸς ἀναστὰς προσεύξαι καὶ σφραγίσας ἑαυτὸν εἰπὲ ἐν ἑαυτῷ ὡς πρὸς τὸν ἐχθρὸν λέγων· Ἀνάθεμά σοι καὶ τῇ ὑποβολῇ σου· αὕτη ἡ βλασφημία σου ἐπάνω σου, Σατανᾶ· ἐγὼ γὰρ πιστεύω ὅτι Θεός ἐστιν προνοῶν
30 τῶν πάντων· οὗτος δὲ ὁ λογισμὸς οὐκ ἐξ ἐμοῦ ἐστιν ἀλλὰ σοῦ τοῦ ἐθελοκακοῦ. Καὶ πιστεύω ὅτι κουφίζει σε ὁ Θεὸς ἀπὸ τῆς θλίψεως ταύτης. Ἐξελθὼν δὲ ὁ ἀδελφὸς ἀπὸ τοῦ γέροντος ἀπῆλθε καὶ ἐποίησε κατὰ τὴν διδαχὴν αὐτοῦ. Καὶ ἑωρακὼς ὁ δαίμων ἐξαχθεῖσαν αὐτοῦ τὴν
35 ὑποβολὴν ταύτην ἀνεχώρησεν ἀπ' αὐτοῦ χάριτι Θεοῦ.

64 Ἀδελφὸς ἠρώτησε τὸν ἀββᾶ Ποιμένα λέγων· Τί ποιήσω τῷ βάρει τούτῳ τῷ συνέχοντί με; Λέγει αὐτῷ· Τὰ μικρὰ πλοῖα καὶ τὰ μεγάλα ἔχουσι ζώνας ἵνα ἐὰν μὴ ᾖ φορὸς ἄνεμος βάλωσιν τὸ παρόλκιν καὶ τὰς ζώνας εἰς τὰ στήθη
5 αὐτῶν καὶ κατ' ὀλίγον ἕλκωσι τὸ πλοῖον ἕως οὗ ὁ Θεὸς πέμψῃ ἄνεμον φορὸν ἐγειρόμενον. Τότε ὁρμῶσιν καὶ

16 ἐξείπω : εἴπω OMS || αὐτούς : αὐτὸν OQRT || 18 *post* κινδυνεύω *add.* ἐγὼ O || 18-19 ἀπολέσαι TM || 23 ἐπισυμβαίνουσιν Y^pc || 24 *post* ἐξ *add.* ἡμετέρας OSH || αὐτοῦ *om.* RTMSH || 26 προσεύξου TM || ἡ : ἡ γὰρ R || 29 *post* ἐστιν *add.* ὁ QRTMS || 30 τῶν πάντων : πάντων QRTMH ἁπάντων S || ἐξ *om.* RMS || 33 ἀπῆλθε καὶ *om.* QRTM || ἀπ' : ἐξ R || Θεοῦ : τοῦ Θεοῦ O Χριστοῦ MH

lerai. Or je te le dis, frère : de même que ce mur ne parle pas, moi non plus je ne dis pas à quelqu'un la pensée d'un autre. » Prenant alors courage, le frère dit au vieillard : « Père, je risque d'être perdu par l'esprit de blasphème ; en effet, il cherche presque à me persuader qu'il n'y a pas de Dieu, ce que même les païens ne font ni ne songent à faire. » Le vieillard lui dit : « Ne te laisse pas bouleverser par cette pensée ; en effet, les combats charnels nous arrivent souvent par notre négligence, tandis que cette pensée ne nous attaque pas à cause de notre négligence mais est une suggestion du serpent lui-même. Aussi, lorsque cette pensée t'attaque, lève-toi pour prier et, t'étant signé, dis en toi-même comme si tu parlais à l'ennemi : "Anathème à toi et à ta suggestion ! Que ton blasphème retombe sur toi, Satan ! Car moi, je crois qu'il y a un Dieu providence de tous. Et cette pensée ne vient pas de moi, mais de toi qui veux le mal." Et j'ai confiance que Dieu te consolera de ton affliction. » Le frère quitta le vieillard et agit selon son enseignement. Et le démon, voyant chassée sa suggestion, se retira de lui par la grâce de Dieu.

64 Un frère interrogea abba Poemen en disant : « Que faire pour cette lourdeur qui m'accable ? » Il lui dit : « Dans les bateaux petits et grands, il y a des ceintures (de halage) : si le vent n'est pas favorable, ils lancent une rallonge, attachent leurs ceintures à la poitrine et lentement tirent le bateau jusqu'à ce que Dieu fasse se lever un vent favorable ; alors ils s'élancent et jettent un contre-poids

Poe 145 (357 C)

64 YOQRTH

1 ἀ. Ποιμένα : ἀ. Ποιμὴν Y αὐτὸν γέροντα QRT ‖ 2 *post* βάρει *add.* τῆς στενοχωρίας QRT ‖ 4 παρόλκιν : παρόρκιν R ‖ 5 αὐτῶν : ἑαυτῶν R ‖ ἕλκωσι : σύρωσι QRT ‖ 6 ἐγειρ. *om.* QRT ‖ τότε – καὶ : καὶ ὅτε ὁρμήσωσιν εἰς τὸν βουλόμενον τόπον QRT

βάλλουσιν πάσσαλον καὶ δήνουσι τὸ πλοῖον ἵνα μὴ ῥέμβηται. Πάσσαλος δέ ἐστι τὸ ἑαυτὸν μέμφεσθαι.

65 Εἶπεν ἀββᾶ Ποιμήν · Μὴ οἰκήσῃς εἰς τόπον ὅπου βλέπεις τινὰς ἔχοντας ζῆλον κατά σου · εἰ δὲ μή γε οὐ προκόπτεις.

66 Ἀδελφός τις ἦλθε πρὸς τὸν ἀββᾶ Ποιμένα καὶ λέγει αὐτῷ · Σπείρω τὸν ἀγρόν μου καὶ ποιῶ ἐξ αὐτοῦ ἀγάπην. Λέγει αὐτῷ ὁ γέρων · Καλὸν ἔργον ποιεῖς. Καὶ ἀπῆλθε μετὰ προθυμίας καὶ προσέθηκε τῇ ἀγάπῃ. Καὶ ἤκουσε 5 ἀββᾶ Ἀνοὺβ τὸν λόγον καὶ λέγει τῷ ἀββᾶ Ποιμένι · Οὐ φοβῇ τὸν Θεὸν οὕτως λαλήσας τῷ ἀδελφῷ; Καὶ ἐσιώπησεν ὁ γέρων. Καὶ μετὰ δύο ἡμέρας ἔπεμψεν ἀββᾶ Ποιμὴν ἐπὶ τὸν ἀδελφὸν καὶ ἤνεγκε αὐτὸν καὶ λέγει αὐτῷ ἀκούοντος τοῦ ἀββᾶ Ἀνούβ · Τί εἶπές μοι τῇ ἄλλῃ ἡμέρᾳ, ὅτι ὁ 10 νοῦς μου ἀλλαχοῦ ἦν; Λέγει αὐτῷ ὁ ἀδελφός · Εἶπον ὅτι σπείρω τὸν ἀγρόν μου καὶ ποιῶ ἐξ αὐτοῦ ἀγάπην. Εἶπεν δὲ αὐτῷ ἀββᾶ Ποιμήν · Ἐγὼ ἐνόμιζον ὅτι περὶ τοῦ ἀδελφοῦ σου τοῦ κοσμικοῦ ἐλάλησας · εἰ δὲ σὺ εἶ ὁ ποιῶν ταῦτα, οὐ ποιεῖς καλῶς · οὐκ ἔστι γὰρ τὸ ἔργον τοῦτο μοναχοῦ. 15 Ὁ δὲ ἀκούσας ἐλυπήθη λέγων · Ἄλλο ἔργον οὐκ ἔχω οὐδὲ οἶδα εἰ μὴ τοῦτο, καὶ οὐ δύναμαι μὴ σπεῖραι τὸν ἀγρόν μου. Ὅτε οὖν ἀνεχώρησεν ἔβαλεν αὐτῷ μετάνοιαν ἀββᾶ Ἀνοὺβ λέγων · Συγχώρησόν μοι. Λέγει αὐτῷ ἀββᾶ Ποιμήν · Κἀγὼ ἐξ ἀρχῆς ᾔδειν ὅτι οὐκ ἔστιν ἔργον μοναχοῦ, ἀλλὰ 20 πρὸς τὸν λογισμὸν αὐτοῦ ἐλάλησα καὶ ἔδωκα αὐτῷ προθυμίαν εἰς τὴν προκοπὴν τῆς ἀγάπης. Νῦν δὲ ἀπῆλθε λυπούμενος καὶ πάλιν τὸ αὐτὸ ποιῶν.

7 καὶ – πλοῖον *om.* H || *post* πλοῖον *add.* εἰς τὸν πάσσαλον O || *post* ῥέμβ. *add.* ὧδε κἀκεῖ OH

65 YOQRTMSH *l*

1 εἶπε πάλιν ἀβ. Π. O ὁ αὐτὸς γέρων εἶπεν R || 2 τινὰς *om.* YOMSH || ἔχοντα MS || εἰ δὲ μή γε : quia ibi *l*

66 YO[Q]RTMSH *l*

1 ἦλθε πρὸς : ἠρώτησε MS || Ποιμὴν YOR *(et postea)* || 7 ἔπεμψεν :

et alourdissent le bateau pour qu'il ne soit pas ballotté. Le contre-poids, c'est de se mépriser soi-même.»

65 Abba Poemen dit : «N'habite pas dans un lieu où tu vois que certains ont de la jalousie contre toi ; sinon, tu ne progresses pas.»

Poe 18 (325 D)

66 Un frère alla chez abba Poemen et lui dit : «Je sème mon champ et avec cela je fais la charité.» Le vieillard lui dit : «Tu fais bien.» Et il partit avec ardeur et intensifia sa charité. Mais abba Anoub entendit cette parole et dit à abba Poemen : «Ne crains-tu pas Dieu que tu aies ainsi parlé au frère ?» Le vieillard garda le silence. Deux jours plus tard, abba Poemen envoya chercher le frère, il l'amena et lui dit en présence d'abba Anoub : «Que m'as-tu dit l'autre jour ? J'avais l'esprit ailleurs.» Le frère lui dit : «Je disais que je sème mon champ et qu'avec cela je fais la charité.» Abba Poemen lui dit «Moi, je pensais que tu parlais de ton frère qui est dans le monde ; mais si c'est toi qui fais cela, tu n'agis pas bien, car ce n'est pas un travail de moine.» Entendant cela, il fut dans la tristesse et dit : «Je ne peux faire ni ne connais aucun autre travail que celui-là, et je ne peux pas ne pas semer mon champ.» Et lorsqu'il se retira, abba Anoub fit la métanie au vieillard en disant : «Pardonne-moi.» Abba Poemen lui dit : «Moi aussi, je savais depuis le début que ce n'est pas un travail de moine ; mais j'ai parlé en m'adaptant à sa pensée, et je lui ai donné du courage pour qu'il progresse dans la charité. Mais maintenant, il s'en est allé dans la tristesse et va recommencer la même chose.»

Poe 22 (328 A-C)

πέμψας RMSH ‖ 7-8 ἐπὶ τὸν ἀδελφὸν *om.* YQRT ‖ 8 αὐτὸν : τὸν ἀδελφὸν YQRT ‖ λέγει] *hic desinit* Q ‖ 9 ἡμέρᾳ *om.* OMSH ‖ 11 *post* καὶ *add.* de hoc quod colligo *l* ‖ 13 ταῦτα : τοῦτο RT ‖ 14 οὐ ποιεῖς καλῶς ... γὰρ *om.* *l* ‖ 16 μὴ[2] *om.* *l* ‖ σπείρειν TM ‖ 22 πάλιν : tamen *l*

67 Ἀδελφὸς ἠρώτησε τὸν ἀββᾶ Ποιμένα· Τί ἐστι τὸ ὀργισθῆναι τῷ ἀδελφῷ αὐτοῦ εἰκῇ°; Λέγει ὁ γέρων· Πᾶσαν πλεονεξίαν ἣν ἂν πλεονεκτήσει σε ὁ ἀδελφός σου ἄχρις ἂν ἐξορύξῃ τὸν δεξιόν σου ὀφθαλμόν, καὶ ὀργισθῇς 5 αὐτῷ, εἰκῇ ὀργίζῃ αὐτῷ. Ἂν δέ τις θελήσῃ σε χωρῆσαι ἀπὸ τοῦ Θεοῦ, τούτῳ ὀργίσθητι.

68 Εἶπεν ἀββᾶ Ποιμήν· Ἐὰν ἁμαρτήσῃ ἄνθρωπος καὶ οὐκ ἀρνήσηται λέγων· Ἥμαρτον, μὴ ἐλέγξῃς αὐτόν, ἐπεὶ ἐκκόπτεις αὐτοῦ τὴν προθυμίαν. Ἐὰν δὲ εἴπῃς αὐτῷ· Μὴ ἀθυμήσῃς, ἄδελφε, μηδὲ ἀφελπίσῃς ἑαυτοῦ ἀλλὰ φύλαξαι 5 ἀπὸ τοῦ λοιποῦ, διεγείρεις αὐτοῦ τὴν ψυχὴν εἰς μετάνοιαν.

69 Ἀδελφὸς ἠρώτησε τὸν ἀββᾶ Ποιμένα λέγων· Θέλω εἰς κοινόβιον οἰκῆσαι. Λέγει αὐτῷ ὁ γέρων· Εἰ θέλεις εἰς κοινόβιον εἰσελθεῖν, εἰ μὴ ἀμεριμνήσῃς ἀπὸ πάσης συντυχίας καὶ παντὸς πράγματος οὐ δύνασαι τὰ τοῦ κοινοβίου 5 ἐργάσασθαι· εἰ μὴ γὰρ τὰ τοῦ βαυκαλίου μόνου οὐκ ἔχεις ἐξουσίαν.

70 Ἄλλος ἀδελφὸς ἠρώτησε τὸν αὐτὸν ἀββᾶ Ποιμένα λέγων· Οἱ λογισμοί μου ὑποβάλλουσί μοι τὰ ὑπερβαίνοντά με καὶ ποιοῦσί με ἐξουθενεῖν τὸν ἐλάττονά μου. Ἀποκριθεὶς δὲ ὁ γέρων εἶπεν αὐτῷ· Ὁ Ἀπόστολος λέγει ὅτι· « Ἐν 5 μεγάλῃ οἰκίᾳ οὐκ ἔστι μόνον σκεύη χρυσᾶ καὶ ἀργυρᾶ, ἀλλὰ καὶ ξύλινα καὶ ὀστράκινα. Ἐὰν οὖν ἐκκαθάρῃ ἑαυτὸν

67 YORTMS *l*

1 Ποιμήν YOR ‖ τὸ : quod scriptum est *l* ‖ 3 πλεονεκτήσει σε : πλεονεκτεῖ YO ‖ 4 ἐξορύξῃ : eiicias et a te proiicias *l*

68 YORTMSH *l*

1 ἀβ. Π. : ὁ αὐτὸς γέρων RT ‖ 1-2 οὐκ – ἥμαρτον *scripsi* : non negauerit dicens peccaui *l* ἀρν. λ. οὐχ ἥμ. *codd. cf. Alph.* ‖ 4 μηδὲ ἀφ. ἑ. *om. l* ‖ ἑαυτοῦ : σεαυτὸν MS ‖ φύλαξον RTH ‖ 5 ἀπὸ *om.* TMH ‖ εἰς : πρὸς M

69 YORTH

1 Ποιμὴν YR ‖ 2 εἰ : ἐὰν H ‖ 3 ἀπὸ : ἐκ T ‖ 5 *post* ἐργάσασθαι *add.* ὁ γαρ ὢν εἰς τὸ κοινόβιον RT ‖ γὰρ *om.* RT

67 Un frère questionna abba Poemen : « Que signifie : se mettre en colère sans motif contre son frère [o] ? » Le vieillard dit : « Quelqu'excessif que soit le désir de ton frère de l'emporter sur toi, même s'il l'amène à te crever l'œil droit, et que tu te mettes en colère contre lui, tu te mets en colère sans motif. Mais si quelqu'un veut te séparer de Dieu, mets-toi en colère contre lui. »

Poe 118 (352 C-353 A)

68 Abba Poemen dit : « Si quelqu'un a péché et ne le nie pas disant : J'ai péché, ne lui fais pas de reproche ; sinon, tu brises son courage. Mais si tu lui dis : Ne te laisse pas abattre, frère, et ne désespère pas de toi-même, mais garde-toi à l'avenir, tu réveilles son âme pour la pénitence. »

Poe 23 (327 C)

69 Un frère interrogea abba Poemen en disant : « Je veux habiter en cénobion. » Le vieillard lui dit : « Si tu veux entrer au cénobion, et que tu ne te libères pas de toute circonstance et de toute affaire, tu ne peux pas faire l'œuvre du cénobion ; car tu n'y as même pas la libre disposition d'une seule cruche. »

Poe 152 (360 B)

70 Un autre frère interrogea le même abba Poemen en disant : « Mes pensées me suggèrent des choses qui me dépassent et me font mépriser celui qui m'est inférieur. » Le vieillard lui répondit : « L'apôtre dit : *Dans une grande maison, il n'y a pas seulement des vases d'or et d'argent, mais aussi de bois et d'argile. Si donc l'homme se purifie*

Poe 100 (343 C-D)

70 YORTMSH
1 ἄλλος *om.* ORMSH ‖ τὸν αὐτὸν γέροντα RT αὐτὸν OMSH ‖ Ποιμὴν Y ‖ 2-3 οἱ λογισμοί – ἐξουθενεῖν : διατί πείθουσι τὴν ψυχήν μου οἱ λογισμοὶ μετὰ τοῦ ὑπερβαίνοντός με καὶ ποιοῦσί με ἐξουθενῶσαι ὡς H ‖ 3 ἐξουδενῶσαι M ‖ τὸν : τὰ MSH ‖ 5 μόνον *om.* YO ‖

o. Cf. Mt 5, 22

τις ἀπὸ πάντων τούτων, ἔσται σκεῦος εὔχρηστον καὶ ἔντιμον τῷ ἰδίῳ δεσπότῃ, ἕτοιμον εἰς πᾶν ἔργον ἀγαθόν[p]. » Ἀπεκρίθη ὁ ἀδελφός · Τί ἑρμηνεύεται ταῦτα ; Λέγει αὐτῷ 10 ὁ γέρων · Ἡ οἰκία ἑρμηνεύεται ἐπὶ τὸν κόσμον, τὰ δὲ σκεύη ἐπὶ τοὺς ἀνθρώπους, τὰ μὲν χρυσᾶ σκεύη ἐπὶ τοὺς τελείους, τὰ δὲ ἀργυρᾶ ἐπὶ τοὺς μετ' αὐτούς, τὰ δὲ ξύλινα καὶ ὀστράκινα ἐπὶ τοὺς ἔτι μικρὰν ἔχοντας τὴν πνευματικὴν ἡλικίαν · ἐὰν οὖν τις ἐκκαθάρῃ ἑαυτὸν ἀπὸ πάντων τούτων, 15 τουτέστι μηδένα κατακρίνων, ἔσται καὶ αὐτὸς σκεῦος εὔχρηστον καὶ ἔντιμον τῷ δεσπότῃ εἰς πᾶν ἔργον ἀγαθὸν ἡτοιμασμένον.

71 Εἶπε πάλιν · Καλὴ ἡ πεῖρα ὑπὲρ τοὺς λόγους · αὕτη γὰρ ποιεῖ τὸν ἄνθρωπον δοκιμώτερον.

72 Εἶπε πάλιν · Ἄνθρωπος διδάσκων καὶ μὴ ποιῶν ἃ διδάσκει ἔοικε πηγῇ ἥτις πάντας ποτίζει καὶ πλύνει, ἑαυτὴν δὲ οὐ δύναται καθαρίσαι ἀλλὰ πᾶσα ῥυπαρία καὶ ἀκαθαρσία ἔγκειται ἐν αὐτῇ.

73 Ἀπῆλθέ ποτε ἀββᾶ Σέριδος μετὰ τοῦ μαθητοῦ αὐτοῦ Ἰσαὰκ πρὸς τὸν ἀββᾶ Ποιμένα καὶ λέγει αὐτῷ · Τί ποιήσω τούτῳ ὅτι ἡδέως ἀκούει μου τῶν λόγων ; Λέγει αὐτῷ ἀββᾶ Ποιμήν · Ἐὰν θέλῃς ὠφελῆσαι αὐτὸν καὶ ἔργῳ δεῖξον αὐτῷ 5 τὴν ἀρετήν, ἐπεὶ τῷ λόγῳ προσέχων ἀργὸς μένει · ἐὰν δὲ ἔργῳ δείξῃς αὐτῷ, τοῦτο παραμένει αὐτῷ.

8 ἰδίῳ *om.* RT ‖ καὶ ἕτοιμον RT ‖ 11 μὲν Y : μέντοι RT *om. cett.* ‖ 12 δὲ[1] *om.* O ‖ τὰ δὲ[2] : τοὺς δὲ τὰ Y τὰ O ‖ 13 ἔτι *om.* H ‖ κατακρίνων : κρίνων RTH ‖ *post* σκεῦος *add.* καθαρὸν RT καθαρὸν ἐκλογῆς καὶ H ‖ 16 ἔντιμον : τίμιον H ‖ *post* δεσπότῃ *add.* αὐτοῦ H

71 YORTMS *l*

1 ὑπὲρ τοὺς λόγους *om. l*

72 YORTMS *l*

2 ποτίζει : καθαρίζει RT ‖ 3-4 πᾶσα *ad fin.* : πάσης ῥυπαρίας πεπλήρωται, καὶ πᾶσα ἀκαθαρσία ἐν αὐτῇ κεῖται YRT

de tout cela, il sera un vase utile et estimé par son propre maître, prêt à toute bonne œuvre[p]. » Le frère répondit : « Que signifie cela ? » Le vieillard lui dit : « La maison signifie le monde et les vases les hommes : en or, les hommes parfaits, en argent, ceux qui viennent ensuite, en bois ou en argile, ceux qui sont encore jeunes en âge spirituel. Si donc quelqu'un se purifie lui-même de tout cela, c'est-à-dire ne condamne personne, il sera lui aussi un vase utile et estimé par son maître, préparé pour toute bonne œuvre. »

71 Il dit encore : « L'expérience est supérieure aux mots, car elle rend l'homme plus éprouvé. » Poe 24 (328 C)

72 Il dit encore : « Un homme qui enseigne sans pratiquer ce qu'il enseigne ressemble à une source qui abreuve et lave tout le monde sans pouvoir se purifier elle-même ; mais toutes sortes de saletés et d'impuretés demeurent en elle. » Poe 25 (328 D)

73 Abba Séridos alla un jour avec Isaac son disciple chez abba Poemen et il lui dit : « Que dois-je faire avec lui, car il écoute volontiers ce que je lui dis ? » Abba Poemen lui dit : « Si tu veux lui être utile, montre-lui aussi en œuvre la vertu ; car en s'appliquant à la parole, il demeure sans œuvre ; mais ce que tu lui montres en œuvre lui restera. »

73 YORTMS
1 ποτὲ *om.* RTM || Σέριδος : Σερῆνος OMS || 2 Ποιμὴν YOR || *post* αὐτῷ *add.* ἀββᾶ TM || *post* ποιήσω *add.* τῷ Ἰσαὰκ OT || 3 τοὺς λόγους MS || 4 καὶ *om.* RT || 5 *post* λόγῳ *add.* μόνον R μόνῳ T || ἀργός : ἀεργὸς YR || 6 ἔργον MS || αὐτῷ : αὐτόν TM

p. 2 Tm 2, 20-21

74 Εἶπεν ἀββᾶ Ποιμήν· Χρήζει τὸ κοινόβιον ἔχειν τρεῖς πράξεις, μίαν τῆς ταπεινοφροσύνης, καὶ μίαν τῆς ὑπακοῆς, καὶ μίαν κεκινημένην καὶ ἔχουσαν κέντρον διὰ τὰ ἔργα τοῦ κοινοβίου ἵνα μὴ καταφρονεῖται.

75 Εἶπε πάλιν ὅτι· Ἔστιν ἄνθρωπος δοκῶν σιωπᾶν καὶ ἡ καρδία αὐτοῦ κατακρίνει ἄλλους· ὁ τοιοῦτος πάντοτε λαλεῖ. Καὶ ἔστιν ἄλλος ἀπὸ πρωὶ ἕως ὀψὲ λαλῶν, καὶ σιωπὴν κρατεῖ, τουτέστιν ἐκτὸς ὠφελείας οὐδὲν λαλεῖ.

76 Εἶπε πάλιν· Ἐὰν εἰσὶ τρεῖς ἐπὶ τὸ αὐτό, καὶ ὁ εἷς μὲν ἡσυχάζει καλῶς, ὁ δὲ ἕτερος ἀσθενῶν εὐχαριστεῖ, ὁ δὲ ἄλλος ὑπηρετεῖ μετὰ καθαροῦ συνειδότος, οἱ τρεῖς μιᾶς εἰσὶν ἐργασίας.

77 Εἶπε πάλιν· Πονηρία πονηρίαν οὐδαμῶς ἀναιρεῖ· ἀλλ' ἐάν τίς σε κακοποιήσῃ, εὖ ποίησον αὐτῷ ἵνα διὰ τῆς ἀγαθότητος ἀνέλῃς τὴν πονηρίαν.

78 Εἶπε πάλιν· Οὔκ ἐστι μοναχὸς μεμψίμοιρος, οὔκ ἐστι μοναχὸς ἀνταποδίδους, οὔκ ἐστι μοναχὸς ὀργίλος.

79 Εἶπε πάλιν ὅτι· Ἡ δύναμις τοῦ Θεοῦ οὐ κατοικεῖ ἐπ' ἀνθρώπῳ δουλεύοντι τοῖς πάθεσιν.

74 YORTMS

1 ἀβ. Π. : πάλιν R ‖ χρήζει : χρὴ M ‖ 3 τὸ κέντρον M ‖ 4 καταφρονεῖται Y : –νηθῇ OMS –νοῦνται R –θῶνται T

75 YORTMSH *l*

2 ὁ : ὁ οὖν RT ‖ 3 ὀψὲ : ἑσπέρας T ‖ 4 κρατῶν SH ‖ τουτέστιν : hoc autem ideo dixit quia *l* ‖ λαλεῖ : λέγει R

76 YORTMSH *l*

2 ἕτερος : ἄλλος TMS ‖ *post* ἀσθενῶν *add.* καὶ TMS ‖ 3 *post* ὑπηρετεῖ *add.* eis *l* ‖ 3-4 μιᾶς εἰσὶν ἐργ : similes sunt uelut etiam si unius sint operis *l*

77 YORTMSH *l*

2 κακοποιεῖ O ‖ διὰ τῆς ἀγαθ. : per bonum opus tuum *l* ‖ 3 ἀνέλῃς : ἀναιρεῖς T ‖ πονηρίαν : malitiam ipsius *l*

74 Abba Poemen dit : « Le cénobion a besoin d'avoir trois pratiques : l'humilité, l'obéissance et d'être stimulé comme d'un aiguillon par les travaux du cénobion pour ne pas les mépriser. »

Poe 103 (348 A)

75 Il dit encore[1] : « Il y a un homme qui semble se taire, et son cœur condamne les autres : un tel homme parle sans cesse. Et il y en a un autre qui parle du matin au soir, mais garde le silence : c'est-à-dire qu'il ne dit rien sans utilité. »

Poe 27 (329 A)

76 Il dit encore : « Si trois moines se trouvent ensemble, dont l'un garde bien le recueillement, le second rend grâce dans la maladie, et l'autre sert avec une conscience pure, tous trois font la même œuvre. »

Poe 29 (329 B)

77 Il dit encore : « La méchanceté ne supprime nullement la méchanceté ; mais si quelqu'un te fait du mal, fais-lui du bien afin de supprimer par la bonté la méchanceté. »

Poe 177 (365 A)

78 Il dit encore : « Un moine ne se plaint pas de son sort, un moine n'est pas rancunier, un moine n'est pas coléreux. »

Poe 91 (345 B-C)

79 Il dit encore : « La puissance de Dieu ne demeure pas en l'homme qui est esclave des passions. »

78 YORTMSH *l*
2 *post* ἀνταποδ. *add.* κακὸν ἀντὶ κακοῦ RT
79 YORTMSH
1 ἐπ' : ἐν ORTH || 2 τοῖς *om.* R

1. La version latine de Pélage et Jean introduit cette pièce par la sentence suivante : *Est homo qui seipsum agnoscit* (*PL* 73, 921), que rapporte aussi la collection « sabaïte » (*Recherches*, p. 221-230), p. ex. *Paris grec 1598*, fol. 70v.

80 Εἶπε πάλιν · Ἐὰν τὴν ἀνάπαυσιν διώκωμεν, φεύγει ἡμᾶς ἡ τοῦ Θεοῦ χάρις · ἐὰν δὲ φεύγωμεν αὐτὴν διώκει ἡμᾶς.

81 Ἀδελφός τις ἦλθε πρὸς τὸν ἀββᾶ Ποιμένα καὶ λέγει αὐτῷ · Πολλοὺς λογισμοὺς ἔχω καὶ κινδυνεύω ἀπ' αὐτῶν. Ὁ δὲ γέρων ἐκφέρει αὐτὸν εἰς τὸν ἀέρα καὶ λέγει αὐτῷ · Ἄπλωσον τὸν κόλπον σου καὶ κράτεσον τοὺς ἀνέμους. Ὁ 5 δὲ εἶπεν · Οὐ δύναμαι τοῦτο ποιῆσαι. Λέγει αὐτῷ ὁ γέρων · Εἰ τοῦτο οὐ δύνασαι ποιῆσαι, οὐδὲ τοὺς λογισμοὺς δύνασαι κωλῦσαι τοῦ εἰσελθεῖν · σὸν οὖν ἐστιν τὸ ἀντιστῆναι αὐτοῖς.

82 Ἀδελφὸς ἠρώτησε τὸν αὐτὸν ἀββᾶ Ποιμένα λέγων · Κατελείφθη μοι κληρονομία, καὶ τί κελεύεις ποιήσω αὐτήν; Λέγει αὐτῷ ἀββᾶ Ποιμήν · Ἄπελθε καὶ μετὰ τρεῖς ἡμέρας λέγω σοι. Εἶτα ἐλθόντι πάλιν λέγει αὐτῷ ὁ γέρων · Τί 5 σοι ἔχω εἰπεῖν, ἄδελφε; ἐὰν εἴπω σοι · Δὸς αὐτὰ εἰς τὴν ἐκκλησίαν, ἐκεῖ ἀριστοποιοῦσιν, ἐὰν εἴπω σοι · Δὸς αὐτὰ τοῖς συγγενεῦσίν σου, οὐκ ἔστι σοι μισθὸς ἐπὶ τούτῳ, ἐὰν δὲ εἴπω σοι · Δὸς αὐτὰ πτωχοῖς, ἀμεριμνεῖς. Ὕπαγε οὖν εἴ τι θέλεις ποίησον, ἐγὼ πρᾶγμα οὐκ ἔχω.

83 Εἶπε πάλιν ἀββᾶ Ποιμήν · Ἐὰν ἐπέλθῃ σοι λογισμὸς περὶ τῶν ἀναγκαίων τοῦ σώματος χρειῶν καὶ διατάξῃς ἅπαξ, καὶ πάλιν ἔλθῃ ἐκ δευτέρου καὶ διατάξῃς, τὸ τρίτον ἐὰν ἔλθῃ μὴ πρόσχῃς αὐτῷ, ἀργὸς γάρ ἐστιν.

84 Ἀδελφὸς ἠρώτησε τὸν ἀββᾶ Ποιμένα διὰ τὰ πάθη τὰ σωματικά. Λέγει αὐτῷ · Οὗτοι εἰσὶν οἱ ᾄδοντες τὴν εἰκόνα Ναβουκοδονόσωρ · εἰ μὴ γὰρ οἱ αὐλοῦντες ἐσαμβύκισαν

80 YORTMSH
2 ἡ τοῦ Θ. χάρις *om.* OH ‖ αὐτὴν : τὴν ἀνάπαυσιν RT

81 YORTMSH *l*
1 τις *om.* OR ‖ Ποιμὴν YOR ‖ 3 ὁ δὲ γέρων : καὶ OMSH ‖ 6 *post* λογισμοὺς *add.* σου YTMSH ‖ δύνασαι : δύνῃ YOH ‖ 7 εἰσελθεῖν : μὴ ἐλθεῖν OT μὴ εἰσελθεῖν RH ‖ αὐτούς O

82 YOTH *l*
1 Ποιμένα : Ποιμὴν Y πάλιν O ‖ 4 εἶτα – πάλιν : ἐλθὼν οὖν OH ‖ 5-6 ἐὰν – ἀριστοποιοῦσιν *transp. post* ἐπὶ τούτῳ *(lin. 7)* Y ‖ 7 συγγενεῖ T

80 Il dit encore : « Si nous poursuivons le repos, la grâce de Dieu nous fuit ; mais si nous le fuyons, elle nous poursuit. »

81 Un frère vint chez abba Poemen et lui dit : « J'ai de nombreuses pensées qui me mettent en danger. » Alors le vieillard l'emmène en plein air et lui dit : « Gonfle ta poitrine et retiens les vents. » Il dit : « Je ne peux pas le faire. » Le vieillard lui dit : « Si tu ne peux pas faire cela, tu ne peux pas non plus empêcher tes pensées d'entrer ; mais il t'appartient de leur résister. »

Poe 28 (329 A-B)

82 Un frère interrogea le même abba Poemen en disant : « On m'a laissé un héritage, que veux-tu que j'en fasse ? » Abba Poemen lui dit : « Va, et dans trois jours je te le dirai. » Lorsque plus tard il revint, le vieillard lui dit : « Qu'ai-je à te dire, frère ? Si je te dis de le donner à l'église, ils y feront des banquets ; si je te dis de le donner à ta parenté, tu n'en auras pas de récompense ; et si je te dis de le donner aux pauvres, tu seras sans souci. Va donc, fais ce que tu veux ; moi, cela ne me regarde pas. »

Poe 33 (332 A)

83 Abba Poemen dit encore : « Si une pensée te survient à propos de choses nécessaires au corps et que tu y mets bon ordre une fois, et si une seconde fois elle vient et que tu y mets bon ordre, la troisième fois, si elle se présente, n'y fais pas attention, car elle est improductive. »

Poe 40 (332 C)

84 Un frère interrogea abba Poemen à propos des passions corporelles. Il lui dit : « Elle sont les chanteurs de la statue de Nabuchodonosor ; en effet, si les musiciens n'avaient pas joué de la sambuque pour le peuple, on

N 661

83 YORTVH *l*
1 *post* πάλιν *add.* ὁ αὐτὸς Y || ἐπέλθῃ : ἔλθῃ V || 2 λογισμὸς : πειρασμὸς λογισμῶν H || 3 διατάξῃ *(bis)* RT || καὶ[2] : καὶ πάλιν R || *post* διατάξῃς *add.* quid fiat? *l* || 4 ἔλθῃ : ἐπέλθῃ R
84 H

τοῖς ἀνθρώποις οὐκ ἂν προσεκύνησαν τῇ εἰκόνι[q]. Οὕτως
5 καὶ ἡ ἐχθρὰ ᾄδει τὴν ψυχὴν ἐν τοῖς σωματικοῖς.

85 Εἶπε πάλιν ὅτι · Ἔλεγεν ἀββᾶ Θεωνᾶς ὅτι · Ἐὰν κερδήσῃ τις ἀρετὴν ὁ Θεὸς οὐ παρέχει αὐτῷ μόνῳ τὴν χάριν αὐτῆς · οἶδε γὰρ ὅτι οὔκ ἐστι πιστὸς ὁ ἄνθρωπος τοῦ ἰδίου καμάτου. Ἀλλ' ἐὰν ἀπέλθῃ πρὸς τὸν ἑταῖρον αὐτοῦ
5 τότε παραμένει αὐτῷ.

86 Ἀδελφὸς ἠρώτησεν τὸν αὐτὸν ἀββᾶ Ποιμένα λέγων · Ἐὰν θεάσωμαι πρᾶγμα θέλεις εἴπω αὐτό ; Λέγει ὁ γέρων · Γέγραπται · « Ὃς ἀποκρίνεται λόγον πρὶν ἀκοῦσαι αὐτόν, ἀφροσύνη αὐτῷ ἐστιν καὶ ὄνειδος[r]. » Ἐὰν οὖν ἐπερωτηθῇς,
5 εἰπέ, ἐὰν δὲ μή, σιώπα.

87 Ἠρώτησε πάλιν ὁ αὐτὸς διὰ τὴν ἀκηδίαν καὶ ὀλιγωρίαν. Καὶ λέγει αὐτῷ ὁ γέρων ὅτι · Ἡ ἀκηδία ἐπὶ πάσης ἀγαθῆς ἐργασίας πολεμεῖ καὶ εἰς ὀλιγωρίαν ἐμβάλλει τοὺς ἀνθρώπους · ἐὰν οὖν ἐννοήσῃ τις τὴν βλάβην αὐτῆς καὶ
5 ἐπιμείνῃ τῇ ἀγαθῇ ἐργασίᾳ ἀναπαύεται.

88 Εἶπε πάλιν ἀββᾶ Ποιμὴν ὅτι · Ἔστιν ἄνθρωπος βαστάζων ἀξίνην καὶ ὅλην τὴν ἡμέραν κοπιᾷ καὶ οὐχ εὑρίσκει καταβαλεῖν τὸ δένδρον, καὶ ἔστιν ἄλλος ἔμπειρος τοῦ κόπτειν καὶ ἀπὸ ὀλίγων πληγῶν καταφέρει τὸ δένδρον.
5 Ἔλεγε δὲ τὴν ἀξίνην εἶναι τὴν διάκρισιν.

85 H

86 YORTVH *l*

1 *ante* ἀδελφὸς *add.* ἄλλος Y ‖ 2 αὐτὸ *om.* H ‖ λέγει ὁ γέρων *om.* O ‖ 3 *post* γέγραπται *add.* γὰρ O ‖ 4 αὐτῷ *om.* YORTV ‖ *post* ὄνειδος *add.* τῷ τοιούτῳ YORTV ‖ 5 ἐὰν : εἰ TV

87 YORTMSVH

1 ἠρώτησε – διὰ : ἀδελφὸς ἠρώτησεν αὐτὸν διὰ OMSVH ‖ 2 ἐπὶ : ἀπὸ V ‖ ἀγαθῆς *om.* H ‖ 4 νοήσῃ MS ‖ 5 *post* ἐπιμείνῃ *add.* ἐπὶ MSV ἐν H

ne se serait pas prosterné devant la statue[q]. Ainsi l'ennemi enchante-t-il l'âme dans les passions corporelles[1]. »

85 Il dit encore qu'abba Théônas disait : « Si quelqu'un acquiert une vertu, Dieu ne lui accorde pas la grâce pour lui seul. Il sait, en effet, que l'homme ne peut pas se fier en son propre effort ; mais s'il va vers son compagnon, alors Dieu lui demeure présent. » Poe 151 (360 A-B)

86 Un autre frère interrogea le même abba Poemen en disant : « Si je vois quelque chose, veux-tu que je le dise ? » Le vieillard dit : « Il est écrit : *Pour celui qui répond avant d'écouter, sottise et honte*[r] ! Si donc on t'interroge, parle ; sinon, tais-toi. » Poe 45 (332 D-333 A)

87 Le même frère l'interrogea encore sur l'acédie et sur la négligence. Et le vieillard lui dit : « L'acédie combat toute bonne œuvre, et elle conduit les hommes à la négligence. Si donc on est conscient de sa nocivité et que l'on demeure dans sa bonne œuvre, elle s'apaise. » Poe 149 (360 A)

88 Abba Poemen dit encore : « Un homme portant une hache peine toute la journée sans réussir à abattre l'arbre, mais un autre, qui a l'expérience de l'abattage, en quelques coups fait tomber l'arbre. » Et il disait que la hache c'est le discernement. Poe 52 (333 C-D)

88 YORTMSVH *l*
1 ὅτι : quia dixerat abbas Ammon *l* || 3 καταβαλεῖν Y *l* : κατενεγκεῖν *cett.* || καὶ ἔστιν : ἔστι δὲ καὶ OTMV || 4 πληγῶν *om.* H

q. Cf. Dn 3, 7 r. Pr 18, 13

1. Présente dans le seul ms. H, cette pièce se retrouve dans la IXe section de la série des anonymes (N 661 ou J 693). N ajoute à la fin : εἰ ἄρα ἀπατήσειεν αὐτὴν ἐν τοῖς πάθεσι τοῖς σωματικοῖς (fol. 353[r]).

89 Εἶπε πάλιν ὅτι· Τὸ θέλημα τοῦ ἀνθρώπου τεῖχος χαλκοῦν ἐστιν ἀναμέσον αὐτοῦ καὶ τοῦ Θεοῦ. Ἐὰν οὖν καταλείψῃ αὐτὸ ἄνθρωπος, λέγει καὶ αὐτός· «Ἐν τῷ Θεῷ μου ὑπερβήσομαι τεῖχος, καὶ ὁ Θεός μου ἄμωμος ἡ ὁδὸς αὐτοῦ[s].»
5 Ἐὰν οὖν τὸ δικαίωμα συνέλθῃ τῷ θελήματι κάμνει ὁ ἄνθρωπος.

90 Ἀδελφὸς ἠρώτησε τὸν ἀββᾶ Ποιμένα λέγων ὅτι· Ἀπόλλω τὴν ψυχήν μου ἐγγὺς τοῦ ἀββᾶ μου καθήμενος. Καὶ θεωρῶν ὁ γέρων ὅτι βλάπτεται ἐθαύμασε πῶς βλαπτόμενος ἐκάθητο. Εἶπε δὲ αὐτῷ· Ἐὰν θέλῃς κάθισον.
5 Καὶ ἀπέλθων ἐκάθισεν. Ἦλθε δὲ πάλιν λέγων τῷ γέροντι· Ζημιῶ τὴν ψυχήν μου ἐγγὺς τοῦ ἀββᾶ μου. Καὶ οὐκ εἶπεν αὐτῷ ἀββᾶ Ποιμὴν ὅτι· Ἔξελθε ἀπ' αὐτοῦ. Καὶ ἔρχεται τὸ τρίτον λέγων· Φύσει οὐκ ἔτι κάθημαι μετ' αὐτοῦ. Λέγει αὐτῷ ὁ γέρων· Ἰδοὺ ἄρτι σωθήσει· ὕπαγε καὶ
10 μηκέτι καθίσῃς μετ' αὐτοῦ· καὶ λέγει· Ἐπὰν ἄνθρωπος θεωρεῖ τὴν ζημίαν τῆς ψυχῆς αὐτοῦ οὐ χρείαν ἔχει ἐπερωτῆσαι ἄλλον· περὶ κρυπτῶν λογισμῶν ἐρωτᾷ τις καὶ τῶν γερόντων ἐστι τὸ δοκιμάζειν, περὶ δὲ φανερᾶς ἁμαρτίας οὐ χρεία ἐστιν ἐπερωτᾶν ἀλλὰ εὐθέως κόπτειν.

91 Ἠρώτησεν ἀββᾶ Ἀβραὰμ ὁ τοῦ ἀββᾶ Ἀγάθωνος τὸν ἀββᾶ Ποιμένα λέγων· Διὰ τί οὕτως οἱ δαίμονες πολεμοῦσί με; Καὶ λέγει αὐτῷ ἀββᾶ Ποιμήν· Σὲ πολεμοῦσιν οἱ

89 YORTMSH *l*

2 *post* ἐστιν *add.* et lapis percutiens *l* || 3 *post* αὐτός *add.* quod in psalmo scriptum est *l* || 4 καὶ *om.* YOMSH || 5 ἐὰν – θελήματι M *l cf. Alph.* : ἐὰν δὲ τῷ [ἐν τῷ RT] θελήματι συνέλθῃ καὶ τὸ δικαίωμα *cett.*

90 YORTMSH *l*

1 Ποιμὴν YO || 2 καθήμενος : καθήσω O εἰ καθίσω ἔτι ἐγγὺς αὐτοῦ (?) quid ergo iubes? maneo adhuc apud ipsum? *l* || 3-4 θεωρῶν – ἐκάθητο : sciebat abbas Pastor quia laederetur anima eius per abbatem suum, et admirabatur quare uel interrogabat eum, si manere deberet cum illo *l* || 4 κάθισον : κάθου OMSH || 5 ἐκάθισεν : ἐκάθητο R || ἦλθε

89 Il dit encore : « La volonté de l'homme est un rempart d'airain entre lui et Dieu. Si donc l'homme l'abandonne, il dit lui aussi : *En mon Dieu, je franchirai le rempart; mon Dieu, irréprochable est sa voie*[s]. Car si la justice se rencontre avec la volonté, l'homme s'épuise. »

Poe 54 (333 D-336 A)

90 Un frère interrogea abba Poemen en disant : « Je perds mon âme en demeurant auprès de mon abba. » Et le vieillard, voyant que cela lui était nuisible, s'étonna que cependant il demeure. Et il lui dit : « Si tu le veux, demeure. » Et il retourna demeurer. Puis il vint à nouveau dire au vieillard : « Cela fait tort à mon âme d'être auprès de mon abba. » Et abba Poemen ne lui dit pas de le quitter. Une troisième fois, il vint lui dire : « En vérité, je ne vais plus demeurer avec lui. » Et le vieillard lui dit : « Voici que maintenant tu vas être sauvé ; va, et ne demeure plus avec lui. » Et il dit : « Chaque fois que l'homme voit que cela fait tort à son âme, il n'a pas besoin d'interroger autrui. On interroge sur les pensées cachées, et c'est aux vieillards qu'il appartient d'apprécier ; tandis que pour les fautes évidentes, il ne faut pas interroger, mais couper aussitôt. »

Poe S2 (Recherches, p. 29-30)

91 Abba Abraham, celui d'abba Agathon, interrogea abba Poemen : « Pourquoi les démons me combattent-ils ainsi? » Et abba Poemen lui dit : « Les démons te combattent? Les

Poe 67 (337 B-C)

– λέγων : πάλιν ἐλθὼν λέγει R || 6 ἐγγὺς – μου² *om.* *l* || 7 καὶ : καὶ πάλιν R || 10 καὶ λέγει *om.* YRT dixit enim abbas Pastor eidem *l* || ἐπὰν : ἐπὰν γὰρ RT ἐὰν O ἐπ' MS ἔνι H || ἄνθρωπος : –ποις MS || 11 θεωρεῖ : θεωρῶν YOH θεωρῶν τις MS || οὐ : καὶ O || 12 *post* περὶ *add.* μὲν οὖν RT || ἐπερωτᾷ H || 13 ἁμαρτίας : μαρτυρίας H || 14 ἐρωτᾶν OMSH

91 YORTMSVH *l*

2 Ποιμὴν YR |

s. Ps 17, 30-31

δαίμονες; Οὐ πολεμοῦσι μεθ' ἡμῶν οἱ δαίμονες ἐφ' ὅσον
5 τὰ θελήματα αὐτῶν ποιοῦμεν. Τὰ γὰρ θελήματα ἡμῶν δαίμονες γεγόνασιν· Καὶ αὐτὰ εἰσὶ τὰ θλίβοντα ἡμᾶς ἵνα πληρώσωμεν αὐτά. Εἰ δὲ θέλεις ἰδεῖν μετὰ τίνων ἐπολεμοῦν οἱ δαίμονες, μετὰ Μωυσέως καὶ τῶν ὁμοίων αὐτοῦ.

92 Εἶπεν ἀββᾶ Ποιμὴν ὅτι· Ἀδελφός τίς ποτε ἠρώτα τὸν ἀββᾶ Μωυσῆν ποίῳ τρόπῳ νεκροῖ ἑαυτὸν ἄνθρωπος ἀπὸ τοῦ πλησίον. Καὶ εἶπεν ὁ γέρων· Ἐὰν μὴ ὁρίσῃ ἄνθρωπος ἐν τῇ καρδίᾳ αὐτοῦ ἤδη ἔχειν τρία ἔτη ἐν τῷ μνήματι
5 οὐ φθάνει εἰς τὸν λόγον τοῦτον.

93 Ἀδελφὸς ἠρώτησε τὸν ἀββᾶ Ποιμένα λέγων· Πῶς δεῖ καθίσαι ἐν τῷ κελλίῳ; Λέγει ὁ γέρων· Τὸ ἐν τῷ κελλίῳ καθίσαι, φανερὸν τοῦτο ἐστιν τὸ ἐργόχειρον καὶ τὸ μονοσιτίσαι καὶ ἡ σιωπὴ καὶ ἡ μελέτη, τὸ δὲ ἐν τῷ κρυπτῷ
5 προκόπτειν εἰς τὸ κελλίον τὸ βαστάζειν τὴν ἑαυτοῦ μέμψιν ἐν παντὶ τόπῳ ὅπου ἀπέρχεται, καὶ τῶν συνάξεων τὰς ὥρας καὶ τῶν κρυπτῶν μὴ ἀμελεῖν. Ἐὰν δὲ καὶ συμβῇ καιρὸν ἀργῆσαι ἐκ τοῦ ἐργοχείρου, εἰσελθὼν εἰς τὴν σύναξιν ἀταράχως ἐπιτέλεσον. Τὸ δὲ τέλος τούτων, συνοδίαν καλὴν
10 κράτησον, τῆς δὲ κακῆς συνοδίας ἀπόσχου.

94 Ἦλθόν ποτε ἀδελφοὶ δύο πρὸς τὸν ἀββᾶ Παμβὼ καὶ ἠρώτησεν ὁ εἷς αὐτῶν λέγων· Ἀββᾶ, ἐγὼ ζευγάρια νηστεύω καὶ ζεῦγος ψωμίων ἐσθίω, ἆρα σῴζωμαι ἢ πλανῶμαι; Εἶπε δὲ καὶ ὁ ἄλλος· Ἐγὼ καταλύω ἐκ τοῦ ἐργοχείρου

4 οἱ δαίμονες[2] *om.* YOMSVH ‖ 5 τὰ θελήμ.[1] : τὸ θέλημα OV ‖ αὐτῶν : nostras *l* ‖ 6 αὐτὰ ... τὰ θλίβοντα YV : αὐτοὶ ... οἱ θλίβοντες *cett.* ‖ 7 ἰδεῖν *om.* MSH ‖ τίνων : τίνος RT ‖ ἐπολεμοῦσαν V ‖ Μωσέως OR

92 YORTVH *l*

1 τις ποτε *om.* OTVH ‖ 2-3 ποίῳ – πλησίον : qualis homo mortificat se? homo a proximo suo? *l* ‖ 4 *post* ἔτη *add.* ὢν YO ‖ μνημείῳ H

93 YORTSVH *l*

1 Ποιμὴν YR ‖ *post* δεῖ *add.* με V monachum *l* ‖ 3 *post* ἐστιν *add.*

démons ne combattent pas avec nous aussi longtemps que nous faisons leurs volontés, car alors nos volontés sont devenues des démons, et ce sont elles qui nous pressent de les accomplir. Veux-tu savoir avec qui combattaient les démons? Avec Moïse et ceux qui lui ressemblent. »

92 Abba Poemen dit qu'un frère demanda un jour à abba Moïse de quelle façon l'homme meurt à son prochain. Et le vieillard dit : « Si l'homme ne décide pas en son cœur que depuis trois ans il est déjà au tombeau, il n'arrive pas à cette parole. » — Mos 12 (285 D)

93 Un frère demanda à abba Poemen : « Comment faut-il demeurer dans la cellule? » Le vieillard dit : « Demeurer dans la cellule c'est, pour l'extérieur, le travail manuel, ne manger qu'une fois par jour, le silence et la méditation; mais progresser intérieurement dans la cellule, c'est éprouver le mépris de soi-même où qu'on aille, et ne pas négliger le temps des synaxes et des prières cachées; et s'il se trouve un temps libre de travail, va à la synaxe pour le passer sans trouble; finalement, conserve les bonnes fréquentations et abstiens-toi des mauvaises. » — Poe 168 (361 C-D)

94 Deux frères vinrent un jour chez abba Pambo. Le premier lui demanda : « Abba, je jeûne pendant deux jours et je mange deux pains : est-ce que je me sauve ou je fais fausse route? » Et l'autre dit : « Moi, je retire de mon — Pam 2 (368 C-369 A)

λέγω δὴ RT || 4 ἐν τῷ κελλίῳ TSH || 5 *post* κελλίον *add.* ἐστι H hoc est *l* || 6 ὅπου ἐὰν ἀπέρχῃ ORSVH || 6-7 καὶ τῶν – ἀμελεῖν : καὶ μὴ ἀμελεῖν τῶν συνάξεων καὶ τῶν ὁρῶν ἀλλὰ καὶ τῶν κρύπτων ἐπιμελῶς φροντίζειν RT et ut ministerii horas custodiat et de occultis non negligat *l* || 9 *post* ἀταράχως *add.* ταύτην S || 10 συνοδίας *om.* RT

94 YORTMSVH *l*

1 δύο *om.* M || 2 ὁ εἷς αὐτῶν : αὐτὸν ὁ εἷς RTMSH || ἐγὼ YO *l*: *om. cett.* || 3 ψωμίου O || 4 ἐγὼ : ἀββᾶ ἐγὼ TMVH

5 μου κεράτια δύο τὴν ἡμέραν καὶ κρατῶ μικρὰ διὰ τὴν τροφήν, τὰ δὲ ἄλλα εἰς ἀγάπην δίδωμι, ἆρα σώζομαι ἢ πλανῶμαι; Πολλὰ δὲ παρακαλούντων αὐτῶν οὐκ ἔδωκεν αὐτοῖς ἀπόκρισιν. Μετὰ δὲ τέσσαρας ἡμέρας ὡς ἦλθον ἀναχωρῆσαι παρεκαλοῦν αὐτοὺς οἱ κληρικοὶ λέγοντες· Μὴ 10 θλίβετε, ἀδελφοί, ὁ Θεὸς παρέχει ὑμῖν τὸν μισθόν. Οὕτως ἐστιν ἡ συνήθεια τοῦ γέροντος· οὐ ταχὺ λαλεῖ ἐὰν μὴ πληροφορήσῃ αὐτὸν ὁ Θεός. Ἀπῆλθον οὖν πρὸς τὸν γέροντα καὶ εἶπον αὐτῷ· Διὰ τὸν Κύριον εἰπέ τίποτε τοῖς ἀδελφοῖς. Εἰσῆλθον οὖν καὶ οἱ μοναχοὶ καὶ λέγουσιν αὐτῷ· Ἀββᾶ 15 εὖξαι ὑπὲρ ἡμῶν. Λέγει αὐτοῖς· Ἀπελθεῖν θέλετε; Λέγουσιν αὐτῷ· Ναί. Καὶ ἀναλαβὼν τὰς πράξεις αὐτῶν γράφων ἐπὶ τὴν γῆν ἔλεγεν· Παμβὼ δύο νηστεύων καὶ ζεῦγος ψωμίων ἐσθίων, ἆρα ἐν τούτῳ γίνεται μοναχός; Οὐχί. Καὶ Παμβὼ ἐργάζεται καθ' ἡμέραν καὶ καταλύει δύο κεράτια 20 καὶ δίδωσιν αὐτὰ ἀγάπην, ἆρα ἐν τούτῳ γίνεται μοναχός; Οὔπω. Εἶπε δὲ αὐτοῖς ὁ γέρων· Καλαὶ μὲν αἱ πράξεις· τὴν δὲ συνείδησιν τηρῶν μετὰ τοῦ πλησίον σου οὕτως σώζῃ. Καὶ πληροφορηθέντες οἱ ἀδελφοὶ ἀπῆλθον μετὰ χαρᾶς.

95 Ἀδελφὸς ἠρώτησε τὸν ἀββᾶ Παμβὼ λέγων· Διατί κωλύουσί με οἱ δαίμονες ποιῆσαι ἀγαθὸν τῷ πλησίον μου; Λέγει αὐτῷ ὁ γέρων· Μὴ λέγε οὕτως, εἰ δὲ μή γε τὸν Θεὸν ψεύστην ποιεῖς· ἀλλὰ μᾶλλον εἰπὲ ὅτι· Ὅλως οὐ 5 θέλω ποιῆσαι ἔλεος; Προλαβὼν γὰρ ὁ Θεὸς εἶπεν·

6 *post* σώζομαι *add.* ἀββᾶ YORS ‖ 7 πλανῶμαι : ἀπόλωμαι TM ‖ αὐτῶν *om.* YOSV ‖ 8-9 ὡς – λέγοντες H *l* : ἦλθον παρακαλέσαι αὐτοὺς οἱ κληρικοὶ καί, ἀναχωρούντων αὐτῶν, ἔλεγον *cett.* ‖ 10 ὁ γὰρ Θεὸς RT ‖ 10-11 οὕτως – γέροντος : ἡ γὰρ συνήθεια τοῦ γέροντος τοιαύτη ἐστιν R ‖ 11 ἐὰν : εἰ MVH ‖ 12 *post* οὖν *add.* οἱ κληρικοὶ RT ‖ 13-14 διὰ τὸν – αὐτῷ RT : *om. cett.* ‖ 16 *post* ναί *add.* ἀββᾶ R et intuens eos *l* ‖ 19 καὶ καταλύει δύο κεράτια *om.* RT ‖ 20 δίδωσιν αὐτὰ : κρατεῖ μικρὰ διὰ τὴν τροφὴν τὰ δὲ ἄλλα δίδωσιν εἰς MS ‖ 21 εἶπε δὲ : et paululum reticens dixit *l* ‖ ὁ γέρων *om. l* ‖ 22 τηρῶν : φυλάττων O τηρεῖ καὶ RTV

travail manuel deux kérations[1] par jour, j'en garde un peu pour ma nourriture et je donne le reste en aumône : est-ce que je me sauve, abba, ou je fais fausse route ? » Et bien qu'ils l'interrogeassent avec insistance, il ne leur répondit pas. Quatre jours plus tard, alors qu'ils allaient se retirer, les clercs venaient les réconforter et leur disaient : « Ne vous affligez pas, frères ; Dieu vous récompensera. C'est en effet l'habitude du vieillard de ne pas parler tant que Dieu ne l'inspire pas. » Alors ils allèrent trouver le vieillard et lui dirent : « Au nom du Seigneur, dis quelque chose aux frères. » Et les moines vinrent eux aussi lui dire : « Abba, prie pour nous. » Il leur dit : « Vous voulez partir ? » Ils lui dirent que oui. Alors, reprenant leurs œuvres en écrivant sur la terre, il disait : « Pambo jeûne deux jours et mange deux pains ; est-ce qu'en cela il devient moine ? Non. Et Pambo travaille chaque jour et en tire deux kérations qu'il donne en aumône ; est-ce qu'en cela il devient moine ? Pas plus. » Et le vieillard leur dit : « Les œuvres sont bonnes ; mais c'est en gardant ta conscience à l'égard de ton prochain que tu es sauvé. » Et, comblés, les frères partirent dans la joie.

95 Un autre frère demanda au même abba Pambo : « Pourquoi les démons m'empêchent-ils de bien agir envers mon prochain ? » Le vieillard lui dit : « Ne parle pas ainsi ; sinon tu fais de Dieu un menteur. Mais dis plutôt : Je ne veux absolument pas faire miséricorde. Car Dieu a pris les devants N 383

95 YORTMSVH *l*
1 Τὸν αὐτὸν ἀββᾶ Παμβὼ ἠρώτησεν ἄλλος ἀδελφὸς λέγων YRT || 2 οἱ δαίμονες : spiritus quidam *l* || 5 ἔλεος : ἀγαθόν τι [*om.* T] RT *om.* Y || Θεὸς : κύριος MS || *post* εἶπεν *add.* ἰδοὺ YRTVH

1. *Kération* : pièce de monnaie valant 1/24ᵉ d'un sou d'or (cf. E. PATLAGEAN, *Pauvreté économique et pauvreté sociale à Byzance, IVᵉ-VIIᵉ siècles,* Paris 1977, p. 254).

«Δέδωκα ὑμῖν ἐξουσίαν πατεῖν ἐπάνω ὀφέων καὶ σκορπίων καὶ ἐπὶ πᾶσαν τὴν δύναμιν τοῦ ἐχθροῦ[t].»

96 Εἶπεν ἀββᾶ Παλλάδιος· Δεῖ τὴν κατὰ Θεὸν ἀσκουμένην ψυχὴν ἢ μανθάνειν πιστῶς ἃ οὐκ οἶδεν ἢ διδάσκειν σαφῶς ἃ ἔγνω. Εἰ δὲ ὁπότερον μὴ βούλεται μανίαν νοσεῖ. Ἀρχὴ γὰρ ἀποστασίας διδασκαλίας κόρος καὶ ἀνορεξία λόγου, 5 ὧν ἀεὶ πεινᾷ ἡ ψυχὴ τοῦ φιλοθέου.

97 Ἔλεγέ τις τῶν γερόντων ὅτι· Ἠρώτησα τὸν ἀββᾶ Σισόην ἵνα εἴπῃ μοι λόγον. Καὶ ἀποκριθεὶς εἶπεν ὅτι ὀφείλει ὁ μοναχὸς εἶναι τῷ λογισμῷ ὑποκάτω τῶν εἰδώλων. Καὶ ἀπελθὼν εἰς τὴν κέλλαν μου καὶ συντριβεὶς ἐπὶ ἐνιαυτὸν 5 ἔλεγον· Τί ἐστι ὑποκάτω τῶν εἰδώλων; Καὶ ἦλθον πάλιν εἰς τὸν γέροντα καὶ λέγω αὐτῷ· Τί ἐστι τὸ ὑποκάτω τῶν εἰδώλων εἶναι; Τότε λέγει μοι ὁ γέρων· Γέγραπται περὶ τῶν εἰδώλων ὅτι· «Στόμα ἔχουσιν καὶ οὐ λαλήσουσιν, ὀφθαλμοὺς ἔχουσιν καὶ οὐκ ὄψονται, ὦτα ἔχουσι καὶ οὐκ 10 ἀκούσονται[u]·» οὕτως ὀφείλει εἶναι ὁ μοναχός. Καὶ ὅτι τὰ εἴδωλα βδέλυγμά εἰσιν· καὶ αὐτὸς οὖν ἡγήσεται ἑαυτὸν βδέλυγμα.

98 Ἀδελφός τις εἶπε τῷ ἀββᾶ Σισόῃ· Πῶς οὐκ ἀναχωροῦσι τὰ πάθη ἀπ' ἐμοῦ; Λέγει ὁ γέρων· Τὰ σκεύη αὐτῶν ἔνδον σού εἰσιν, δὸς αὐτοῖς τὸν ἀρραβῶνα αὐτῶν καὶ ὑπάγουσιν.

6 ἔδωκα O || 7 *post* ἐχθροῦ *add.* cur ergo tu immundos spiritus non conculcas? *l*

96 YORTMSVH *l*

1 κατὰ θεὸν ἀσκουμένην : secundum Christi uoluntatem conuersantem *l* || ἀσκημένην Y || 3 *post* ὁπότερον *add.* cum possit *l* || μὴ : οὐ O || βούληται ... νοσῇ Y || 5 ἀεὶ : δὴ MS

97 YOTMSVH

3 εἶναι *om.* MS || 4-5 καὶ ἀπελθὼν – εἰδώλων *om.* T || 4 ἐπὶ YO : *om. cett.* || 6 εἰς : πρὸς MSH || 7 τότε Y : καὶ *cett.* || *post* γέγρ. *add.* γὰρ O || 8 λαλοῦσιν Y || 10 οὕτως : καὶ ὡσαύτως T || καὶ : ἀλλὰ καὶ T || 11 βδελυγμένα T || 12 βδέλ. : οὕτως V

en disant : *Je vous ai donné pouvoir de marcher sur les serpents et les scorpions et sur toute la puissance de l'ennemi*[t]. »

96 Abba Pallade dit : « Il faut que l'âme qui s'exerce selon Dieu ou bien apprenne fidèlement ce qu'elle ignore, ou bien enseigne clairement ce qu'elle sait. Si elle ne consent ni à l'un ni à l'autre, elle est malade de démesure. Car le commencement de l'apostasie, c'est le dédain de l'enseignement et le dégoût de la parole, choses dont a toujours besoin l'âme de l'ami de Dieu. » N 662

97 L'un des vieillards dit : « Je demandai à abba Sisoès de me dire une parole et il me répondit : « Le moine doit être par la pensée en dessous des idoles. » De retour dans ma cellule, pendant un an je ruminai cela en me disant : « Que signifie : en dessous des idoles? » Et je revins chez le vieillard et lui dis : « Que signifie : être en dessous des idoles? » Alors le vieillard me dit : « Il est écrit des idoles : *Elles ont une bouche et ne parleront pas, des yeux et ne verront pas, des oreilles et n'entendront pas*[u]; tel doit être le moine. Et parce que les idoles sont objet d'abomination, lui aussi, il s'estimera objet d'abomination. » cf. N 384

98 Un frère dit à abba Sisoès : « Comment se fait-il que les passions ne s'éloignent pas de moi? » Le vieillard dit : « Leurs instruments sont en toi; donne-leur leurs arrhes et elles partiront. » Sis 6 (393 A)

98 YORTMSVH *l*
1 ἔλεγέ τις τῶν γερόντων ὅτι [ἔλ. – ὅτι *om.* TMSH] ἀδελφός τις ἠρώτησε τὸν ἀββᾶ Σισόην RTMSH || 2 ἀπ' : ἐξ T || 3 ἔνδον : ἔνδοθεν H

t. Lc 10, 19 u. Ps 134, 16-17

99 Παρέβαλέ τις ἀδελφὸς τῷ ἀββᾷ Σιλουανῷ εἰς τὸ ὄρος τοῦ Σινᾶ, καὶ εἶδε τοὺς ἀδελφοὺς ἐργαζομένους καὶ εἶπε τῷ γέροντι · «Μὴ ἐργάζεσθε τὴν βρῶσιν τὴν ἀπολλυμένην[v] ·» «Μαρία γὰρ τὴν ἀγαθὴν μερίδα ἐξελέξατο[w]». Καὶ λέγει ὁ
5 γέρων τῷ μαθητῇ αὐτοῦ Ζαχαρίᾳ · Βάλε τὸν ἀδελφὸν τοῦτον εἰς κελλίον μηδὲν ἔχοντα. Ὅτε οὖν γέγονεν ἡ ὥρα τῆς ἐννάτης, προσεῖχε τῇ θύρᾳ εἰ ἄρα πέμπουσιν αὐτὸν καλέσαι εἰς τὸ φαγεῖν. Ὡς δὲ οὐδεὶς ἐλάλησεν αὐτῷ ἀναστὰς ἦλθε πρὸς τὸν γέροντα καὶ λέγει αὐτῷ · Οὐκ ἔφαγον
10 οἱ ἀδελφοὶ σήμερον, ἀββᾶ; Λέγει ὁ γέρων · Ναί. Εἶπε δὲ ὁ ἀδελφός · Καὶ διατί οὐκ ἐκαλέσατέ με; Λέγει ὁ γέρων · Σὺ ἄνθρωπος πνευματικὸς εἶ, καὶ οὐ χρείαν ἔχεις τῆς βρώσεως ταύτης. Ἡμεῖς δὲ σαρκικοὶ ὄντες θέλομεν φαγεῖν, διὰ τοῦτο καὶ ἐργαζόμεθα. Σὺ δὲ τὴν ἀγαθὴν μερίδα
15 ἐξελέξω ἀναγινώσκων ὅλην τὴν ἡμέραν καὶ οὐ θέλεις σαρκικὴν τροφὴν φαγεῖν. Καὶ ὡς ἤκουσε ταῦτα ἔβαλε μετάνοιαν λέγων · Συγχώρησόν μοι, ἀββᾶ. Λέγει αὐτῷ ὁ γέρων · Πάντως χρείαν ἔχει καὶ ἡ Μαρία τῆς Μάρθας · διὰ γὰρ τῆς Μάρθας καὶ ἡ Μαρία ἐγκωμιάζεται.

100 Εἶπε τις τῶν πατέρων ὅτι · Ποτέ τις ὀλισθήσας εἰς βαρὺ ἁμάρτημα καὶ κατανυγεὶς εἰς μετάνοιαν ἀπῆλθε ἀναγγεῖλαί τινι γέροντι. Καὶ οὐκ εἶπεν αὐτῷ τὴν πρᾶξιν ἀλλὰ λέγει αὐτῷ οὕτως · Ἐάν τινι ἀναβῇ λογισμὸς τοιόσδε,
5 ἔχει σωτηρίαν; Ἀπεκρίθη αὐτῷ ἐκεῖνος, ἄπειρος ὢν διακρίσεως · Ἀπώλεσεν αὐτοῦ τὴν ψυχήν. Ταῦτα δὲ ἀκούσας ὁ ἀδελφὸς εἶπεν · Εἰ ἀπωλόμην ὑπάγω εἰς τὸν κόσμον.

99 YORTMSVH *l*

1 ἀδελφὸς *om.* OSVH ‖ 2 τοῦ : τὸ TMVH *om.* S ‖ 5 Ζαχαρίᾳ : Voca Zachariam et *l* ‖ 6 τοῦτον *om.* YRT ‖ ἔχοντα : ἔχων καὶ δὸς αὐτῷ βιβλίον RTMS ‖ γέγονεν : ἐγένετο RTMS ‖ 7 προσέσχε O ‖ 10 ναί : etiam iam comederunt *l* ‖ 13 *post* ταύτης *add.* τῆς ἀπολλυμένης V ‖ σαρκ. ὄντες : ὡς ὄντες σαρκ. RT ‖ φαγεῖν : καὶ φαγεῖν R ‖ 14 διὰ τοῦτο καὶ ἐργ. *om.* RT ‖ *post* ἐργ. *add.* manibus nostris *l* ‖ δὲ : γὰρ RT ‖ 15 θέλεις : ὀφείλεις RT ‖ 16 φαγεῖν *om.* O ‖ 18 *post* γέρων *add.* puto *l* ‖ 19 Μάρθας ... Μαρία : Μαρίας ... Μάρθα YR

99 Un frère alla chez abba Silvain sur le mont Sinaï et, voyant des frères qui travaillaient, il dit au vieillard : « *Ne travaillez pas pour la nourriture qui périt*[v] ; *Marie, en effet, a choisi la bonne part*[w]. » Et le vieillard dit à son disciple Zacharie : « Mets le frère dans une cellule sans rien. » Lors donc que vint la neuvième heure, il surveilla la porte pour le cas où on enverrait quelqu'un l'inviter à manger. Mais comme personne ne l'appelait, il se leva, alla trouver le vieillard et lui dit : « Les frères n'ont-ils pas mangé aujourd'hui, abba ? » Le vieillard dit que si. Et le frère dit : « Et pourquoi ne m'avez-vous pas appelé ? » Le vieillard dit : « Toi, tu es un homme spirituel, et tu n'as pas besoin de cette nourriture ; mais nous, qui sommes charnels, nous voulons manger, aussi travaillons-nous. Toi, tu as choisi la bonne part, lisant toute la journée, et tu ne veux pas manger de nourriture charnelle. » Lorsqu'il entendit cela, il fit la métanie en disant : « Pardonne-moi, abba. » Le vieillard lui dit : « Même Marie a bien besoin de Marthe ; car c'est grâce à Marthe que l'on fait l'éloge de Marie. »

Sil 5 (409 B-D)

100 L'un des Pères dit que quelqu'un tomba un jour dans une grave faute, et que, amené par la componction à se repentir, il alla l'avouer à un vieillard. Et il ne lui dit pas ce qu'il avait fait, mais lui parla ainsi : « Si une pensée de ce genre survient à quelqu'un, peut-il se sauver ? » L'autre, qui était sans expérience du discernement, lui répondit : « Il a perdu son âme. » Entendant cela, le frère dit : « Si je suis perdu, je retourne dans le monde. » Mais

N 217

100 YORTMSVH
2 βαρύτατον H || εἰς μετάν. *om.* T || 3 καὶ : ἀλλὰ M || 5 *post* σωτηρίαν *add.* ἀββᾶ RT || 6 ἀπώλεσεν αὐτοῦ M : ἀπόλεσάς σου *cett.* || 7 ἀπόλλυμαι MS || ὑπάγω : κἂν ὑπ. TMSV

v. Jn 6, 27 w. Lc 10, 42

Ἀπερχόμενος δὲ ἐνεθυμήθη ἀπελθεῖν καὶ ἀναγγεῖλαι τοὺς λογισμοὺς αὐτοῦ τῷ ἀββᾷ Σιλουανῷ. Ἦν δὲ οὗτος μέγας
10 διακριτικός. Ἐλθὼν δὲ πρὸς αὐτὸν ὁ ἀδελφὸς οὐκ εἶπεν αὐτῷ τὴν πρᾶξιν, ἀλλὰ πάλιν τῷ αὐτῷ σχήματι ἐχρήσατο καθὼς καὶ ἐπὶ τοῦ ἄλλου γέροντος. Ἀνοίξας δὲ ὁ πατὴρ τὸ στόμα αὐτοῦ ἤρξατο ἀπὸ τῶν Γραφῶν λέγειν αὐτῷ ὅτι οὔκ ἐστι πάντως κατάκριμα τοῖς λογιζομένοις. Ἀκούσας
15 δὲ ὁ ἀδελφὸς καὶ λαβὼν δύναμιν ἐν τῇ ψυχῇ καὶ εὔελπις γενόμενος ἀπήγγειλεν αὐτῷ καὶ τὴν πρᾶξιν. Ἀκούσας δὲ καὶ τὴν πρᾶξιν ὁ πατὴρ ὡς καλὸς ἰατρὸς κατέπλασεν αὐτοῦ τὴν ψυχὴν ἐκ τῶν θείων Γραφῶν ὅτι ἐστι μετάνοια τοῖς ἐν γνώσει ἐπιστρέφουσιν πρὸς τὸν Θεόν. Καὶ
20 παραβαλόντος τοῦ ἀββᾶ μου πρὸς ἐκεῖνον τὸν γέροντα διηγήσατο αὐτῷ ταῦτα καὶ ἔλεγεν· Ἰδοὺ ὁ ἀπέλπισας ἑαυτοῦ καὶ μέλλων εἰς τὸν κόσμον ὑπαγεῖν ὡς ἀστήρ ἐστιν ἐν μέσῳ τῶν ἀδελφῶν. Ταῦτα δὲ διηγησάμην ἵνα ἴδωμεν ὅτι κίνδυνον ἔχει ἀδιακρίτοις ἀνθρώποις λέγειν εἴτε
25 λογισμοὺς εἴτε πράξεις.

101 Εἶπεν ἡ ἁγία Συγκλητική· Οἱ μὲν τὸν αἰσθητὸν πλοῦτον ἐκ πόνων καὶ κινδύνων συνάγοντες πολλὰ κερδήσαντες τῶν πλειόνων ἐφίενται· καὶ τὰ μὲν παρόντα ὡς οὐδὲν ἡγοῦνται, πρὸς δὲ τὰ μὴ παρόντα ἐπεκτείνονται. Ἡμεῖς δὲ καὶ τῶν
5 ζητουμένων μηδὲν ἔχοντες οὐδὲν θέλομεν κτήσασθαι διὰ τὸν φόβον τοῦ Θεοῦ.

9 αὐτοῦ : ἑαυτοῦ O ‖ 10 ἀδελφὸς : ἀββᾶ SV ‖ οὐκ *om.* RM ‖ 12 ὁ πατὴρ : ὁ γέρων RT *om.* H ‖ 13 *post* τῶν *add.* ἁγίων R θείων T ‖ αὐτῷ *om.* M ‖ 14 τοῖς : τοῖς μόνον RT ‖ 15 δύναμιν ἐν : προθυμίαν T ‖ 16 ἀνήγγειλεν MH ‖ 16-17 ἀκούσας – πατὴρ : ὁ δὲ πατὴρ MS ‖ 17 καλῶς Y ‖ 19 ἐν γνώσει : γνησίως RT ‖ 20 γέροντα : πατέρα O ‖ 21 ἔλεγεν : λέγει YO ‖ 23 ἐν μέσῳ Y : μετάξυ *cett.* ‖ ἴδωμεν : μάθωμεν RT οἴδαμεν M ‖ 24 ἔχει : φέρει τὸ RT ‖ *post* ἀνθρώποις *add.* ἀνατίθεσθαι τὰ καθ' ἑαυτῶν καὶ RT

en s'en retournant, il eut l'idée d'aller manifester ses pensées à abba Silvain. Or ce dernier était très habile au discernement. Venant donc auprès de lui, le frère ne lui dit pas ce qu'il avait fait, mais il procéda de la même manière dont il avait usé pour l'autre vieillard. Et le père ouvrit la bouche et se mit à lui dire qu'il n'y a aucune condamnation pour les pensées[1]. Entendant cela, le frère s'enhardit en son âme, et, ayant retrouvé l'espérance, lui avoua aussi ce qu'il avait fait. Ayant écouté aussi ce qu'il avait fait, le père, comme un bon médecin, pansa son âme à l'aide des Écritures divines qui montrent qu'il existe une pénitence pour ceux qui en connaissance se convertissent à Dieu. Et une fois que mon abba se rendait chez lui, ce vieillard lui raconta cela et dit : « Voici que celui qui désespérait de lui-même et s'apprêtait à retourner dans le monde est comme un astre au milieu de ses frères. » J'ai raconté cela pour que nous sachions qu'il est dangereux de dire soit ses pensées soit ses actions à des hommes sans discernement.

101 Sainte Synclétique dit : « Ceux qui, en peinant et en prenant des risques, amassent des richesses matérielles, cherchent, malgré leurs gros gains, à en acquérir encore plus ; ce qu'ils ont présentement, ils le considèrent comme rien, tout tendus vers ce qu'ils n'ont pas encore. Mais nous, bien que n'ayant rien de ce qui est recherché, nous ne voulons rien acquérir par la crainte de Dieu. »

Syn 10 (425 A-B)

101 YORTMSVH *l*

2 ἐκ : μετὰ MS ‖ πόνων : κόπων TMH ‖ *post* κινδύνων *add.* maris *l* ‖ 4 ἐκτείνονται ORTMSVH ‖ 5 *post* κτήσασθαι *add.* quae necessaria sunt *l*

---

1. Τοῖς λογιζομένοις, c'est-à-dire les pensées mauvaises suggérées par les démons.

102 Εἶπε πάλιν · Ἔστι λύπη ἐπωφελὴς καὶ ἔστι λύπη φθοροποιός. Χρήσιμός ἐστιν ἡ λύπη τὸ περὶ τῶν οἰκείων ἁμαρτιῶν στένειν καὶ περὶ τῆς τοῦ πλησίον ἀγνωσίας, καὶ τὸ μὴ ἐκπεσεῖν τῆς προθέσεως καὶ ἵνα τῆς τελείας ἐφάψηται
5 ἀγαθότητος · ταῦτα μὲν τῆς κατὰ Θεὸν λύπης τὰ εἴδη. Ἔστι δὲ καί τις τοῦ ἐχθροῦ πρὸς ταῦτα συνάφεια · ἐμβάλλει γὰρ καὶ αὐτὸς λύπην ἀλογίας μεστήν, ὅπερ καὶ ἀκηδία παρὰ πολλῶν ὠνόμασται. Δεῖ οὖν τοῦτο τὸ πνεῦμα εὐχῇ μάλιστα ἀποσοβεῖν καὶ ψαλμωδίᾳ.

103 Εἶπε πάλιν · Καλὸν μὲν οὖν τὸ μὴ ὀργίζεσθαι, εἰ δὲ καὶ γένηται οὐδὲ μέτρον σοι ἡμέρας συνεχώρησε πρὸς τὸ πάθος. Εἶπε γὰρ μὴ ἐπιδύναι τὸν ἥλιον[x]. Σὺ δὲ ἐκδέχῃ ἕως οὗ ὁ πᾶς σου χρόνος πληρωθῇ. Οὐκ οἶδας εἰπεῖν ·
5 « Ἀρκετὸν τῇ ἡμέρᾳ ἡ κακία αὐτῆς[y] » ; Ἵνα τί μισεῖς τὸν λυπήσαντα ἄνθρωπον ; Οὐκ αὐτός ἐστιν ὁ λυπήσας σε ἀλλ' ὁ διάβολος. Μίσησον τὴν νόσον καὶ μὴ τὸν νοσοῦντα.

104 Εἶπε πάλιν · Ἐπικίνδυνον τὸν μὴ διὰ τοῦ πρακτικοῦ βίου ἀχθέντα διδάσκειν ἐπιχειρεῖν. Ὥσπερ γὰρ ἐάν τις οἰκίαν ἔχων σαθρὰν ξένους ὑποδεξάμενος βλάψει τοὺς τοῦ οἰκήματος, οὕτως καὶ οὗτοι μὴ πρότερον ἀσφαλῶς
5 οἰκοδομήσαντες καὶ τοὺς προσελθόντας σὺν αὐτοῖς ἀπώ-

102 YORTMSVH *l*

1-2 λύπη¹ – φθοροποιός H *l* (*cf. VSyn* 40, *PG* 28, 1512 A) : λύπη καὶ λύπη *cett.* || 2 χρήσιμος MS *l* : τοῖς μὲν οὖν χρησίμοις *cett.* || 3 ἁμαρτημάτων M || *post* στένειν *add.* τὸ δὲ M || τοῦ : τῶν M || 4 τελείας *om.* H || 5 ἀγαθότητος : τελειότητος YRTH || *post* μὲν *add.* οὖν YORTH || κατὰ θεὸν : uerae *l* || εἴδη : ἴδια H || 6 τις : τῆς RTVH τῆς ἐκ S ἐκ M || *post* ἐχθροῦ *add.* λύπης RT || συναφείας MS || 7 καὶ¹ : σε R || 8 πολλοῖς MS || *post* πνεῦμα *add.* saepius *l* || 9 μάλιστα : μᾶλλον R

103 YORTMSVH

1 μὲν οὖν *om.* TMS || 3 *post* ἥλιον *add.* ἐπὶ τῷ παροργισμῷ ὑμῶν RT || δὲ : οὖν TMSH || 5 μισήσῃς O || 6 σε *om.* OR || 7 *post* μίσησον *add.* οὖν R || καὶ μὴ τὸν νοσ. : λοιπόν R

02 Elle dit encore : « Il y a une tristesse profitable et une tristesse corruptrice. La tristesse utile fait s'affliger de ses propres fautes et de l'ignorance du prochain, et empêche de déchoir de son propos, qui est d'atteindre à la bonté parfaite. Telles sont les marques de la tristesse selon Dieu. Mais il y a aussi une connivence de l'ennemi avec ces marques : lui aussi, en effet, suggère une tristesse pleine de déraison et que beaucoup appellent acédie. Il faut donc mettre en fuite cet esprit par la prière surtout et par la psalmodie. »

Syn S 10 (Recherches p. 35)

03 Elle dit encore : « Il est bien de ne pas se mettre en colère ; mais si cela se produisait, (l'Apôtre) ne t'a même pas accordé pour cette passion la durée d'un jour, puisqu'il dit : Que le soleil ne se couche pas[x]. Et toi, vas-tu attendre jusqu'à ce que tout ton temps soit accompli ? Ne sais-tu pas dire : *Au jour suffit sa malice*[y] ? Pourquoi haïr l'homme qui t'a fait de la peine ? Ce n'est pas lui qui t'a fait de la peine, mais le diable. Hais la maladie, et non le malade. »

Syn 13 (425 B-C)

04 Elle dit encore : « Il est dangereux qu'entreprenne d'enseigner celui qui n'est pas passé par la vie pratique. De même en effet que celui qui possède une maison délabrée et y reçoit des hôtes fait du tort à ceux de la maison ; de même ces gens-là : s'ils n'ont pas soigneusement construit d'abord, ils perdent ceux qui viennent avec eux.

Syn 12 (425 B)

104 YORTMSVH

1 *post* ἐπικίνδ. *add.* ἐστι RT || 2 βίου *om.* V || ἀναχθέντα TM || ἐάν : ἐὰν ᾖ M || 3 βλάπτει V || τοὺς : καὶ τοὺς M τῇ πτώσει H || 4 ἀσφαλῶς *om.* H || 5 σὺν αὐτοῖς : πρὸς αὐτοὺς TS αὐτοῖς MH || 5-6 συναπώλεσαν H

---

x. Cf. Ep 4, 26 y. Mt 6, 34

λεσαν· τοῖς μὲν γὰρ λόγοις προεκαλέσαντο εἰς σωτηρίαν, τῇ δὲ τοῦ τρόπου κακίᾳ τοὺς ἀσκητὰς μᾶλλον ἠδίκησαν.

105 Εἶπε πάλιν· Ἔστιν ἐκ τοῦ ἐχθροῦ ἐπιτεταμένη ἄσκησις· καὶ γὰρ οἱ αὐτοῦ μαθηταὶ τοῦτο ποιοῦσιν. Πῶς οὖν διακρίνωμεν τὴν θείαν καὶ βασιλικὴν ἄσκησιν ἐκ τῆς τυραννικῆς καὶ δαιμονιώδους; Ἢ δῆλον ὡς ἀπὸ τῆς συμμετρίας; 5 Ὁ πᾶς οὖν χρόνος σου εἷς κάνων νηστείας ὑπαρχέτω. Μὴ τέσσαρας ἢ πέντε ἡμέρας νηστεύσῃς καὶ τὴν ἄλλην πλήθει τρόφων καταλύσῃς διὰ τὴν ἀτονίαν· τοῦτο γὰρ ἡδύνει τὸν ἐχθρόν. Πανταχοῦ γὰρ ἡ ἀμετρία φθοροποιὸς τυγχάνει. Μὴ ὑφέν σου τὰ ὅπλα ἀναλώσῃς καὶ γυμνὸς 10 εὑρεθῇς, καὶ ἐν τῷ πολέμῳ εὐάλωτος γενῇ. Τὰ ὅπλα ἡμῶν ἐστι τὸ σῶμα, ἡ ψυχὴ ὁ στρατιώτης· τῶν ἀμφοτέρων οὖν ἐπιμελοῦ πρὸς τὴν χρείαν. Νέος οὖν ὢν καὶ ὑγιὴς νήστευσον· ἥξει γὰρ τὸ γῆρας μετὰ ἀσθενείας. Ὅτε δύνῃ θησαύρισον ἵνα μὴ δυνάμενος εὕρῃς.

106 Εἶπε πάλιν· Ὅσον προκόπτουσιν οἱ ἀθληταὶ τοσοῦτον συνάπτονται ἀνταγωνισταῖς μείζοσιν.

107 Ἦλθόν ποτε δύο γέροντες μεγάλοι ἀναχωρηταὶ ἀπὸ τῶν μερῶν τοῦ Πηλουσίου πρὸς τὴν ἀμμᾶ Σάρραν, καὶ ἀπερχόμενοι ἔλεγον πρὸς ἀλλήλους· ταπεινώσωμεν τὴν γραίδα ταύτην. Λέγουσιν οὖν αὐτῇ· βλέπε, ἀμμᾶ, μὴ ἐπαρθῇ ὁ 5 λογισμός σου καὶ εἴπῃς πρὸς ἑαυτήν· ἰδοὺ ἀναχωρηταὶ ἔρχονται πρὸς μὲ γυναῖκα οὖσαν. Ἡ δὲ λέγει αὐτοῖς· Τῇ μὲν φύσει γυνή εἰμι, ἀλλ' οὐ τῷ λογισμῷ.

6 γὰρ *om.* V || προσεκαλέσαντο RTMSH || 7 τρόπου : προσώπου RT πράτου H || ἀσκητὰς : ἀκολουθήσαντας RT

105 YORTMSVH *l*

2 πῶς : quando *l* || 4 δαιμον. καὶ τυρανν. *transp.* YTMSVH || ἢ Y : *om. cett.* || 4-5 ὡς – ὑπαρχέτω : quia mediocri tempore conuersationis tuae una regula ieiunii sit tibi *l* || 5 ἅπας σου ὁ χρόνος TM || 6 ἡμέρας *om.* YOMSVH || 6-7 νηστεύῃς ... καταλύῃς S || 7 διὰ τὴν ἀτονίαν : uirtutem *l* || 9 μὴ *om.* V || 10 γενήσῃ RT || τὰ : τὰ γὰρ T || 12 πρὸς τὴν χρείαν : ut paratus sis ad id quod necesse est *l* || 12-14 νέος *ad*

Car en paroles ils provoquent au salut ceux qui les suivent, mais par la malignité de leur comportement ils font surtout du tort aux ascètes.»

05 Elle dit encore : «Il y a une ascèse intense qui vient de l'ennemi, car ses disciples la pratiquent. Comment discernerons nous donc l'ascèse divine et royale de celle qui est démoniaque et tyrannique? N'est-ce pas évidemment d'après sa juste mesure? Garde donc tout le temps une seule règle du jeûne. Ne prolonge pas le jeûne quatre ou cinq jours pour le rompre le jour suivant dans l'abondance des nourritures à cause de ta faiblesse; car cela, plaît à l'ennemi. Toujours, en effet, l'absence de mesure est corruptrice. Ne dépense pas tes armes d'un seul coup pour te trouver nu et devenir une proie facile dans le combat. Nos armes, c'est le corps, et l'âme le combattant. Prends donc soin des deux pour t'en servir. Aussi, jeûne tant que tu es jeune et en bonne santé, car la vieillesse viendra avec la maladie. Tant que tu le peux, thésaurise, pour trouver quand tu ne le pourras plus.»

Syn 15 (425 C-D)

06 Elle dit encore : «A proportion de leur progrès, les athlètes sont confrontés à des adversaires plus forts.»

Syn 14 (425 C)

07 Deux vieillards, grands anachorètes, allèrent un jour de la région de Péluse chez amma Sarra. En s'y rendant, ils se dirent : «Humilions cette vieille femme.» Ils lui dirent donc : «Amma, veille à ne pas élever ta pensée en te disant en toi-même : voici que des anachorètes viennent vers moi qui suis une femme.» Mais elle leur dit : «Par la nature, je suis une femme, mais non par la pensée.»

Sar 4 (420 C-D)

fin. om. l || 12 οὖν *om.* VH || ὑγιὴν MV ὑγιαινὴς T || 14 μὴ δυνάμ. : ὅτε μὴ δυνάσαι RT

106 YORTV

107 YORTVH *l*

3 γραΐδα : γραῦ R γραῦν T || 5 πρὸς ἑαυτήν *om. l* || 6 ἔρχονται : ἦλθον YORV || γυναικὸς οὔσης RT

108 Εἶπε πάλιν ἡ ἀμμᾶ Σάρρα· Ἐὰν εὔξωμαι τῷ Θεῷ ἵνα πάντες οἱ ἄνθρωποι πληροφορῶνται εἰς ἐμέ, εὑρεθήσομαι εἰς τὰς θύρας ἑκάστου μετανοοῦσα· ἀλλὰ μᾶλλον προσεύξομαι τὴν καρδίαν μου ἁγνὴν εἶναι μετὰ πάντων.

109 Εἶπεν ἀββᾶ Ὑπερέχιος· Σοφὸς ἀληθῶς ἐστιν οὐχ ὁ τῷ λόγῳ διδάσκων, ἀλλ' ὁ τῷ ἔργῳ παιδεύων.

110 Ἦλθε ποτέ τις μοναχὸς ῥωμαῖος μέγας γενόμενος τοῦ παλατίου καὶ ᾤκησεν ἐν Σκήτει ἐγγύτερον τῆς ἐκκλησίας. Εἶχε δὲ καὶ ἑνὰ δοῦλον ὑπηρετοῦντα αὐτῷ. Ἰδὼν δὲ ὁ πρεσβύτερος τὴν ἀσθένειαν αὐτοῦ καὶ μάθων λοιπὸν ἐκ 5 ποίας ἀναπαύσεως ἐστίν, εἴ τι ὁ Θεὸς ᾠκονόμει καὶ ἤρχετο εἰς τὴν ἐκκλησίαν, ἔπεμπεν αὐτῷ. Καὶ ποιήσας εἰκοσιπέντε ἔτη ἐν Σκήτει γέγονε διορατικὸς καὶ ὀνομαστός. Ἀκούσας δέ τις τῶν μεγάλων αἰγυπτίων περὶ αὐτοῦ ἦλθεν ἰδεῖν αὐτόν, σωματικὴν πολιτείαν περισσοτέραν ἐν αὐτῷ εὑρεῖν 10 δοκῶν. Καὶ εἰσελθὼν ἠσπάσατο αὐτὸν καὶ ποιήσαντες εὐχὴν ἐκάθισαν. Βλέπει δὲ αὐτὸν ὁ αἰγύπτιος φοροῦντα ἱμάτια τρυφερὰ καὶ χαράδριον καὶ δέρμα ὑποκάτω αὐτοῦ καὶ προσκεφάλαιον μικρόν, ἔχοντα δὲ καὶ τοὺς πόδας καθαροὺς μετὰ σανδαλίων. Καὶ ταῦτα ἰδὼν ἐσκανδαλίσθη ὅτι ἐν 15 τόπῳ τοιούτῳ οὕτως ὑπῆρχεν ἐν μεγάλῃ διαγωγῇ καὶ οὐ μᾶλλον ἐν σκληραγωγίᾳ. Καὶ διορατικὸς ὢν ὁ γέρων, ἐνόησεν ὅτι ἐσκανδαλίσθη καὶ λέγει τῷ ὑπηρετοῦντι αὐτῷ· Ποίησον ἡμῖν ἑορτὴν διὰ τὸν ἀββᾶ σήμερον. Εὑρέθη δὲ

108 YORTVH *l*
1 πάλιν *om.* RTH || 2 πληροφοροῦνται YR aedificentur *l* || 3 μᾶλλον *om.* YOV || 4 εἶναι : ἔχειν RT
109 YORTVH *l*
2 λόγῳ : λογισμῷ Y^{ac} || ὁ *om.* V
110 YORTMSH *l*
in marg. sup. add. περὶ τοῦ ῥωμαίου μοναχοῦ Y || 4 λοιπὸν *om.* M || 7 διορατικὸς : contemplator *l* || 8 τῶν μεγ. αἰγυπτ. : τῶν αἰγυπτίων μέγας γέρων Y τῶν αἰγυπτίων γερόντων μέγας [*om.* R] RT || ἦλθεν ἰδεῖν *om.* H || 9 αὐτόν *scripsi ex l*: αὐτοῦ YOMSH παρ' ἑαυτοῦ RT ||

08 Amma Sarra dit encore : « Si je priais Dieu que tous les hommes soient affermis en moi, je me trouverais à la porte de chacun à faire pénitence ; aussi je vais plutôt demander que mon cœur soit pur avec tous. »

Sar 5 (420 D)

09 Abba Hypéréchios dit : « Est vraiment sage non celui qui enseigne par sa parole, mais celui qui éduque par son œuvre[1]. »

10 Vint une fois un moine romain, qui fut un grand du palais, et il habita à Scété tout près de l'église. Il avait un serviteur pour l'aider. Et le prêtre, voyant sa faiblesse et sachant en outre dans quel confort il avait vécu, lui envoyait tout ce que Dieu procurait et qui arrivait à l'église. Et après vingt-cinq ans à Scété, il devint clairvoyant et célèbre. Or un des grands vieillards égyptiens en entendit parler et vint le voir pensant trouver en lui une plus grande austérité corporelle. Il entra et le salua, et après la prière ils s'assirent. Or, l'Égyptien voit qu'il porte des vêtements soignés, qu'il a une natte avec une peau en dessous de lui et un petit oreiller, et que ses pieds sont propres, chaussés de sandales. Voyant cela, il se scandalisa de ce que en un tel lieu il vive si confortablement plutôt que dans l'austérité. Et comme il était clairvoyant, le vieillard comprit qu'il était scandalisé, et il dit à son aide : « Fais-nous fête aujourd'hui à cause de l'abba. » Il y avait quelques légumes qu'il fit cuire ; et

Rom 1 (385 C-389 A)

ἐν αὐτῷ : ἑαυτοῦ MS || 9-10 εὑρεῖν δοκῶν H *l*: *om. cett.* || 11 αὐτὸν : αὐτὸς MSH || 12 *post* καὶ[1] *add.* κείμενον εἰς RT || χαράδριον : budam de papyro *l* || 13 προσκεφάλαιον : capitale de cartica *l* || ἔχοντι YOR || 14 καὶ *om.* YO || 15 οὕτως : οὗτος OMS οὐχ H || ἐν μεγ. διαγ. : τοιαύτη διαγωγὴ MH || μεγάλῃ : τοιαύτῃ O || 16 ἐν σκληρ. : σκληραγωγία MH || 18 ἀββᾶ : ἀδελφὸν RT || δὲ : οὖν R

1. Repris de HYPERECHIUS, *Adhortatio*, 122b (*PG* 79, 1485 A).

μικρὸν λάχανον καὶ ἥψησεν· καὶ τῇ ὥρᾳ ἀναστάντες
20 ἔφαγον. Εἶχε δὲ καὶ ὀλίγον οἶνον διὰ τὴν ἀσθένειαν αὐτοῦ
ὁ γέρων, καὶ ἔπιον. Καὶ ὡς ἐγένετο ὀψὲ ἔβαλον τοὺς
δώδεκα ψαλμοὺς καὶ ἐκοιμήθησαν· ὁμοίως δὲ καὶ τὴν
νύκτα. Ἀναστὰς δὲ πρωΐ, λέγει αὐτῷ ὁ αἰγύπτιος· Εὖξαι
ὑπὲρ ἐμοῦ. Καὶ ἐξῆλθεν μηδὲν ὠφεληθείς. Καὶ ὡς ἀπῆλθε
25 μικρὸν θέλων ὁ γέρων ὠφελῆσαι αὐτὸν πέμψας μετε-
καλέσατο αὐτὸν· καὶ ὡς ἦλθε πάλιν μετὰ χαρᾶς ἐδέξατο
αὐτὸν καὶ ἐπηρώτησεν αὐτὸν λέγων· Ποίας χώρας εἶ, ἢ
ποίας πόλεως; Καὶ λέγει ὁ αἰγύπτιος· Ἐγὼ ὅλως οὐκ
εἰμὶ πολίτης, ἀλλὰ κωμίτης. Λέγει ὁ γέρων· Τί ἦν τὸ
30 ἔργον σου ἐν τῇ κώμῃ; Ὁ δὲ εἶπεν· Τηρητής. Ὁ γέρων
λέγει· Ποῦ ἐκοιμῶ; Ὁ δὲ εἶπεν· Εἰς τὸν ἀγρόν. Λέγει
ὁ γέρων· Εἶχες στρώμνην ὑποκάτω σου; Ὁ δὲ εἶπεν·
Εἰς τὸν ἀγρὸν στρώμνην εἶχον θεῖναι ὑποκάτω μου; Καὶ
λέγει ὁ γέρων· Ἀλλὰ πῶς ἐκοιμῶ; Ὁ δὲ λέγει· Χαμαί.
35 Λέγει ὁ γέρων· Τί ἤσθιες εἰς τὸν ἀγρόν; Ἢ ποῖον οἶνον
ἔπινες; Ἀπεκρίθη πάλιν· Ἔνι βρώματα καὶ πόματα εἰς
τὸν ἀγρόν; Ἀλλὰ πῶς ἔζης φησίν; Λέγει αὐτῷ· Ἤσθιον
μικρὸν ἄρτον καὶ ταρίχιν, καὶ ἔπινον ὕδωρ. Ἀποκριθεὶς
δὲ ὁ γέρων εἶπεν· Μέγας κόπος. Καὶ λέγει· Ἔνι βαλανεῖον
40 εἰς τὴν κώμην ἵνα λούησθε; Ὁ δὲ εἶπεν· Οὐχί, ἀλλὰ εἰς
πόταμον ὅτε ἠθέλομεν ἐλουόμεθα. Ὡς οὖν ἐξελάβετο αὐτὸν
ὁ γέρων εἰς πάντα ταῦτα καὶ ἔμαθε τοῦ προτέρου αὐτοῦ
βίου τὴν θλῖψιν, θέλων αὐτὸν ὠφελῆσαι διηγήσατο καὶ
αὐτὸς τοῦ προτέρου αὐτοῦ βίου τὴν διαγωγὴν τὴν ἐν τῷ
45 κόσμῳ λέγων· Ἐμὲ τὸν ταπεινὸν ὃν βλέπεις, ἐκ τῆς μεγά-
λης πόλεως Ῥώμης εἰμὶ μέγας γενόμενος εἰς τὸ παλάτιον
τοῦ βασιλέως. Καὶ ὡς ἤκουσεν ὁ αἰγύπτιος τὴν ἀρχὴν

19 τῇ ὥρᾳ *om.* RT ‖ 20 αὐτοῦ *om.* YO ‖ 21 καὶ ἔπιον *om.* Y ‖ 23 ἀναστὰς : ἀναστάντες YRH ‖ 24 μηδὲν : μὴ MSH ‖ 26-27 ὡς – καὶ *om.* MS ‖ 27 *post* αὐτὸν² *add.* ὁ γέρων O ‖ ἢ : et ille dixit : aegyptius sum. et dixit ei *l* ‖ 29 ἀλλὰ κωμίτης *om.* OMSH nec habitaui aliquando in ciuitate *l* ‖ 30 εἰς τὴν κώμην TMH antequam monachus esses *l* ‖ 32 στρώμνην : στρῶμα M ‖ 36 βρῶμα ἢ πόμα M ‖ 38 καὶ ταρίχιν :

quand vint l'heure, ils se levèrent pour manger. Le vieillard avait aussi un peu de vin à cause de sa faiblesse ; et ils en burent. Le soir venu, ils récitèrent les douze psaumes et se couchèrent ; et de même dans la nuit. Lorsqu'ils se levèrent le matin, l'Égyptien lui dit : « Prie pour moi ». Et il s'en alla nullement édifié. Quand il se fut un peu éloigné, le vieillard, voulant lui être utile, envoya quelqu'un pour le faire revenir. A son retour, il l'accueillit avec joie et l'interrogea : « De quelle région es-tu, ou de quelle ville ? » L'Égyptien dit : « Moi, je ne suis pas du tout citadin, mais villageois. » Le vieillard dit : « Quel était ton travail au village ? » Il dit : « Gardien de troupeau. » Le vieillard dit : « Où dormais-tu ? » L'autre dit : « Au champ. » Le vieillard dit : « Avais-tu une couverture en dessous de toi ? » L'autre dit : « Au champ, j'avais une couverture à mettre en dessous de moi ? » Et le vieillard dit : « Mais comment dormais-tu ? L'autre dit : « Par terre. » Le vieillard dit : « Qu'est-ce que tu mangeais au champ, quel vin buvais-tu ? » Il répondit encore : « Y a-t-il des nourritures et des boissons au champ ? » « Mais comment vivais-tu ? », dit-il. Il lui dit : « Je mangeais un peu de pain et de salaison, et je buvais de l'eau. » Et le vieillard lui répondit : « Peine considérable ! ». Et il ajouta : « Y avait-il des bains au village pour vous laver ? » L'autre dit : « Non, mais quand nous le voulions nous nous lavions au fleuve. » Lors donc qu'il lui eût fait dire tout cela et qu'il sut l'affliction de sa vie antérieure, le vieillard, voulant lui être utile, raconta à son tour la façon dont il vivait autrefois dans le monde ; il lui dit : « Moi, le pauvre homme que tu vois, je suis de la grande ville de Rome, où j'étais un notable au palais de l'empereur. » Et lorsqu'il entendit le

et si inueniebam quodcumque de salsamentis *l* || 39 *post* καὶ *add.* προσθεὶς YRTMSH || 41 θέλομεν MH || 45 ὃν : ὃν νῦν R || 46 γενόμενος : γεγονὼς RS καὶ (μέγας) γέγονα TM || 47 τοῦ βασιλέως *om.* MS

τοῦ λόγου, κατενύγη καὶ ἤκουεν ἀκριβῶς τὰ λεγόμενα ὑπ' αὐτοῦ. Κατέλιπον οὖν, φησίν, τὴν Ῥώμην καὶ ἦλθον εἰς
50 τὴν ἔρημον ταύτην. Καὶ πάλιν ἐμὲ ὃν βλέπεις, οἴκους εἶχον μεγάλους καὶ χρήματα πολλά· καταφρονήσας οὖν αὐτῶν ἦλθον εἰς τὸ μικρὸν κελλίον τοῦτο. Καὶ πάλιν ἐμὲ ὃν βλέπεις, κραββάτους ὁλοχρύσους εἶχον, ἔχοντας πολυτίμους στρώμνας, καὶ ἀντὶ τούτων ἔδωκέν μοι ὁ Θεὸς τὸ
55 χαράδριον τοῦτο καὶ τὸ δέρμα· Καὶ πάλιν τὰ ἐνδύματά μου πολλῆς τιμῆς ἄξια ἦσαν, καὶ ἀντ' ἐκείνων φορῶ τὰ εὐτελῆ ταῦτα ἱμάτια. Καὶ εἰς τὸ ἄριστόν μου πολὺ χρύσιον ἐδαπανᾶτο, καὶ ἀντ' ἐκείνων ἔδωκέ μοι ὁ Θεὸς τὸ μικρὸν λάχανον τοῦτο καὶ τὸ μικρὸν ποτήριον τοῦ οἴνου. Ἦσαν
60 δὲ οἱ ὑπηρετοῦντές μοι παῖδες πολλοί, καὶ ἰδοὺ ἀντ' ἐκείνων κατένυξεν ὁ Θεὸς τὸν γέροντα τοῦτον ὑπηρετεῖν μοι· καὶ ἀντὶ βαλανείου, βάλλω μικρὸν ὕδωρ εἰς τοὺς πόδας μου, καὶ τὰ σανδαλία διὰ τὴν ἀσθένειαν μου. Καὶ πάλιν ἀντὶ μουσικῶν καὶ αὐλῶν καὶ κιθαρᾶς λέγω τοὺς
65 δώδεκα ψαλμούς· ὁμοίως δὲ καὶ τὴν νύκτα, ἀντὶ τῶν ἁμαρτιῶν ὧν ἐποίουν, ἄρτι μετὰ ἀναπαύσεως ποιῶ μου τὴν μικρὰν λειτουργίαν. Παρακαλῶ σε οὖν, πάτερ, μὴ σκανδαλίσθῃς διὰ τὴν ἐμὴν ἀσθένειαν. Ταῦτα ἀκούσας ὁ αἰγύπτιος εἰς ἑαυτὸν ἐλθὼν εἶπε· Οὐαί μοι, ὅτι ἀπὸ πολλῆς
70 κακοπαθείας τοῦ κόσμου τούτου ἦλθον εἰς ἀνάπαυσιν, καὶ ἃ οὐκ εἶχον τότε νῦν ἔχω· σὺ δὲ ἀπὸ πολλῆς ἀναπαύσεως ἦλθες εἰς θλῖψιν καὶ ἀπὸ πολλῆς δόξης καὶ πλούτου ἦλθες εἰς ταπείνωσιν καὶ πτωχείαν. Πολλὰ οὖν ὠφεληθεὶς ἀπῆλθε καὶ ἐγένετο αὐτοῦ φίλος καὶ παρέβαλεν αὐτῷ πυκνότερον
75 δι' ὠφέλειαν. Ἦν γὰρ ἀνὴρ διακριτικὸς καὶ πλήρης τῆς εὐωδίας τοῦ ἁγίου Πνεύματος.

48 ἤκουσεν OTMH || ὑπ' : παρ' T ἀπ' M || 49 Ῥώμην : πόλιν M || 51-52 καταφρ. – τοῦτο *add. in marg.* O^pc || 54 τούτων : ἐκείνων T αὐτῶν MH || *post* τὸ *add.* μικρὸν YR || 56 ἦσαν : ἦν M ὑπῆρχον H || 58 ἐκείνου TM || 59 μικρὸν *om.* YOTS || 61 ὑπηρετῆσαι M || 63 τὰ σανδαλία – καὶ *om.* R || 64 αὐλῶν : λύρων H || κιθαρῶν MH || 69 εἰς ἑαυτὸν ἐλθὼν *om.* YRTMS || 70 κακοπαθ. : θλίψεως OMSH tribulatione

début de ce récit, l'Égyptien fut plein de componction et il écouta attentivement ce que l'autre lui disait : « J'ai donc laissé Rome, dit-il, et je suis venu dans ce désert. Et encore, moi que tu vois, j'avais de grandes demeures et beaucoup de richesses ; je les ai donc méprisées pour venir dans cette petite cellule. Et encore, moi que tu vois, j'avais des lits tout en or, avec des couvertures de grand prix ; et au lieu de cela, Dieu m'a donné cette petite natte et cette peau. Et encore, j'avais des habits d'un grand prix ; et à leur place je porte ces vêtements bon marché. Et pour ma nourriture, on dépensait beaucoup d'or ; et au lieu de cela, Dieu m'a donné ce peu de légumes et cette petite coupe de vin. J'avais de nombreux esclaves pour m'aider ; et voici qu'en échange Dieu a rempli de componction ce vieillard pour m'aider. Et en guise de bain, je verse un peu d'eau sur mes pieds, et je porte des sandales à cause de ma faiblesse. Et encore, à la place de la musique et des flûtes et de la cithare, je dis les douze psaumes ; et de même la nuit, en échange des fautes que je commettais, je fais paisiblement ma petite liturgie. Je t'en supplie donc, Père, ne sois pas scandalisé de ma faiblesse. » En entendant cela, l'Égyptien rentré en lui-même dit : « Malheur à moi, car j'ai quitté tous les inconforts de ce monde pour venir au repos, et ce qu'alors je n'avais pas je le possède maintenant. Mais toi, tu as quitté un grand repos pour venir à l'affliction, et après beaucoup de gloire et de richesse tu es parvenu à l'humilité et à la pauvreté. » L'Égyptien s'en alla donc très édifié, il devint son ami et le visita souvent pour son profit. C'était, en effet, un homme de discernement et rempli de la bonne odeur du saint Esprit.

... et labore *l* || 71-72 ἀναπαύσεως – πολλῆς *om.* MS || 72 πολλῆς δόξης καὶ *om.* R || *post* καὶ[2] *add.* πολλοῦ YRTMSH || 73 *post* ὠφεληθεὶς *add.* ὁ αἰγύπτιος YRT || 74 *post* καὶ[1] *add.* ἀπὸ τότε R || πυκνότερον RT : συχνῶς M saepe *l om.* YOSH

111 Dicebat senex : Non necesse est uerborum tantum ; sunt enim plurima uerba in hominibus tempore hoc, sed opera necessaria sunt. Hoc enim Deus quaerit, non uerba quae non habent fructum.

112 Ἀδελφὸς ἠρώτησέ τινα τῶν πατέρων εἰ μιαίνεταί τις λογιζόμενος ῥυπαροὺς λογισμούς. Ἐξετάσεως δὲ περὶ τούτου γενομένης, οἱ μὲν ἔλεγον · Ναί, μιαίνεται. Οἱ δὲ ἔλεγον · Οὐχί, ἐπεὶ οὐ δυνάμεθα σωθῆναι ἡμεῖς οἱ ἰδιῶται · ἀλλὰ 5 τοῦτό ἐστι · τὸ μὴ πρᾶξαι αὐτοὺς σωματικῶς. Ὁ δὲ ἀδελφὸς ἀπελθὼν πρὸς δοκιμώτερον γέροντα ἠρώτησεν αὐτὸν περὶ τούτου. Λέγει αὐτῷ · Πρὸς τὸ μέτρον ἑκάστου ζητεῖται παρ' αὐτοῦ. Παρεκάλεσεν οὖν ὁ ἀδελφὸς τὸν γέροντα λέγων · Διὰ τὸν Κύριον, διάλυσόν μοι τὸν λόγον 10 τοῦτον. Λέγει αὐτῷ ὁ γέρων · Ἰδού, φησίν, κεῖται ἐνταῦθα σκεῦος ἐπιθυμητόν, καὶ εἰσῆλθον δύο ἀδελφοί, ὁ εἷς ἔχων μέτρα μεγάλα, ὁ δὲ ἕτερος ἥττονα. Ἐὰν εἴπῃ ὁ λογισμὸς τοῦ τελείου · Ἤθελον ἔχειν τὸ σκεῦος τοῦτο, μὴ ἐπιμείνῃ δὲ ἀλλὰ ταχέως ἀποκόψῃ, οὐκ ἐμιάνθη. Ὁ δὲ μήπω 15 φθάσας εἰς μέτρα μεγάλα, ἐὰν ἐπιθυμήσῃ μὲν καὶ ἀδολεσχήσῃ ἐν τῷ λογισμῷ, μὴ ἄρῃ δὲ αὐτό, οὐκ ἐμιάνθη.

113 Εἶπε γέρων · Ἐάν τις μείνῃ ἐν τόπῳ καὶ μὴ ποιήσῃ τὸν καρπὸν τοῦ τόπου, ὁ τόπος αὐτὸν διώκει ὡς μὴ ποιοῦντα τὸν καρπὸν τοῦ τόπου.

114 Ἀδελφός τις εἰργάζετο ἐν ἡμέρᾳ μνήμης μάρτυρος. Ἰδὼν δὲ αὐτὸν ἄλλος ἀδελφὸς εἶπεν αὐτῷ. Ἔνι σήμερον

111 *l*
112 YORTH *l*
1 τινα : quosdam *l* ‖ ἐὰν μιαίνηται T ‖ 2 ῥυπαρὸν λογισμόν YORT ‖ 4 ἐπεὶ : quia si polluitur *l* ‖ 5 ἐστι : pertinet ad salutem *l* ‖ αὐτοὺς Y : αὐτὰ *cett.* ‖ 6 *post* ἀδελφὸς *add.* non sibi sufficere iudicans uariam responsionem patrum *l* ‖ πρὸς : πρός τινα R ‖ δόκιμον RT ‖ 11 *post* εἰσῆλθον *add.* ὧδε H ‖ 14 *post* ἀποκόψῃ *add.* huiusmodi appetitum *l*
113 YORTH *l*
2 τὸν καρπὸν : τὸ ἔργον YOH

11 Un vieillard disait : « Il n'y a pas besoin seulement de paroles : on en trouve beaucoup chez les hommes d'aujourd'hui ; mais les actes sont nécessaires, car c'est cela que Dieu recherche, et non les paroles qui ne portent pas de fruit[1]. » Jac 4 (232 C)

12 Un frère demanda à l'un des Pères si l'on se souille lorsqu'on a des mauvaises pensées. On fit une discussion à ce sujet, et les uns dirent : « Oui, on se souille » ; et les autres : « Non, autrement nous ne pouvons pas être sauvés, pauvres hommes que nous sommes ; mais ce qui compte, c'est de ne pas le faire corporellement. » Et le frère alla chez un vieillard fort éprouvé et l'interrogea sur ce sujet. Il lui dit : « A chacun il est demandé selon sa mesure. » Alors le frère supplia le vieillard : « Au nom du Seigneur, explique-moi cette parole. » Le vieillard lui dit : « Suppose, dit-il, que soit placé ici un objet tentant et qu'entrent deux frères dont l'un en est à une plus grande mesure que l'autre. Si la pensée de celui qui est parfait lui dit : je voulais avoir cet objet, mais que, sans s'y arrêter, il la retranche aussitôt, il n'en est pas souillé ; et si celui qui n'est pas encore parvenu à cette grande mesure le désire et s'entretient dans cette pensée mais ne le prend pas, il n'en est pas souillé. » N 216

13 Un vieillard dit : « Si quelqu'un demeure dans un lieu sans y produire le fruit qu'il permet, ce lieu le chasse parce qu'il n'en fait pas l'œuvre. » N 247

14 Un frère travaillait le jour de la mémoire d'un martyr. Un autre frère le vit et lui dit : « Est-il permis aujourd'hui N 86

114 YORTH
1 ἀδελφὸς : μοναχὸς H || ἐν ἡμ. μν. μάρτ. : εἰς μνήμην μάρτυρος [–τύρων H] OH

1. Donnée ici par la seule version latine et sous forme anonyme, cette parole est, dans l'*Alphabéticon* grec, attribuée à abba Jacques (n° 4).

ἐργάσασθαι ; Ὁ δὲ εἶπε πρὸς αὐτόν · Σήμερον ὁ δοῦλος τοῦ Θεοῦ ἐξαίνετο μαρτυρῶν καὶ ἐβασανίζετο, κἀγὼ διὰ
5 τὸν Θεὸν οὐκ ὤφειλον κοπιᾶσαι μικρὸν ἐν τῷ ἔργῳ σήμερον ;

115 Εἶπε γέρων · Ἐάν τις ποιήσῃ πρᾶγμα ἀκολουθῶν τῷ θελήματι ἑαυτοῦ, καὶ οὐκ ἔστι κατὰ Θεὸν ἐν ἀγνοίᾳ δέ ἐστιν, ὕστερον πάντως δεῖ αὐτὸν ἐλθεῖν εἰς τὴν ὁδὸν τοῦ Θεοῦ. Ὁ δὲ κρατῶν θέλημα οὐ κατὰ Θεὸν οὐδὲ παρ'
5 ἄλλων θέλων ἀκοῦσαι, ἀλλ' ὡς εἰδότα ἑαυτὸν νομίζων, ὁ τοιοῦτος κόπῳ ἔρχεται εἰς τὴν ὁδὸν τοῦ Θεοῦ.

116 Ἠρωτήθη γέρων · Τί ἐστιν ἡ στένη καὶ τεθλιμμένη ὁδός[z] ; Καὶ ἀποκριθεὶς εἶπεν · Ἡ ὁδὸς ἡ στένη καὶ τεθλιμμένη αὕτη ἐστίν · τὸ βιάζεσθαι τοὺς λογισμοὺς ἑαυτῶν καὶ κόπτειν τὰ θελήματα ἑαυτῶν διὰ τὸν Θεόν, τοῦτο γάρ
5 ἐστι τό · « Ἰδοὺ ἀφήκαμεν πάντα καὶ ἠκολουθήσαμέν σοι[a]. »

117 Εἶπε γέρων · Ὥσπερ ἡ τάξις τῶν μοναχῶν προτιμωτέρα ἐστὶ τῶν κοσμικῶν, οὕτως καὶ ὁ ξένος μοναχὸς ὀφείλει εἶναι ἔσοπτρον τοῖς ἐντοπίοις μοναχοῖς κατὰ πάντα τρόπον.

118 Εἶπε γέρων ὅτι · Ἐν τόπῳ ἐν ᾧ ἐστι μοναχός, ἐὰν δοκιμάσῃ καλὸν ποιῆσαι καὶ μὴ ἰσχύσῃ τοῦτο ποιῆσαι, μὴ νομίσῃ ὅτι ἐὰν ἀλλαχοῦ ἀπέλθῃ ἰσχύσῃ ἔτι κατορθῶσαι τοῦτο.

5 Θεὸν : κύριον OR ‖ ὀφείλω TH ‖ ἔργῳ μου O

115 YORTH *l*

1 ποιῇ YO ‖ 2 ἑαυτοῦ Y : αὐτοῦ *cett.* ‖ καὶ : quaerens quod *l* ‖ 4 οὐδὲ : ἀλλ' οὐδὲ R ‖ 5 ἄλλων : ἄλλου YTH ‖ θέλων : θέλει YO ‖ εἰδότα ἑαυτὸν : ἰδὼν τὰ ἑαυτοῦ H ‖ νομίζει RH τοῦ νομίζειν YO ‖ 5-6 ὁ τοιοῦτος : τοιούτῳ YO τῷ οὖν τοιούτῳ RT ‖ 6 τοῦ Θεοῦ : Domini *l*

116 YORTMSH *l*

1 *post* ἐστιν *add.* quod legitur *l* ‖ 2 ἀποκριθεὶς *om.* H ‖ 2-3 ἡ ὁδὸς ἡ στ. κ. τεθλ. *om.* H ‖ 3 ἑαυτῶν : –τοῦ OMH αὐτοῦ S ‖ 4 καὶ κόπτειν – Θεόν *om.* Y ‖ ἐκκόπτειν O ‖ ἑαυτῶν : – τοῦ OH αὐτοῦ MS ‖ 5 *post* ἐστι *add.* quod scriptum est de apostolis *l*

de travailler?» L'autre lui dit : «Aujourd'hui, le serviteur de Dieu a été battu de verges et torturé pour rendre témoignage, et moi je ne devrais pas, à cause de Dieu, peiner un peu dans le travail aujourd'hui?»

15 Un vieillard dit : «Que quelqu'un agisse en suivant sa volonté, s'il ignore que cela n'est pas selon Dieu, il finira bien par venir sur le chemin de Dieu. Mais celui qui s'attache à une volonté qui n'est pas selon Dieu et se refuse à écouter autrui, croyant savoir lui-même, celui-là ne parvient que péniblement sur le chemin de Dieu.» N 248

16 On demanda à un vieillard : «Qu'est-ce que le chemin étroit et resserré[z]?» Et il répondit : «Le chemin étroit et resserré, c'est ceci : contraindre ses pensées et retrancher sa volonté propre à cause de Dieu ; c'est cela, en effet, que veut dire : *Voici que nous avons tout quitté et que nous t'avons suivi*[a].» Amm 1 (124 A) N 249

17 Un vieillard dit : «De même que l'ordre des moines est supérieur à l'état des séculiers, de même le moine étranger doit-il être un miroir pour les moines indigènes en toute manière.» N 250

18 Un vieillard dit : «Si un moine estime que, dans le lieu où il se trouve, il peut faire quelque chose de bien mais qu'il n'a pas la force de le faire, il ne faut pas qu'il croie que s'il s'en va ailleurs il aura alors la force de l'accomplir.» N 446

117 YORTMSH *l*
2 τῶν κοσμ. : τῆς τῶν κοσμ. καταστάσεως YOMSH ‖ κατὰ π. τρ. *om.* H
118 YORTMSH
1 γέρων : πάλιν TM ‖ 2 καλὸν : καλόν τι TMH ‖ τοῦτο : τοῦ Y ‖ 4 τοῦτο : αὐτό RT

z. Cf. Mt 7, 14 a. Mt 19, 27

119 Εἶπέ τις τῶν πατέρων· Ἐὰν μείνῃ ἐργάτης εἰς τόπον ὅπου οὐκ εἰσὶν ἐργάται οὐ δύναται προκόψαι· ὀφείλει οὖν εἰς τοῦτο ἀγωνίσασθαι εἰς τὸ μὴ καταβῆναι κάτω. Καὶ ἀργὸς πάλιν ἐὰν μείνῃ μετὰ ἐργατῶν ἐὰν νήφῃ προκόπτει, 5 ἐὰν δὲ μή, κάτω οὐκ ἔρχεται.

120 Εἶπε γέρων ὅτι· Ἐὰν ἡ ψυχὴ λόγον μὲν ἔχῃ ἔργα δὲ μὴ ἔχῃ, ἔοικε δένδρῳ φύλλα μὲν ἔχοντι καρπὸν δὲ οὔ.

121 Ὥσπερ οὖν δένδρον ἔχον καρπὸν πληρῆ καὶ εὐθαλῆ ἔχει δὲ καὶ φύλλα, οὕτως ἁρμόζει λόγος ψυχῇ ἐχούσῃ ἀγαθὴν ἐργασίαν.

123 Εἶπε γέρων· Οὐ τὸ εἰσέρχεσθαι λογισμοὺς εἰς ἡμᾶς τοῦτό ἐστιν ἡμῖν εἰς κατάκριμα, ἀλλὰ τὸ κακῶς χρήσασθαι τοῖς λογισμοῖς· ἔστι γὰρ ἀπὸ λογισμῶν ναυαγῆσαι καὶ ἔστιν ἀπὸ λογισμῶν στεφανωθῆναι.

124 Εἶπε γέρων· Μὴ λάβῃς μηδὲ δώσῃς μετὰ κοσμικοῦ, καὶ μὴ σχῇς γνῶσιν μετὰ γυναικός, καὶ μὴ ἔχε παρρησίαν ἐπὶ πολὺ μετὰ παιδίου.

125 Ἀδελφὸς ἠρώτησε γέροντα λέγων· Τί ποιήσω ὅτι πολλοὶ οἱ λογισμοὶ οἱ πολεμοῦντές με, καὶ οὐκ οἶδα πῶς πολεμήσω

119 YORTMS *l*

1 τις τῶν πατέρων : γέρων YOS ‖ 2-3 ὀφ. οὖν εἰς τοῦτο : haec est enim uirtus operarii *l* ‖ 4 ἐὰν νήφῃ *om.* *l*

120 YORTMSH *l*

1 ἡ ψυχὴ : homo *l* ‖ μὲν *om.* YOR ‖ ἔργον OMSH

121 YORTH *l*

1 Ὥσπερ οὖν : εἶπε γέρων· ὥσπερ YORT ‖ ἔχον *om.* H ‖ πλήρης H ‖ καὶ *om.* ORH ‖ 2 ψυχῇ : hominem *l*

122 *l* = n° **100**

123 YORTMSH *l*

1 εἰς : πρὸς R ‖ 2 εἰς *om.* OMSH ‖ χρῆσθαι R χρᾶσθαι M ‖ 3 ἀπὸ : ἐκ O ‖ λογισμῶν YO : τῶν λογ. *cett.* ‖ ναυαγῆναι MH ‖ 3-4 ναυαγ. – λογισμῶν *om.* T ‖ 4 λογ. YO : τῶν λογ. *cett.*

9 Un des pères dit : « Si un laborieux demeure dans un lieu où il n'y a pas de laborieux, il ne peut pas progresser ; il lui faut donc combattre pour ne pas descendre. Au contraire, si un paresseux demeure avec des laborieux, il progresse s'il est vigilant, et sinon il ne descend pas. » N251

0 Un vieillard dit : « Si l'âme a la parole sans les œuvres, elle ressemble à un arbre qui a des feuilles mais pas de fruit. » N 252 a

1 « De même qu'un arbre qui a beaucoup de beaux fruits a aussi des feuilles, de même la parole convient-elle à l'âme qui a une bonne activité. » N 252 b

3 Un vieillard dit : « Ce qui nous condamne, ce n'est pas que des pensées pénètrent en nous, mais que nous en fassions un mauvais usage. En effet, des pensées vient que l'on fait naufrage et des pensées vient que l'on est couronné[1]. » N 218

4 Un vieillard dit : « Ne donne ni ne reçois rien d'un séculier, n'entretiens pas de relations avec une femme et n'aie pas trop longtemps de familiarité avec un enfant. » cf. N 125

5 Un frère interrogea un vieillard en disant : « Que faire ? Nombreuses sont les pensées qui me combattent et je N 219

124 YORTMSH *l*
1 μὴ ... μηδὲ : μήτε ... μήτε RT || κοσμικοῦ : saecularibus hominibus *l* || 2 σχῇς : ἔχε RTS || γυναικῶν YORT
125 YORTMSH *l*
1 *post* πολλοὶ *add.* εἰσιν RT

1. Par suite d'une erreur dans mon tableau comparatif des manuscrits (*Recherches...*, p. 150 et *Compléments*, p. 258), il n'y a pas de n° 122, car le récit qui y est indiqué comme présent dans la version latine de Pélage et Jean seulement a déjà été édité au n° 100. Pour éviter d'ultérieures confusions, j'ai préféré ne pas rectifier la numérotation.

μετ' αὐτῶν. Λέγει αὐτῷ ὁ γέρων· Μὴ πολεμήσῃς πρὸς πάντας ἀλλὰ πρὸς ἕνα. Πάντες γὰρ οἱ λογισμοὶ τῶν
5 μοναχῶν ἔχουσιν ἕνα ὥσπερ κεφαλήν. Πρὸς αὐτὴν οὖν πολέμησον τὴν κεφαλήν, καὶ οὕτως οἱ λογισμοὶ ταπεινοῦνται.

126 Περὶ τῶν κακοποιῶν λογισμῶν ἀπεκρίνατο γέρων λέγων· Παρακαλῶ, ἀδελφοί, ἵνα ὥσπερ ἐπαύσαμεν τὰς πράξεις, παύσωμεν καὶ τὰς ἐνθυμήσεις.

127 Εἶπε γέρων· Ὁ εἰς ἔρημον οἰκῆσαι βουλόμενος διδακτικὸς ὀφείλει εἶναι οὐ διδασκαλίας χρήζων ἵνα μὴ ζημιοῦται.

128 Εἶπε γέρων· Οὐ συμφέρει τὸ ἐπερωτᾶν μοναχῷ πῶς ὁ δεῖνα ἢ πῶς ὁ δεῖνα. Διὰ γὰρ τῆς ἐπερωτήσεως ἀποσπώμενος τῆς προσευχῆς εἰς φλυαρίας καὶ καταλαλιᾶς ἐμπίπτεις ὥστε οὐδὲν κρεῖττον τοῦ σιωπᾶν.

129 Ἀδελφὸς ἠρώτησε γέροντα· Εἰπέ μοι, πάτερ, πῶς κτήσομαι τὸν Ἰησοῦν. Ὁ δὲ λέγει· Ὁ κόπος καὶ ἡ ταπείνωσις καὶ ἡ ἄπαυστος προσευχὴ κτῶνται τὸν Ἰησοῦν· πάντες γὰρ οἱ ἅγιοι ἀπ' ἀρχῆς ἕως τέλους διὰ τούτων
5 τῶν τριῶν ἐσώθησαν. Ἡ δὲ ἀνάπαυσις καὶ τὰ θελήματα καὶ τὸ δικαίωμα ἐμπόδια εἰσιν τῆς σωτηρίας τοῦ μοναχοῦ· πάντες γὰρ σχέδον δι' αὐτῶν ἀπόλλυνται.

130 Εἶπεν ὁ αὐτός· Ἕως οὗ κτήσεται ἄνθρωπος τὸν Ἰησοῦν κοπιᾷ· παραχωρεῖται δέ τις κοποθῆναι ἵνα μνησκώμενος τὴν θλῖψιν τοῦ κόπου ἀσφαλίζεται ἑαυτὸν πανταχόθεν

4 ἀλλὰ πρὸς ἕνα *om.* MS ‖ 5 ὥσπερ *om.* *l* ‖ 5-6 πρὸς – κεφαλήν : necessarium ergo est considerare quae et qualis sit et aduersus illam reniti *l* ‖ 6 λογισμοὶ : λοιποὶ H residuae cogitationes *l*

126 YORTH *l*

1 λογισμῶν *om.* YR ‖ γέρων : τις YR *om.* O ‖ 2 ἵνα *om.* H ‖ ὥσπερ YOR : ὡς *cett.* ‖ 3 παύσωμεν : – σώμεθα H

ne sais pas comment combattre contre elles. » Le vieillard lui dit : « Ne combats pas contre toutes, mais contre une seule. En effet, toutes les pensées des moines ont comme une seule tête. Combats donc contre la tête elle-même, et ainsi les pensées sont humiliées. »

126 Au sujet des pensées malfaisantes, un vieillard répondit : « Je vous en supplie, frères, de même que nous avons interrompu les actions, interrompons aussi les désirs. » N 220

127 Un vieillard dit : « Celui qui veut demeurer au désert doit être capable d'enseigner et ne pas avoir besoin d'enseignement, pour ne pas souffrir dommage. » N 221

128 Un vieillard dit : « Il ne convient pas à un moine de s'enquérir comment va un tel ou un tel, car arraché à la prière par l'interrogation, tu tombes dans les bavardages et les médisances ; aussi rien n'est-il préférable au silence. »

129 Un frère interrogea un vieillard : « Dis-moi, père, comment acquérir Jésus ? » Il dit : « La peine, l'humilité et la prière incessante acquièrent Jésus. Tous les saints, en effet, depuis le début jusqu'à la fin furent sauvés par ces trois moyens. Mais le repos, les volontés propres et la prétention à être juste sont des entraves au salut pour le moine ; en effet, presque tous se perdent ainsi. »

130 Le même dit : « Jusqu'à ce que l'homme ait acquis Jésus, il peine ; et il lui est loisible de peiner afin que le souvenir de son affliction et de sa peine le fortifie de toute

127 YORTMSH *l*
1-3 οἱ ... βουλόμενοι ... διδακτικοὶ ὀφείλωσιν ... χρῄζοντες ... ζημιοῦνται R
128 H
129 H
130 H

φοβούμενος μὴ ἀπολέσῃ τοὺς τοσούτους κόπους· τούτου
5 χάριν ἔλεγε· Καὶ τοῖς υἱοῖς Ἰσραὴλ ὁ Θεὸς περιήγαγεν
τεσσαράκοντα ἔτη ἵνα μνησκώμενοι τὴν θλῖψιν τῆς
ὁδοιπορίας μὴ ἐπιστρέφουσιν εἰς τὰ ὀπίσω.

131 Ἠρώτησέ τις γέροντα· Πῶς ἰσχύουσιν καθ' ἡμῶν οἱ
δαίμονες; Ὁ δὲ εἶπεν· Διὰ τῶν θελημάτων. Καὶ πάλιν
εἶπεν· Τὰ ξύλα τοῦ Λιβάνου εἶπαν· Πῶς μεγάλα καὶ
ὑψηλὰ ἐσμέν, καὶ τὸ μικρὸν σίδηρον κόπτει ἡμᾶς. Οἱ δὲ
5 ἐλθόντες καὶ λαβόντες ἑαυτοῖς ξύλον ἐποίησαν ἑαυτοὺς
λαβὴν τὴν ἀξίνην καὶ ἔκοψαν αὐτά. Τὰ ξύλα εἶπεν τὰς
ψυχάς, τὴν δὲ ἀξίνην τοὺς δαίμονας, τὴν δὲ λαβὴν τὰ
θελήματα. Κοπτόμεθα οὖν διὰ τῶν κακῶν θελημάτων·
μὴ δῶμεν οὖν τοῖς δαίμοσιν ἐκ τῶν ἡμετέρων, τουτέστι
10 τῶν θελημάτων ἡμῶν, καὶ οὐ καταβάλλουσιν ἡμᾶς.

132 Εἶπε γέρων· Πολλῷ κόπῳ ἀλλάσσεται συνήθεια, μάλιστα
ἐγχρονίζουσα. Ἐάν τις κοπιάσῃ τοῦ ἀλλάξαι αὐτήν,
σώζεται· ἐὰν δὲ ἐνμείνῃ ἐν αὐτῇ ζημιοῦται.

133 Ἀδελφὸς ἠρώτησε γέροντα λέγων· Ἐὰν νηστεύσω
σώζομαι; Λέγει ὁ γέρων· Οὐχί. Λέγει ὁ ἀδελφός· Ἐὰν
φύγω τοὺς ἀνθρώπους, σώζομαι; Λέγει αὐτῷ ὁ γέρων·
Οὐχί. Λέγει ὁ ἀδελφός· Ἐὰν φιλαδελφήσω, σώζομαι;
5 Λέγει ὁ γέρων· Οὐχί· ἀλλὰ τὸ σωθῆναι ἐστι τοῦτο· τὸ
βαστάσαι τὴν μέμψιν ἑαυτοῦ καὶ μὴ θλίψαι τὸν ἀδελφὸν
αὐτοῦ εἰς πᾶν πρᾶγμα, οὕτως γὰρ ποιεῖ ὁ Θεὸς μετὰ τοῦ
ἀνθρώπου ἔλεος.

4-5 τούτου χάριν coni. L. Neyrand : τούτευ χθριν H nam Paschase (éd. Freire, p. 303)

131 H

4 *post* ἡμᾶς *add.* nihil ergo ei demus ex nobis et non nos poterit incidere Paschase (éd. Freire, p. 291) || 8 κοπτόμεθα *scripsi* : –ώμεθα H

132 H

133 H

façon dans la crainte de perdre de si grandes peines.» C'est pourquoi il disait: «Les fils d'Israël aussi, Dieu les a fait errer pendant quarante ans afin qu'ils se souviennent de la fatigue de la route et ne retournent pas en arrière[1].»

31 Quelqu'un demanda à un vieillard: «Comment les démons ont-ils de la force contre nous?» Il dit: «A cause de nos volontés.» Et il ajouta: «Les arbres du Liban ont dit: "Comme nous sommes grands et élevés! Un petit objet de fer va-t-il nous abattre?" Mais des hommes vinrent, prirent un bois, s'en firent un manche pour la hache et abattirent les arbres.» Il dit que les arbres sont les âmes, la hache les démons et le manche les volontés. Nous sommes donc abattus à cause de nos volontés mauvaises. Aussi, ne donnons pas aux démons ce qui nous appartient, c'est-à-dire nos volontés, et ils ne nous mettront pas par terre[2].

32 Un vieillard dit: «Une habitude se change avec beaucoup de peine, surtout si elle est ancienne. Si quelqu'un peine pour la changer, il se sauve; mais s'il y demeure, il se perd.»

33 Un frère demanda à un vieillard: «Si je jeûne, est-ce que je me sauve?» Le vieillard dit: «Non.» Le frère dit: «Si je fuis les hommes, est-ce que je me sauve?» Le vieillard lui dit: «Non.» Le frère dit: «Si j'ai de l'amour pour mes frères, est-ce que je me sauve?» Le vieillard dit: «Non. Mais être sauvé, c'est ceci: supporter le reproche de soi-même et en rien n'affliger son frère, car ainsi Dieu fait miséricorde à l'homme.»

1. Ce texte, conservé par le seul ms. H, étant corrompu, je me suis inspiré pour la traduction de la version latine du *Liber geronticon* de Paschase, c. lxxviii, 1 (éd. J.G. Freire, t. I, p. 303).

2. Ici encore, la traduction est faite à l'aide de la version latine de Paschase, c. lxxvi, 4 (Freire, p. 291), qui attribue cette parole à abba Achille.

134 Εἶπε γέρων· Ἰωσὴφ ὁ ἀπὸ Ἀριμαθίας ᾐτήσατο λαβεῖν τὸ σῶμα τοῦ Κυρίου, καὶ λαβὼν ἔθηκεν αὐτὸ ἐν μνημείῳ καινῷ[b] ὅ ἐστι καρδία καθαρά· μνημείῳ καινῷ, ἀνθρώπῳ νέῳ τῷ <ἀληθινῷ> Ἰσραὴλ τὸ σῶμα τοῦ Χριστοῦ.

135 Ἠρωτήθη γέρων. Πῶς εὕρω τὸν Θεόν; ἐν νηστείαις; ἐν κόποις; ἐν ἀγρυπνίαις; ἐν ἐλέει; Καὶ ἀπεκρίθη· Πολλοὶ ἔθλιψαν τὴν σάρκα ἑαυτῶν ἐν ἀδιακρισίᾳ καὶ ἀπῆλθον κενοὶ μηδὲν ἔχοντες· τὸ στόμα ἡμῶν ὄζει ἀπὸ νηστείας, 5 τὰς Γραφὰς ἐμάθομεν ἀπὸ στήθους, τὸν Δαυὶδ ἐτελέσαμεν, καὶ ἃ ζητεῖ ὁ Θεὸς οὐκ ἔχομεν, τουτέστι τὸν φόβον καὶ τὴν ἀγάπην καὶ τὴν ταπείνωσιν.

136 Ἀδελφὸς ἠρώτησε γέροντα λέγων· Ἀββᾶ ἰδοὺ παρακαλῶ τοὺς γέροντας ἵνα εἴπωσί μοι περὶ τῆς σωτηρίας τῆς ψυχῆς μου, καὶ οὐδὲν κατέχω ἐκ τῶν λόγων αὐτῶν τί ποτε· τί οὖν καὶ παρακαλῶ αὐτοὺς μηδὲν ἀνύων; Ὅλος 5 γὰρ ἐν ἀκαθαρσίᾳ εἰμί. Ἦσαν δὲ ἐκεῖ δύο ἀγγεῖα κοῦφα. Καὶ λέγει αὐτῷ ὁ γέρων· Ἄπελθε, φέρε ἓν τῶν ἀγγείων τούτων καὶ βάλε ἔλαιον καὶ κλύσον αὐτό, καὶ θὲς εἰς τὸν τόπον αὐτοῦ. Ἐποίησε δὲ οὕτως καὶ ἅπαξ καὶ δίς. Καὶ λέγει αὐτῷ· Φέρε ἄρτι τὰ δύο ὁμοῦ, καὶ ἰδὲ ποῖον

134 YOH

2 *post* αὐτὸ *add.* ἐν σινδόνι καθαρᾷ OH || 3 ἀληθινῷ *addidi sec. recens. anon.* (*cf.* Nau, n° 24) || 4 Χριστοῦ : Κυρίου H

135 YORTMSH *l*

2 *post* ἀπεκρίθη *add.* ἐν τούτοις λέγων YOMS in his quae numerasti, et in discretione. dico enim tibi quia *l* || *post* πολλοὶ *add.* μὲν ἐν τούτοις RTH || 5 ἐμάθομεν : ἐλάβομεν YOMSH || 6 *post* Θεὸς *add.* παρ' ἡμῶν YRT || 6-7 τὸν φ. κ. τ. ἀγάπην καὶ *om. l* || 6 *post* φόβον *add.* τοῦ θεοῦ OMSH

136 YO[Q]RTMSVH *l*

1 ἀββᾶ ἰδοὺ M *l*: *om. cett.* || 3 οὐδὲν : οὐ RT || κατέχω : ἔχω OSH || αὐτῶν : τούτων O || 3-4 τί ποτε *om.* H || 4 ὅλως OR || 5 ἐν ἀκαθαρσίᾳ T *l*: ἀκαθαρσίας RV –σία *cett.* || 6 φέρε [ἓν *inc.* Q || 7 τούτων *om.* TM || βάλε : λάβε Q || καὶ κλύσον αὐτό : et accende intus stupam et refunde oleum *l* || θὲς : βάλε V || 8 ἐποίησε – δίς : et fecit sic. et dixit ei : fac iterum sic. et cum fecisset hoc saepius *l* || 9 ἄρτι *om.* S

34 Un vieillard dit : « Joseph d'Arimathie demanda à prendre le corps du Seigneur et, le prenant, il le mit dans un sépulcre neuf[b], c'est-à-dire un cœur pur : le corps du Christ est pour un tombeau neuf, pour un homme nouveau, pour le véritable Israël[1]. » N 24

35 On demanda à un vieillard : « Comment trouver Dieu? Dans les jeûnes? Dans les peines? Dans les veilles? Dans la miséricorde? » Et il répondit : « Beaucoup ont accablé leur chair sans discernement et s'en sont allés vides, sans rien avoir. Notre bouche empeste à cause du jeûne, nous avons appris par cœur les Écritures, nous récitons David entièrement, et ce que Dieu demande nous ne l'avons pas : la crainte, l'amour et l'humilité. » N 222

36 Un frère interrogea un vieillard en disant : « Abba, voici que je supplie les vieillards de me parler du salut de mon âme, et je ne retiens jamais rien de leurs paroles; aussi, pourquoi les supplier puisque je n'aboutis à rien de bon? En effet, je suis tout entier dans l'impureté. » Or il y avait là deux récipients vides. Et le vieillard lui dit : « Va, apporte un de ces récipients, mets-y de l'huile, lave-le et mets-le à sa place. » Ainsi fit-il à deux reprises. Et il lui dit : « Apporte maintenant les deux récipients N 223

b. Cf. Mt 27, 57-60

1. Dans les trois manuscrits qui le contiennent, ce texte est manifestement perturbé. La série des anonymes le transmet sous une autre forme (N 24) : Ἰωσὴφ ὁ ἀπὸ Ἀ. ἔλαβε τὸ σῶμα τοῦ Ἰησοῦ καὶ ἔθηκεν αὐτὸ ἐν σινδόνι καθαρᾷ ἐν μνημείῳ καινῷ τουτέστιν ἐν ἀνθρώπῳ νέῳ. Σπουδάσῃ οὖν ἕκαστος ἐπιμελῶς μὴ ἁμαρτάνειν ἵνα μὴ τὸν συνοικοῦντα αὐτῷ θεὸν ὑβρίσῃ καὶ διώξῃ ἀπὸ τῆς ψυχῆς αὐτοῦ· τῷ μὲν Ἰσραὴλ τὸ μάννα ἐδόθη φαγεῖν ἐν τῇ ἐρήμῳ, τῷ δὲ ἀληθίνῳ Ἰσραὴλ ἐδόθη τὸ σῶμα τοῦ Χριστοῦ (fol. 163[r]).

10 καθαρώτερόν ἐστιν. Λέγει ὁ ἀδελφός· Ὅπου τὸ ἔλαιον ἔβαλον. Λέγει ὁ γέρων· Οὕτως ἐστὶ καὶ ἡ ψυχή· κἂν γὰρ οὐδὲν κατέχει ἐξ ὧν μανθάνει, ἀλλὰ πλέον καθαρίζεται τοῦ μὴ ἐρωτῶντος.

137 Διηγήσατό τις τῶν πατέρων ὅτι· Ἦν τις ἀδελφὸς εὐλαβὴς πάνυ, καὶ εἶχε μητέρα πτωχήν. Μεγάλου οὖν λιμοῦ γενομένου, λαβὼν ἄρτους ἐπορεύετο ἀπενεγκεῖν τῇ μητρὶ αὐτοῦ. Καὶ ἰδοὺ φωνὴ ἐγένετο πρὸς αὐτὸν λέγουσα· 5 σὺ φροντίζεις τῆς μητρός σου ἢ ἐγώ; Ὁ δὲ ἀδελφὸς διακρίνας τὴν δύναμιν τῆς φωνῆς ἔρριψεν ἑαυτὸν ἐπὶ πρόσωπον εἰς τὴν γῆν παρακαλῶν καὶ λέγων· Σύ, Κύριε, φροντίζεις ἡμῶν. Καὶ ἀναστὰς ὑπέστρεψεν εἰς τὸ κελλίον ἑαυτοῦ. Καὶ ἰδοὺ τῇ τρίτῃ ἡμέρᾳ ἦλθεν ἡ μήτηρ αὐτοῦ 10 εἰς τὸ κελλίον αὐτοῦ λέγουσα· ὁ δεῖνα ὁ μοναχὸς ἔδωκέ μοι μικρὸν σῖτον λέγων· Λαβὲ αὐτὸν καὶ ποίησον ἡμῖν μικρὰ ψωμία ἵνα τραφῶμεν. Ὁ δὲ ἀδελφὸς ἀκούσας ταῦτα ἐδόξασε τὸν Θεὸν καὶ εὔελπις γενόμενος προέκοπτε διὰ τῆς χάριτος τοῦ Θεοῦ εἰς πᾶσαν ἀρετήν.

138 Ἀδελφὸς ἐκάθητο ἡσυχάζων, καὶ ἤθελον οἱ δαίμονες πλανῆσαι αὐτὸν προφάσει ἀγγέλων, καὶ ἐξήγειραν αὐτὸν προφάσει εἰς τὴν σύναξιν, καὶ ἤρξαντο ἐρωτᾶν καὶ δεικνύειν αὐτῷ τινά. Παρέβαλε δέ τινι γέροντι καὶ εἶπεν αὐτῷ· 5 Ἀββᾶ, οἱ ἄγγελοι ἔρχονται μετὰ φωτὸς καὶ ἐγείρουσί με εἰς σύναξιν. Λέγει αὐτῷ ὁ γέρων· Μὴ ἀκούσῃς αὐτῶν, τέκνον, δαίμονες γάρ εἰσιν· ἀλλ' ὅτε ἔρχονται ἐξυπνίσαι σε, λέγε· Ὅτε θέλω ἐγὼ ἐγείρομαι, ὑμῶν δὲ οὐκ ἀκούω. Λαβὼν δὲ ὁ ἀδελφὸς τὴν παραγγελίαν τοῦ γέροντος ἀπῆλθε

10 *post* ἀδελφός *add.* πάντως QRT || 11 λέγει ὁ γέρων *om.* OMS || *post* ψυχή *add.* de his quae interrogat *l* || 13 *post* ἐρωτ. *add.* ὅλως M

137 YOQRTMSVH

1 πατέρων : γερόντων V || 1-2 ἦν τις ... καὶ *om.* OMSVH || 3-4 τὴν μητέρα R || 5 σου *om.* RTMVH || ἤ : ἢ φροντίζω OH || 8 φρόντισον OMSVH || 9 ἰδοὺ *om.* OTMSVH || 10 εἰς τὸ κ. αὐτοῦ *om.* OQRTH || 11 λέγων *om.* OMSH || ποιῆσαι Q

ensemble, et vois lequel est le plus pur. » Le frère dit : « Celui où j'ai mis de l'huile. » Le vieillard dit : « Ainsi en est-il aussi pour l'âme ; car même si elle ne retient rien de ce qu'elle apprend, cependant elle est plus purifiée que celle qui n'interroge pas. »

37 L'un des Pères racontait qu'un frère très pieux avait une mère pauvre. Lors d'une grande famine, prenant des pains, il alla les apporter à sa mère. Et voici qu'une voix vint lui dire : « Est-ce toi qui t'occupes de ta mère, ou moi ? » Et le frère, discernant la portée de la parole, se jeta à terre et supplia en disant : « C'est toi, Seigneur, qui t'occupes de nous. » Et il se leva et retourna dans sa cellule. Trois jours plus tard, sa mère vint à sa cellule en disant : « Tel moine m'a donné un peu de blé et m'a dit : prends-le et fais-nous quelques galettes, que nous mangions. » En entendant cela, le frère glorifia Dieu et, ayant pris bon espoir, il progressait en toute vertu par la grâce de Dieu. N 404

38 Un frère demeurait dans le recueillement. Les démons, prétendant être des anges, voulurent l'égarer et le réveillèrent comme pour la synaxe, et commencèrent à l'interroger et à lui montrer certaines choses. Alors il se rendit chez un vieillard et lui dit : « Abba, les anges viennent avec une lumière et ils me réveillent pour la synaxe. » Le vieillard lui dit : « Ne les écoute pas, mon enfant, car ce sont des démons ; mais lorsqu'ils viennent te réveiller, dis : je me réveille quand je le veux, et je ne vous écoute pas. » Et accueillant cette recommandation N 224

138 YOQRTMS[V]H *l*

1 ἐκαθέζετο RMH || 2 *post* αὐτὸν[1] *add.* ὡς ἐπὶ QRT || 3 προφάσει : ut iret *l* || εἰς τὴν σύν. : συνάξεως H || καὶ ἤρξαντο *om.* OMSH || 3-4 καὶ ἤρξ. – τινά : et lumen ostendebant ei *l* || 7 τέκνον *om.* YQRTS || 8 *post* λέγε *add.* αὐτοῖς· ἀπέλθετε ἔνθεν ὑμεῖς YQRT

10 εἰς τὸ κελλίον ἑαυτοῦ. Τῇ δὲ ἐπιούσῃ νυκτὶ πάλιν κατὰ τὸ ἔθος ἐλθόντες οἱ δαίμονες ἤγειραν αὐτόν. Ὁ δὲ ὡς παρηγγέλθη ἀπεκρίνατο αὐτοῖς λέγων· Ἐγὼ ὅτε θέλω ἐγείρομαι, ὑμῶν δὲ οὐκ ἀκούω. Οἱ δὲ εἶπον αὐτῷ· Ὁ κακόγηρος ἐκεῖνος ὁ ψεύστης ἐπλάνησέ σε· ἦλθε γὰρ 15 ἀδελφὸς πρὸς αὐτὸν θέλων χρήσασθαι κέρμα, καὶ ἔχων ἐψεύσατο λέγων· οὐκ ἔχω, καὶ οὐκ ἔδωκεν αὐτῷ. Ἐκ τούτου μάθε ὅτι ψεύστης ἐστίν. Ὀρθρίσας δὲ ὁ ἀδελφὸς ἦλθε πρὸς τὸν γέροντα καὶ ἀνήγγειλεν αὐτῷ ταῦτα. Εἶπε δὲ αὐτῷ ὁ γέρων· Ὅτι μὲν εἶχον κέρμα ὁμολογῶ· καὶ 20 ἦλθεν ὁ ἀδελφὸς ζητῶν καὶ οὐκ ἔδωκα. Ἐλογισάμην γὰρ ὅτι ἐὰν δώσω αὐτῷ εἰς ζημίαν ψυχῆς ἐρχόμεθα. Ἔδοξα οὖν παραβῆναι μίαν ἐντολήν, καὶ μὴ δέκα, καὶ εἰς θλῖψιν περιέλθωμεν. Σὺ δὲ τῶν δαιμόνων τῶν θελόντων σε πλανῆσαι μὴ ἀκούσῃς. Καὶ πολλὰ στηριχθεὶς ὑπὸ τοῦ 25 γέροντος ἀπῆλθεν εἰς τὴν κέλλαν αὐτοῦ.

139 Εἶπε γέρων· Ἀδύνατον τὸν ὀρθῶς φρονοῦντα καὶ εὐσεβῶς βιοῦντα ἐγκαταλειφθῆναι καὶ περιπεσεῖν πταίσμασιν αἰσχύνης ἢ πλάνῃ δαιμόνων.

140 Εἶπε πάλιν· Ἐφ' ὅσον ποθεῖ τὸ σῶμα ἡ ψυχὴ τὸν Θεὸν ἀγνοεῖ.

141 Εἶπε πάλιν· Αὐτάρκης πρὸς ὑγείαν ψυχῆς γνῶσις Θεοῦ.

10 τῇ δὲ : καὶ τῇ RTMH || 11 ἐλθόντες ... ἤγειραν : ἦλθον ... ἐγεῖραι YQRT || 12 ἐγὼ *om.* MH || 15 θέλων *om.* H || 16 *post* αὐτῷ *add.* καὶ [κἂν RT] λοίπον QRT ergo *l* || 19 κέρμα ὁμολογῶ : uerum est *l* || 20 ἐλογισάμην : sciebam *l* || 21 ἐρχόμεθα : faciebam *l* || 23 περιέλθωμεν : περιπέσωμεν H ἐλθεῖν M || *post* περιέλθ. *add.* pro illo si a me pecuniam accepisset *l*

139 YOQRTMSVH

3 πλάνῃ : πλάνης MH

du vieillard, le frère retourna à sa cellule. La nuit suivante, les démons, revenus comme d'habitude, le réveillèrent. Et il leur répondit comme on le lui avait recommandé : «Moi, je me réveille quand je le veux, et je ne vous écoute pas.» Ils lui dirent : «Ce mauvais vieillard t'a trompé; c'est un menteur. Un frère, en effet, est venu pour lui emprunter de l'argent et, bien qu'il en ait, il a menti en disant : je n'en ai pas; et il ne lui en a pas donné. Sache donc que c'est un menteur.» Après les prières de l'aurore, le frère alla trouver le vieillard et lui rapporta ces paroles. Et le vieillard lui dit : «Je reconnais que j'avais de l'argent, que le frère est venu le chercher et que je l'ai pas donné. J'ai pensé, en effet, que si je lui en donnais, nous perdrions notre âme. Aussi ai-je préféré transgresser un seul commandement plutôt que dix et que de nous faire tomber dans l'affliction. Mais toi, n'écoute pas les démons qui veulent te tromper.» Et bien réconforté par le vieillard, il retourna à sa cellule.

139 Un vieillard dit : «Il est impossible que celui qui pense avec droiture et vit pieusement soit abandonné[1] et tombe en des fautes honteuses ou dans une ruse des démons.»

Hist. Laus. 47 (Butler p. 138, 7-9)

140 Il dit encore : «Pour autant que le corps a des désirs l'âme ignore Dieu.»

141 Il dit encore : «La connaissance de Dieu est suffisante pour la santé de l'âme.»

140 YOQRTMSV
1 πάλιν : γέρων TMV
141 YOQRTV

1. Le contexte du ch. 47 de l'*Histoire lausiaque,* où se trouve la même parole (éd. Butler, p. 138) précise le sens de cette expression «soit abandonné» : la Providence divine n'abandonne jamais celui qui s'efforce de bien vivre.

142 Εἶπε πάλιν· Τὰ ἀγαθὰ πάντες μὲν εὔχονται, κτῶνται δὲ οἱ γνησίως τοῦ θείου λόγου μετέχοντες καὶ δουλεύοντες αὐτῷ διὰ τῶν ἀρετῶν.

143 Ἠρώτησαν ἀδελφοί τινα τῶν πατέρων λέγοντες· Πῶς εἰς τὰς ἐπαγγελίας τοῦ Θεοῦ ἃς ἐπηγγείλατο διὰ τῶν Γραφῶν ἡ ψυχὴ οὐ προστρέχει, ἀλλὰ εἰς τὰ ἀκάθαρτα ἐκκλίνει; Ὁ δὲ γέρων εἶπεν· Ἐγὼ λέγω ὅτι οὔπω 5 ἐγεύσατο τῶν ἄνω διὰ τοῦτο τὰ ἀκάθαρτα ἐπιποθεῖ.

144 Εἶπε γέρων· Ἐὰν καθίσῃς εἰς τόπον καὶ ἴδῃς τινας ἔχοντας παράκλησιν, μὴ προσχῇς αὐτοῖς, ἀλλὰ ἐάν ἐστιν ἄλλος πτῶχος αὐτῷ πρόσεχε ἕως ὅτε οὐκ ἔχει ἄρτον, καὶ ἀναπαύει.

145 Ἔλεγέ τις γέρων περὶ Μωυσέως ὅτι· Ὅτε ἐπάταξεν τὸν αἰγύπτιον προσέσχεν ὧδε καὶ ὧδε καὶ οὐδένα ἔϐλεπεν, τουτέστι τοῖς λογισμοῖς, καὶ εἶδεν ὅτι οὐδὲν κακὸν βλέπει ἑαυτὸν ποιοῦντα, ἀλλὰ διὰ τὸν Θεὸν ἐποίει, καὶ ἐπάταξεν 5 τὸν αἰγύπτιον[c].

146 Ἔλεγε πάλιν περὶ τοῦ ῥητοῦ τοῦ ἐν τῷ Ψαλμῷ γεγραμμένου· «Θήσομαι ἐν θαλάσσῃ χεῖρα αὐτοῦ καὶ ἐν ποταμοῖς δεξιὰν αὐτοῦ[d]» τουτέστι περὶ τοῦ Σωτῆρος· ἡ ἀριστερὰ αὐτοῦ ἡ ἐπὶ τὴν θάλασσαν τουτέστιν ὁ κόσμος, 5 τὸ δὲ «ἐν ποταμοῖς δεξίαν αὐτοῦ», οὗτοί εἰσιν οἱ ἀπόστολοι ποτίζοντες τὸν κόσμον διὰ τῆς πίστεως.

142 YOQRTV
1 *post* εὔχονται *add.* λαϐεῖν O ‖ 2 τοὺς θείους λόγους V
143 YOQRTMSV
3 γραφῶν : προφητῶν R ‖ *post* ἀλλὰ *add.* μᾶλλον QRT ‖ 4 ἐγὼ λέγω : ὡς νομίζω QRT ‖ 5 *post* ἄνω *add.* καὶ R
144 YOQRTVH
2 *post* ἀλλὰ *add.* μᾶλλον RTV ‖ 3 ὅτε : ὅτου R ὅτι V
145 YOQTVH
1 Μωυσῆ YO Μώσεως QT ‖ 2 καὶ ὧδε : κακεῖσε V ‖ καὶ οὐδ. ἔϐλ. *om.* QTVH ‖ 3 τοὺς λογισμούς V ‖ εἶδεν ὅτι *om.* T ‖ ὅτι οὐδὲν κ. βλ. *om.* Q ‖ οὐδὲν : οὐδὲ VH

42 Il dit encore : « Tous prient pour obtenir les biens, mais les obtiennent ceux qui sérieusement communient à la parole de Dieu et la servent par les vertus. »

43 Des frères demandèrent à l'un des pères : « Comment l'âme ne court-elle pas vers les promesses que Dieu a faites dans les Écritures, mais se détourne vers les choses impures ? » Le vieillard dit : « Moi, je dis : c'est parce qu'elle n'a pas encore goûté des choses d'en haut qu'elle désire les choses impures. »

44 Un vieillard dit : « Si tu demeures dans un lieu et que tu en vois d'autres qui sont à l'aise, ne t'attache pas à eux ; mais s'il y en a un autre qui est pauvre, attache-toi plutôt à lui aussi longtemps qu'il n'a pas de pain, et tu seras dans le repos. »

45 Un vieillard disait de Moïse : « Lorsqu'il frappa l'Égyptien, il examina ici et là et ne voyait personne, c'est-à-dire qu'il examina ses pensées, et il vit que, à ses yeux, il ne faisait rien de mal, mais agissait à cause de Dieu ; alors il frappa l'Égyptien[c]. »

J 674
cf. III, 43

46 Il dit encore à propos de la parole écrite dans le Psaume : *J'établirai sur la mer sa main et sur les fleuves sa droite*[d], qu'elle concerne le Sauveur : sa gauche sur la mer signifie le monde, et sa droite sur les fleuves, ce sont les apôtres qui irriguent le monde par la foi.

J 675

146 YOQRTVH
1 *post* πάλιν *add.* ὁ γέρων OVH || τοῦ ῥητοῦ τοῦ : τοῦ ῥητοῦ τούτου τοῦ V τούτου H || 2-3 αὐτοῦ ... αὐτοῦ : μου ... μου QVH || 3 τουτέστι : ὅτι QRT || *post* Σωτῆρος *add.* ἐστιν· τουτέστιν QRT || 4 τουτέστιν : ὅ ἐστιν QR ἐστιν T || 5 δεξίαν : ἡ δεξία OV || οὗτοι εἰσιν : οὗτοι T *om.* QR

c. Cf. Ex 2, 12 d. Ps 88, 26

147 Παρέβαλόν ποτε τρεῖς ἀδελφοί τινι γέροντι ἐν τῇ Σκήτει, καὶ ἠρώτησεν αὐτὸν ὁ εἷς λέγων · Ἀββᾶ, ἔμαθον τὴν παλαιὰν καὶ τὴν νέαν διαθήκην ἀπὸ στήθους. Καὶ ἀποκριθεὶς ὁ γέρων εἶπεν αὐτῷ · Ἐγέμισας τὸν ἀέρα λόγων. Καὶ ὁ
5 δεύτερος ἠρώτησε λέγων · Κἀγὼ τὴν παλαιὰν καὶ τὴν νέαν διαθήκην ἔγραψα ἐμαυτῷ. Καὶ ἀποκριθεὶς ὁ γέρων εἶπεν αὐτῷ · Καὶ σὺ τὰς θυρίδας ἐγέμισας χαρτίων. Καὶ ὁ τρίτος εἶπεν · Κἀμοῦ εἰς τὸν χυτρόποδα θρύα ἀνῆλθον. Ἀποκριθεὶς δὲ ὁ γέρων εἶπεν καὶ αὐτῷ · Καὶ σὺ τὴν φιλοξενίαν
10 ἐδίωξας ἀπὸ σοῦ.

148 Διηγήσαντό τινες τῶν πατέρων περὶ μεγάλου γέροντος ὅτι · Εἰ ἤρχετό τις ἐρωτῆσαι αὐτὸν λόγον ἀπεκρίνατο αὐτῷ μετὰ τάξεως · Ἰδοὺ ἐγὼ λαμβάνω τὸ πρόσωπον τοῦ Θεοῦ καὶ κάθημαι ἐπὶ θρόνου κρίσεως · τί οὖν θέλεις ἵνα ποιήσω
5 σοι : Ἐὰν εἴπῃς ὅτι · Ἐλέησόν με, λέγει σοι ὁ Θεός · Εἰ θέλεις ἵνα ἐλεήσω σε, ἐλέησον καὶ σὺ τὸν ἀδελφόν σου κἀγὼ σὲ ἐλεῶ · εἰ θέλεις ἵνα συγχωρήσω σου, συγχώρησον καὶ σὺ τῷ ἀδελφῷ σου. Μή ἐστιν αἰτία ἐκ τοῦ Θεοῦ; Μὴ γένοιτο · ἀλλὰ ἐν ἡμῖν ἐστιν ἐὰν θέλωμεν σωθῆναι.

149 Ἔλεγον περί τινος τῶν γερόντων τῶν εἰς τὰ Κελλία ὅτι ἦν μέγας πονικός. Καὶ ὡς ἐποίει τὴν σύναξιν αὐτοῦ, συνέβη τινὰ ἄλλον τῶν γερόντων παραβαλεῖν αὐτῷ · καὶ ἤκουσεν αὐτοῦ, ἔξωθεν μαχομένου μετὰ τῶν λογισμῶν
5 αὐτοῦ καὶ λέγοντος · ἕως πότε δι' ἕνα λόγον ὅλα ἐκεῖνα ἀπῆλθον; Ὁ δὲ παραβαλὼν αὐτῷ γέρων ἐνόμισεν ὅτι μετὰ

147 YOQRTVH *l*

2 ἀββᾶ *om.* H || 3 νέαν : καινὴν H || διαθήκην *om.* O || 3-4 καὶ[2] – αὐτῷ : ἀπεκρίθη αὐτῷ QR || 4 λόγους H || 5 ἠρώτησε λέγων O *l*: εἶπεν *cett.* || 6 διαθήκην *om.* H || 7 χαρτίων : χάρτας H || 8 θρύα : θροῖα O herbae *l*

148 YOQRTMSVH *l*

3 τάξεως : ἕξεως T (Nau 226) magna fiducia *l* || *post* τάξεως *add.* λέγων οὕτως QRT || 5 *post* σοι[2] *add.* καὶ YQRT || 5-6 εἰ θ. ἵνα ἐλ. σε : ἐὰν θέλῃς ἐλεηθῆναι QRT || 6 καὶ σὺ YQ *l*: *om. cett.* || τὸν ἀδ. σου : fratribus tuis *l* || 8 τῷ ἀδελφῷ : τὸν ἀδελφὸν MS proximo *l* ||

147 Trois frères vinrent une fois trouver un vieillard à Scété, et le premier l'interrogea en disant : « Abba, j'ai appris par cœur l'Ancien et le Nouveau Testament. » Le vieillard lui répondit : « Tu as rempli l'air de mots. » Le deuxième l'interrogea en disant : « Et moi, je me suis copié l'Ancien et le Nouveau Testament. » Le vieillard lui répondit : « Et toi, tu as rempli de feuilles les étagères. » Le troisième dit : « De la mousse pousse dans ma marmite. » Et à lui aussi le vieillard répondit : « Et toi, tu as chassé loin de toi l'hospitalité. » N 385

148 Quelques-uns des pères racontaient à propos d'un grand vieillard que si on venait lui demander une parole il répondait avec cérémonie : « Vois, je vais jouer le personnage de Dieu et m'asseoir sur le trône du jugement ; que veux-tu donc que je fasse pour toi? Si tu dis : aie pitié de moi, Dieu te dit : si tu veux que j'aie pitié de toi, aie, toi aussi, pitié de ton frère et moi, j'aurai pitié de toi. Si tu veux que je te pardonne, pardonne, toi aussi, à ton frère. La responsabilité vient-elle de Dieu? Certes non ; mais il dépend de nous de vouloir être sauvés. » N 226

149 On disait d'un des vieillards des Cellules que c'était un grand laborieux. Une fois qu'il faisait sa synaxe, un autre vieillard se trouva à venir chez lui et, de l'extérieur, il l'entendit qui combattait avec ses pensées et disait : « Jusqu'à quand, à cause d'une seule parole, tout cela est-il parti? » Le vieillard qui était venu pensa qu'il N 227

ἐστιν *om.* M || αἰτία : ἀδικία MS || 9 *post* ἀλλὰ *add.* πάντως QRT || ἐὰν θελ. σωθ. : τὸ σωθῆναι ἐὰν θέλωμεν MSVH

149 YOQRTVH *l*

2 τὴν σύν. αὐτοῦ : opus suum *l* || 3 τῶν γερ. : sanctum uirum *l* || 4 ἔξωθεν : ἔσω QT || 5 αὐτοῦ *om.* Y || λέγοντος : ἔλεγεν R || *post* πότε *add.* οὐ ἀφίεταί με ἀλλὰ QRT || 6 παραβ. αὐτῷ : foris stans *l*

ἄλλου τινὸς ἐμάχετο, καὶ ἔκρουσεν ὥστε εἰσελθεῖν καὶ εἰρηνεῦσαι αὐτούς. Εἰσελθὼν δὲ καὶ θεωρήσας ὅτι οὐδεὶς ἄλλος ἐστὶν ἔσω, ἔχων δὲ παρρησίαν πρὸς τὸν γέροντα
10 εἶπεν αὐτῷ · Μετὰ τίνος ἐμάχου, ἀββᾶ; Ὁ δὲ εἶπεν · Μετὰ τοῦ λογισμοῦ μου, ὅτι δεκατέσσαρας βίβλους οἶδα ἀπὸ στήθους, καὶ ἕνα λόγον οἰκτρὸν ἤκουσα ἔξω, καὶ ὡς ἦλθον βαλεῖν τὴν σύναξίν μου ὅλα ἐκεῖνα ἤργησαν καὶ τοῦτο μόνον ἦλθεν ἔμπροσθέν μου τῇ ὥρᾳ τῆς συνάξεως, καὶ
15 διὰ τοῦτο ἐμαχόμην τῷ λογισμῷ.

150 Ἀδελφοὶ ἐξελθόντες ἀπὸ κοινοβίου παρέβαλον εἰς τὴν ἔρημον καὶ ἦλθον πρός τινα ἀναχωρητήν. Καὶ ἐδέξατο αὐτοὺς μετὰ χαρᾶς καί, ὡς ἔθος ἐστιν τοῖς ἐρημίταις, ἰδὼν αὐτοὺς ἀπὸ κόπου ἔθηκε τράπεζαν εἰς τὴν ὥραν καὶ
5 εἴ τι εἶχεν εἰς τὴν κέλλαν αὐτοῦ καὶ ἀνέπαυσεν αὐτούς. Καὶ ὅτε ἐγένετο ὀψὲ ἔβαλον τοὺς δώδεκα ψαλμούς, ὁμοίως δὲ καὶ τὴν νύκτα. Ὡς δὲ ὁ γέρων καταμόνας ἠγρύπνει, ἤκουσεν αὐτῶν ἀλλήλοις λεγόντων ὅτι · Οἱ ἀναχωρηταὶ εἰς τὴν ἔρημον ἀναπαύονται πλέον ἡμῶν τῶν ἐν τοῖς
10 κοινοβίοις. Καὶ μελλόντων αὐτῶν ὑπάγειν τὸ πρωὶ πρὸς τὸν γείτονα αὐτοῦ εἶπεν αὐτοῖς · Ἀσπάσασθε αὐτὸν ἐξ ἐμοῦ καὶ εἴπατε αὐτῷ μὴ ποτίσαι τὰ λάχανα. Ὁ δὲ ἀκούσας ἐποίησεν κατὰ τὸν λόγον αὐτοῦ καὶ ἐκράτησεν αὐτοὺς ἕως ἑσπέρας νήστεις ἐργαζομένους. Ὡς δὲ ἐγένετο
15 ὀψὲ ἐποίησεν μεγάλην σύναξιν καὶ εἶπεν αὐτοῖς · καταλύσωμεν δι' ὑμᾶς ὅτι ἀπὸ κόπου ἐστέ. Καὶ εἶπε πάλιν · καθ' ἡμέραν μὲν ἐσθίειν οὐκ ἔχομεν ἔθος, δι' ὑμᾶς δὲ γευσόμεθα μικρόν. Καὶ παρέθηκεν αὐτοῖς ἄρτους καὶ ἅλας

8-9 θεωρήσας – ἔσω : μηδένα θεωρήσας πλὴν τοῦ γέροντος QRT ‖ 9 ἄλλος : ὅλως H ‖ *post* δὲ *add.* καὶ πολλὴν YVH ‖ πρὸς τὸν γέρ. : πρὸς αὐτὸν QRT μετὰ τοῦ γέροντος OVH ‖ 11 δεκατ. : δώδεκα YQRTV ‖ 12 λόγον : λογισμὸν V ‖ οἰκτρὸν : modicum *l* ‖ 13 τὴν σύν. μου : opus Dei *l* ‖ ἤργησαν : ἤργασαν TVH perdidi *l* ‖ 13-14 τοῦτο μόνον : ἐκεῖνος μόνος ὁ λόγος QRT hoc solum quod foris audieram *l* ‖ 14 τῆς : ἐν τῇ OTVH ‖ τῇ συνάξεως : ministerii mei *l*

combattait avec un autre, et il frappa pour entrer et les réconcilier. Mais en entrant, il vit qu'il n'y avait personne d'autre à l'intérieur. Et comme il parlait librement au vieillard, il lui dit : « Avec qui combattais-tu, abba ? » L'autre dit : « Avec ma pensée. Car je connais par cœur quatorze livres (de l'Écriture) et, ayant entendu dehors une seule parole de plainte, lorsque je me suis mis à faire ma synaxe, tout cela fut inopérant et cette seule chose me revenait à l'heure de la synaxe. Voilà pourquoi je combattais avec ma pensée. »

150 Des frères quittèrent le cénobion pour aller au désert. Ils vinrent chez un anachorète qui les reçut avec joie. Comme c'est la coutume chez les ermites, voyant leur fatigue, il dressa la table à l'heure même, et les restaura avec tout ce qu'il avait dans sa cellule. Le soir venu, ils récitèrent les douze psaumes, et de même pendant la nuit. Tandis que le vieillard veillait tout seul, il les entendit se dire entre eux : « Les anachorètes au désert ont une vie plus reposante que nous qui vivons dans les cénobions. » Et comme ils se disposaient à partir le matin chez son voisin, il leur dit : « Saluez-le de ma part et dites-lui de ne pas arroser les légumes. » Entendant cela, l'autre agit conformément à cette parole et les retint jusqu'au soir à travailler à jeun. Le soir venu, il fit la grande synaxe et leur dit : « Rompons le jeûne à cause de vous, car vous êtes fatigués. » Et il ajouta : « Nous n'avons pas l'habitude de manger chaque jour, mais à cause de vous nous mangerons un peu. » Et il leur apporta des pains N 229

150 YQRTMSVH *l*

1 *post* ἐξελθ. *add.* ποτε YQ || 4 εἰς τὴν ὥραν : extra horam *l* || καὶ : καὶ ἄλλο QT || 7 καταμόνας *om. l* || 11 αὐτοῦ *om.* TMSH || 12 ποτίσῃς RTMSVH || 13 ἐποίησεν κ. τ. λ. αὐτοῦ : intellexit uerbum *l* || τὸν λόγον Y : τὸ ῥῆμα *cett.* || 15 σύναξιν : opus Dei *l* || *post* σύναξιν *add.* et posuit ea quae habebat *l* || 18 γευόμεθα YS || ἄρτον V || 18-19 ἄρτους – ξηρὸν : panem siccum et sal *l*

ξηρὸν εἰπὼν ὅτι χρεία ἐστι δι' ὑμᾶς ἑορτὴν ποιῆσαι· καὶ
20 ἔβαλεν ὀλίγον ὄξος εἰς τὸ ἅλας. Καὶ ἀναστάντες ἔβαλον
σύναξιν ἕως πρωί, καὶ λέγει αὐτοῖς· Οὐ δύναμαι δι' ὑμᾶς
τελέσαι ὅλον τὸν κανόνα ἵνα μικρὸν ἀναπαυῆτε ὅτι ἀπὸ
ξένης ἐστε. Πρωίας δὲ γενομένης ἤθελον φυγεῖν. Ὁ δὲ
παρεκάλει αὐτοὺς λέγων· Μείνατε χρόνον μεθ' ἡμῶν, εἰ
25 δὲ μή κἂν διὰ τὴν ἐντολὴν κατὰ τὸ ἔθος τῆς ἐρήμου
τρεῖς ἡμέρας. Οἱ δὲ γνόντες ὅτι οὐκ ἀπολύει αὐτοὺς λάθρᾳ
ἔφυγον.

151 Εἰπέ τις τῶν πατέρων· Τὸ καθαρὸν ζῶόν, φησι,
ἀναμαρυκᾶται τὴν τροφὴν καὶ διόνυχον ἐστιν[e]. Οὕτως καὶ
ὁ ἄνθρωπος ὁ καλῶς πιστεύων καὶ δεχόμενος τὰς δύο
διαθήκας – ἅπερ ἐν τῇ ἁγίᾳ ἐκκλησίᾳ εὑρίσκεται, ἐν δὲ
5 ταῖς αἱρέσεσιν διαφόρως ἐγκαταλείπει. Ὀφείλει οὖν ὁ
ἄνθρωπος τὴν μὲν καλὴν τροφὴν ἀναμαρυκᾶσθαι, τὴν
δὲ φαύλην οὐχί. Ἔστι δὲ ἡ ἐπωφελὴς τροφὴ λογισμοὶ
ἀγαθοί, παράδοσις διδασκάλων ἁγίων, κατορθώματα, ἡ δὲ
πονηρὰ τροφὴ λογισμοὶ φαῦλοι ἐν διαφόροις ἁμαρτίαις καὶ
10 ἐν σφάλμασιν ἀνθρώπων.

152 Ἀδελφὸς ἠρώτησέ τινα τῶν πατέρων λέγων· Ἐὰν συμβῇ
με βαρηθῆναι ἐκ τοῦ ὕπνου καὶ παρέλθῃ ἡ ὥρα τῆς
συνάξεως, ἀπὸ αἰσχύνης οὐκέτι θέλει ἡ ψυχή μου σύναξιν
ποιῆσαι. Καὶ λέγει αὐτῷ ὁ γέρων· Ἐὰν συμβῇ σοι
5 ἀφυπνῶσαι ἕως πρωί, ἀναστὰς κλεῖσον τὰς θύρας καὶ τὰς
θυρίδας καὶ ποίησον τὴν σύναξίν σου. Γέγραπται γάρ·

20 ὄξος εἰς τὸ ἅλας H : ἅλας εἰς ὄξος *cett.* aceti in salibus illis *l* || *post* ἅλας *add.* καὶ ἔφαγον QRT || 22 ἀναπαύσησθε M || 22-23 ἀπὸ ξενίας V ἀπὸ ξενιτείας H peregrini *l* || 23 φυγεῖν : ἀπελθεῖν MS || 25 τὴν ἐντολὴν κατὰ *om.* V || κατὰ : καὶ H || 26 *post* αὐτοὺς *add.* ἀναστάντες YQRTSVH

151 YOQRTVH

4 ἁγίᾳ *om.* H || *post* εὑρίσκεται *add.* δέχεται QRT || 4-5 ἐν δὲ – ἐγκαταλ. *om.* Q || 5 διαφ. : τὰ διαφόρως λεγόμενα RT || ὁ *om.* YO ||

et de la salaison en disant : « A cause de vous, il faut faire fête » ; et il versa un peu de vinaigre sur la salaison. Puis ils se levèrent et firent la synaxe jusqu'au petit matin ; et il leur dit : « A cause de vous, je ne peux pas accomplir toute ma règle, afin que vous vous reposiez un peu, car vous venez de l'étranger. » Le matin venu, ils voulurent s'enfuir. Mais il les supplia en disant : « Restez encore avec nous, au moins les trois jours prescrits, selon la coutume du désert. » Mais eux, voyant qu'il ne les congédiait pas, s'enfuirent clandestinement.

51 L'un des pères dit : « L'animal pur, dit (l'Écriture), rumine sa nourriture et a le sabot fourchu[e]. Ainsi en est-il pour l'homme qui croit bien et reçoit les deux Testaments – ce qui se trouve dans la sainte Église, mais est abandonné de différentes manières dans les hérésies. L'homme doit donc ruminer la bonne nourriture, non la mauvaise. Or la nourriture utile, ce sont les bonnes pensées, la tradition des saints maîtres, les actions droites ; et la mauvaise nourriture, les pensées mauvaises en divers péchés et dans les fautes des hommes. » N 645

52 Un frère interrogea l'un des pères en disant : « S'il m'arrive d'être accablé par le sommeil et de manquer l'heure de la synaxe, mon âme a honte et ne veut plus faire la synaxe. » Et le vieillard lui dit : « S'il t'arrive d'être assoupi jusqu'au matin, lève-toi, ferme portes et fenêtres N 230

8 κατορθ. *om.* QRT || *post* κατορθ. *add.* καὶ εἶπεν ἕτερος OVH || 9 καὶ *om.* YO

152 YOQRTMSVH *l*

1 τῶν πατέρων : γέροντα QR || 2 ἐκ : ἀπὸ RMS *om.* V || 3 τῆς συνάξεως : ministerii *l* || 4 ποιῆσαι : βαλεῖν M || 5 τὴν θύραν H ostium *l* || 5-6 καὶ τὰς θυρίδας *om.* H || 6 *post* θυρίδας *add.* τῆς κέλλης σου QRT tuas *l* || τὴν σύναξιν : opus *l*

e. Cf. Lv 11, 3-4

«Σή ἐστιν ἡ ἡμέρα καὶ σή ἐστιν ἡ νύξ[f].» Ἐν παντὶ γὰρ καιρῷ δοξάζεται ὁ Θεός.

153 Ἠρώτησεν ἀδελφός τινα γέροντα λέγων· Καλόν ἐστιν, πάτερ, ἵνα δόξαν περιποιήσωμαι ἐμαυτῷ ἢ ἀτιμίαν; Λέγει αὐτῷ ὁ γέρων· Τέως ἐγὼ θέλω ἐμαυτῷ περιποιήσασθαι δόξαν πνευματικὴν ἀρέσκουσαν τῷ Θεῷ ἢ ἀτιμίαν. Λέγει 5 αὐτῷ ὁ ἀδελφός· Καὶ πῶς; Λέγει ὁ γέρων· Ἐὰν ποιήσω καλὸν ἔργον καὶ δοξασθῶ, δύναμαι κατακρῖναι τὸν λογισμόν μου ὅτι οὐκ εἰμι ἄξιος τῆς δόξης ταύτης· ἡ γὰρ ἀτιμία ἀπὸ φαύλων ἔργων γίνεται, καὶ πῶς δύναμαι παρακαλέσαι τὴν καρδίαν μου σκανδαλισθέντων τῶν ἀνθρώπων ἐν ἐμοί; 10 Κρεῖσσον οὖν ἀγαθοποιεῖν καὶ δοξάζεσθαι ἢ φαῦλα πράττειν καὶ ἀτιμάζεσθαι. Καὶ εἶπεν ὁ ἀδελφός· Καλῶς εἶπας, πάτερ.

154 Εἶπε γέρων ὅτι· Ἔστιν ἄνθρωπος ἐσθίων πολλὰ καὶ ἔτι πεινῶν, καὶ ἔστιν ἄνθρωπος ὀλίγα ἐσθίων καὶ χορταζόμενος. Καὶ ὁ πολλὰ ἐσθίων καὶ ἔτι πεινῶν πλείονα μισθὸν ἔχει τοῦ ὀλίγα ἐσθίοντος καὶ χορταζομένου.

155 Εἶπε γέρων· Ἐὰν γένηται ἀνάμεσον σου καὶ ἄλλου λόγος λυπηρός, καὶ ἀρνήσηται λέγων· Οὐκ εἶπον τὸν λόγον τοῦτον, μηκέτι ἐλέγξῃς αὐτὸν λέγων ὅτι· Εἶπες, ἐπεὶ ἐκτρέπεται καὶ λέγει ὅτι εἶπον.

156 Ἀδελφὸς ἠρώτησέ τινα τῶν πατέρων λέγων ὅτι· Ἡ ἀδελφή μου πτωχή ἐστιν, ἐὰν δῶ αὐτῇ ἀγάπην, οὐκ ἐστιν

8 γὰρ *om.* OSV
153 YOQRTMSVH
1 τινα *om.* R ‖ 2 ἐμαυτῷ : ἑαυτοῦ V ‖ 3 ὁ γέρων *om.* O ‖ 4 *post* πνευματικὴν *add.* καὶ ἐμφαίνουσαν καὶ MS ‖ 8 γίνεται : ἔρχεται Q ‖ πῶς : οὐ QRT ‖ 10-11 ἢ φαῦλα – ἀτιμάζ. *om.* H
154 YOQRTMSVH *l*
1-2 καὶ ἔτι – ἐσθίων *om.* H ‖ 2 ἄνθρωπος YO : ἄλλος *cett.* alter homo *l* ‖ 3 ἔχει : ἕξει M
155 YOQRTMSV *l*

et fais ta synaxe ; car il est écrit : *Tien est le jour et tienne est la nuit*[f]. En tout temps, en effet, Dieu est glorifié. »

153 Un frère demanda à un vieillard : « Père, vaut-il mieux que je recherche pour moi-même la gloire ou le mépris ? » Le vieillard lui dit : « En ce qui me concerne, je préfère rechercher pour moi-même la gloire spirituelle, qui plaît à Dieu, plutôt que le mépris. » Le frère lui dit : « Et comment ? » Le vieillard dit : « Si je fais une bonne action et que j'en suis glorifié, je puis m'accuser en pensée de n'être pas digne de cette gloire ; mais le mépris vient des mauvaises actions ; et comment puis-je consoler mon cœur quand des hommes ont été scandalisés à cause de moi ? Il vaut donc mieux faire le bien et en être glorifié que mal agir et être méprisé. » Et le frère dit : « Tu as bien parlé, père. »

Th Eleuth 1 (197 B)

154 Un vieillard dit : « Soit un homme qui mange beaucoup et a encore faim, et un autre qui mange peu et est rassasié. Celui qui mange beaucoup et a encore faim reçoit une plus grande récompense que celui qui mange peu et se rassasie. »

N 231

155 Un vieillard dit : « Si survient entre toi et un autre une parole fâcheuse, et qu'il la nie en disant : 'Je n'ai pas prononcé cette parole', ne conteste plus en lui disant : 'Tu l'as dite' car il va se retourner et dire : 'Je l'ai dite'. »

N 232

156 Un frère interrogea l'un des pères en disant : « Ma sœur est pauvre ; si je lui donne la charité, n'est-ce pas comme

N 233

3 μηκέτι : μή MS || 4 ἐκτρέπεται : exacerbatur *l* || *post* εἶπον *add.* καὶ τί MSO *man.rec.*
156 YOQRTMSVH *l*
1 λέγων *om.* TM

f. Ps 73, 16

ὡς εἷς τῶν πτωχῶν; Λέγει ὁ γέρων· Οὐχί. Εἶπε δὲ ὁ ἀδελφός· Διατί, ἀββᾶ; Ἔφη ὁ γέρων· Ὅτι τὸ αἷμα ἕλκει
5 σε μικρόν.

157 Εἶπε γέρων· Τὸ ψεῦδος ὁ παλαιὸς ἄνθρωπος τυγχάνει, ἡ δὲ ἀλήθεια ὁ νέος ἄνθρωπος.

158 Εἶπε πάλιν· Ἡ ῥίζα τῶν καλῶν ἔργων ἐστὶν ἡ ἀλήθεια, τὸ δὲ ψεῦδος ὁ θάνατος.

159 Εἶπε γέρων· Χρὴ τὸν μοναχὸν μὴ ἀκροατὴν εἶναι μήτε κατάλαλον μήτε ταχέως σκανδαλιζόμενον.

160 Εἶπε πάλιν· Μὴ παντὶ λόγῳ συνευδόκει μηδὲ συγκατατίθου, βραδέως πίστευε καὶ ταχέως ἀλήθευε.

161 Εἶπε γέρων ὅτι· Εἰ καὶ ἐκοπίασαν ὧδε οἱ ἅγιοι, ἀλλ' ἔλαβον ἤδη καὶ μέρη ἀναπαύσεως. Τοῦτο δὲ ἔλεγε διὰ τὸ εἶναι αὐτοὺς ἐλευθέρους ἀπὸ τῆς φροντίδος τοῦ κόσμου.

162 Εἶπε πάλιν ὅτι· Ἐὰν οἶδε μοναχὸς τόπον ἔχοντα προκοπήν, τὰς δὲ χρείας τοῦ σώματος μετὰ κόπου, καὶ διὰ τοῦτο οὐχ ὑπάγει ἐκεῖ, ὁ τοιοῦτος οὐ πιστεύει ὅτι ἔστιν Θεός.

163 Ἀδελφὸς ἀρχάριος ἠρώτησε γέροντα λέγων· Ποῖόν ἐστι καλόν, τὸ σιωπᾶν ἢ τὸ λαλεῖν; Λέγει αὐτῷ· Ἐὰν εἰσὶν οἱ λόγοι ἄργοι ἀφὲς αὐτοὺς καὶ σιώπησον, εἰ δὲ εἰσὶν

157 YOQRTMSV
158 YOQRTMSVH
2 ὁ θάνατος : τῶν κακῶν QRT
159 YOQRTMSV *l*
1 γέρων YOS : πάλιν *cett.* || ἀκροατὴν : auditorem obtrectantium *l* || μήτε : μὴ YOS μηδὲ MV || 2 μήτε : μηδὲ YOV μὴ MS || ταχέως *om. l*
160 YOQRTMSV *l*
1 πάλιν YR : γέρων *cett.* || μηδὲ : καὶ μὴ V || 2 *post* βραδέως *add.* δὲ R *l* || καὶ YOR *l*: *om. cett.*

si je le faisais à l'un des pauvres? Le vieillard dit : «Non.» Et le frère dit : «Pourquoi, abba?» Le vieillard dit : «Parce que le sang t'attire un peu.»

57 Un vieillard dit : «Le mensonge, c'est le vieil homme; et la vérité, l'homme nouveau.»

58 Il dit encore : «La racine de toutes les bonnes œuvres, c'est la vérité, et le mensonge est leur mort.»

59 Un vieillard dit : «Le moine ne doit ni écouter ni dire du mal d'autrui, ni se scandaliser facilement.» N 386

60 Il dit encore : «Ne te complais ni n'acquiesce à tout discours, sois lent à croire et prompt à dire la vérité.» N 234

61 Un vieillard dit : «Même si les saints ont peiné ici-bas, pourtant ils ont déjà reçu une part de repos.» Il disait cela parce qu'ils étaient libres du souci du monde. N 235

62 Il dit encore : «Si un moine connaissait un lieu où il puisse progresser mais où l'on se procure avec peine ce qui est nécessaire au corps, et qu'à cause de cela il n'y aille pas, un tel moine ne croit pas que Dieu existe.» N 236

63 Un frère débutant demanda à un vieillard : «Que vaut-il mieux : se taire ou parler?» Il lui dit : «Si les paroles sont inutiles, laisse-les et tais-toi; mais si elles sont bonnes, N 237

161 YOQRTVH
2 μέρη : μερίδα QRT μέρος H || 2 δὲ *om.* Y || 3 ἐλευθέρους : ἀμερίμνους QRT || ἀπὸ *om.* QR

162 YOQRTMSVH
1 πάλιν YQR : γέρων *cett.* || 2 *post* σώματος *add.* ἔχοντα MS ἔχει V || 3 ὁ τοιοῦτος : οὗτος R

163 YOQRTMSVH
1-2 ἀδελφὸς – αὐτῷ : ἀδελφὸς ἠρώτησε μοναχὸν ἀρχάριον λέγων· καλὸν τὸ σιωπᾶν ἢ λαλεῖν; λέγει τὸ παιδάριον YOMSVH || 3 καὶ σιώπησον *om.* OMSVH

καλοί, δὸς τόπον τῷ ἀγαθῷ καὶ λάλησον. Πλὴν κἂν ἀγαθοί
5 εἰσιν μὴ χρονίσῃς ἀλλὰ ταχέως κόψον καὶ ἀναπαύει.

164 Εἶπε γέρων ὅτι· Ἐὰν ῥῆμα ἀνέλθῃ εἰς τὴν καρδίαν τοῦ μοναχοῦ καθημένου ἐν τῷ κελλίῳ καὶ ἐπιδράμῃ τῷ ῥήματι ὁ ἀδελφὸς μὴ φθάσας εἰς τὸ μέτρον μηδὲ ὑπὸ τοῦ Θεοῦ ἑλκόμενος, ἵστανται οἱ δαίμονες καὶ δεικνύουσιν αὐτῷ τὸ
5 ῥητὸν ὡς βούλεται.

165 Ἔλεγέ τις τῶν γερόντων· Ὅτε συνηγγόμεθα ἐν ἀρχῇ πρὸς ἀλλήλους καὶ ἐλαλοῦμεν περὶ ὠφελείας, ἐγινόμεθα χοροὶ χοροὶ καὶ ἀνηρχόμεθα εἰς τὸν οὐρανόν. Νῦν δὲ συναγόμεθα εἰς καταλαλιὰς καὶ ἑαυτοὺς κατασύρομεν εἰς
5 τὸν βυθὸν κάτω.

166 Εἶπέ τις ἄλλος τῶν πατέρων· Εἰ μὲν ὁ ἔσω ἡμῶν ἄνθρωπος νήφει, δυνατός ἐστι φυλάξαι καὶ τὸν ἔξω· εἰ δὲ μὴ τοῦτο, κἂν τὴν γλῶσσαν φυλάξωμεν.

167 Εἶπε πάλιν ὁ αὐτός· Ἔργου χρεία πνευματικοῦ ὅτι εἰς τοῦτο ἤλθομεν. Μέγας γὰρ κόπος διδάσκειν διὰ τοῦ στόματος μὴ ποιήσαντος τὸ ἔργον διὰ τοῦ σώματος.

168 Εἶπε ἄλλος τις τῶν πατέρων ὅτι· Δεῖ πάντως τὸν ἄνθρωπον ἔχειν ἐντὸς αὐτοῦ ἐργασίαν. Ἐὰν οὖν εἰς ἐργασίαν

4 καὶ λάλησον *om.* M || 5 εἰσιν : ὦσιν TMVH *om.* Y || ἔκκοψον TMSV

164 YOQTVH *l*

2 *post* κελλίῳ *add.* αὐτοῦ YR || 5 ὡς βούλεται : quod ipsi volunt *l*

165 YORTVH *l*

1 γερόντων : πατέρων Q || ὅτε : ὅτι QTMH || 3 χοροὶ χοροὶ : seorsum et seorsum *l* || 4 *post* καταλαλιὰς *add.* occupamur *l* || 5 βυθὸν : βόθρον TM

166 YOQRTMSVH *l*

1 τις ἄλλος τ. π. : γέρων QRT || ἡμῶν *om.* QMSH || 2 νήφει : sobrie agit *l* || δυνατόν O || 3 κἂν : qua possumus uirtute *l*

167 YOQRTVH *l*

1 πάλιν *om.* TVH || ὁ αὐτός *om.* QR || ἔργον Q || *post* χρεία *add.*

donne place au bien et parle. Pourtant, même si elles sont bonnes, ne prolonge pas mais arrête vite, et tu seras en repos. »

64 Un vieillard dit : « Si une parole monte dans le cœur du moine qui demeure dans sa cellule et que ce frère se jette sur cette parole sans arriver à sa mesure ni y être attiré par Dieu, alors les démons se présentent et lui font voir la parole comme il le désire[1]. » N 646

65 L'un des vieillards disait : « Lorsque nous nous réunissions au début, et parlions de ce qui est profitable, nous devenions des chœurs et nous montions au ciel. Mais maintenant, nous nous réunissons pour médire, et nous nous entraînons les uns les autres dans le gouffre. » Még 4 (301 B) N 238

66 Un autre Père dit : « Si notre homme intérieur est vigilant, il est capable de garder aussi l'homme extérieur ; s'il n'en est pas ainsi, surveillons du moins notre langue. » N 239

67 Le même dit encore : « Il est besoin d'œuvre spirituelle, car c'est pour cela que nous sommes venus. C'est, en effet, une grande peine que d'enseigner oralement ce qui n'est pas mis en œuvre corporellement[2]. » N 240

68 Un autre Père dit : « Il faut bien que l'homme ait en lui une œuvre à faire. S'il vaque à l'œuvre de Dieu, N 241

ἐστι QTH || 3 μὴ ποιήσαντος [-ντες H] τὸ : τὸν μὴ ποιήσαντα QRT || διὰ *om.* OVH

168 YOQRTMSVH *l*

1 ἄλλος τις τ. π. ὅτι : πάλιν QRT || 2 ἐντὸς αὐτοῦ : intra cellam *l* || ἐὰν Y : ἐὰν μὲν *cett.* || ἐὰν οὖν εἰς ἐργ. *om.* V

1. Le sens de cette formulation compliquée est : sous peine d'illusion démoniaque, le moine ne doit pas s'appliquer à chercher le sens d'une parole de l'Écriture qui dépasse ses possibilités (μέτρον).

2. « Oralement... corporellement » rend mal le jeu de mots grec : « stoma... sôma ». C'est là un des piliers de la pédagogie des pères du désert : on ne peut parler que de ce dont on a l'expérience.

Θεοῦ σχολάζῃ παραβάλλει αὐτῷ ὁ ἐχθρὸς μίαν μίαν ἀλλ' οὐχ εὑρίσκει τόπον μεῖναι. Ἐὰν δὲ πάλιν εὑρέθῃ ὑπὸ τὴν
5 αἰχμαλωσίαν τοῦ ἐχθροῦ παραβάλλει αὐτῷ τὸ πνεῦμα τοῦ Θεοῦ πυκνά · καὶ ἐὰν μὴ παρέχωμεν αὐτῷ τόπον ἀναχωρεῖ.

169 Ἀδελφὸς ἠρώτησε γέροντα λέγων · Εἰπέ μοι ῥῆμα ἵνα σωθῶ. Ὁ δὲ ἔφη · Σπουδάσωμεν ἐργάσασθαι κατὰ μικρὸν μικρόν, καὶ ὁ Θεὸς συνέρχεται ἡμῖν καὶ σωζόμεθα.

170 Κατῆλθόν ποτέ τινες μοναχοὶ ἀπὸ Αἰγύπτου εἰς Σκῆτιν παραβαλεῖν τοῖς γέρουσιν. Καὶ ἰδόντες αὐτοὺς ἀπὸ λιμοῦ τῆς αὐτῶν ἀσκήσεως ἐσθίοντας λάβρως ἐσκανδαλίσθησαν. Μαθὼν δὲ τοῦτο ὁ πρεσβύτερος ἠθέλησε θεραπεῦσαι αὐτοὺς
5 καὶ ἐκήρυξεν ἐν τῇ ἐκκλησίᾳ τῷ λαῷ λέγων · Νηστεύσατε καὶ ἐπιτείνατε τὴν πολιτείαν τῆς ἀσκήσεως ὑμῶν, ἀδελφοί. Ἤθελον δὲ οἱ παραβαλόντες αἰγύπτιοι ἀναχωρῆσαι, καὶ ἐκράτησεν αὐτούς. Καὶ ὡς ἐνήστευσαν τὴν πρώτην ἑβδομάδα ἐσκοτώθησαν · ἐποίησεν δὲ αὐτοὺς νηστεύειν δύο
10 δύο · αὐτοὶ δὲ οἱ τῆς Σκήτεως ἐποίησαν τὴν ἑβδομάδα. Καὶ γενομένου τοῦ σαββάτου, ἐκάθησαν τοῦ φαγεῖν οἱ αἰγύπτιοι μετὰ τῶν γερόντων. Θορυβουμένων δὲ τῶν αἰγυπτίων εἰς τὸ φαγεῖν, εἷς τῶν γερόντων ἐκράτησεν αὐτῶν τὰς χεῖρας λέγων · Μετ' ἐπιστήμης ὡς μοναχοὶ
15 φάγετε. Εἷς οὖν ἐξ αὐτῶν ὤθησε τὴν χεῖρα αὐτοῦ λέγων · Ἀπόλυσόν με, ἀποθνήσκω γὰρ μὴ φάγων ὅλην τὴν ἑβδομάδα ἕψημα. Λέγει αὐτῷ ὁ γέρων · Εἰ οὖν ὑμεῖς διὰ δύο ἐσθίοντες οὕτως ἐκλείπετε, πῶς εἰς τοὺς ἀδελφοὺς

4-5 ἐν τῇ αἰχμαλωσίᾳ R ‖ 6 πυκνά : συχνά QRT ‖ *post* τόπον *add.* propter malitiam nostram *l* ‖ *post* ἀναχ. *add.* ἀφ' ἡμῶν QRT

169 YOQRTMSVH

1 εἰπόν Y ‖ ἵνα : πῶς QRT ‖ 2 σπούδασον H ‖ 3 μικρόν *om.* QRTV ‖ *post* ἡμῖν *add.* ἐν πᾶσιν H

170 YOQRTMSVH *l*

1 ποτε *om.* YORSV ‖ τινες *om.* TMVH ‖ 2 *post* αὐτοὺς *add.* extenuatos *l* ‖ 3 λάβρως *om.* V ‖ 4 *post* αὐτοὺς *add.* et ita dimittere *l* ‖ 5 τῷ λαῷ *om.* QR ‖ 6 ἐπεκτείνατε YQ ‖ 7 *post* αἰγύπτιοι *add.* μοναχοὶ

l'ennemi s'approche de lui de temps en temps, mais sans trouver où demeurer. Si au contraire, il se trouve prisonnier de l'ennemi, l'esprit de Dieu s'approche fréquemment de lui; et si nous ne lui laissons pas de place, il se retire. »

9 Un frère demanda à un vieillard : « Dis-moi une parole pour que je sois sauvé. » Il lui dit : « Il faut que peu à peu nous nous efforcions de faire des œuvres, et Dieu s'unit à nous et nous sommes sauvés. » N 387

0 Quelques moines descendirent un jour d'Égypte à Scété pour visiter les vieillards. Et voyant que la faim causée par leur ascèse les faisait manger avec voracité, ils s'en scandalisèrent. Apprenant cela, le prêtre voulut les guérir. Il fit à l'église une proclamation au peuple : « Frères, jeûnez et étendez vos pratiques d'ascèse. » Les Égyptiens visiteurs voulaient s'en aller, mais il les retint. Après la première semaine de jeûne, ils furent pris de malaises; il les fit jeûner un jour sur deux, tandis que ceux de Scété jeûnèrent toute la semaine. Le samedi venu, il s'assirent tous pour manger, Égyptiens et vieillards. Et comme les Égyptiens faisaient du vacarme pour manger, l'un des vieillards retint leurs mains en disant : « Mangez avec science comme des moines. » Alors l'un d'eux écarta sa main en disant : « Laisse moi, car je meurs, n'ayant rien mangé de cuit de toute la semaine. » Le vieillard lui dit : « Si donc vous, qui avez mangé un jour sur deux, vous êtes ainsi épuisés, comment vous êtes-vous scandalisés N 242

YQRT || 8 ἐκράτησεν MV : -σαν *cett.* || ἐνήστευσαν : ἐποίησαν MS || 9 ἑβδομάδα : ἡμέραν R *om.* OQT *l* || ἐσκοτίσθησαν O || ἐποίησεν MV *l* : -σαν *cett.* || δὲ : οὖν R οὖν λοιπὸν T enim *l om.* VH || 10 αὐτοὶ δὲ οἱ : οἱ δὲ QRT || τὴν : ὅλην τὴν MS || 11-12 οἱ – γερόντων : ἀμφότεροι οἱ αἰγύπτιοι καὶ οἱ γέροντες Y ἀμφ. οἵ τε αἰγύπτιοι καὶ οἱ τῆς Σκήτεως QRT || 14 αὐτῶν : ἑνὸς αὐτῶν V *om.* Y || 17 ἔψημα : ἑψετόν QRT

ἐσκανδαλίσθητε οἵτινες διαπαντὸς οὕτως τὴν ἄσκησιν
20 ἐπιτελοῦσιν. Οἱ δὲ μετενόησαν αὐτοῖς καὶ οἰκοδομηθέντες
ἐν τῇ ἀσκήσει αὐτῶν ἀπῆλθον μετὰ χαρᾶς.

171 Ἀδελφὸς ἠρώτησε γέροντα λέγων· Τί ποιήσω ὅτι οἱ
λογισμοὶ θέλουσί με κυκλεύειν προφάσει τοῦ παραβάλλειν
γέρουσιν; Ἀποκριθεὶς δὲ ὁ γέρων εἶπεν· Ἐὰν ἴδῃς τοὺς
λογισμούς σου χάριν στενώσεως θέλοντάς σε ἐξενεγκεῖν
5 ἐκ τοῦ κελλίου, ποίησον σεαυτῷ παράκλησιν ἐν τῷ κελλίῳ
σου καὶ οὐκέτι θελήσεις ἐξελθεῖν· εἰ δὲ χάριν ὠφελείας
ψυχῆς, δοκίμασόν σου τὸν λογισμὸν καὶ ἔξελθε. Ἤκουσα
γὰρ περί τινος γέροντος ὅτι ὅτε ἔλεγον αὐτῷ οἱ λογισμοὶ
παραβαλεῖν πρός τινα, ἐλάμβανε τὸ μηλοτάριον αὐτοῦ καὶ
10 ἐξήρχετο καὶ ἐκύκλευε τὸ κελλίον ἑαυτοῦ καὶ εἰσήρχετο
καὶ ἐποίει ἑαυτῷ παράκλησιν πᾶσαν τοῦ ξένου, καὶ οὕτως
ποιῶν ἀνεπαύετο.

172 Ἀδελφός τις ἀναχωρήσας καὶ λαβὼν τὸ σχῆμα εὐθέως
ἀπέκλεισε ἑαυτὸν λέγων ὅτι· Ἀναχωρητής εἰμι. Ἀκούσαντες
δὲ οἱ γέροντες ἦλθον καὶ ἐξέβαλον αὐτὸν καὶ ἐποίησαν
αὐτὸν κυκλεῦσαι εἰς τὰ κελλία τῶν ἀδελφῶν βάλλοντα
5 μετάνοιαν καὶ λέγοντα· Συγχωρήσατέ μοι ὅτι οὔκ εἰμι
ἀναχωρητὴς ἀλλ' ἀρχάριος.

173 Εἶπον δὲ οἱ γέροντες· Ἐὰν ἴδῃς νεώτερον τῷ θελήματι
αὐτοῦ ἀναβαίνοντα εἰς τὸν οὐρανόν, κράτησον αὐτοῦ τὸν
πόδα καὶ ῥῖψον αὐτὸν ἐκεῖθεν· οὐ συμφέρει γὰρ αὐτῷ.

174 Ἀδελφός τις εἶπε γέροντι μεγάλῳ· Ἤθελον εὑρεῖν, ἀββᾶ,
γέροντα κατὰ τὸ θελημά μου καὶ συναποθανεῖν αὐτῷ.

19 οὕτως *om.* Y || 20 οἱ δὲ : καὶ YOMSVH
171 YOQRTVH
2 παραβαλεῖν R || 5 ἐκ *om.* TH || 9 παραβάλλειν Y || *post* τινα *add.* ἠγείρετο καὶ OVH || 11 πᾶσαν *om.* R
172 YOQRTMSVH *l*
2 εἰμι : uolo esse *l* || 3 οἱ γέρ. : uicini seniores *l* || 4 κυκλ. εἰς : κυκλεύειν M || ἀδελφῶν Q *l* : μοναχῶν *cett.* || 5 *post* μετάνοιαν *add.*

des frères qui sans cesse accomplissent cette ascèse?» Et eux leur demandèrent pardon et, édifiés par leur ascèse, s'en retournèrent avec joie.

71 Un frère demanda à un vieillard : «Que faire, car mes pensées me poussent à me promener sous prétexte de visiter des vieillards?» Le vieillard lui répondit : «Si tu vois que tes pensées veulent te faire sortir de ta cellule parce que tu n'y es pas à l'aise, donne-toi du réconfort dans ta cellule, et tu ne voudras plus la quitter. Mais si c'est pour le profit de ton âme, éprouve ta pensée et sors. En effet, j'ai entendu dire d'un vieillard que, lorsque ses pensées lui disaient d'aller voir quelqu'un, il prenait sa mélote, sortait faire le tour de sa cellule, rentrait et s'accordait tout le réconfort réservé à l'hôte ; ainsi était-il en repos.» N 394

72 Un frère qui s'était retiré et avait pris l'habit se reclut aussitôt en disant : «Je suis un anachorète.» L'apprenant, les vieillards vinrent, le firent sortir et faire le tour des cellules des frères en faisant la métanie et en disant : «Pardonnez-moi ; je ne suis pas un anachorète, mais un débutant.» N 243

73 Les vieillards disaient : «Si tu vois un jeune qui, par sa volonté, monte au ciel, saisis-lui le pied et retire-le de là, car cela ne lui est pas bon.» N 244

74 Un frère dit à un grand vieillard : «Abba, je voudrais trouver un vieillard selon ma volonté et mourir avec lui.» N 245

coram singulis *l* || *post* μοι *add.* πατέρες QT || 6 ἀρχάριος : adhuc initium monachi nuper assumpsi *l*

173 YOQRTMSVH *l*

1 εἶπε δὲ ὁ γέρων H || 2 εἰς : ἕως TMSVH || 3 ῥῖψον : ῥίξον YOTV ῥίξω Q || οὐ *om.* M

174 YOQRTMSVH *l*

1 τις *om.* O

Λέγει αὐτῷ ὁ γέρων· Καλῶς ζητεῖς, κύριέ μου. Ὁ δὲ ὑπέλαβε τῷ λογισμῷ οὕτως ἔχειν, οὐκ ἐνόησε δὲ τὸν
5 λογισμὸν τοῦ γέροντος. Καὶ ὡς εἶδεν αὐτὸν ὁ γέρων πεπληροφορημένον λέγει αὐτῷ· Ἐὰν εὕρῃς γέροντα κατὰ τὸ θέλημά σου θέλεις μεῖναι μετ᾽ αὐτοῦ; Ὁ δὲ ἔφη· Καὶ πάνυ. Λέγει αὐτῷ λοιπὸν ὁ γέρων· Οὐχὶ σὺ ἵνα ἀκολουθήσῃς τῷ θελήματι τοῦ γέροντος, ἀλλ᾽ ἵνα ἐκεῖνος
10 ἀκολουθήσῃ τῷ σῷ θελήματι οὕτως ἀναπαύῃ; Ἐπιγνοὺς δὲ ὁ ἀδελφὸς βαλὼν μετάνοιαν εἶπεν· συγχώρησόν μοι, ὅτι μεγάλα ἐκαυχώμην νομίζων καλῶς λέγειν μηδὲν ἐπιστάμενος.

175 Δύο ἀδελφοὶ κατὰ σάρκα ἀνεχώρησαν. Πρῶτος δὲ ἦν εἰς τὸ σχῆμα ὁ μικρότερος τῇ ἡλικίᾳ. Ἐλθόντος δέ τινος τῶν πατέρων παραβαλεῖν αὐτοῖς, ἔθηκαν τὴν λεκάνην καὶ ἦλθεν ὁ μικρότερος νίψαι τὸν γέροντα. Ὁ δὲ γέρων
5 κρατήσας αὐτοῦ τὴν χεῖρα μετέστησεν λέγων· Ἄπελθε, σύ. Καὶ παρεκαλέσατο τὸν μειζότερον. Καὶ εἶπον οἱ παρεστῶτες· Ὁ μικρότερος, ἀββᾶ, πρῶτός ἐστιν εἰς τὸ σχῆμα. Καὶ λέγει αὐτοῖς ὁ γέρων· Ἐγὼ αἴρω τὸ πρώϊμον τοῦ μικροτέρου καὶ ἐπιβάλλω τῇ ἡλικίᾳ τοῦ μειζοτέρου.

176 Ἠρωτήθη γέρων ὑπὸ στρατευομένου εἰ δέχεται ὁ Θεὸς μετάνοιαν. Ὁ δὲ γέρων μετὰ τὸ κατηχῆσαι αὐτὸν ἐν πολλοῖς λόγοις λέγει αὐτῷ· Εἰπέ μοι, ἀγαπητέ, ἐὰν σχισθῇ σου τὸ χλανίδιον ῥίπτεις αὐτὸ ἔξω; Ὁ δὲ λέγει· Οὐχί,
5 ἀλλὰ ῥάπτω καὶ πάλιν χρῶμαι αὐτό. Λέγει πρὸς αὐτὸν

3 *post* ζητεῖς *add.* καὶ σύ MS ‖ 4 ὑπελ. – ἔχειν : affirmabat huiusmodi esse desiderium suum *l* ‖ ἐνόει M ‖ *post* ἔφη *add.* ναὶ RM ‖ 8 *post* πάνυ *add.* hoc uolo si inuenero secundum uoluntatem tuam *l* ‖ *post* οὐχὶ *add.* μᾶλλον QT ‖ 8-10 οὐχι – ἀναπαύῃ : ὀυχ ἵνα ἀκολουθήσῃς οὕτως ἀναπαύῃ M ‖ 9 τοῦ γέροντος : αὐτοῦ Y ‖ ἐκεῖνος Y ille *l* : αὐτὸς *cett.* ‖ 10 τῷ σῷ θελ. Y : τῷ θελ. σου *cett.* ‖ 11 βαλὼν μετ. εἶπεν : ἔλεγε βαλὼν μετ. OV ἔβαλε μετ. λέγων TMSH ‖ *post* μοι *add.* πάτερ YQRT ἀββᾶ H ‖ 12 μεγάλα *om.* QM ‖ 12-13 μηδ. ἐπιστ. : cum nihil tenerem boni *l*

Le vieillard lui dit : « Tu cherches bien, monseigneur. » L'autre crut dans sa pensée qu'il en était ainsi, et il ne réfléchit pas à la pensée du vieillard. Et comme le vieillard le voyait satisfait, il lui dit : « Si tu trouves un vieillard selon ta volonté, tu veux demeurer avec lui? » L'autre dit : « Tout à fait. » Le vieillard lui dit enfin : « Ce n'est pas pour que toi tu suives la volonté du vieillard, mais pour que lui-même suive la tienne et qu'ainsi tu sois en repos. » Alors le frère comprit, et il dit en faisant la métanie : « Pardonne-moi, car j'étais très vaniteux en croyant dire quelque chose de bien alors que je ne sais rien. »

75 Deux frères selon la chair se retirèrent au désert, mais le premier à prendre l'habit fut le cadet. L'un des pères venant les visiter, ils apportèrent une cuvette et le plus jeune vint le laver. Mais le vieillard lui prit la main et l'écarta en disant : « Toi, va-t'en » ; et il fit venir l'aîné. Et les assistants lui dirent : « Abba, le plus jeune est le premier à porter l'habit. » Et le vieillard leur dit : « Moi, je retire la primauté au plus jeune et je la transfère sur le plus âgé. »

N 246

76 Un soldat demanda à un vieillard si Dieu accepte la pénitence. Et après l'avoir instruit en de nombreuses paroles, le vieillard lui dit : « Dis-moi, mon ami, si ton manteau se déchire, est-ce que tu le jettes? » L'autre dit : « Non, mais je le raccommode pour m'en servir à

Miôs 3 (301 D-304 A)

175 YOQRTVH *l*

1 ἀνεχώρησαν : renuntiauerunt saeculo *l* || 2 εἰς τὸ σχῆμα : conuersari *l* || μικρότερος : νεώτερος QRT || 4 μικρότερος : μικρὸς H || 5-6 μετέστησεν – μειζότερον : αὐτὸν καὶ τὸν μειζότερον ἔστησεν OH || λέγων – σύ *om. l* || 6 *post* παρεκαλέσατο *add.* implere opus quod primi in monasterio facere consueuerant *l* || 7-8 εἰς τὸ σχῆμα : in conuersatione *l* || 8 πρωτεῖον TH || 9 μείζονος OQRTV

176 YOQRTMSVH

1 γέρων *om.* OMSVH || 4 χλανίδιν Y χλανίδην RT || 5 *post* ῥάπτω *add.* αὐτὸ OMSVH

ὁ γέρων· Εἰ οὖν σὺ τοῦ ἱματίου σου φείδει, οὐ πολλῷ μᾶλλον ὁ Θεὸς τοῦ ἰδίου πλάσματος φείσεται. Ὁ δὲ εὔελπις γενόμενος ἀνεχώρησεν μετὰ χαρᾶς εἰς τὰ ἴδια.

177 Ἠρώτησέ τις ἀδελφός τινα γέροντα λέγων· Ποῖον ἔργον ἐστὶ τῆς ψυχῆς καὶ ποῖον τῶν χειρῶν; Λέγει αὐτῷ ὁ γέρων ὅτι· Πάντα τὰ γινόμενα διὰ τὴν ἐντολὴν τοῦ Θεοῦ τῆς ψυχῆς ἔργα ἐστίν, τὸ δὲ εἰς λόγον ἑαυτοῦ ἐργάζεσθαι
5 καὶ συνάγειν τοῦτο ἔργον ἐστὶν τῶν χειρῶν. Λέγει αὐτῷ ὁ ἀδελφός· Σαφήνισόν μοι τὴν ὑπόθεσιν ταύτην. Λέγει αὐτῷ ὁ γέρων· Ἰδού, φησίν, ἀκούεις ὅτι ἀσθενῶ, καὶ λέγεις ἐν ἑαυτῷ· Ἄρτι ἔχω ἐᾶσαι τὸ ἐργόχειρόν μου καὶ ἀπελθεῖν· τελειώσω πρῶτον τὸ ἔργον μου καὶ οὕτως
10 ἀπέρχομαι. Καὶ ἔρχεταί σοι ἄλλη ἀφορμὴ καὶ οὐκ ἔρχει. Ἢ πάλιν ἀδελφὸς λέγει σοι· Δός μοι, ἄδελφέ μου, χεῖρα, καὶ λέγεις· Ἔχω ἐᾶσαι τὸ ἐργόχειρον μου καὶ ἀπελθεῖν ἐργάσασθαι μετ' αὐτοῦ; ἐὰν μὴ ἀπέλθῃς κατήργησας τὴν ἐντολὴν τοῦ Θεοῦ ὅ ἐστιν ἔργον τῆς ψυχῆς διὰ τὸ ἔργον
15 τῶν χειρῶν, ἀλλ' ἐὰν ζητήσῃ σε τις εἰς ἐντολὴν ἀπελθεῖν, τοῦτό ἐστι τὸ ἔργον τοῦ Θεοῦ.

178 Κοινοβιάρχης τις ἠρώτησε τὸν μακάριον Κύριλλον τὸν ἀρχιεπίσκοπον Ἀλεξανδρείας λέγων· Τίς μείζων ἐν πολιτείᾳ, ἡμεῖς οἱ ἔχοντες πλῆθος ἀδελφῶν ὑφ' ἑαυτοὺς καὶ διαφόρως ἕκαστον χειραγωγοῦντες εἰς τὸ σωθῆναι, ἢ οἱ ἐν
5 ἐρημίαις ἑαυτοὺς μόνους σώζοντες; Ἀπεκρίθη ὁ ἀρχιεπίσκοπος καὶ εἶπεν· Ἀνάμεσον Ἠλία καὶ Μωύσεως οὐκ ἔστι διακρῖναι· ἀμφότεροι γὰρ εὐηρέστησαν τῷ Θεῷ.

177 YOQRTMSVH

1 τινα *om.* QR ‖ 2 τῆς : τὸ τῆς MSV ‖ τῶν : τὸ τῶν OMSVH ‖ 3 πᾶν τὸ γινόμενον R ‖ 4 ἔργα YH : ἔργον *cett.* ‖ ἑαυτοῦ O : τινῶν MSH ἴδιον V *om.* YQRT ‖ 8 ἐᾶσαι : ἀφεῖναι MSV ‖ ἐργοχ. : ἔργον OMSVH ‖ 9 τὸ ἔργον μου *om.* MSVH ‖ 10 *post* ἀπέρχομαι *add.* καὶ

nouveau. » Le vieillard lui dit : « Si donc toi, tu épargnes ton vêtement, Dieu n'épargnera-t-il pas beaucoup plus encore sa propre créature ? » Et il se retira chez lui rempli d'espoir et dans la joie.

7 Un frère interrogea un vieillard en disant : « Quel est le travail de l'âme et quel est le travail des mains ? » Le vieillard lui dit : « Tout ce qui arrive à cause du commandement de Dieu est travail de l'âme, mais agir pour son compte et amasser, cela est travail des mains. » Le frère lui dit : « Explique-moi cette proposition. » Le vieillard lui dit : « Suppose que tu entendes dire que je suis malade. Tu te dis en toi-même : Dois-je à présent abandonner mon travail et partir ? Je vais d'abord achever mon travail et alors je partirai. Puis te vient une autre sollicitation et tu ne pars pas. Ou encore, un frère te dit : Mon frère, donne-moi un coup de main. Et tu dis : Dois-je laisser mon travail et aller travailler avec lui ? Si tu ne pars pas, tu négliges le commandement de Dieu qui est le travail de l'âme, à cause du travail des mains ; mais si quelqu'un te demande de partir pour un commandement, cela c'est le travail de Dieu. »

ThP 11 (189 B-D)

8 Un supérieur de cénobion demanda au bienheureux Cyrille, l'archevêque d'Alexandrie : « Qui est le plus grand par son genre de vie, nous qui avons de nombreux frères dépendant de nous et que nous guidons chacun différemment vers son salut, ou ceux qui dans les déserts se sauvent seuls ? » L'archevêque lui répondit : « Entre Élie et Moïse, il n'y a pas à départager, car tous deux plurent à Dieu. »

N 70

ἔχομαι Q || *post* σοι *add.* πάλιν QRT || οὐκ *om.* TM || 12 ἐργόχ. : ἔργον OMSVH || 13 *post* ἐὰν *add.* οὖν QRT || 16 τὸ *om.* O

178 H

179 Ἀδελφὸς ἠρώτησε γέροντα λέγων· Εἰπέ μοι πρᾶγμα. Λέγει αὐτῷ ὁ γέρων· Κόψον ἀπὸ σοῦ πᾶσαν φιλονεικίαν ἐκ παντὸς πράγματος καὶ σώζει.

180 Εἶπε γέρων· Ἡ ἔρις παραδίδει τὸν ἄνθρωπον εἰς ὀργήν, καὶ ἡ ὀργὴ τῇ τυφλότητι, καὶ ἡ τυφλότης ποιεῖ αὐτὸν πᾶν κακὸν ἐργάσασθαι.

181 Εἶπέ τις τῶν πατέρων ὅτι· Ὁ λόγος σκληρὸς καὶ τοὺς καλοὺς ποιεῖ κακούς· ὁ δὲ καλὸς ὠφελεῖ πάντας.

182 Ἔλεγέ τις τῶν γερόντων ὅτι· Οἱ πατέρες ἡμῶν τῇ ἀποτομίᾳ εἰσῆλθον εἰς τὴν ζωήν· ἡμεῖς δὲ ἐὰν δυνηθῶμεν τῇ χρηστότητι εἰσέλθωμεν.

183 Ἀδελφὸς ξενιτεύσας ἠρώτησε γέροντα λέγων· Θέλω ἀπελθεῖν εἰς τὰ ἴδια. Καὶ λέγει αὐτῷ ὁ γέρων· Τοῦτο γίνωσκε, ἄδελφε, ὅτι ἐρχομένου σου ἐπὶ τὰ ὧδε τὸν Θεὸν εἶχες ὁδηγοῦντά σε· εἰ δὲ θέλεις ὑποστρέψαι οὐκέτι αὐτὸν 5 ἔχεις.

184 Εἶπε γέρων ὅτι· Ἔστιν ἄνθρωπος σιωπῶν οὐ διὰ τὸν Θεόν, ἀλλὰ θέλων περιποιήσασθαι ἑαυτῷ δόξαν· εἰ δέ τις σιωπᾷ διὰ τὸν Θεόν, αὕτη ἐστιν ἀληθῶς ἀρετή, καὶ ἀπὸ Θεοῦ καὶ τοῦ ἁγίου Πνεύματος λαμβάνει τὴν χάριν.

185 Εἶπε τίς τῶν πατέρων· Εἰ μὴ σαλευθῇ τὸ δένδρον ὑπὸ ἀνέμου, οὔτε αὔξει οὔτε δίδωσι ῥίζαν· οὕτως καὶ ὁ μοναχὸς εἰ μὴ πειρασθῇ καὶ ὑπομείνῃ οὐ γίνεται ἀνδρεῖος.

179 YOQRTMSVH
180 YOQRTVH
2 καὶ ἡ ... καὶ ἡ : ἡ δὲ ... ἡ δὲ QR || 3 ἐργάζεσθαι OVH
181 YOQRTMSVH
1 τις τῶν πατέρων : πάλιν QR
182 YOQRTMSVH
1 ἔλεγε – ὅτι : εἶπε πάλιν QR
183 YOQRTMSVH
3 ἐρχομένου – ὧδε : ἐρχόμενος ἀπὸ τῆς χώρας σου [ἐπὶ τὰ *add.*

179 Un frère demanda à un vieillard : « Dis-moi une pratique. » Le vieillard lui dit : « Retranche de toi tout esprit de contestation en quoi que ce soit, et tu seras sauvé. » Mat 12 (293 B)

180 Un vieillard dit : « La dispute livre l'homme à la colère, la colère le livre à l'aveuglement, et l'aveuglement lui fait faire toute sorte de mal. » N 634

181 L'un des pères dit : « Une parole dure rend mauvais même les bons, tandis qu'une bonne parole est utile à tous. » cf. Mac 39 (281 A)

182 L'un des vieillards dit : « Nos Pères entrèrent dans la vie par l'austérité ; nous, si nous le pouvons, entrons-y par la bonté. » J 665

183 Un frère qui était allé vivre à l'étranger interrogea un vieillard : « Je veux retourner chez moi. » Et le vieillard lui dit : « Sache bien, frère, que lorsque tu es venu ici tu avais Dieu pour te guider, mais tu ne l'as plus si tu veux t'en retourner. » N 26

184 Un vieillard dit : « Il y en a qui gardent le silence non à cause de Dieu, mais pour s'acquérir de la gloire. Mais si quelqu'un garde le silence à cause de Dieu, c'est vraiment de la vertu, et il en reçoit la grâce de Dieu et du Saint Esprit. »

185 L'un des pères dit : « Si l'arbre n'est pas agité par le vent, il ne pousse pas et ne prend pas racine ; de même le moine ne devient pas viril s'il ne supporte pas la tentation. » N 396

OVH] ὧδε OMSVH || 4 εἶχες : ἔχεις V || *post* αὐτὸν *add.* ὁδηγοῦντα QRT || ἔχεις : ἕξεις QRT

184 YOQRTVH
3 *post* ἐστιν *add.* ἡ VH || 4 καὶ τοῦ ἁ. πνευμ. *om.* QRT

185 YOQRTMSVH
2 ῥίζας OMSH ῥίζα V

186 Ἀδελφὸς ἠρώτησε γέροντα λέγων· Διὰ τί ἐπιτελῶν τὴν μικράν μου σύναξιν μετὰ ὀλιγωρίας τοῦτο ποιῶ; Ἀποκριθεὶς δὲ ὁ γέρων εἶπεν αὐτῷ· Ἡ πρὸς τὸν Θεὸν ἀγάπη ἔνθεν δείκνυται ὅταν τις μετὰ πάσης προθυμίας 5 καὶ κατανύξεως καὶ ἀπερισπάστου λογισμοῦ ποιῇ τὸ ἔργον τοῦ Θεοῦ.

187 Ἔλεγέ τις τῶν πατέρων ὅτι· Οὐκ ἔστιν ἔθνος ὑπὸ τὸν οὐρανὸν ὡς τὸ τῶν χριστιανῶν, καὶ οὐκ ἔστι πάλιν ὡς ἡ τάξις τῶν μοναχῶν. Ἀλλὰ τοῦτο μόνον ἐστι τὸ βλάπτον αὐτοὺς ὅτι φέρει αὐτοὺς ὁ διάβολος εἰς μνησικακίαν τῶν 5 ἀδελφῶν λέγοντας ὅτι· Εἶπε μοι καὶ εἶπον αὐτῷ· καὶ τὰς ἀκαθαρσίας ἔχει ἔμπροσθεν αὐτοῦ καὶ οὐ βλέπει εἰς αὐτὰς ἀλλὰ εἰς τὰς τοῦ πλησίον αὐτοῦ ἀδολεσχεῖ· καὶ ἐκ τούτου βλάπτονται.

188 Εἶπε γέρων ὅτι· Χρὴ τὸν μοναχὸν μὴ ἀκροατὴν εἶναι μόνον ἀλλὰ καὶ ἐργάτην τῶν ἐντολῶν.

189 Ἔλεγέ τις τῶν γερόντων παραβαλὼν ἑτέρῳ γέροντι ὅτι· Εὐκαίρησέ τις κοσμικὸς ἀγάπην λαβεῖν, καὶ ὅτε ἐκαθίσαμεν φαγεῖν λέγει ὁ γέρων· Ἐρωτήσατε τὸν κοσμικὸν εἰ θέλει ἐλθεῖν καὶ φαγεῖν. Ὁ δὲ οὐκ ἠθέλησεν. Λέγει ὁ γέρων· 5 Δῶτε αὐτῷ περισσώτερον ἡμῖν φαγεῖν. Εὐκαίρησε δὲ καὶ μικρὸς οἶνος ἐκεῖ διὰ τὴν προσφοράν, καὶ ἐξήνεγκεν ἡμῖν ὁ γέρων καὶ ἐπίομεν ἡμεῖς ἓν ποτήριον, καὶ ἐδίδου τῷ κοσμικῷ δύο. Καὶ χαριεντιζόμενος εἷς τῶν πατέρων εἶπεν· Κἀγὼ ἐξέρχομαι ἔξω, ἀββᾶ, καὶ δίδου μοι δύο ποτήρια. 10 Λέγει ὁ γέρων· Εἰ ἔφαγεν μεθ' ἡμῶν ἴσα ἡμῶν ἔπινεν, καὶ ἐπληροφορεῖτο. Νῦν δὲ ὁ λογισμὸς αὐτοῦ λέγει ὅτι οἱ μοναχοὶ περισσώτερόν μου ἀναπαύονται. Συμφέρει οὖν ἵνα ἡ συνείδησις ἡμῶν καταγινώσκῃ ἡμῶν.

186 YOQRTMSVH
3 πρὸς τὸν Θεὸν : πρῶτον H ‖ 4 ἐντεῦθεν S
187 YOQRTMSVH
2 πάλιν *om.* Q ‖ *post* πάλιν *add.* ἄλλη τάξις QRT ‖ 5 λέγοντας MS : λεγόντων *cett.*

186 Un frère demanda à un vieillard : « Pourquoi, lorsque j'accomplis ma petite synaxe, le fais-je avec négligence ? » Le vieillard lui répondit : « L'amour pour Dieu se manifeste à ceci : lorsqu'on fait l'œuvre de Dieu avec une grande ardeur et componction et une pensée sans distraction. » N 395

187 L'un des pères disait : « Il n'y a pas sous le ciel de peuple comparable à celui des chrétiens, et rien non plus de comparable à l'ordre des moines. Pourtant, une seule chose leur fait tort : c'est que le diable les amène à avoir du ressentiment contre leurs frères en disant : 'Il m'a dit, et je lui ai dit'. 'Il a des impuretés devant lui et ne les regarde pas, mais s'attarde à celles de son prochain'. Et c'est cela qui leur fait tort. » N 397

188 Un vieillard dit : « Il faut que le moine ne soit pas seulement auditeur des commandements, mais qu'il les mette en œuvre. »

189 L'un des vieillards qui se rendit chez un autre vieillard disait : « Un séculier se trouvait là pour recevoir la charité ; et lorsque nous nous assîmes pour manger, le vieillard dit : "Demandez au séculier s'il veut venir manger." Il ne le voulut pas. Le vieillard dit : "Donnez-lui plus à manger qu'à nous." Or il y avait là un peu de vin à cause de l'offrande, et le vieillard nous en apporta et nous en bûmes une coupe ; et il en donna deux au séculier. En plaisantant, l'un des Pères dit : "Moi aussi je vais dehors, abba, donne-moi deux coupes !" Le vieillard dit : "S'il avait mangé avec nous, il aurait bu la même quantité que nous et aurait été satisfait. Mais maintenant, sa pensée lui dit : les moines se restaurent plus que moi. Or cela est bon pour que notre conscience nous condamne". »

188 YOQRTMSV
189 H

190 Γέρων τις ἐκάθητο εἰς τὸ ἱερὸν καὶ εἰς τὸ Κλύσμα, καὶ τὸ προχωροῦν ἐργόχειρον οὐκ εἰργάζετο. Ὁ δὲ εἰ ἐπέτασεν αὐτῷ τις ἐποίει, ἀλλ' ὅτε καιρὸς ἦν τῶν σαγήνων ἤφιε καὶ εἰργάζετο στίππυον, καὶ ὅτε ἐζήτουν νήματα 5 εἰργάζετο λινοῦν ἵνα μὴ ἀπέλθῃ ὁ νοῦς αὐτοῦ καὶ ταραχθῇ εἰς τὸ ἐργόχειρον.

191 Εἶπε γέρων· Οἱ προφῆται τὰ βιβλία ἐποίησαν, καὶ ἦλθον οἱ πατέρες ἡμῶν καὶ ἠργάσαντο ἐν αὐτοῖς καὶ ἔλαβον αὐτὰ ἀπὸ στήθους. Ἦλθε δὲ ἡ γενεὰ αὕτη καὶ ἔγραψαν αὐτὰ καὶ ἔθηκαν εἰς τὰς θυρίδας ἀργά.

192 Ἔλεγον οἱ γέροντες· Τὸ κουκούλιον σημεῖόν ἐστι τῆς ἀκακίας, ὁ ἀνάλαβος τοῦ σταύρου, ἡ ζώνη τῆς ἀνδρείας· πολιτευσώμεθα οὖν πρὸς τὸ σχῆμα ἡμῶν.

193 Ἔλεγε γέρων ὅτι· Εἶπέ τις τῶν πατέρων· Τὴν ξηροτέραν καὶ μὴ ἀνωμάλη δίαιταν ἀγάπῃ συζευχθεῖσαν θᾶττον εἰσάγει τὸν μοναχὸν εἰς τὸν τῆς ἀπαθείας λιμένα.

194 Εἶπε πάλιν· Ἐμηνύθη τινὶ τῶν μοναχῶν ὁ θάνατος τοῦ πατρός· ὁ δὲ πρὸς τὸν ἀπαγγείλαντα· Παῦσαί, φησι, βλασφημῶν, ὁ γὰρ ἐμὸς πατὴρ ἀθάνατός ἐστιν.

190 H

191 YOQRTMSVH *l*

1 τὰς βίβλους Q ‖ 2 ἡμῶν *om.* Y ‖ *post* ἡμῶν *add.* post eos *l* ‖ ἐν αὐτοῖς : τὰ ἐν αὐτοῖς OMS ἐν αὐταῖς Q ἑαυτοῖς V in eis plurima *l* ‖ *post* καί[2] *add.* iterum successores illorum *l* ‖ ἔλαβον : ἐξέλαβον RTMSV ἐξελάβοντο H ἐξέβαλον OQ ‖ 3-4 ἔγραψεν ... ἔθηκεν OQ ‖ 4 αὐτά : αὐτὰς Q ‖ *post* αὐτὰ *add.* in chartis atque membranis *l* ‖ ἀργάς OQ *om.* H

192 YOQRTMSVH *l*

1 *post* κουκ. *add.* τοῦ μοναχοῦ MSV quo utimur *l* ‖ 2 ἀκακίας : κακίας V ‖ ἀνάλαβος : superhumerale quo humeros et ceruicem alligamus *l* ‖ ἡ ζώνη : zona uero quae cingimur *l* ‖ 3 οὖν : ὦ QT ‖ *post* οὖν *add.* ἀδελφοί QRT ‖ *post* ἡμῶν *add.* ἀμήν QT quia omnia cum desiderio facientes nunquam deficiemus *l*

0 Un vieillard demeurait dans un temple à Clysma, et il ne faisait pas le travail de la saison. Quand on le lui demandait, il travaillait, mais à l'époque des filets il les laissait pour travailler la paille, et quand on lui demandait du fil il faisait du lin, afin que son esprit ne vagabonde pas et ne soit pas dérangé par le travail[1]. N 59

1 Un vieillard dit : « Les prophètes ont composé les livres. Et vinrent nos pères qui firent ce qu'ils contenaient et les apprirent par cœur. Puis vint cette génération présente qui les recopia et les rangea inutiles sur les étagères. » N 228

2 Les vieillards disaient : « Le capuchon est le signe de l'innocence, le scapulaire de la croix et la ceinture de la virilité ; vivons donc selon notre habit. » N 55

3 Un vieillard disait que l'un des pères dit : « Un régime assez sec et sans à-coup joint à la charité conduit bientôt le moine au port de l'impassibilité. » Ev *Pract.* 91

4 Il dit encore : « Un moine à qui l'on apprenait la mort de son père dit à celui qui la lui annonçait : Cesse de blasphémer, car mon Père est immortel[2]. » Ev *Pract.* 95

193 R
194 R

1. Ce récit n'est transmis que par le seul ms. H, souvent fautif. On le lit, sous une forme sans doute préférable, dans la série des anonymes (Nau 59) : Ἤκουσα περί τινος γέροντος ὅτι ἐκάθητο εἰς τὸ ἱερὸν καὶ εἰς τὸ Κλύσμα, καὶ τὸ προχοροῦν ἔργον οὐκ εἰργάζετο, οὐδὲ εἰ ἐπέτασεν αὐτῷ τις ἐποίει. Ἀλλ' ὅτε καιρὸς ἦν τῶν σαγήνων εἰργάζετο στίπυον, καὶ ὅτε ἐζήτουν νήματα εἰργάζετο λινοῦν, ἵνα μὴ ταραχθῇ ὁ νοῦς αὐτοῦ εἰς τὰ ἔργα (fol. 175v-176²).

2. Ces deux sentences – reprise anonyme d'Évagre (*Traité pratique*, 91 et 95 ; Guillaumont, *SC* 171, p. 693 et 701) – ont déjà été insérées par les autres manuscrits au ch. I, n° 4 et 5.

XI

Περὶ τοῦ δεῖν πάντοτε νηφεῖν

1 Εἶπεν ἀββᾶ Ἀντώνιος· Οἶδα μοναχοὺς μετὰ πολλοὺς κόπους πεσόντας καὶ εἰς ἔκστασιν φρενῶν ἐλθόντας διὰ τὸ ἠλπικέναι ἐπὶ τῷ ἔργῳ ἑαυτῶν ὅτι εὐάρεστόν ἐστι τῷ Θεῷ, καὶ παραλογισαμένους τὴν ἐντολὴν τοῦ εἰπόντος·
5 «Ἐπερώτησον τὸν πατέρα σου καὶ ἀναγγελεῖ σοι, τοὺς πρεσβυτέρους σου καὶ ἐροῦσί σοι[a].»

2 Εἶπε πάλιν· Εἰ δυνατόν, ὅσα βάλλει βήματα ἢ ὅσας σταγόνας πίνει ὁ μοναχὸς εἰς τὸ κελλίον αὐτοῦ ὀφείλει θαρρεῖν τοῖς γέρουσιν εἰ ἄρα οὐ πταίει ἐν αὐτοῖς· ὅτι ἀδελφὸς εὗρε τόπον ἐν ἐρημίᾳ ἀνακεχωρημένον καὶ ἡσύχιον,
5 καὶ παρεκάλει τὸν πατέρα αὐτοῦ λέγων· ἐπίτρεψόν μοι οἰκῆσαι ἐν αὐτῷ καὶ ἐλπίζω εἰς τὸν Θεὸν καὶ εἰς τὰς εὐχάς σου ὅτι ἔχω κοπιάσαι πάνυ. Καὶ οὐκ εἴασεν αὐτὸν ὁ ἀββᾶ αὐτοῦ λέγων· Οἶδα ἀληθῶς ὅτι πολλὰ ἔχεις κοπιάσαι· ἀλλὰ διὰ τὸ μὴ ἔχειν σε γέροντα, θαρρεῖς εἰς
10 τὸ ἔργον σου εἰ ἀρέσκει τῷ Θεῷ, καὶ διὰ τὸ θαρρῆσαί

Tit. YOQRTMSH *l*
περὶ τοῦ μὴ στοιχεῖν ἑαυτῷ ἀλλὰ τῇ κρίσει τῶν πατέρων Q διηγήματα γνωστικῆς διακρίσεως περὶ τοῦ δεῖν πάντοτε νήφειν H de eo quod oporteat sobrie uiuere *l*

1 YOQRTMSVH
1 μετὰ *om.* H ‖ 2 πεσόντας : ποιοῦντας H ‖ 3 τὸ ἔργον OQM ‖ 5-6 τοῖς πρεσβυτέροις V

2 YOQRTMSVH
1 ὅσας : ὅσους QR ‖ 2 *post* σταγόνας *add.* ὕδατος R ‖ 3 πταίσει

XI

De la nécessité de toujours veiller

1 Abba Antoine dit : « Je connais des moines qui, après beaucoup de peines, sont tombés et sont allés jusqu'à perdre l'esprit, pour avoir mis leur espérance dans leur œuvre, estimant qu'elle plaisait à Dieu, mais qui avaient négligé le précepte de celui qui dit : *Interroge ton père et il t'enseignera, tes anciens et ils te parleront*[a]. »

Ant 37 (88 B)

2 Il dit encore : « Si possible, le moine doit confier aux vieillards le nombre de pas qu'il fait ou le nombre de gouttes d'eau qu'il boit dans sa cellule, pour savoir si en cela il ne se trompe pas. Un frère, en effet, trouva un endroit retiré dans la solitude et paisible, et il demandait à son père : « Laisse-moi y habiter, et j'espère que, grâce à Dieu et à tes prières, j'aurai beaucoup à y peiner. » Mais son abba ne le lui permit pas, disant : « Je sais en vérité que tu auras beaucoup à y peiner ; mais comme tu n'auras pas de vieillard, tu vas mettre ta confiance dans ton œuvre pensant qu'elle plaît à Dieu ; et puisque

Ant 38 (88 B) + N 370

Y || ἐν : ἐπ' H || 3-4 ὅτι ἀδελφὸς : ἀδ. γάρ τις QRT ἔλεγε δὲ ὅτι ἀδ. τις H || 4 *post* ἀδελφὸς *add.* πταίσας ἐν αὐτοῖς O || 5 *post* μοι *add.* ἀπελθεῖν καὶ QRT || 6 οἰκ. ἐν αὐτῷ : κτίσαι ἐμαυτῷ κελλίον QT || 6-7 τὴν εὐχήν QT || 9 *post* γέροντα *add.* οὗ OH ᾧ QTV || θαρρήσεις Y || 10 εἰ : ὅτι RMSVH || θαρρῆσαι : κατα θαρῆσαι R

a. Dt 32, 7

σε ὅτι ὅλως ἔργον μοναχοῦ ποιεῖς, ἀπόλλεις τὸν κόπον σου καὶ τὰς φρένας.

3 Εἶπεν ἀββᾶ Ἀντώνιος· Ὁ τύπτων τὸ μαζὶν τοῦ σιδήρου πρῶτον σκοπεῖ τῷ λογισμῷ τί μέλλει ποιεῖν, δρέπανον ἢ μάχαιραν ἢ πέλυκα. Οὕτως καὶ ἡμεῖς ὀφείλομεν λογίζεσθαι ποίαν ἀρετὴν μετερχόμεθα ἵνα μὴ εἰς κενὸν κοπιάσωμεν.

4 Ἀδελφὸς ἠρώτησε τὸν ἀββᾶ Ἀρσένιον ἀκοῦσαι παρ' αὐτοῦ λόγον. Εἶπεν δε αὐτῷ ὁ γέρων· Ὅση δύναμίς σοί ἐστιν, ἀγωνίσαι ἵνα ἡ ἔνδον σου ἐργασία κατὰ Θεὸν ᾖ, καὶ νικήσῃ τὰ ἔξω πάθη.

5 Εἶπε πάλιν· ἐὰν τὸν θεὸν ζητήσωμεν φανήσεται ἡμῖν, καὶ ἐὰν κατάσχωμεν αὐτὸν παραμενεῖ ἡμῖν.

6 Ἔλεγε ἀββᾶ Δανιὴλ ὅτι· Ἐκάλεσέ με ἐν μιᾷ ἀββᾶ Ἀρσένιος καὶ λέγει μοι· Ἀνάπαυσον τὸν πατέρα σου ἵνα ἀπέλθῃ πρὸς Κύριον καὶ αὐτὸς δυσωπήσῃ αὐτὸν ὑπὲρ σοῦ καὶ εὖ σοι γένηται.

7 Εἶπεν ἀββᾶ Ἀνοὺβ· Ἀφ' οὗ τὸ ὄνομα τοῦ Κυρίου ἐπεκλήθη ἐπάνω μου, οὐκ ἐξῆλθε ψεῦδος ἐκ τοῦ στόματός μου.

8 Εἶπεν ἀββᾶ Ἀγάθων· Χρὴ τὸν μοναχὸν μὴ ἐᾶσαι τὴν συνείδησιν αὐτοῦ κατηγορῆσαι αὐτοῦ εἰς οἱονδήποτε πρᾶγμα.

11 τὸν : καὶ τὸν QRT
3 YOQRTMSVH
1 ἀββᾶ Ἀντ. : πάλιν QRSH || 3 πέλεκυν OMS πελύκην V πέλυκαν H
4 YOQRTMSVH *l*
3 ᾖ : εἴη YOS || 4 νικήσῃ M uincat *l* : νικήσεις *cett.*
5 YOQRTMSV *l*
1 θεὸν M *l* : κύριον *cett.* || φανεῖται TMS
6 YOQRTMSVH
1 ἐν μιᾷ : μίαν MS || 3 αὐτὸς *om.* QRTV || δυσωπ. αὐτὸν : παρακαλέσῃ M

tu te persuaderas que tu fais tout à fait une œuvre de moine, tu perdras ta peine et ton esprit. »

3 Abba Antoine dit : « Celui qui frappe une masse de fer réfléchit d'abord à ce qu'il veut faire : une faux, un glaive ou une hache ; ainsi devons-nous, nous aussi, nous demander quel genre de vertu nous poursuivons, afin de ne pas peiner en vain. » — Ant 35 (88 A)

4 Un frère interrogea abba Arsène pour entendre de lui une parole. Et le vieillard lui dit : « Autant que tu le peux, combats pour que ton activité intérieure soit selon Dieu, et soit victorieuse des passions extérieures. » — Ars 9 (89 B-C)

5 Il dit encore : « Si nous cherchons le Seigneur, il se manifestera à nous ; et si nous le retenons, il demeurera près de nous. » — Ars 10 (89 C)

6 Abba Daniel disait : « Abba Arsène m'appela un jour et me dit : Réconforte ton père afin qu'il aille vers le Seigneur, qu'il le supplie pour toi et que tu en tires avantage. » — Ars 35 (101 C)

7 Abba Anoub dit : « Depuis que le nom du Seigneur a été invoqué sur moi, aucun mensonge n'est sorti de ma bouche. » — An 2 (129 D)

8 Abba Agathon dit : « Il faut que le moine ne laisse pas sa conscience l'accuser en quoi que ce soit. » — Aga 2 (109 B)

7 YOQRTMSVH
1 ἀφ' : ἐξ M || τοῦ *om.* YO || 2 ἐπάνω μου : ἐπ' ἐμέ M || ἐξῆλθε : ἐξεβλήθη MS

8 YOQRTMSVH *l*
2 αὐτοῦ² : αὐτὸν QRT

9-10 Ὅταν δὲ ἔμελλε τελευτᾶν ὁ αὐτὸς ἀββᾶ Ἀγάθων ἔμεινε τρεῖς ἡμέρας ἀνεῳγμένους ἔχων τοὺς ὀφθαλμοὺς αὐτοῦ. Ἔνυξαν οὖν αὐτὸν οἱ ἀδελφοὶ λέγοντες· Ἀββᾶ Ἀγάθων, ποῦ εἶ; Λέγει αὐτοῖς· Ἐνώπιον τοῦ κριτηρίου τοῦ Θεοῦ
5 ἵσταμαι. Λέγουσιν αὐτῷ· Καὶ σὺ φοβῇ; Λέγει αὐτοῖς· Ἐγὼ μὲν τὴν δύναμίν μου ἐποίησα εἰς τὸ φυλάξαι τὰς ἐντολὰς τοῦ Θεοῦ, ἀλλ' ἄνθρωπός εἰμι· πόθεν οὖν οἶδα εἰ τὸ ἔργον μου εὐηρέστησε τῷ Θεῷ; Λέγουσιν αὐτῷ οἱ ἀδελφοί· Οὐκ εἶ πεποιθὼς τῷ ἔργῳ σου ὅτι κατὰ Θεόν
10 ἐστιν; Λέγει ὁ γέρων· Οὐ θαρρῶ ἐὰν μὴ τῷ Θεῷ ἀπαντήσω· ἕτερον γὰρ τὸ τοῦ Θεοῦ κρῖμα καὶ ἕτερον τὸ τῶν ἀνθρώπων. Ὡς δὲ ἤθελον ἐρωτῆσαι αὐτόν ἔτι ἕτερον λόγον λέγει αὐτοῖς· Ποιήσατε ἀγάπην, μὴ ὁμιλεῖτέ μοι ὅτι ἀσχολοῦμαι. Καὶ εὐθέως ἐτελειώθη ἐν χαρᾷ. Ἑώρων
15 γὰρ αὐτὸν ἀναγόμενον ὃν τρόπον ἀσπάζεταί τις τοὺς ἑαυτοῦ φίλους καὶ ἀγαπητούς. Εἶχε γὰρ φυλακὴν μεγάλην ἐν πᾶσιν, καὶ ἔλεγεν· Ἄνευ γὰρ φυλακῆς οὐ προβαίνει ἄνθρωπος οὐδὲ εἰς μίαν ἀρετήν.

11 Ἔλεγον περὶ τοῦ ἀββᾶ Ἀμώη ὅτι ὡς ἀπῄει εἰς τὴν ἐκκλησίαν οὐκ ἐᾷ τὸν μαθητὴν αὐτοῦ ἐγγὺς αὐτοῦ περιπατῆσαι, ἀλλὰ ἀπὸ μακρόθεν. Καὶ ὡς ἤρχετο ἐρωτῆσαι αὐτὸν περὶ λογισμῶν, ὡς ἔλεγεν αὐτῷ μόνον εὐθέως ἐδίωκεν
5 αὐτὸν λέγων· Μήποτε λαλούντων ἡμῶν περὶ ὠφελείας παρεμπέσῃ ξένη ὁμιλία, διὰ τοῦτο οὐκ ἐῶ σε χρονίσαι ἔγγιστά μου.

9-10 YOQRTMSVH *l*

1 ὅταν : ὅτε QR ‖ ἀβ. Ἀγάθων YO *l* : γέρων *cett.* ‖ 2 *post* αὐτοῦ *add.* [καὶ QRT] μὴ κινούμενος [-μένους Q] YOQRTMSH ‖ 3 Ἀγάθων *om. l* ‖ 5 *post* φοβῇ *add.* πάτερ QTM ‖ 6 *post* μὲν *add.* interim *l* ‖ τὴν : κατὰ τὴν O ‖ 7 πόθεν οὖν οἶδα : et nescio *l* ‖ 8 τὸ ἔργον μου εὐηρέστησε MS *l* : εὐηρέστησα *cett.* ‖ 9 ἐπὶ [*om.* O] τὸ ἔργον OTM ‖ 12 ἐρωτᾶν S ‖ ἔτι *om.* RMVH ‖ 13 ὁμιλεῖτέ : ὀχλεῖτέ MS ‖ 14 εὐθέως QT *l* : *om. cett.* ‖ 15 ἀναγόμενον : colligentem spiritum *l* ‖ 16 *post* μεγάλην *add.* ὁ γέρων QRT ‖ 17 καὶ ἔλεγεν M *l* : *om. cett.*

10 Le même abba Agathon, sur le point de mourir, resta trois jours les yeux ouverts, sans bouger. Alors les frères le secouèrent et lui dirent : « Abba Agathon, où es-tu ? » Il leur dit : « Je me tiens devant le tribunal de Dieu. » Ils lui disent : « As-tu peur, toi aussi ? » Il leur dit : « J'ai fait mon possible pour garder les commandements de Dieu, mais je suis un homme ; comment donc savoir si mon œuvre a plu à Dieu ? » Les frères lui disent : « N'as-tu pas confiance que ton œuvre est selon Dieu ? » Le vieillard dit : « Je n'en suis pas sûr tant que je n'ai pas rencontré Dieu ; car autre est le jugement de Dieu, et autre celui des hommes. » Comme ils voulaient lui demander encore une autre parole, il leur dit : « Faites-moi la charité de ne pas me parler, car je n'en ai pas le loisir. » Et il mourut dans la joie. Ils le voyaient en effet partir comme quelqu'un qui salue ses amis les plus chers. Car il avait une grande vigilance en tout, et il disait : « Sans vigilance, l'homme ne progresse pas même en une seule vertu[1]. »

Aga 29 b (117 B-C)

11 On disait d'abba Ammoès que lorsqu'il se rendait à l'église il ne laissait pas son disciple marcher près de lui, mais à distance. Et lorsqu'il s'approchait pour l'interroger sur les pensées, sitôt qu'il lui avait parlé il le renvoyait en disant : « C'est de peur que, tandis que nous parlons de ce qui est utile, ne se glisse une conversation étrangère, que je ne te laisse pas t'attarder à côté de moi. »

Ammoès 1 (125 C-D)

11 YOQRTSVH *l*
1 Ἀμώι Y Ἀμμόη S Ammoys *l* || 2 αὐτοῦ^2 *om.* SH || 3 περιπατεῖν QR || *post* μακρόθεν *add.* πολὺ QRT || ὡς : εἰ VH || 4 αὐτῷ : αὐτὸ R^{pc} || 6 χρονίσαι *om.* YQRT

---

1. La fin de cet apophtegme se retrouve aussi en Aga 3 (109 B).

12 Ἔλεγεν ἀββᾶ Ἀμώης τῷ ἀββᾶ Ἀσέω ἐν τῇ ἀρχῇ· Πῶς με βλέπεις ἄρτι; Λέγει αὐτῷ· Ὡς ἄγγελον, πάτερ. Καὶ πάλιν εἰς τὰ ὕστερα ἔλεγεν αὐτῷ· Πῶς με νῦν βλέπεις; Ὁ δὲ ἔλεγεν· Ὡς τὸν σατανᾶν· κἂν οὖν λόγον 5 εἴπῃς μοι ὡς ῥομφαίαν αὐτὸν ἔχω.

13 Εἶπεν ἀββᾶ Ἀλωνᾶς· Ἐὰν μὴ εἴπῃ ἄνθρωπος ἐν τῇ καρδίᾳ αὐτοῦ ὅτι· Ἐγὼ μόνος καὶ ὁ Θεὸς ἐσμὲν ἐν τῷ κόσμῳ, οὐχ ἕξει ἀνάπαυσιν.

14 Εἶπε πάλιν· Ὅτι ἐὰν θέλῃ ἄνθρωπος ἕως ἑσπέρας γίνεται εἰς μέτρον θεϊκόν.

15 Ὁ ἀββᾶ Βισσαρίων ἀποθνήσκων ἔλεγεν ὅτι· Ὀφείλει ὁ μοναχὸς εἶναι ὡς τὰ Χερουβὶμ καὶ τὰ Σεραφὶμ ὅλος ὀφθαλμός.

16 Ὥδευόν ποτε ἀββᾶ Δανιὴλ καὶ ἀββᾶ Ἀμώης. Καὶ εἶπεν ἀββᾶ Ἀμώης· Πότε καθεζόμεθα καὶ ἡμεῖς εἰς κελλίον, πάτερ; Λέγει αὐτῷ ἀββᾶ Δανιήλ· Τίς γὰρ ἀφ' ἡμῶν ἀφαιρεῖ τὸν Θεὸν ἄρτι; Ὁ Θεός ἐστιν ἐν τῷ κελλίῳ καὶ 5 πάλιν ἔξω ὁ αὐτὸς Θεός ἐστιν.

17 Εἶπε πάλιν· Μέγα μὲν τὸ ἀπερισπάστως προσεύχεσθαι, μεῖζον δὲ καὶ τὸ ψάλλειν ἀπερισπάστως.

12 YOQRTVH *l*
1 Ἀμώης : Ματώϊς T || Ἀσέω *(cf. Alph. var.)* : Ἀρσενίῳ T *l* Ἄρε V || ἐν *om.* H || 3 πάλιν *om.* YOSVH || *post* νῦν *add.* ἀρτίως V || 4 οὖν λόγον : λόγον ὃν V etenim ... bonum sermonem *l* || 5 εἴπῃς : λαλήσεις T
13 YOQRTMSVH *l*
1 Ἀλώνιος MSH Ἀμῶνας T Allois *l*
14 YOQRTMSV *l*
1 *post* ἄνθρωπος *add.* in una die *l* || 2 μέτρον : μέρον V
15 YOQRTMSV *l*
2 ὅλος : καὶ ὅλος YOMS
16 YOQRTMSVH *l*

12 Abba Ammoès dit à abba Aséos[1], au début : « Comment me considères-tu actuellement ? » Il lui dit : « Comme un ange, père. » Et plus tard il lui dit : « Maintenant, comment me considères-tu ? » Il lui dit : « Comme Satan ; même si tu me dis une parole, elle est pour moi comme un glaive. »

Ammoès 2 (125 D)

13 Abba Alônas dit : « Si l'homme ne dit pas dans son cœur : il n'y a au monde que moi seul et Dieu, il n'aura pas de repos. »

Alô 1 (133 A)

14 Il dit encore : « Si l'homme le veut jusqu'au soir, il parvient à une mesure divine. »

Alô 3 (133 A)

15 En mourant, abba Bessarion dit : « Le moine doit être comme les chérubins et les séraphins, tout œil. »

Bes 11 (141 D)

16 Lorsque abba Daniel et abba Ammoés faisaient route, abba Ammoés dit : « Quand nous établirons-nous, nous aussi, dans une cellule, père ? » Abba Daniel lui dit : « Qui désormais nous privera de Dieu ? Dieu est dans la cellule, et il est aussi le même hors de la cellule. »

Dan 5 (156 B)

17 Il dit encore : « C'est une grande chose de prier sans distraction, mais une plus grande encore de psalmodier sans distraction[2]. »

Ev 3 (173 D)

1 ὁδεύων OQR || Ἀμμόης MS Ammoys *l* || καὶ[2] *om.* OR || 2 πότε : putas aliquando *l* || 4 ἄρτι *om.* *l* || 4-5 Θεὸς ... αὐτὸς Θεός : αὐτὸς Θεὸς ... Θεός M || ὁ Θεὸς *ad fin.* : et foris Deus est modo et iterum in cella Deus est *l*

17 YORTMSVH *l*

1 πάλιν : abbas Euagrius *l* || μὲν *om.* MS

---

1. Les manuscrits varient sur ce nom : Arsène, Arès, ou encore Isaïe dans *Alph*.

2. Cet apophtegme est repris du *Traité Pratique* 69 (éd Guillaumont, *SC* 171, p. 654).

18 Ὁ αὐτὸς εἶπε· Μέμνησο διαπαντὸς τῆς ἐξόδου σου καὶ μὴ ἐπιλάθῃ κρίσεως αἰωνίου, καὶ οὐκ ἔσται πλημμέλεια ἐν τῇ ψυχῇ σου.

19 Εἶπε πάλιν ὅτι· Ἄνθρωπος ἔχων κατηγορίαν ἀνερχομένην ἐπὶ τὴν καρδίαν αὐτοῦ μακράν ἐστιν ἀπὸ τοῦ ἐλέους τοῦ Θεοῦ.

20 Εἶπε πάλιν ὅτι· Τὰ διώκοντα τὴν μνήμην τοῦ Θεοῦ ἀπὸ τῆς ψυχῆς ταῦτά εἰσιν· ὀργή, ὀλιγωρία καὶ τὸ θέλειν διδάσκειν καὶ ἡ ματαιολογία τοῦ κόσμου τούτου. Ἡ γὰρ μακροθυμία καὶ ἡ πραότης καὶ πᾶσα ἡ κατὰ Θεὸν ἐργασία
5 φέρουσιν τὴν ἀγάπην.

21 Εἶπε πάλιν ὅτι· Ἔλεγον οἱ πατέρες ἡμῶν οἱ ἀρχαῖοι ὅτι ἡ ἀναχώρησις φυγή ἐστι τοῦ σώματος.

22 Εἶπε πάλιν· Τὸ εὑρεῖν τὴν εὐχαριστίαν ἐν καιρῷ πειρασμοῦ ἀποστρέφει εἰς τὰ ὀπίσω τοὺς ἐπεισερχομένους λογισμούς, καὶ τὸ μὴ πιστεύειν ἀρέσκειν τῷ Θεῷ τὸν κόπον σου παρασκευάζει τὴν βοήθειαν τοῦ Θεοῦ φυλάττειν σε.

23 Εἶπε πάλιν· Μὴ σχῇς πονηρίαν εἰς ἄνθρωπον ἵνα μὴ τοὺς κόπους σου ἀργοὺς ποιήσῃς.

18 YOQRTMSVH *l*
2 ἐπιλάθης (?) ‖ αἰωνίου MS : -νίας *cett.* ‖ πλημμέλημα V
19 YOMSVH
2 ἐν τῇ καρδίᾳ MS
20 YOQRTMSVH
1 τοῦ Θεοῦ *om.* V ‖ 2 ψυχῆς : καρδίας σου V ‖ 5 *post* τὴν *add.* τοῦ Θεοῦ QRT
21 YORTV
22 YOQRTMSVH
1 εὑρεῖν *om.* S ‖ εὑρεῖν τὴν εὐχ. : εὐχαριστεῖν M ‖ 2 ἀποστρεφεῖν MS ‖ ἐπερχομένους V ‖ 3 λογισμούς : πειρασμούς H ‖ 3-4 ἀρέσκειν ...

18 Le même dit : « Souviens-toi toujours de la mort, n'oublie pas le jugement éternel, et il n'y aura pas de trouble dans ton âme. » Ev 4 (173 D)

19 Il dit encore[1] : « L'homme ayant un grief qui est monté dans son cœur est loin de la miséricorde de Dieu. » Isa XXV, 4

20 Il dit encore : « Les choses qui chassent de l'âme le souvenir de Dieu sont la colère, la négligence, le désir d'enseigner et le vain langage de ce monde ; la longanimité, en effet, la douceur et toute activité selon Dieu apportent l'amour. » Isa XXV, 21

21 Il dit encore : « Nos anciens pères disaient que l'anachorèse est la fuite du corps[2]. » Isa XXV, 22a

22 Il dit encore : « Rendre grâce au temps de la tentation repousse les pensées qui surviennent, et ne pas croire que ta peine plaît à Dieu te prépare à être protégé par le secours de Dieu. » Isa XXIII, 2

23 Il dit encore : « N'aie pas de méchanceté envers quelqu'un, afin de ne pas rendre stériles tes peines. » Isa XIII, 9a

τὸν κόπον : ὅτι ἀρέσκει ... ὁ κόπος QT || 3 τῷ Θεῷ : τὸν Θεὸν O || 4 κόπον : σκόπον MVH || *post* σου *add.* ἀποστρέφει εἰς τὰ ὀπίσω τοὺς ἐπεισερχομένους λογισμοὺς καὶ MS || τὴν : τὴν αὐτοῦ QRT || 4-5 τοῦ Θεοῦ φυλ. σε *om.* YQRT

23 YOQRTMSV

---

1. Bien que rien ne le marque dans le texte, les pièces qui suivent sont désormais empruntées à Isaïe. On peut y distinguer deux ensembles : n° 19-26, contenus dans l'ensemble des témoins, sauf *l*; n° 27-34 dans les seuls mss OMSVH, R les rapportant en fin de chapitre (indice d'amplifications successives : cf. *Recherches*, p. 183-184).

2. Isaïe reprend Évagre, *Traité Pratique* 52 (Guillaumont, *SC* 171, p. 618).

24 Εἶπε πάλιν· Ἄνθρωπος ἔχων κακίαν ἀνταποδόσεως ἐν τῇ καρδίᾳ αὐτοῦ ἡ λειτουργία αὐτοῦ ματαία ἐστιν.

25 Ἔλεγε πάλιν ὅτι· Οὗτος ἐστιν ὁ κόπος ὅτι τὴν ἀπάθειαν ἔχομεν ἐν τῷ στόματι καὶ τὴν κακίαν ἐν τῇ καρδίᾳ.

26 Εἶπε πάλιν· Ἐν ὅσῳ ἐν τῷ σώματι εἶ, μὴ ἐπαρθῇς τῇ καρδίᾳ σου ὡς κατορθώσας τι. Ὥσπερ γὰρ ἄνθρωπος οὐ δύναται πεποιθέναι ἐν τοῖς καρποῖς τοῦ ἀγροῦ αὐτοῦ πρὶν συναγάγῃ αὐτούς, οὐ γὰρ οἶδε τὰ συμβαίνοντα· οὕτως 5 οὐδὲ ὁ μοναχὸς ὀφείλει λογίσασθαι ἐν τῇ καρδίᾳ αὐτοῦ ὅτι ὅλως ἔπραξέ τι ἀγαθὸν ὅσον ἔχει τὴν πνοὴν ἐν τῇ ζωῇ αὐτοῦ.

27 Εἶπεν ἀββᾶ Πέτρος ὁ μαθητὴς τοῦ ἀββᾶ Ἠσαίου ὅτι· Ἔλεγεν ὁ πατήρ μου ὅτι ὁ βαστάζων τὴν μέμψιν ἑαυτοῦ καὶ ἀπολύων τὸ ἴδιον θέλημα τῷ πλησίον διὰ τὸν Θεὸν ἵνα μὴ ἐάσῃ τὸν ἐχθρὸν εἰς μέσον ἐλθεῖν φανεροῖ τὸν 5 ἄνθρωπον ὅτι ἐργάτης ἐστί. Ἐὰν ἐγρήγορον ἔχῃ νοῦν, ὑπὸ τοὺς πόδας ἐστὶ τοῦ Κυρίου Ἰησοῦ ἐν γνώσει· ἐὰν γὰρ γρηγορήσῃ καὶ μεριμνήσῃ, σπουδάζει ἐκκόψαι τὸ θέλημα ἑαυτοῦ ἵνα μὴ χωρισθῇ ἀπὸ τῆς ἀγάπης Κυρίου. Ὁ γὰρ κατέχων τὸ ἴδιον θέλημα οὐδὲ μετὰ τῶν πιστῶν 10 εἰρηνεύει· ἡ γὰρ ὀργὴ καὶ ἡ ὀλιγωρία καὶ ὁ παροξυσμὸς ὁ πρὸς τὸν ἀδελφὸν ἐπακολουθοῦσι τῇ καρδίᾳ τῇ δοκούσῃ γνῶσιν ἔχειν.

28 Εἶπε πάλιν· Ἡ ὀλιγωρία καὶ τὸ μέμψασθαί τινα τῇ διανοίᾳ οὐκ ἐῶσιν ἰδεῖν τὸ φῶς τὸ θεϊκόν.

24 YOQRTMSVH
1 ἀνταποδόσεως *om.* R
25 YOQRTV
1 οὗτος : αὐτος Q ‖ 2 *post* κακίαν *add.* ἔχομεν Y
26 YOQRTMSVH
4 πρὶν : πρὶν ἢ R ‖ 5 ὁ *om.* Y ‖ λογίζεσθαι MS ‖ 6 ὅλως *om.* Q ‖ τι : τὸ MS

24 Il dit encore : « L'homme qui a la maladie de la vengeance en son cœur, vaine est sa liturgie. »

Isa XXV, 1d

25 Il dit encore : « La peine, c'est que nous avons l'impassibilité à la bouche et la méchanceté dans le cœur. »

Isa XXV, 7

26 Il dit encore : « Tant que tu es dans le corps, ne t'élève pas en ton cœur, pensant que tu as réussi quelque chose. En effet, de même qu'un homme ne peut mettre sa confiance dans les fruits de son champ avant de les récolter, car il ne sait pas ce qui va arriver, de même le moine ne doit-il pas penser en son cœur qu'il a vraiment fait quelque chose de bien tant qu'il a encore un souffle de vie. »

Isa XXV, 10a

27 Abba Pierre, le disciple d'abba Isaïe, dit : « Mon père disait que celui qui supporte d'être méprisé et qui, pour son prochain, renonce à son vouloir propre à cause de Dieu, afin de ne pas laisser l'ennemi s'introduire entre eux, il manifeste que l'homme est un travailleur. S'il garde l'esprit éveillé, il est aux pieds du Seigneur Jésus avec science ; en effet, s'il veille et est attentif, il s'efforce de retrancher sa volonté propre afin de n'être pas séparé de l'amour du Seigneur. Car celui qui garde sa volonté à lui n'est pas même en paix avec les fidèles ; la colère, en effet, la nonchalance et l'irritation contre son frère accompagnent le cœur qui croit avoir la science. »

Isa XXV, 14a

28 Il dit encore : « La nonchalance et mépriser autrui en pensée ne laissent pas voir la lumière divine. »

Isa XXV, 25

27 ORMSVH
6 Ἰησοῦ *om.* MSH ‖ 7 μεριμνήσῃ : ἀμεριμ- O ‖ 8 κυρίου : τοῦ θεοῦ H ‖ 9 *post* ἴδιον *add.* αὐτοῦ OR ‖ 10 εἰρηνεύει : δύναται εἰρηνεῦσαι MS
28 ORMSVH

29 Εἶπε πάλιν · Αἰτήσωμεν τὸν Θεὸν ἵνα αὐτὸς δώσῃ ἡμῖν πενθεῖν τὰς ἑαυτῶν ἁμαρτίας καὶ ἵνα ποιήσωμεν τὴν δύναμιν ἑαυτῶν φυγεῖν ἀπὸ τῆς ἀνθρωπότητος καὶ μετὰ κοσμικῶν μὴ παρρησιάζεσθαι ἢ λαλεῖν ἐν λόγοις ματαίοις ἵνα μὴ 5 σκοτισθῇ ὁ νοῦς ἀπὸ τῆς γνώσεως τοῦ Θεοῦ. Ἀδύνατον γὰρ τὸν ἀκούοντα ἢ καὶ λαλοῦντα τοὺς λόγους τοῦ κόσμου ἔχειν παρρησίαν καρδίας ἐνώπιον τοῦ Θεοῦ. Ὁ δὲ λέγων · Οὐδὲν βλάπτομαι ἐκ τοῦ ἀκούειν με ἢ λαλεῖν τὰ κοσμικὰ πράγματα, ἔοικε τυφλῷ ᾧτινι ἐὰν προσενέγκωσι λύχνον 10 οὐ βλέπει αὐτοῦ τὸ φῶς. Καὶ ἐκ τοῦ ἡλίου δὲ τοῦ φωτίζοντος ὅλον τὸν κόσμον δῆλόν ἐστι τοῦτο · ὅτι μικρὰ νεφέλη ὑποδραμοῦσα σκέπει τὴν αὐγὴν αὐτοῦ καὶ τὴν θέρμην · ταῦτα δὲ ἐπίστανται οἱ γνῶσιν ἔχοντες.

30 Εἶπε πάλιν · Ἀγώνισαι φυγεῖν ἀπὸ τῶν τριῶν παθῶν τούτων τῶν καταστρεφόντων τὴν ψυχὴν ἅτινά ἐστι φιλαργυρία καὶ ἡ τιμὴ καὶ ἡ ἀνάπαυσις, ὅτι ταῦτα ἐὰν περιγίνωνται τῇ ψυχῇ οὐκ ἐῶσιν αὐτὴν προκόψαι.

31 Ἔλεγεν ἀββᾶ Πέτρος ὅτι · Ἠρώτησά ποτε τὸν ἀββᾶ μου · Τί ἐστι δουλεύειν πάθεσι; Καὶ εἶπέ μοι · Ὅτι ἐν ὅσῳ τις δουλεύει οἱῳδήποτε πάθει οὔπω ἐλογίσθη εἰς δοῦλον Θεοῦ ἀλλὰ δοῦλός ἐστιν ἐκείνου ἐν ᾧ κατακυριεύεται · 5 ἐν ὅσῳ γάρ ἐστιν αὐτὸς ἐν κατοχῇ τὸν ὑπὸ τοῦ αὐτοῦ πάθους κατακυριευόμενον διδάσκειν οὐ δύναται. Αἰσχύνη γὰρ αὐτῷ διδάξαι πρὸ τοῦ αὐτὸν ἐλευθερωθῆναι ἀπὸ ἐκείνου ἢ αἰτήσασθαι τὸν Θεὸν ὑπὲρ αὐτοῦ. Πῶς γὰρ αἰτήσει ὑπὲρ ἄλλου αὐτὸς κατεχόμενος ὑπὸ τούτου; οὔτε γὰρ 10 δοῦλός ἐστι τοῦ Θεοῦ οὔτε φίλος οὔτε υἱὸς ἵνα αἰτήσῃ

29 ORMSVH
1 *post* ἡμῖν *add.* πένθος τοῦ H ‖ 2 ἑαυτῶν OR : αὐτῶν *cett.* ‖ 4 ἐν *om.* O ‖ 5 ἀπὸ τῆς γν. τ. Θεοῦ *om.* MS ‖ 6 ἢ καὶ λαλ. *om.* H ‖ 7 καρδίας : καρδίαν MV
30 ORMSVH
2 *post* ἐστι *add.* ταῦτα H ‖ 4 τῆς ψυχῆς MS

29 Il dit encore : « Demandons à Dieu qu'il nous donne de pleurer nos péchés et de faire notre possible pour fuir l'humanité, éviter la familiarité avec les séculiers et ne pas prononcer de vaines paroles, afin que notre esprit ne soit pas assombri, écarté de la science de Dieu. Car il n'est pas possible que celui qui écoute ou profère les paroles du monde possède la familiarité du cœur à l'égard de Dieu. Celui qui dit : Je ne suis pas gêné d'entendre ou de dire des choses mondaines, ressemble à un aveugle qui ne voit pas la lumière de la lampe qu'on lui approcherait. La comparaison avec le soleil qui éclaire le monde entier le montre : un petit nuage qui passe cache son éclat et sa chaleur. Cela, ceux qui ont la science le savent. »

Isa XXV, 14b

30 Il dit encore : « Lutte pour échapper à ces trois passions qui renversent l'âme et qui sont l'avarice, l'honneur et le repos. Une fois qu'elles ont investi l'âme, elles ne la laissent plus progresser. »

Isa XXV, 26

31 Abba Pierre disait : « J'ai demandé à mon abba ce que c'est qu'être esclave des passions ; et il me dit : Tant que l'homme est esclave d'une passion quelconque, il n'est pas encore considéré comme esclave de Dieu, mais il est esclave de ce en quoi il est dominé. Car tant qu'il en est lui-même prisonnier, il ne peut enseigner celui qui est dominé par la même passion. Ce serait, en effet, pour lui une honte que d'enseigner avant d'en être lui-même libéré, ou de supplier Dieu pour l'autre. Car comment supplier pour un autre, étant lui-même pris par cette passion? En effet, il n'est ni esclave de Dieu, ni

Isa XXV, 35

31 ORMSVH
2 δουλεύει : δουλεύειν ἄρχεται H || 4 κυριεύεται MS || 5 κατοχῇ : μετοχῇ M^pc || 7 ἀπὸ : ὑπὸ MH || 8 αἰτεῖσθαι O || 10 αἰτήσηται V

ὑπὲρ ἄλλου. Ἀλλὰ συνεχῶς παρακαλεῖν τοῦτο ὀφείλει ὅπως αὐτὸς λυτρωθῇ ἀπ' ἐκείνων οἷς αὐτὸς δουλεύει. Καὶ τὸ πρόσωπον ἑαυτοῦ ἡγήσεται πεπληρωμένον αἰσχύνης ἐνώπιον τοῦ Θεοῦ. Ἐν ὅσῳ γὰρ ὑπόκειται τοῖς πάθεσι 15 κλαίειν ὀφείλει ὅτι οὐκ ἠξιώθη τῆς παρρησίας τῆς πρὸς Θεὸν ὅ ἐστιν ἡ ἀληθινὴ ἁγνεία ἣν αἰτεῖ ὁ Θεὸς παρὰ τοῦ ἀνθρώπου.

32 Εἶπε πάλιν· Εἴ τις ζήτει τὸν Κύριον ἐν πόνῳ καρδίας ἐπακούσει αὐτοῦ, καὶ ὃ ἐὰν αἰτήσῃ ἐν γνώσει καὶ μερίμνῃ καὶ πόνῳ καρδίας, μὴ δεδεμένος ἔν τινι τῶν τοῦ κόσμου ἀλλὰ φροντίζων τῆς ψυχῆς αὐτοῦ ὅπως αὐτὴν παραστήσῃ 5 τῷ βήματι αὐτοῦ ἀκατάκριτον, παράσχοι αὐτῷ.

33 Εἶπε πάλιν· Μὴ καταφρονήσητε τῶν ψαλμῶν ὅτι οὗτοι διώκουσι τὰ ἀκάθαρτα πνεύματα ἀπὸ τῆς ψυχῆς καὶ ἐνοικίζουσι τὸ Πνεῦμα τὸ ἅγιον. Μνημονεύετε τοῦ Δαυὶδ ὅτε ἔψαλλεν ἐν κιννύρᾳ, πῶς ἀνεπαύσατο Σαοὺλ ἐκ τοῦ 5 πνεύματος τοῦ πονηροῦ[b]. Καὶ πάλιν Ἐλισσαῖος, διψήσαντος τοῦ λαοῦ σφόδρα ἐν τῷ πολεμεῖν αὐτοὺς μετὰ τῶν υἱῶν Μωάβ, εἶπεν· Ἐνέγκατέ μοι ἕνα εἰδότα ψάλλειν ἐν τῇ κιννύρᾳ[c]· καὶ ὅτε ἔψαλλε προσηύξατο Ἐλισσαῖος καὶ ἦλθε τὸ ὕδωρ καὶ ἔπιεν ὁ λαός.

34 Ἔλεγεν ἀββᾶ Ἠσαίας· Φύλαξον τὸ στόμα σου ἵνα ὁ πλησίον σου εὑρέθῃ παρά σοι τίμιος· δίδαξον τὴν γλῶσσάν σου εἰς τοὺς λόγους τοῦ Θεοῦ ἐν γνώσει καὶ τὸ ψεῦδος φεύγει ἀπό σου.

16 αἰτεῖ : ἀπαιτεῖ MS

32 ORMSVH

1 κύριον : Θεὸν H ‖ 2 ἐπακούεται MS ἐπακούει H ἕως ἀκούσει V ‖ *post* γνώσει *add.* καρδίας H ‖ 3 καρδίας *om.* H ‖ 5 παρέχει H

33 ORMSVH

1 καταφρονῆτε MSH ‖ οὗτοι : αὐτοὶ R ‖ 3 ἐνοικίζουσι : ἐνωτίζ- V ‖

ami, ni fils pour pouvoir supplier pour autrui. Mais il doit demander avec insistance d'être lui-même purifié de ces passions dont il est esclave. Et il estimera son visage comme couvert de honte devant Dieu. Car aussi longtemps qu'il est soumis aux passions, il lui faut pleurer de ne pas être jugé digne de la familiarité avec Dieu, qui est la véritable pureté que Dieu réclame de l'homme. »

32 Il dit encore : « Si quelqu'un cherche le Seigneur dans la peine du cœur, le Seigneur l'écoutera ; et ce qu'il demandera avec science, application et peine du cœur, sans être attaché à rien des choses du monde mais soucieux de présenter irréprochable son âme au tribunal du Seigneur, il le lui accordera. »

Isa XXV, 43

33 Il dit encore : « Ne méprisez pas les psaumes, car ce sont eux qui chassent de l'âme les esprits impurs et y font demeurer l'Esprit Saint. Souvenez-vous comment David, en jouant de la harpe, apaisa l'esprit mauvais de Saül[b]. De même Élisée, lorsque le peuple eut très soif en combattant les fils de Moab, dit : Amenez-moi quelqu'un qui sache jouer de la harpe[c]. Et tandis qu'il en jouait, Élisée pria, et l'eau vint et le peuple but. »

34 Abba Isaïe disait : « Surveille ta bouche afin que ton prochain soit trouvé estimé par toi ; et instruis ta langue dans les paroles de Dieu avec science, et le mensonge te fuira. »

Isa XIII, 3-4a

4 ἀνέπαυεν R ἀνεπαύετο MSVH || 5 Ἐλισσαιὲ O || 7-8 ἐν τῇ κιννύρᾳ : κινύραν M *om.* H || 8 ὅτε ἔψ. *om.* H || Ἐλισσαῖος *scripsi* : Ἐλισσαιὲ *codd.*

34 ORMSVH

---

b. Cf. 1 S 16, 23 c. Cf. 2 R 3, 15

35 Εἶπεν ἀββᾶ Θεόδωρος ὁ τοῦ Ἐννάτου · Ἐὰν λογίσηται ἡμῖν ὁ Θεὸς τὰς ἐν ταῖς εὐχαῖς ἀμελείας καὶ τὰς ἐν ταῖς ψαλμωδίαις οὐ δυνάμεθα σωθῆναι.

36 Εἶπεν ἀββᾶ Θεωνᾶς · Διὰ τὸ ἀπασχοληθῆναι ἡμῶν τὸν νοῦν ἀπὸ τῆς εἰς Θεὸν θεωρίας αἰχμαλωτιζόμεθα ὑπὸ τῶν παθῶν τῶν σαρκικῶν.

37 Ἦλθόν ποτέ τινες τῶν ἀδελφῶν πειρᾶσαι τὸν ἀββᾶ Ἰωάννην τὸν κολοβὸν ὅτι οὐκ ἤφιε τὸν λογισμὸν ἑαυτοῦ ῥεμφθῆναι οὐδὲ ἐλάλει πρᾶγμα τοῦ αἰῶνος τούτου. Καὶ λέγουσιν αὐτῷ · εὐχαριστοῦμεν τῷ Θεῷ, ἔβρεξε γὰρ ἐφέτος
5 πολὺ καὶ ἔπιον οἱ φοίνικες · καὶ ἐκβάλλουσι λευκάδας καὶ εὑρίσκουσιν οἱ ἀδελφοὶ τὸ ἐργόχειρον αὐτῶν. Λέγει αὐτοῖς ἀββᾶ Ἰωάννης · Οὕτως ἐστι τὸ πνεῦμα τὸ ἅγιον ὅταν καταβαίνῃ εἰς τὰς καρδίας τῶν ἁγίων, ἀνανεοῦνται καὶ ἐκβάλλουσιν λευκάδας ἐνώπιον τοῦ φόβου τοῦ Θεοῦ.

38 Ἔλεγον πάλιν περὶ αὐτοῦ ὅτι ἔπλεξέ ποτε σειρὰν δύο σπυρίδων καὶ ἔρραψεν αὐτὴν μίαν σπυρίδα καὶ οὐκ ἐνόησε ἕως οὗ προσήγγισε τῷ τοίχῳ. Ἦν γὰρ ὁ λογισμὸς αὐτοῦ σχολάζων τῇ θεωρίᾳ.

39 Ἦλθέ ποτε ὁ καμηλίτης ἵνα λάβῃ τὰ σκεύη αὐτοῦ καὶ ἀπέλθῃ εἰς ἄλλον τόπον. Ὁ δὲ εἰσελθὼν ἐνέγκαι αὐτῷ τὴν σειρὰν ἐπελάθετο τεταμένην ἔχων τὴν διάνοιαν πρὸς τὸν Θεόν. Πάλιν οὖν ὤχλησεν ὁ καμηλίτης κρούων τὴν
5 θύραν, καὶ πάλιν ἀββᾶ Ἰωάννης εἰσερχόμενος ἐπελάθετο. Τὸ δὲ τρίτον κρούσαντος τοῦ καμηλίτου, εἰσερχόμενος ἔλεγε · σειρὰ κάμηλος.

35 YORTMSV *l*
1 ἐνάτου O ‖ 2 *post* καὶ τὰς *add.* captiuitates *l*
36 YORTMSVH *l*
1-2 ἡμῶν τὸν νοῦν : τὸν νοῦν M ἡμᾶς T ‖ 3 τῶν σαρκικῶν *om.* MS
37 YORTVH *l*
1 τῶν ἀδ. *om.* RT ‖ 2 τὸν κολοβὸν : breuem *l* ‖ ὅτι : καὶ H ‖ λογισμὸν : νοῦν RTVH mentem *l* ‖ 3 ῥεμφθῆσαι : diffundi in cogita-

35 Abba Théodore de l'Ennaton dit : « Si Dieu nous impute nos négligences dans la prière et dans la psalmodie, nous ne pouvons être sauvés. » ThE 3 (197 A)

36 Abba Théonas dit : « C'est parce que nous détournons notre esprit de la contemplation de Dieu que nous sommes asservis par les passions charnelles. » Theo 1 (197 C)

37 Des frères vinrent une fois faire l'expérience qu'abba Jean Colobos ne laissait pas errer sa pensée ni ne parlait de choses de ce monde. Et ils lui disent : « Nous remercions Dieu, car la pluie a bien arrosé, les palmiers ont bu, ils poussent leurs germes, et les frères trouvent de l'ouvrage. » Abba Jean leur dit : « C'est comme pour l'Esprit Saint : lorsqu'il descend dans le cœur des saints, ils sont renouvelés et ils poussent des germes dans la crainte de Dieu. » JnC 10 (208 A)

38 On disait encore de lui qu'il tressa un jour de la corde pour deux corbeilles et qu'il la cousit en une seule corbeille sans y prendre garde jusqu'à ce qu'il arrivât au mur ; car sa pensée vaquait à la contemplation. JnC 11 (208 AB)

39 Le chamelier vint un jour pour prendre ses produits et aller ailleurs. Rentrant pour lui rapporter la corde, il l'oublia, ayant sa méditation fixée en Dieu. Le chamelier le dérangea donc à nouveau en frappant à la porte, et à nouveau abba Jean rentré dans sa cellule l'oublia. Le chamelier ayant frappé pour la troisième fois, il rentrait en disant : « Corde, chameau. » JnC 31 (213 D)

tionibus saeculi *l* || ἐλάλει : λαλῆσαι RT || 4 *post* Θεῷ *add.* πάτερ RT || 5 ἐκβάλλουσι : εὐγάλλουσι Y || 6 *post* ἀδελφοὶ *add.* qui solent in manuum suarum operibus occupari *l* || 7 ἐστι : καὶ RT ἐστι καὶ H || 8 ἀνανεύουνται RTVH uirescunt quodammodo et innouantur *l* || 9 ἐνώπιον τοῦ φόβου : ἐν τῷ φόβῳ H *l*

38 YORTVH *l*

1 *post* ὅτι *add.* ἔβρεξε θαλλία [Θ. *om.* R] καὶ RT || 2 σπυριδίων R || μίαν : εἰς μίαν RT || σπυρίδαν YOR || 4 *post* θεωρία *add.* Dei *l*

39 H

40 Εἶπεν ἀββᾶ Ἰωάννης ὁ κολοβὸς ὅτι· Ὅμοιός εἰμι ἀνθρώπῳ καθημένῳ ὑποκάτω δένδρου μεγάλου καὶ θεωροῦντι θηρία καὶ ἑρπετὰ ἐρχόμενα πρὸς αὐτόν· καὶ ὅταν μὴ δυνηθῇ κατ' αὐτῶν στῆναι τρέχει εἰς τὸ δένδρον ἄνω καὶ σώζεται. 5 Οὕτως κἀγώ· καθέζομαι ἐν τῷ κελλίῳ μου καὶ θεωρῶ τοὺς πονηροὺς λογισμοὺς ἐπάνω μου καὶ ὅταν μὴ ἰσχύσω πρὸς αὐτούς, καταφεύγω πρὸς τὸν Θεὸν διὰ τῆς προσευχῆς καὶ σώζομαι ἐκ τοῦ ἐχθροῦ.

41 Γέρων τις ἐν Σκήτει πονικὸς μὲν τῷ σώματι οὐκ ἀκριβὴς δὲ τοῖς λόγοις ἀπῆλθε πρὸς τὸν ἀββᾶ Ἰωάννην τὸν Κολοβὸν ἐρωτῆσαι αὐτὸν περὶ τῆς λήθης. Καὶ ἀκούσας τὸν λόγον παρ' αὐτοῦ ὑπέστρεψεν εἰς τὸ κελλίον αὐτοῦ, ἐπελάθετο 5 δὲ ἃ εἶπεν αὐτῷ ἀββᾶ Ἰωάννης, καὶ ἀπῆλθε πάλιν ἐρωτῆσαι αὐτόν. Ἀκούσας δὲ τὸν λόγον πάλιν ὁμοίως παρ' αὐτοῦ ὑπέστρεψεν. Ὡς δὲ ἔφθασε πάλιν εἰς τὸ ἴδιον κελλίον ἐπελάθετο τὸν λόγον ὃν ἤκουσεν. Ὁμοίως δὲ πλειστάκις ἀπερχόμενος ἐκυριεύετο ὑπὸ τῆς λήθης. Μετὰ δὲ ταῦτα 10 πάλιν ὑπαντήσας τῷ γέροντι εἶπεν· Οἶδας, ἀββᾶ, ὅτι ἐπελαθόμην πάλιν ὃ εἴρηκάς μοι, ἀλλ' ἵνα μὴ ὀχλήσω σοι οὐκ ἦλθον. Εἶπε δὲ αὐτῷ ἀββᾶ Ἰωάννης· Ἄπελθε, ἄψον λύχνον. Καὶ ἧψεν. Εἶπε δὲ αὐτῷ πάλιν· Φέρε ἄλλους λύχνους καὶ ἄψον ἐξ αὐτοῦ. Ἐποίησε δὲ οὕτως· Καὶ λέγει 15 ἀββᾶ Ἰωάννης τῷ γέροντι· Μὴ τίποτε ἐβλάβη ὁ λύχνος ὅτι ἧψες ἐξ αὐτοῦ τοὺς ἄλλους λύχνους; Λέγει· Οὐχί. Εἶπεν οὖν ὁ γέρων· Οὕτως οὐδὲ Ἰωάννης· ἐὰν ὅλη ἡ Σκῆτις ἔρχηται πρός με οὐ μή μοι ἐμποδίσῃ ἀπὸ τῆς χάριτος τοῦ Θεοῦ. Τοίνυν ὅτε θέλεις ἔρχου μηδὲν 20 διακρινόμενος. Καὶ οὕτω δι' ὑπομονῆς ἀμφοτέρων ἦρεν ὁ Θεὸς τὴν λήθην ἀπὸ τοῦ γέροντος. Αὕτη οὖν ἦν ἡ ἐργασία

40 YOQRTMSVH

1-2 ἀνθρώπου καθημένου Y ‖ 2 *post* θηρία *add.* πολλὰ OTMSVH ‖ 4 ἄνω *om.* QMS ‖ 5 εἰς τὸ κελλίον R ‖ 6 ἰσχύσω : δυνηθῶ QT

41 YOQRTVH *l*

2 τοῖς : ἐν τοῖς TH ‖ λόγοις : λογισμοῖς QRTH in retinendis quae

40 Abba Jean Colobos dit : « Je ressemble à un homme assis sous un grand arbre et qui voit venir contre lui des bêtes sauvages et des serpents ; lorsqu'il ne peut leur résister, il court grimper dans l'arbre et il est sauvé. Moi de même : assis dans ma cellule, je regarde les mauvaises pensées venir sur moi, et lorsque je n'ai plus de force contre elles, je m'enfuis en Dieu par la prière, et je suis sauvé de l'ennemi. »

JnC 12 (208 B)

41 Il y avait à Scété un vieillard d'une grande austérité corporelle, mais qui ne retenait pas ce qu'on lui disait. Il alla interroger abba Jean Colobos sur l'oubli. Et ayant entendu de lui une parole, il revint à sa cellule ; mais il oublia ce que lui avait dit abba Jean et retourna l'interroger. Ayant à nouveau entendu de lui la parole, il s'en retourna. Mais de retour à sa propre cellule, il oublia la parole qu'il avait entendue. Revenant ainsi souvent, il était dominé par l'oubli. Plus tard, rencontrant à nouveau le vieillard, il lui dit : « Tu sais, abba, que j'ai encore oublié ce que tu m'as dit ; mais pour ne pas t'ennuyer, je ne suis pas venu. » Abba Jean lui dit : « Va allumer une lampe. » Il l'alluma. Puis il lui dit : « Apporte d'autres lampes et allume-les à la première. » Ainsi fit-il. Et abba Jean dit au vieillard : « Est-ce que la lampe a subi quelque dommage du fait que tu y as allumé les autres ? » Il répondit que non. Le vieillard dit alors : « Jean non plus ; même si tout Scété venait vers moi, cela ne me détournerait pas de la grâce de Dieu. Par conséquent, viens quand tu le veux, sans examiner. » Ainsi, à cause de leur endurance à tous deux, Dieu supprima-t-il l'oubli du

JnC 18 (209 D-212 B)

audierat *l* || τὸν κολοβὸν : breuem *l* || 4 τὸ κελλίον Y : τὴν κέλλαν *cett.* || 6 πάλιν *om.* V || 8 δὲ : δὲ πάλιν R || 9 *post* ἀπερχόμενος *add.* atque reuertens *l* || δὲ *om.* YO || 10 ἀπαντήσας O || 11 ἐνοχλήσω QRT || 16 ἥψεν YOV || 17 εἶπεν οὖν ὁ γ. *om.* *l* || 21 οὖν : δὲ VH

τῶν σκητιωτῶν διδόναι προθυμίαν τοῖς πολεμουμένοις καὶ βιάζεσθαι ἑαυτοὺς εἰς τὸ κερδάναι ἀλλήλους εἰς τὸ ἀγαθόν.

42 Ἔλεγεν ἀββᾶ Ἰωάννης ὁ κολοβὸς τῷ μαθητῇ αὐτοῦ· Τιμήσωμεν τὸν ἕνα καὶ πάντες ἡμᾶς τιμῶσιν· ἐὰν καταφρονήσωμεν τοῦ ἑνὸς ὅς ἐστι Θεός, πάντες καταφρονήσουσιν ἡμῶν καὶ εἰς ἀπώλειαν ἀπερχόμεθα.

43 Εἶπε πάλιν ὅτι· Ἡ φυλακή ἐστι τὸ καθίσαι ἐν τῷ κελλίῳ καὶ μνημονεύειν τοῦ Θεοῦ πάντοτε μετὰ νήψεως· τοῦτο γάρ ἐστι τό· «Ἐν φυλακῇ ἤμην καὶ ἤλθατε πρός με[d].»

44 Ἠρώτησέ ἀδελφὸς τὸν ἀββᾶ Ἰωάννην λέγων· Τί ποιήσω ὅτι πολλάκις ἔρχεταί τις ἀδελφὸς λαβεῖν με εἰς ἔργον, κἀγὼ ταλαίπωρός εἰμι καὶ ἀσθενὴς καὶ κοπιῶ εἰς τὸ πρᾶγμα· τί οὖν ποιήσω διὰ τὴν ἐστολήν; Καὶ ἀποκριθεὶς
5 ὁ γέρων εἶπεν αὐτῷ· Χαλὲβ εἶπε τῷ Ἰησοῦ υἱῷ Ναυή· Τεσσαράκοντα ἐτῶν ἤμην ὅτε ἀπέστειλε Μωυσῆς ὁ δοῦλος Κυρίου ἐμὲ καὶ σὲ εἰς τὴν γῆν ταύτην, καὶ νῦν εἰμι ἐτῶν ὀγδοήκοντα πέντε. Ὡς τότε ἤμην καὶ νῦν ἰσχύω εἰσελθεῖν καὶ ἐξελθεῖν εἰς πόλεμον[e]. Ὥστε οὖν καὶ σὺ εἰ δύνασαι
10 ἵνα ὡς ἐξέρχῃ οὕτως καὶ εἰσέλθῃς ὕπαγε· εἰ δὲ οὐ δύνασαι, κάθου εἰς τὸ κελλίον σου κλαίων τὰς ἁμαρτίας σου καὶ ἐὰν εὑρῶσί σε πενθοῦντα οὐκ ἀναγκάζουσί σε ἐξελθεῖν.

45 Εἶπεν ἀββᾶ Ἰωσὴφ τῷ ἀββᾶ Λώτ· Οὐ δύνασαι γενέσθαι μοναχὸς ἐὰν μὴ γένῃ ὡς πῦρ φλογιζόμενος ὅλος.

22 σκητ. : ἀσκητηστῶν V ‖ τοῖς πολεμ. : eos qui impugnabantur a quacunque passione *l* ‖ 23 κερδάναι : διεγεῖραι QRT

42 YOQRTMSVH

1 ἔλεγεν – αὐτοῦ : εἶπε πάλιν QRT ‖ 2 τιμῶσιν : τιμήσουσιν QT ‖ 3 ὅς : ὅ Q *sup. l.* R ‖ 3-4 καταφρονοῦσιν OMV ‖ 4 ἀπερχ. : ὑπάγομεν H

43 YOQRTH

1-3 ὅτι ἡ *ad fin.* : τὸ ἐν φυλακῇ *(l. 3)* – πρός με τοῦτό ἐστι τὸ καθίσαι *(l. 1-2)* – μετὰ νήψεως QRT

44 YOQRTMSVH *l*

1 *post* ἠρώτ. *add.* τις YOQRS ‖ *post* τὸν *add.* αὐτὸν YQRT ‖ 2 τις *om.* ORTM ‖ 3 κοπιῶ : κακοποιῶ YOV κακοποιὸς H ‖ 5 Χαλὲβ : Caleph

vieillard. Telle était en effet la façon d'agir des scétiotes : donner courage à ceux qui sont dans les combats et se faire violence pour se gagner les uns les autres au bien.

42 Abba Jean Colobos disait à son disciple : « Honorons l'unique et tous nous honoreront ; mais si nous méprisons l'unique, c'est-à-dire Dieu, tous nous mépriseront et nous allons à la ruine. » JnC 24 (213 A)

43 Il dit encore : « La prison, c'est de demeurer dans la cellule et de se souvenir toujours de Dieu avec vigilance ; car c'est cela que veut dire : *J'étais en prison et vous êtes venus à moi*[d]. » JnC 27 (213 B)

44 Un frère interrogea abba Jean en disant : « Que faire ? Souvent un frère vient me chercher pour un travail, et moi qui suis malade et faible, je peine à le faire. Que dois-je donc faire à cause du commandement ? » Le vieillard lui dit : « Chaleb dit à Jésus le fils de Navé : "J'avais quarante ans lorsque Moïse, le serviteur du Seigneur, m'envoya avec toi sur cette terre ; et maintenant j'en ai quatre-vingt-cinq. Comme alors, aujourd'hui encore j'ai la force d'aller au combat et d'en revenir[e]." C'est pourquoi, toi aussi, si tu peux rentrer comme tu sors, vas-y ; mais si tu ne le peux pas, demeure dans ta cellule à pleurer tes péchés ; et si l'on te trouve dans la douleur on ne te contraindra pas à partir. » JnC 19 (212 B-C)

45 Abba Joseph dit à abba Lot : « Tu ne peux devenir moine si tu ne deviens tout entier brûlant, comme un feu. » JoP 6 (229 C)

filius Jephone *l* || 8 πέντε *om. l* || 9 καὶ ἐξελθ. *om.* T || 10 ἵνα *om.* MS || εἰσελθεῖν MSH || ὕπαγε OH *l* : ἄπελθε MS ἔξελθαι V χάρις QRT *om.* Y || οὐ δύνασαι : μὴ QRT

45 YOQRTV

2 μοναχὸν Q || ὅλως T

d. Mt 25, 36 e. Cf. Jos 14, 7.10-11

46 Εἶπεν ἀββᾶ Ἰσίδωρος ὁ πρεσβύτερος τῆς Σκήτεως· Ἐγὼ ὅτε ἤμην νεώτερος καὶ ἐκαθήμην εἰς τὸ κελλίον μου μέτρον συνάξεως οὐκ εἶχον· ἡ νὺξ γὰρ καὶ ἡ ἡμέρα σύναξις ἦν.

47 Ἔλεγον περὶ τοῦ ἀββᾶ Ἀπολλῶ ὅτι εἶχε μαθητὴν ᾧ ὄνομα Ἰσαὰκ παιδευόμενον εἰς ἄκρον εἰς πᾶν ἔργον ἀγαθόν, καὶ ἐκτήσατο τὴν τῆς ἁγίας προσφορᾶς ἡσυχίαν. Καὶ ὅταν ἀπήρχετο εἰς τὴν ἐκκλησίαν οὐ συνεχώρει τινὰ εἰσελθεῖν
5 ἐπὶ συντυχίᾳ αὐτοῦ. Ἦν γὰρ ὁ λόγος αὐτοῦ οὕτως ὅτι πάντα καλὰ ἐν καιρῷ αὐτῶν, « καιρὸς γὰρ τοῦ παντὸς πράγματος[f] ». Καὶ ὅταν ἀπέλυεν ἡ σύναξις ὡς ἀπὸ πυρὸς ἦν καταδιωκόμενος ζητῶν καταλαβεῖν τὸ κελλίον αὐτοῦ. Πολλάκις δὲ ἐδίδοτο τοῖς ἀδελφοῖς ἀπὸ συνάξεως πρὸς ἓν
10 παξαμάδιν καὶ ποτήριον οἴνου· αὐτὸς δὲ οὐκ ἐλάμβανεν οὐκ ἀποθούμενος τὴν εὐλογίαν τῶν ἀδελφῶν ἀλλὰ τὴν τῆς συνάξεως ἐπικρατῶν ἡσυχίαν. Ἐγένετο δὲ αὐτὸν ἐν ἀρρωστίᾳ κατακεῖσθαι, καὶ ἀκούσαντες οἱ ἀδελφοὶ ἦλθον τοῦ ἐπισκέψασθαι αὐτόν. Καθεζόμενοι δὲ ἔλεγον· Ἀββᾶ
15 Ἰσαάκ, διατί ἀπὸ συνάξεως φεύγεις τοὺς ἀδελφούς; Καὶ εἶπε πρὸς αὐτοὺς ὅτι· Τοὺς ἀδελφοὺς οὐ φεύγω ἀλλὰ τὴν τῶν δαιμόνων κακοτεχνίαν. Καὶ γὰρ ἐάν τις κατέχῃ λαμπάδιον φωτὸς καὶ βραδύνῃ εἰς τὸν ἀέρα ἱστάμενος σβέννυται· οὕτως καὶ ἡμεῖς φωτιζόμενοι ὑπὸ τῆς ἁγίας
20 προσφορᾶς ἐὰν βραδύνωμεν ἔξω τοῦ κελλίου σκοτίζεται ἡμῶν ὁ νοῦς. Αὕτη ἡ πολιτεία τοῦ ὁσίου Ἰσαάκ.

48 Διηγήσατο ἀββᾶ Κασιανὸς περί τινος γέροντος ἐν ἐρήμῳ καθεζομένου ὅτι παρεκάλεσε τὸν Θεὸν χαρίσασθαι αὐτῷ

46 YOQRTMSVH *l*

1 τῆς σκήτεως : τῶν κελλίων R[ac] || 3 συνάξεως : psalmorum quos dicebam in ministerio Dei *l* || νὺξ : νὺξ πᾶσα QRT || 4 σύναξις : μία σύν. QRT in hoc expendebatur *l*

47 YOQRTMSVH

1 ἔλεγε YQ || 1-2 ᾧ ὄνομα : ὀνόματι TMVH ὄνομα S || 2 πεπαιδευμένον RTMV || ἄκρον εἰς *om.* Q || εἰς² : πρὸς M || 4 τινα : τινι V ||

46 Abba Isidore, le prêtre de Scété, dit : « Lorsque j'étais plus jeune et que je demeurais dans ma cellule, je n'avais pas de mesure pour la synaxe : la nuit comme le jour était une synaxe. »

Isi 4 (220 C-D)

47 On disait d'abba Apollon qu'il avait un disciple nommé Isaac, parfaitement éduqué en toute bonne œuvre, et qu'il avait acquis le recueillement de la sainte offrande. Et lorsqu'il allait à l'église, il ne permettait à personne de venir le rencontrer. Il disait, en effet, que toutes choses sont bonnes en leur temps, car il y a un temps pour chaque chose[f]. Et quand la synaxe était congédiée, il était comme poursuivi par le feu, cherchant à retrouver sa cellule. Or souvent on donnait aux frères un petit pain de la synaxe et une coupe de vin; mais lui ne le prenait pas, non qu'il dédaigne l'eulogie des frères, mais pour conserver le recueillement de la synaxe. Or il lui arriva de tomber malade, et les frères l'apprenant vinrent le visiter. Et assis ils lui disaient : « Abba Isaac, pourquoi après la synaxe fuis-tu les frères ? » Il leur dit : « Je ne fuis pas les frères, mais la ruse des démons. En effet, si quelqu'un tient une lampe allumée et s'attarde au grand air, elle s'éteint. Nous de même : éclairés par la sainte offrande, si nous nous attardons hors de la cellule, notre esprit s'enténèbre. » Telle était la façon de vivre de saint Isaac.

IsTh 2 (241 A-B)

48 Abba Cassien raconta d'un vieillard établi au désert qu'il supplia Dieu de lui accorder de ne jamais s'assoupir

Cas 6 (245 A-C)

5 συντυχίαν QRTH ‖ 5 οὕτως : οὗτος TMSV ‖ 6 γὰρ *om.* QT ‖ 6-7 τῷ παντὶ πράγματι QRT ‖ 8 διωκόμενος QRTM ‖ 9 ἐδίδετο YO ‖ ἀπὸ συνάξ. *om.* QMSH ‖ ἓν : ἕνα MSH ‖ 10 παξαμᾶν MS παξαμάτην H *om.* V ‖ 12 συνάξεως : τάξεως T ‖ 19-20 τῆς ἁγ. προσφ. : τοῦ ἁγίου πνεύματος ἐν τῇ ἁγίᾳ προσφορᾷ QRT

48 YOQRTMSVH *l*

1 ἀββᾶ Κασ. : πάλιν M ‖ τινος : ἑτέρου M

f. Cf. Qo 3, 1

ὥστε μηδέποτε νυστάξαι αὐτὸν κινουμένης ὁμιλίας πνευματικῆς· εἰ δέ τις καταλαλιὰς ἢ ἀργολογίας ἐπιφέρειν
5 πειρασθῇ, εὐθέως εἰς ὕπνον καταφέρεσθαι ἵνα μὴ ἰοῦ τοιούτου γεύσωνται αἱ ἀκοαὶ αὐτοῦ. Οὗτος δὲ ἔλεγε τὸν διάβολον σπουδαστὴν μὲν εἶναι τῆς ἀργολογίας πολέμιον δὲ πάσης διδασκαλίας πνευματικῆς, τοιούτῳ χρώμενος ὑποδείγματι· Λαλοῦντος γάρ μου, φησί, περὶ ὠφελείας πρός
10 τινας ἀδελφοὺς τοσούτῳ κατεσχέθησαν ὕπνῳ βαθεῖ ὥστε μηδὲ τὰ βλέφαρα δύνασθαι κινεῖν. Ἐγὼ δὲ θέλων δεῖξαι τοῦ δαίμονος τὴν ἐνέργειαν λόγον ἀργίας παρεισήνεγκα ἐφ' ᾧ χαρέντες παραχρῆμα ἀνένηψαν· καὶ εἶπον· Μέχρι τοῦ νῦν περὶ οὐρανίων πραγμάτων διελεγόμεθα καὶ πάντων
15 ὑμῶν οἱ ὀφθαλμοὶ τῷ ὕπνῳ συνείχοντο, ἡνίκα δὲ λόγος ἀργὸς ἐρρύη, πάντες μετὰ προθυμίας διανέστητε· διό, ἀγαπητοί, παρακαλῶ ἐπιγνόντες τοῦ πονηροῦ δαίμονος τὴν ἐνέργειαν, προσέχετε ἑαυτοῖς φυλαττόμενοι τὸν νυσταγμόν, ἡνίκα τι ποιεῖτε πνευματικὸν ἢ ἀκούετε.

49 Εἶπεν ἀββᾶ Μακάριος ὁ μέγας· Ὀφείλει ἡ ψυχὴ τοὺς διαλογισμοὺς ἑαυτῆς ἐν ψαλμῳδίᾳ μετὰ κατανύξεως συνεισάγειν καὶ μηδὲν ἄλλο ἐννοεῖν ἢ τὴν προσδοκίαν τοῦ Κυρίου καὶ τὴν ἀγάπην αὐτοῦ τὴν ἔμφυτον τὴν πρὸς αὐτὸν
5 μόνον ἀποσώζειν. Καὶ ὥσπερ ἡ μήτηρ συνάγει τὰ ἑαυτῆς τέκνα εἰς τὸν οἶκον παιδεύουσα καὶ νουθετοῦσα, οὕτως καὶ ἡ ψυχὴ ὀφείλει τοὺς ἑαυτῆς λογισμοὺς συνάγειν πάντοθεν ῥεμβομένους ὡς ἴδια τέκνα κἂν ὑπὸ τῆς ἁμαρτίας

3 ὁμιλίας : res *l* || 4 καταλαλιὰν ἢ ἀργολογίαν QRT || ἀργολ. : odii *l* || ἐπισφέρειν V παρεισφέρειν MS ἐπιφέροντα H || 5 πειραθῇ YO || μὴ : μὴ οὖν Y || 6 τοιούτου *om.* T || οὗτος δὲ *om.* YOQRVH || 8 διδασκαλίας YO *l* : ἐργασίας *cett.* || χρωμένῳ QMH || 9 ὑποδ. : διηγήματι M || 10 βαθεῖ *om.* Y || 11 δὲ : οὖν QM || 12 ἀργίας : ἀργολογίας MSH || προσήνεγκα TM || 13 καὶ εἶπον : ego autem ingemiscens dixi *l* || 14 οὐρανίων : πνευματικῶν O || 16 ἀργὸς : ἀργολογίας YMSVH ἀργίας O || διανενεύσατε Q || 17 παρακαλῶ *om.* V || ἐπιγνῶναι QRT || 18 προσέχετε – νυσταγμόν : φυλάττετε ἑαυτοὺς QRT || 19 *post* ἀκούετε *add.* καὶ προσέχετε ἀπὸ τοῦ νυσταγμοῦ QRT

quand se déroulait un entretien spirituel, mais de tomber de sommeil dès que quelqu'un essayait d'y introduire une médisance ou une futilité, afin que ses oreilles ne goûtent pas d'un tel poison. Celui-ci disait que le diable est partisan du bavardage, mais adversaire de tout enseignement spirituel, en utilisant l'exemple suivant : « Une fois que je parlais de ce qui est utile à quelques frères, ils étaient accablés d'un tel sommeil qu'ils ne pouvaient même plus bouger les paupières. Et moi, voulant montrer la puissance du démon, j'introduisis un sujet de conversation futile. Aussitôt, tout heureux, ils se réveillèrent ; et je dis : Jusqu'à présent, nous discutions de choses célestes, et vos yeux à tous étaient appesantis de sommeil ; mais lorsque fut introduit un discours stérile, tous avec empressement vous vous êtes réveillés. Aussi, bien-aimés, je vous en supplie : reconnaissant la puissance du mauvais démon, soyez attentifs à vous-mêmes et gardez-vous de l'assoupissement lorsque vous faites ou entendez quelque chose de spirituel[1]. »

49 Abba Macaire le Grand dit : « L'âme doit rassembler ses pensées diverses dans la psalmodie avec componction, et ne penser à rien d'autre qu'à l'attente du Seigneur, et ne sauvegarder que son amour pour lui, qui lui est inné. Et de même qu'une mère rassemble ses enfants pour les instruire à la maison et les réprimander, ainsi l'âme doit-elle rappeler de partout ses pensées vagabondes, comme ses propres enfants, même si elles sont dispersées

49 YOQRTMSVH

1 Μάκαρις YO ‖ 2 ψαλμῳδίᾳ : ψαλμοῖς V ‖ 3 συνεισ. : ἐπισυνάγειν V ‖ 3-4 τοῦ κυρίου : αὐτοῦ τοῦ Θεοῦ RT ‖ 4 καὶ τὴν ἀγ. αὐτοῦ *om.* QRT ‖ 4-5 τὴν πρὸς αὐτὸν [ἡμᾶς MS] μόνον : καὶ πρὸς αὐτὸν μόνον ταύτην QRT ‖ 7 συνάγειν : ἀνάγειν Q^{ac} RT συνανάγειν Q^{pc} ‖ 8 κἂν : καὶ QH

1. Repris de *Inst.* v, 29 et 31 (Guy, *SC* 109, p. 236 et 240), où ce vieillard est nommé Machétès.

σκορπίζονται ὅπως κατὰ τὸ δυνατὸν αὐτῇ ἀπαύστως
10 συνάγειν τοὺς λογισμοὺς καὶ προσδοκᾶν τὸν Κύριον ἐν πίστει
βεβαίᾳ ἵνα ἐλθὼν πρὸς αὐτὴν διδάξῃ αὐτὴν εὐχὴν ἀληθινὴν
ἀπερίσπαστον πρὸς τὴν αὐτοῦ μόνην αἴτησιν.

50 Ἀδελφὸς ἠρώτησε γέροντά τινα λέγων · Εἰπέ μοι πῶς
σωθῶ. Ὁ δὲ γέρων λέγει αὐτῷ · Ἐὰν θέλῃς σωθῆναι
ἀγάπα Κύριον τὸν Θεόν σου ἐξ ὅλης τῆς καρδίας σου
καὶ τὰς ἐντολὰς αὐτοῦ φύλαττε · μὴ ψεῦσαι, μὴ ὀμνύῃς,
5 μὴ ἀργολόγῃς, μὴ καταλάλῃς, μὴ ὑπερηφανεῦσαι, μὴ
πονηρεῦσαι, μὴ φθονῇς, μὴ κλέψῃς, μὴ πορνεύσῃς · ἀγάπα
οὐ μόνον τοὺς ἀγαπῶντάς σε[g] ἀλλὰ καὶ τοὺς κακοποιοῦντάς
σε, καὶ εὔχου ὑπὲρ τῶν θλιβόντων σε, καὶ εὐχαριστῇ τῷ
Θεῷ πάντοτε ὑπὲρ τῶν ἐπερχομένων σοι θλίψεων εἴτε ἀπὸ
10 δαιμόνων εἴτε ἀπὸ ἀνθρώπων. Ψάλλε μετὰ συνέσεως[h],
εὔχου μετὰ κατανύξεως, τῷ αἰτοῦντί σε δίδου[i] ὅσον τὸ
κατὰ δύναμιν, τὴν κοιλίαν δι' ἐγκρατείας δάμασον, τὸν
θυμὸν διὰ μακροθυμίας χαλίνωσον, τὰ πάθη μίσησον, τὰς
ἀρετὰς ἀγάπησον, τὸν Θεὸν ἔχε πρὸ ὀφθαλμῶν σου πάντοτε
15 βλέποντά σου τὰς πραξεῖς καὶ τὰ ἐνθυμήματα · μηδὲν
ποιεῖν πρὸς ἐπίδειξιν ἀνθρώπων ἀλλ' ἔχειν ἑαυτὸν πάντων
ἁμαρτωλότερον · τοὺς λογισμοὺς δι' ἐξαγορεύσεως καὶ τῶν
ἀξίων καρπῶν τῆς μετανοίας καθάρισον, μὴ μισήσῃς
ἄνθρωπον ἐν τῇ ζωῇ σου πάσῃ ἵνα μὴ μισηθῇς παρὰ
20 Κυρίου τοῦ Θεοῦ σου. Λέγει γὰρ ὁ Κύριος ὅτι · «Οὐχὶ οἱ
λέγοντές μοι · Κύριε, κύριε, εἰσελεύσονται εἰς τὴν
βασιλείαν μου, ἀλλ' οἱ ποιοῦντες τὸ θέλημα τοῦ πατρός
μου τοῦ ἐν τοῖς οὐρανοῖς[j].» Καὶ ὁ ἀπόστολος · «Μὴ
πλανᾶσθε · οὔτε κλέπται οὔτε πόρνοι οὐχ ἅρπαγες οὐ

9 σκορπιζομένους Q || 9 *post* τὸ *add.* μέτρον Y || *post* αὐτῇ *add.* ἐν ἕξει γένηται τὸ MS || 10 συνάγει R || 11 πρὸς αὐτὴν *om.* QRT || αὐτὴν² *om.* OMSVH || ἀληθινὴν *om.* O || 12 αἴτησιν : ἔνστασιν H

par le péché, de façon à les rassembler sans cesse autant qu'elle le peut, et à attendre le Seigneur dans une foi solide, afin que venant à elle il lui enseigne la véritable prière sans distraction, appliquée à sa seule supplication. »

50 Un frère interrogea un vieillard en disant : « Dis-moi comment être sauvé. » Le vieillard lui dit : « Si tu veux être sauvé, aime le Seigneur ton Dieu de tout ton cœur et observe ses commandements : ne mens pas, ne jure pas, ne parle pas en vain, ne médis pas, ne sois pas orgueilleux, ne fais pas le mal, ne sois pas jaloux, ne vole pas, ne fornique pas. Aime non seulement ceux qui t'aiment[g], mais aussi ceux qui te font du mal, prie pour ceux qui t'affligent et rends sans cesse grâce à Dieu pour les afflictions qui te surviennent soit de la part des démons, soit de la part des hommes. Chante avec intelligence[h], prie avec componction. A qui te demande donne autant que tu le peux[i] ; maîtrise ton ventre par la continence ; réfrène la colère par la longanimité ; hais les passions, aime les vertus ; aie sans cesse devant les yeux Dieu qui voit tes actions et leurs motivations ; ne fais rien par ostentation devant les hommes, mais considère-toi comme plus pécheur que tous ; purifie tes pensées par la confession et les justes fruits de la pénitence. Ne hais personne dans toute ta vie afin de ne pas être haï par le Seigneur ton Dieu. Le Seigneur dit en effet : *Ce ne sont pas ceux qui me disent : Seigneur, Seigneur, qui entreront dans mon royaume, mais ceux qui font la volonté de mon Père qui est dans les cieux*[j]. Et l'Apôtre : *Ne vous leurrez pas, ni les voleurs, ni les fornicateurs, ni les avares,*

50 R
1 γέροντά τινα *scripsi* : γέροντί τινι R || 4 ψεῦσαι *scripsi* : ψευδεῦσαι R

g. Cf. Mt 5 44-46 h. Cf. Ps 46, 8 i. Cf. Mt 5, 42
j. Mt 7, 21

25 μέθυσοι οὐ λοίδοροι βασιλείαν Θεοῦ κληρονομήσουσιν[k].» Καὶ πάλιν· Ἀπὸ παντὸς ἔργου πονηροῦ ἀπέχου παντὶ δὲ ἔργῳ ἀγαθῷ ποίῃ[l]. Ταῦτα γάρ εἰσι τὰ γνωρίσματα τῶν φοβουμένων τὸν Κύριον· τὸ πιστὸν εἶναι, σώφρονα, ἄμαχον, ἄδολον, ἀφιλάργυρον, ἀνυπερήφανον, ταπεινόφρονα, πρᾶον, 30 εἰρηνικόν, σπουδαῖον εἰς τὸ ἀγαθόν, ἀκίνητον εἰς τὸ πονηρόν.

51 Εἶπε πάλιν· «Τί ἀνταποδόσωμεν τῷ Κυρίῳ περὶ πάντων ὧν εἰς ἡμᾶς ἐποίησεν[m];» Ἐκ τοῦ μὴ ὄντος ἡμᾶς ἐδημιούργησεν, οὐρανὸν καὶ γῆν καὶ ἀέρα καὶ θάλασσαν καὶ πάντα τὰ ἐν αὐτοῖς ἐκ τοῦ μὴ ὄντος εἰς τὸ εἶναι δι' 5 ἡμᾶς ἐποίησεν, παραπεσόντας ἡμᾶς διὰ τῆς ἀπάτης τοῦ διαβόλου εἰς τὴν ἁμαρτίαν καὶ διὰ τῆς ἁμαρτίας εἰς τὸν θάνατον[n] οὐχ ὑπερεῖδεν ἡμᾶς ἀλλὰ καὶ νόμον ἔδωκεν εἰς βοήθειαν, προφήτας ἐξαπέστειλεν εἰς ἔλεγχον κακίας καὶ διδασκαλίας ἀρετήν, ἀγγέλους ἐπέστησεν φύλακας τῆς 10 ζωῆς ἡμῶν, καὶ τέλος τῶν ἀγαθῶν αὐτοῦ τῶν εἰς ἡμᾶς γεγενημένων τὸ θαυμαστότατον ἅμα καὶ ὑψηλότερον· τὸν γὰρ υἱὸν αὐτοῦ τὸν μονογενῆ ἀπέστειλεν ἵνα πιστεύσαντες εἰς πατέρα καὶ υἱὸν καὶ τὸ ἅγιον πνεῦμα καὶ φυλάξαντες τὰς ἐντολὰς αὐτοῦ ἀξιωθῶμεν καὶ τῆς τῶν οὐρανῶν 15 βασιλείας. Θεὸς γὰρ ὑπάρχων ἀληθὴς ὁ λόγος τοῦ πατρὸς ἐπὶ τῆς γῆς ἦλθε καὶ ἐκ τῆς ἁγίας παρθένου σαρκωθεὶς ἐτέχθη, καὶ ἐμπολιτευσάμενος τῷ κόσμῳ καὶ πᾶσαν ὁδὸν ταπεινοφροσύνης καὶ ὑπακοῆς καὶ πάσης σωτηριώδους ἀρετῆς ὑποδείξας ἡμῖν ἔπαθεν δι' ἡμᾶς, ἐσταυρώθη ὑπὲρ 20 ἡμῶν, ἀποθανὼν ἐτάφη, ἀναστὰς ἀνελήφθη πρὸς τὸν ἄναρχον αὐτοῦ πατέρα. Ταῦτα καὶ τὰ τοιαῦτα κατανοοῦντες καὶ ἀνεξάλειπτον τὴν τούτων μνήμην ἔχοντες δουλεύσωμεν τῷ Κυρίῳ ἐν φόβῳ ἵνα ἐλεύσηται καὶ πρὸς ἡμᾶς ὁ πατὴρ καὶ ὁ υἱὸς καὶ τὸ πνεῦμα τὸ ἅγιον καὶ μονὴν παρ' 25 ἡμῶν ποιήσωσιν κατὰ τὴν ἐπαγγελίαν αὐτοῦ τοῦ Κυρίου

51 R

ni les ivrognes, ni les injurieux n'hériteront le royaume de Dieu[k]. Et encore : Abstiens-toi de toute œuvre mauvaise, mais fais toute bonne action[l]. Tels sont en effet les signes distinctifs de ceux qui craignent le Seigneur : être fidèle, tempérant, pacifique, sans ruse, ne pas aimer l'argent, n'être pas orgueilleux, être humble, doux, paisible, ardent au bien, inflexible au mal. »

51 Il dit encore : « Que rendrons-nous au Seigneur pour tout ce qu'il nous a fait[m] ? Du non-être il nous a créés ; à cause de nous, il a fait passer du non-être à l'être le ciel, la terre, l'air, la mer et tout ce qu'ils renferment ; alors que, à cause de la séduction du diable, nous étions tombés dans le péché et par le péché dans la mort[n], il ne nous méprisa pas mais nous donna le secours de sa loi, il envoya des prophètes pour corriger notre malice et nous enseigner la vertu, il établit des anges gardiens de nos vies et, comble de ses bontés à notre égard, qui est à la fois le plus admirable et le plus élevé, il envoya son fils unique pour que, croyant au Père, au Fils et au saint Esprit et gardant ses commandements, nous soyons même dignes du royaume des cieux. En effet, étant Dieu véritable, le Verbe du Père vint sur terre et, devenu chair, fut engendré de la sainte Vierge ; et, ayant vécu dans notre monde, nous ayant montré le chemin de l'humilité, de l'obéissance et de toute vertu salutaire, il souffrit à cause de nous, fut crucifié pour nous, mort fut enterré, ressuscité fut élevé vers son Père sans principe. Réfléchissant à tout cela et en conservant le souvenir immuable, nous servirons le Seigneur dans la crainte afin que viennent aussi en nous le Père, le Fils et le saint Esprit, et qu'ils fassent chez nous leur demeure, selon la pro-

k. 1 Co 6, 9-10 l. Cf. 1 Th 5, 22 ; Col 1, 10 m. Cf. Ps 115, 3
n. Cf. Rm 5, 12

ἡμῶν Ἰησοῦ Χριστοῦ λέγοντος ὅτι· « Ἐλευσόμεθα πρὸς αὐτόν[o]· » καὶ πάλιν· « Ἐνοικήσω ἐν αὐτοῖς καὶ ἐνπεριπατήσω[p]· » καὶ τὸ τοῦ ἀποστόλου πρὸς τοῦτο ἡμᾶς παρορμᾷ καὶ προσπαρασκευάζει τό τε « Ἀδιαλείπτως
30 προσεύχεσθε, ἐν παντὶ εὐχαριστῆτε[q] », καὶ τὸ « Προορώμην τὸν Κύριον ἐνώπιόν μου διαπαντὸς ὅτι ἐκ δεξιῶν μού ἐστιν ἵνα μὴ σαλευθῶ[r]· » καὶ τὸ « Πρόσεχε σεαυτῷ ἵνα προσέχῃς Θεῷ. » Ἐὰν γὰρ μὴ προσέχωμεν καὶ τῷ Θεῷ καὶ ἡμᾶς ἀνοδίαις πλανόμεθα, ἐὰν δὲ προσέχωμεν πάντοτε
35 τῶν ἀνεκδιηγήτων τοῦ Θεοῦ θαυμασίων τῶν εἰς ἡμᾶς γεγενημένων ἀδιαλείπτους ὕμνους καὶ εὐχαριστίας αὐτῷ προσάζομεν ἵνα καὶ τῶν αἰωνίων ἀγαθῶν ἐπιτύχωμεν.

52 Εἶπεν ἀββᾶ Μωυσῆς· Οὐ δύναταί τις εἰσελθεῖν εἰς τὴν στρατιὰν τοῦ Χριστοῦ ἐὰν μὴ γένηται ὡς πῦρ ὅλος καὶ καταφρονήσῃ τίμης καὶ ἀναπαύσεως καὶ ἵνα τὰ θελήματα τῆς σαρκὸς ἐκκόψῃ καὶ φυλάξῃ πάσας τὰς ἐντολὰς τοῦ
5 Θεοῦ.

53 Εἶπε πάλιν· Φύγωμεν τὴν παρρησίαν ἵνα μὴ ὁ καύσων αὐτῆς φλογίσῃ τοὺς καρποὺς τῶν πόνων ἡμῶν.

54 Εἶπε πάλιν· Κτησώμεθα τὴν εὐλάβειαν καὶ τὴν σεμνότητα καὶ τὴν ἁπλότητα καὶ τὴν πραότητα καὶ τὴν εὐσέβειαν πρὸς πάντας ἀνθρώπους, καὶ ἐκφύγωμεν τὴν παρρησίαν τὴν μητέρα τῶν κακῶν.

55 Ἀπῆλθεν ἀββᾶ Ποιμὴν ποτε ὅτε ἦν νεώτερος πρός τινα γέροντα ἐρωτῆσαι αὐτὸν τρεῖς λογισμούς. Ὡς οὖν ἦλθε

52 YOQRTMSVH
1 Μωσῆς QR || ἐλθεῖν VH || 3 τίμης : τῆς τίμης TMVH
53 YOQRTMSVH
54 YOQRTMSVH
1 εὐλάβ. : εὐσέβειαν MS || 1-2 καὶ τὴν σεμν. – εὐσέβειαν *om.* V || 2 ἁπλότητα : εὐσέβειαν T || πραότητα *om.* TMS || εὐσέβειαν : εὐλάβειαν Q[ac] MS ἀγάπην Q[pc] *om.* T || 3 πρὸς : εἰς S || *post* ἀνθρώπους *add.* καὶ τὴν ἐπιστήμην M || 4 τὴν μητέρα τ. κ. *om.* QT

messe de notre Seigneur lui-même Jésus Christ qui dit : *Nous viendrons chez lui*[o] ; et encore : *J'habiterai en eux et j'y demeurerai*[p] ; et ces paroles de l'Apôtre nous y incitent et nous y préparent : *Priez sans cesse, rendez grâces en tout*[q] ; et : *Je voyais le Seigneur devant moi sans cesse, car il est à ma droite pour que je ne vacille pas*[r] ; et : *Sois attentif à toi-même afin d'être attentif à Dieu*[1]. En effet, si nous ne sommes pas attentifs aussi à Dieu, nous nous égarons dans des impasses ; mais si nous lui sommes attentifs, nous lui chantons sans cesse des hymnes d'action de grâces pour les prodiges indicibles faits en notre faveur, afin d'obtenir aussi les biens éternels. »

52 Abba Moïse dit : « On ne peut entrer dans l'armée du Christ si l'on ne devient tout entier comme un feu, et si l'on ne méprise la réputation et le repos en sorte de retrancher les vouloirs de la chair et de garder tous les commandements de Dieu. »

53 Il dit encore : « Fuyons la liberté de parole afin que sa brûlure ne consume pas les fruits de nos peines. »

54 Il dit encore : « Acquérons la piété, la dignité, la simplicité, la douceur et le respect à l'égard de tout homme, et fuyons la liberté de parole qui est la mère des vices. »

55 Lorsqu'il était jeune, abba Poemen alla un jour chez un vieillard pour l'interroger sur trois pensées. Arrivé chez

Poe 1 (317 A-B)

55 YOQRTVH *l*
2 λογισμούς : sermones *l*

o. Jn 14, 23 p. Lv 26, 11 ; 2 Co 6, 16 q. 1 Th 5, 17 r. Ps 16, 8 ; Ac 2, 25

1. Cette citation n'est pas dans l'Écriture. Le seul endroit où l'on retrouve cette phrase, d'après le TLG (version E) est la fin de l'homélie de Basile *In illud : Attende se ipsum,* 8 (éd. Rudberg, Stockholm 1962, p. 37, l. 14-15).

πρὸς τὸν γέροντα ἐληθάργησε τὸν ἕνα ἐξ αὐτῶν καὶ ἀνέκαμψε εἰς τὸ κελλίον αὐτοῦ. Καὶ ὅτε ἀπίει λαβεῖν τὸ
5 κλειδίον ἐμνήσθη τοῦ λογισμοῦ οὗ ἐληθάργησε καὶ ἐάσας τὸ κλειδίον ἀνέκαμψε πρὸς τὸν γέροντα. Καὶ λέγει αὐτῷ ὁ γέρων· Ἐτάχυνας τοῦ ἐλθεῖν, ἄδελφε. Καὶ διηγήσατο αὐτῷ ὅτι· Ὅτε ἥπλωσα τὴν χεῖρά μου λαβεῖν τὸ κλειδίον ὑπεμνήσθην τοῦ λόγου οὗ ἐζήτουν, καὶ οὐκ ἤνοιξα τὸ
10 κλειδίον τοῦ κελλίου· διὰ τοῦτο συντόμως ἦλθον. Ἦν δὲ τὸ μῆκος τῆς ὁδοῦ πολὺ σφόδρα. Ἔλεγε δὲ αὐτῷ ὁ γέρων· Εὖγε, ὦ Ποιμήν, καὶ λαληθήσεται τὸ ὄνομά σου ἐν ὅλῃ γῇ Αἰγύπτου.

56 Παρέβαλεν ἀββᾶ Ἀμοῦν τῷ ἀββᾶ Ποιμένι καὶ λέγει αὐτῷ· Ἐὰν ἀπέλθω εἰς τὸ κελλίον τοῦ πλησίον ἢ καὶ αὐτός μοι παραβάλῃ διά τινα χρείαν, εὐλαβούμεθα συλλαλῆσαι μή τις ἀνακύψῃ ξένη ὁμιλία. Λέγει αὐτῷ ὁ
5 γέρων· Καλῶς ποιεῖς, χρῄζει γὰρ ἡ νεότης φυλακῆς. Λέγει αὐτῷ ἀββᾶ Ἀμοῦν· Οἱ γέροντες οὖν πῶς ἐλάλουν; Καὶ εἶπεν αὐτῷ· Οἱ γέροντες προκόψαντες οὐκ εἶχον ἐν ἑαυτοῖς ἕτερόν τι ἢ ξένον ἐν τῷ στόματι ἵνα αὐτὸ λαλήσωσιν. Λέγει αὐτῷ ἀββᾶ Ἀμοῦν· Ἐὰν οὖν γένηται ἀνάγκη
10 λαλῆσαι μετὰ τοῦ πλησίον, θέλεις λαλήσω ἐν ταῖς Γραφαῖς ἢ ἐν τοῖς λόγοις τῶν γερόντων; Λέγει ὁ γέρων· Εἰ οὐ δύνασαι σιωπῆσαι, καλόν ἐστι μᾶλλον ἐν τοῖς λόγοις τῶν γερόντων λαλῆσαι καὶ μὴ ἐν τῇ Γραφῇ· κίνδυνος γάρ ἐστιν οὐ μικρός.

4 αὐτοῦ : ἑαυτοῦ ORTVH ‖ ὅτε : ὅταν H ‖ λαβεῖν : βαλεῖν H ‖ 5 τοῦ λογ. οὗ : τὸν λόγον ὃν V αὐτόν H ‖ ἐληθ. *om.* H ‖ 5-6 ἐάσας τὸ κλειδίον : ἀφῆκε τὸ κλ. V sustulit manum a claui *l om.* QRTH ‖ 8 ἥπλωσα – κλειδίον : ἐπελάθομην τοῦ κλειδίου YOVH ‖ 9-10 τὸ κλειδίον [κλιδὶν Y] τοῦ κελλίου : cellam *l* ‖ 10 διὰ τοῦτο : sed *l* ‖ *post* συντόμως *add.* ad te *l* ‖ ἦλθεν H ‖ 12 εὖγε ὦ Π. : uere gregum Pastor *l*

56 YOQRTMSVH *l*

1 *(et postea)* Ἀμμοῦν MS Ammon *l* ‖ Ποιμὴν YOR ‖ 3 τινα : τὴν Y ‖

le vieillard, il oublia l'une d'elles et revint à sa cellule. Il allait saisir le loquet lorsqu'il se rappela la pensée oubliée, et, laissant le loquet, il revint chez le vieillard. Et le vieillard lui dit : « Tu as fais vite pour venir, frère. » Et il lui raconta : « J'ai étendu la main pour prendre le loquet lorsque je me souvins de la parole que je cherchais ; alors je n'ai pas ouvert la cellule. Voilà pourquoi je suis venu rapidement. » Or le chemin était très long. Et le vieillard lui dit : « Bravo, Poemen ; ton nom sera prononcé dans toute la terre d'Égypte. »

56 Abba Amoun alla chez abba Poemen et lui dit : « Si je vais à la cellule d'un voisin ou que lui-même vienne chez moi pour un besoin quelconque, nous craignons de converser de peur que ne se glisse une conversation étrangère. » Le vieillard lui dit : « Tu fais bien, car la jeunesse a besoin de vigilance. » Abba Amoun lui dit : « Mais les vieillards, comment parlaient-ils ? » Et il lui dit : « Les vieillards, qui avaient progressé, n'avaient rien d'autre en eux-mêmes ni d'étranger dans la bouche dont ils puissent parler. » Abba Amoun lui dit : « Si donc il m'est nécessaire de parler avec mon voisin, préfères-tu que je parle des Écritures ou des paroles des vieillards ? » Le vieillard lui dit : « Si tu ne peux pas te taire, il vaut mieux parler des paroles des vieillards que de l'Écriture, car le danger n'est pas minime. »

Amou 2 (128 C-D)

4 συλλαλῆσαι *om.* *l* || *post* συλλαλ. *add.* ἀλλήλοις MS || ξένη : incompetens ... et aliena a proposito monachi *l* || ὁμιλία : συντυχία H || 6 πῶς ἐλαλοῦν : quid faciebant *l* || 7 *post* προκόψαντες *add.* atque firmati *l* || 9 λέγει – Ἀμοῦν QRT (et ille dixit *l*) : *om. cett.* || οὖν *om.* YO || *post* γένηται *add.* φησι YOMSVH || 10 θέλεις *om.* H || 10-11 ταῖς ... τοῖς ... τῶν *om.* YOR || 11 λόγοις : λογισμοῖς Y^{ac} OH uerbis et sententiis *l* || 12 δύνασαι : δύνῃ QT || σιωπᾶν MH || μᾶλλον *om.* *l* || τοῖς ... τῶν *om.* R || λόγοις : λογισμοῖς Y^{ac} OH || 13 λαλῆσαι T *l* : *om. cett.*

57 Ἠρωτήθη ἀββᾶ Ποιμὴν περὶ τῶν λογισμῶν, καὶ εἶπεν· Ἐὰν στήσωμεν τὸ πρακτικὸν ἡμῶν καὶ νήψωμεν ἐπιμελῶς, οὐχ εὑρήσομεν ἐν ἑαυτοῖς μολυσμόν.

58 Ἔλεγον περὶ τοῦ ἀββᾶ Ποιμένος ὅτι ὡς ἤμελλεν εἰς σύναξιν ἔρχεσθαι ἐκάθητο διακρίνων τοὺς λογισμοὺς ἑαυτοῦ ἐπὶ μίαν ὥραν καὶ οὕτως ἐξήρχετο.

59 Εἶπεν ἀββᾶ Ποιμὴν ὅτι ἠρώτησέ τις τὸν ἀββᾶ Παΐσιον λέγων· Τί ποιήσω τῇ ψυχῇ μου ὅτι ἀναισθητεῖ καὶ οὐ φοβεῖται τὸν Θεόν; Καὶ λέγει αὐτῷ· Ἄπελθε, κολλήθητι ἀνθρώπῳ φοβουμένῳ τὸν Θεὸν καὶ ἐν τῷ ἐγγίζειν ἐκείνῳ 5 διδάσκῃ καὶ σὺ ἐξ αὐτοῦ φοβεῖσθαι τὸν Θεόν.

60 Εἶπε πάλιν ὅτι· Ἡ ἀρχὴ καὶ τὸ τέλος ἐστὶν ὁ φόβος τοῦ Θεοῦ. Οὕτως γὰρ γέγραπται· « Ἀρχὴ σοφίας φόβος Κυρίου[s] », καὶ πάλιν· Ἀβραὰμ ὅτε ἐτέλεσεν τὸ θυσιαστήριον εἶπεν αὐτῷ ὁ Κύριος· « Νῦν οἶδα ὅτι φοβῇ σὺ τὸν Θεόν[t]. »

61 Εἶπε πάλιν ὅτι τὰ τρία ταῦτα κεφάλαιά ἐστιν· φοβοῦ τὸν Κύριον καὶ εὔχου ἀδιαλείπτως τῷ Θεῷ καὶ ποίησον ἀγαθὸν τῷ πλησίον σου.

62 Εἶπε ἀββᾶ Ποιμὴν ὅτι· Ἐὰν ποιήσῃ ἄνθρωπος καινὸν οὐρανὸν καὶ καινὴν γῆν οὐκ ὀφείλει ἀμεριμνῆσαι.

57 YOQTMSVH *l*

1 Ἠρώτησέ τις τὸν ἀβ. Π. YOQS ‖ λογισμῶν : inquinamentis *l* ‖ 2 τὸ πρακτικὸν – ἐπιμελῶς : actiuam uitam nostram timore Dei et sobrietate *l* ‖ 3 εὑρήσομεν : εὑρίσκωμεν Q

58 YOQRTVH *l*

2 ἐξέρχεσθαι QRT ‖ *post* ἑαυτοῦ *add.* iugiter *l*

59 YOQRTMSVH *l*

1 εἶπε πάλιν TMH ‖ Παϊσίωνα H Paysionem *l* ‖ 3 φοβεῖ V ‖ ἄπελθε : πρόσελθε V ‖ 4 *post* ἐγγίζειν *add.* σοι R ‖ 5 ἐξ αὐτοῦ *om. l*

60 YOQRTMSVH *l*

1-2 τοῦ Θεοῦ : Domini *l* ‖ 2 οὕτως – Κυρίου *om.* M ‖ 3 ἐτέλεσεν M *l*: ἤγγισεν εἰς *cett.* ‖ 4 Κύριος M *l*: Θεὸς *cett.* ‖ Θεὸν : Κύριον YO

57 Quelqu'un interrogea abba Poemen sur les pensées, et il répondit : « Si nous sommes actifs et très vigilants, nous ne trouverons pas de souillure en nous-mêmes. » Poe 165 (361 B)

58 On disait d'abba Poemen que, lorsqu'il se disposait à aller à la synaxe, il s'asseyait pour examiner ses pensées pendant une heure, et alors il sortait. Poe 32 (329 D)

59 Abba Poemen dit que quelqu'un demanda à abba Paésios : « Que faire pour mon âme, car elle est insensible et ne craint pas Dieu ? » Et il lui dit : « Va, associe-toi à un homme qui craint Dieu, et en vivant auprès de lui, tu apprendras de lui à craindre Dieu toi aussi. » Poe 65 (337 B)

60 Il dit encore : « Le commencement et la fin, c'est la crainte de Dieu. Car il est écrit : *Le commencement de la sagesse, c'est la crainte du Seigneur*[s] ; et encore, lorsqu'Abraham fit l'autel, le Seigneur lui dit : *Maintenant, je sais que tu crains Dieu*[t]. » N 647 J 678

61 Il dit encore « Ces trois choses sont capitales : crains le Seigneur, prie Dieu sans cesse et fais du bien à ton prochain. » Poe 160 (361 A)

62 Abba Poemen dit : « Même si l'homme faisait un ciel nouveau et une terre nouvelle, il ne doit pas se croire en sécurité. » Poe 48 (333 A-B)

61 YOQRTMSVH
1 πάλιν : ἀββᾶ Ποιμὴν TMH || ἐστιν : περιποιησώμεθα ἑαυτοῖς QRT || 1-2 φοβοῦ ... εὔχου ... ποίησον : τὸ φοβεῖσθαι ... τὸ εὔχεσθαι ... τὸ ποιῆσαι MS || 2 Κύριον : Θεὸν TH || 3 σου Y : *om. cett.*
62 YOQRTV
1 ἀββᾶ Π. : πάλιν QR πάλιν ἀβ. Π. TV || 2 ὀφείλει : δύναται VO

s. Ps 110, 10 t. Gn 22, 12

63 Εἶπε πάλιν· ἀπόστα ἀπὸ παντὸς ἀνθρώπου ἐν διαλέκτῳ φιλονεικοῦντος.

64 Ὁ ἀββᾶ Παῦλος καὶ Τιμόθεος ὁ ἀδελφὸς αὐτοῦ κοσμηταὶ ἦσαν εἰς τὴν Σκῆτιν καὶ ὠχλοῦντο ὑπὸ τῶν ἀδελφῶν. Καὶ λέγει ὁ Τιμόθεος τῷ ἀδελφῷ αὐτοῦ· Τί θέλομεν τὴν τέχνην ταύτην; Οὐκ ἀφιέμεθα ἡσυχάσαι ὅλην τὴν ἡμέραν. 5 Καὶ ἀποκριθεὶς ἀββᾶ Παῦλος εἶπεν αὐτῷ· Ἀρκεῖ ἡμῖν ἡ ἡσυχία τῆς νυκτὸς ἐὰν νήφῃ ἡμῶν ἡ διάνοια πρὸς τὸν Θεόν.

65 Ἠρώτησέ τις τὸν ἀββᾶ Πέτρον τὸν τοῦ ἀββᾶ Λὼτ λέγων· Ὅταν εἰμὶ ἐν τῷ κελλίῳ ἐν εἰρήνῃ ἐστιν ἡ ψυχή μου, ἐπειδὰν δὲ ἀδελφὸς παραβάλῃ μοι καὶ τοὺς λόγους τῶν ἔξω εἴπῃ μοι ταράσσεται ἡ ψυχή μου. Λέγει αὐτῷ 5 ἀββᾶ Πέτρος ὅτι ἔλεγεν αὐτῷ ἀββᾶ Λώτ· Τὸ κλειδίον σου ἀνοίγει τὴν θύραν σου. Λέγει αὐτῷ ὁ ἀδελφός· Τί ἐστι τὸ ῥῆμα τοῦτο; Καὶ λέγει· Ἐάν τίς σοι παραβάλῃ, λέγεις αὐτῷ· Πῶς ἔχεις; ἢ πόθεν ἦλθες; πῶς ἔχουσιν οἱ ἀδελφοί; προσελάβοντό σε ἢ οὔ; Καὶ τότε ἀνοίγεις τὴν 10 θύραν τῷ ἀδελφῷ σου καὶ ἀκούεις ἃ οὐ θέλεις. Λέγει αὐτῷ· Οὕτως ἔχει· καὶ τί ποιήσει τις ἐὰν ἔλθῃ ἄνθρωπος πρὸς αὐτόν; Λέγει ὁ γέρων· Τὸ πένθος ὅλον διδαχή ἐστιν· ὅπου δὲ οὐκ ἔστι πένθος οὐ δύναται φυλάξασθαι. Λέγει αὐτῷ ὁ ἀδελφός· Ὅταν ἐν τῷ κελλίῳ εἰμί, μετ' ἐμοῦ 15 ἐστι τὸ πένθος, ἐπὰν δέ τις πρὸς μὲ ἔλθῃ ἢ ἐξέλθω ἐκ τοῦ κελλίου οὐχ εὑρίσκω αὐτό. Λέγει ὁ γέρων· Οὐδέποτέ σοι

63 YOQRTMSV *l*

1 *post* διαλέκτῳ [collocutione] *add.* incessanter *l*

64 H

65 YOQRTMSVH *l*

1 *ante* ἠρώτησέ *add.* dixit iterum *l* ‖ 2 *post* κελλίῳ *add.* μου TMVH ‖ 3 ἐπειδὰν : ἐπὰν QTS ἐὰν M ‖ παραβάλλει Y παραβαλεῖ O ‖ λόγους : λογισμοὺς RMH ‖ 4 αὐτῷ : mihi *l* ‖ 5 ἀββᾶ[1] *om.* YO ‖ αὐτῷ : μοι R *om. l* ‖ 6 σου[1] : μου QT ‖ σου[2] : μου RMSVH *l* ‖ λέγει αὐτῷ ὁ ἀ. :

63 Il dit encore : « Écarte-toi de quiconque aime contester dans la discussion. »

Poe S 18 (*Recherches* p. 31)

64 Abba Paul et son frère Timothée étaient barbiers à Scété, et les frères les dérangeaient. Et Timothée dit à son frère : « Que voulons-nous avec ce métier? On ne nous laisse pas en paix de toute la journée. » Abba Paul lui répondit : « La paix de la nuit nous suffit si notre pensée est vigilante envers Dieu. »

PCo 2 (381 B)

65 Quelqu'un interrogea abba Pierre, celui d'abba Lot, en disant : « Tant que je suis en cellule, mon âme est en paix; mais qu'un frère vienne me voir et me parle de ce qui se passe à l'extérieur, et mon âme est dans le trouble. » Abba Pierre lui dit qu'abba Lot lui disait : « Ta clé ouvre ta porte. » Le frère lui dit : « Que signifie cette parole? » Et il dit : « Si quelqu'un vient chez toi, tu lui dis : Comment vas-tu? ou : D'où viens-tu? Comment vont les frères? T'ont-ils accueilli, ou non? Et alors, tu ouvres la porte à ton frère, et tu entends ce que tu ne veux pas. » Il lui dit : « Il en est ainsi. Et que doit-on faire lorsque quelqu'un vient chez nous? » Le vieillard dit : « Le seul enseignement, c'est l'affliction; là où il n'y a pas d'affliction, on ne peut se garder. » Le frère lui dit : « Lorsque je suis en cellule, l'affliction est avec moi; mais que quelqu'un vienne chez moi ou que je sorte de la cellule, je ne la trouve plus. » Le vieillard dit : « Elle n'est

PiP 2 (376 C-377 A)

et ego dixi ei *l* || 10 *post* θύραν *add.* oris *l* || τοῦ ἀδελφοῦ MS || λέγει : et ego dixi *l* || 11 καὶ τί YO : τί οὖν *cett.* || 13 δυνατόν MS || *post* φυλάξ. *add.* mentem *l* || 14 ὁ ἀδ. *om. l* || *post* κελλίῳ *add.* μου QRT || εἰμί : ᾧ MV || 15 ἐπὰν : ἐὰν QTM || ἔλθῃ : ἧ YOVH ἥκῃ MS || ἢ *om.* QRT || *post* ἢ *add.* καὶ YOQRT || ἐκ *om.* O || 16 *post* κελλίου *add.* μου R || 16-18 οὐδέποτε – γέρων *om.* Y

ὑπετάγη ἀλλ' ὡς ἐν χρήσει ἐστι μετά σου. Λέγει ὁ ἀδελφός· Τί ἐστι τὸ ῥῆμα τοῦτο; Λέγει ὁ γέρων· Ἐὰν κάμη ἄνθρωπος ἐν πράγματι οἵαν ὥραν ζητήσει αὐτὸ εἰς 20 χρείαν ἑαυτοῦ εὑρήσει αὐτό.

66 Ἀββᾶ Σισώης πολλὰ παρακληθεὶς ὑπὸ ἀδελφοῦ λαλῆσαι εἶπεν· Κάθου εἰς τὸ κελλίον σου μετὰ νήψεως καὶ παράθου ἑαυτὸν τῷ Θεῷ μετὰ πολλῶν δακρύων καὶ ἀναπαύῃ.

67 Ἀδελφὸς ἠρώτησε τὸν ἀββᾶ Σισώην λέγων· Θέλω τὴν καρδίαν μου τηρῆσαι καὶ οὐ δύναμαι. Λέγει αὐτῷ ὁ γέρων· Πῶς τὴν καρδίαν τηρήσωμεν τῆς γλώσσης ἡμῶν τῆς θύρας ἀνεῳγμένης;

68 Καθεζομένου ποτὲ τοῦ ἀββᾶ Σιλουανοῦ εἰς τὸ ὄρος τοῦ Σινᾶ ἀπῆλθεν ὁ μαθητὴς αὐτοῦ Ζαχαρίας εἰς διακονίαν καὶ λέγει τῷ γέροντι· Ἀπόλυσον τὸ ὕδωρ καὶ πότισον τὸν κῆπον. Ὁ δὲ ἐξέλθων ἐσκέπασεν ἑαυτοῦ τὴν ὄψιν τῷ 5 κουκουλίῳ καὶ μόνον τὰ ἴχνη ἑαυτοῦ ἔβλεπεν. Παρέβαλε δὲ αὐτῷ ἀδελφὸς αὐτῇ τῇ ὥρᾳ καὶ ἰδὼν αὐτὸν μακρόθεν κατενόει τί ἐποίησεν. Εἰσελθὼν δὲ ὁ ἀδελφὸς πρὸς αὐτὸν λέγει· Εἰπέ μοι, ἀββᾶ, διατί τὸ πρόσωπόν σου ἐσκέπασας τῷ κουκουλίῳ καὶ οὕτως ἐπότιζες τὸν κῆπον; Λέγει αὐτῷ 10 ὁ γέρων· Τέκνον, ἵνα μὴ ἴδωσιν οἱ ὀφθαλμοί μου τὰ

17 μετά σου : pro tempore *l* ‖ *post* μετά σου *add.* γέγραπται γὰρ ἐν τῷ νόμῳ ὅτι ὅταν κτήσῃ παῖδα ἑβραῖον ἓξ ἔτη δουλεύσει σοι τῷ δὲ ἑβδόμῳ ἔτει ἐξαποστελεῖς αὐτὸν ἐλεύθερον· ἐὰν δὲ δῷς αὐτῷ γυναῖκα καὶ γεννήσῃ παῖδα ἐν τῇ οἰκίᾳ σου καὶ μὴ θελήσῃ ἀποδιδράσκειν διὰ τὴν γυναῖκα καὶ τὰ παιδία προσάξεις αὐτὸν πρὸς τὴν θύραν τοῦ οἴκου καὶ τρυπήσεις αὐτοῦ τὸ ὠτίον τῷ ὀπητίῳ καὶ ἔσται σοι δοῦλος εἰς τὸν αἰῶνα *(cf. Dt 15, 12-17)* MS ‖ 17-18 λέγ. ὁ ἀδ. : et dixit ei *l* ‖ 18 λέγ. ὁ γέρ. : et dixit mihi *l* ‖ ἐὰν : ἐὰν μὴ H ‖ 19 εἰς πρᾶγμα M ἐν πράγμασι H ‖ *post* πράγμ. *add.* secundum uirtutem *l* ‖ *post* αὐτό *add.* λέγει αὐτῷ· ποίησον ἀγάπην εἰπέ μοι τὸ ῥῆμα τοῦτο. λέγει ὁ γέρων· οὐδὲ νόθος υἱὸς παραμένει τινι δουλεύων ἀλλ' ὁ γενόμενος υἱὸς οὐκ ἐᾷ τὸν πατέρα αὐτοῦ MS

66 YOQRTMSV

2 παράθου παρακάθου Q

pas encore en ta possession, mais tu en as comme un certain usage.» Le frère dit «Que signifie cette parole?» Le vieillard dit : «Si l'homme se donne du mal pour quelque chose, lorsqu'il la cherchera pour son usage, il la trouvera[1].»

66 Abba Sisoès, fortement sollicité par un frère de parler, dit : «Demeure dans ta cellule avec vigilance et présente-toi à Dieu avec d'abondantes larmes, et tu auras le repos.»

67 Un frère interrogea abba Sisoès en disant : «Je veux garder mon cœur et je ne le puis pas.» Le vieillard lui dit : «Comment garderons-nous notre cœur si la porte qu'est notre langue demeure ouverte?»

Tit 3 (428 B)

68 Lorsqu'abba Silvain demeurait sur le mont Sinaï, Zacharie son disciple partit pour une diaconie et dit au vieillard : «Ouvre l'eau et arrose le jardin». Et le vieillard y alla en se couvrant les yeux de son capuchon, ne voyant que la trace de ses pas. Or, à cette heure-là, un frère venait chez lui. Le voyant de loin, il considéra ce qu'il faisait. Et en l'abordant, il lui dit : «Dis-moi, abba, pourquoi as-tu caché ton visage avec ton capuchon et arrosais-tu ainsi le jardin?» Le vieillard lui dit : «Mon enfant, c'est afin que mes yeux ne voient pas les arbres

Sil 4 (409 A-B)

67 YOQRTMSVH *l*
2 καὶ οὐ δύναμαι *om. l* || 3 *post* θύρας *add.* καὶ τῆς κοιλίας MS
68 YOQRTMSVH *l*
2 Ζαχαρίας *om. l* || 4 *post* ἐξέλθων *add.* ad dimittendam aquam *l* || ἐσκέπασεν : ἔσεπεν M || 6 ἀδελφὸς : quidam *l* || ἀπὸ μακρόθεν RM || 8 διατί : τί M

1. *Alph.* inclut les mêmes longs compléments que les mss M et S (dont la citation de Dt 15, 12-17). Il n'est pas facile de savoir s'il s'agit d'une tradition plus ancienne ou de la contamination plus tardive de deux apophtegmes.

δένδρα καὶ ἀπασχοληθῇ ὁ νοῦς μου ἀπὸ τῆς ἐργασίας τοῦ Θεοῦ εἰς αὐτά.

69 Ἠρώτησεν ἀββᾶ Μωυσῆς τὸν ἀββᾶ Σιλουανὸν λέγων· Δύναται ἄνθρωπος καθ' ἡμέραν βάλλειν ἀρχήν; Καὶ εἶπεν ἀββᾶ Σιλουανός· Ἐάν ἐστιν ἐργάτης ἄνθρωπος δύναται καθ' ἡμέραν καὶ καθ' ὥραν βάλλειν ἀρχήν.

70 Ἠρώτησάν ποτέ τινες τὸν ἀββᾶ Σιλουανὸν λέγοντες αὐτῷ· Ποίαν πολιτείαν εἰργάσω ἵνα κτήσῃ τὴν φρόνησιν ταύτην; Καὶ ἀπεκρίθη αὐτοῖς· Οὐδέποτε ἄφηκα εἰς τὴν καρδίαν μου λογισμὸν παροργίζοντα τὸν Θεόν.

71 Εἶπεν ἀββᾶ Σαραπίων ὅτι· Ὥσπερ οἱ στρατιῶται τοῦ βασιλέως ἱστάμενοι ἔμπροσθεν αὐτοῦ οὐ τολμῶσι δεξιᾷ ἢ ἀριστερᾷ προσέχειν, οὕτως καὶ ὁ ἄνθρωπος ἱστάμενος ἐνώπιον τοῦ Θεοῦ καὶ ἔχων τὸν φόβον αὐτοῦ ἐν πάσῃ
5 ὥρᾳ οὐδὲν τοῦ ἐχθροῦ δύναται αὐτὸν ἐκφοβῆσαι.

72 Εἶπεν ἀμμᾶ Συγκλητική· Τέκνα, πάντες τὸ σωθῆναι οἴδαμεν, ἀλλὰ διὰ τῆς οἰκείας ἀμελείας τῆς σωτηρίας ἀπολειπόμεθα.

73 Εἶπε πάλιν· Νήψωμεν, διὰ γὰρ τῶν αἰσθήσεων ἡμῶν κἂν μὴ βουλόμεθα οἱ κλεπταὶ εἰσέρχονται· πῶς γὰρ δύναται οἶκος καπνοῦ κινηθέντος ἐκ τῶν ἔξωθεν καὶ τῶν θυρίδων ἀνεῳγμένων μὴ μελαίνεσθαι;

11-12 τῆς ἐργ. τοῦ Θεοῦ : τοῦ Θεοῦ YQRT ab opere suo in consideratione *l*

69 YOQRTMSV *l*

1 Μωσῆς R ‖ 2 βαλεῖν O ‖ *post* ἀρχήν *add.* conuersationis *l* ‖ 3 ἄνθρωπος *om.* M ‖ βαλεῖν O ‖ *post* ἀρχήν *add.* conuersationis suae *l*

70 YOQRTV *l*

3 εἰς *om.* O ‖ 4 *post* λογισμὸν *add.* morari *l* ‖ παρορ. τὸν θ. : quae exacerbabat *l*

71 YOQRTMSV *l*

1 Serapion *l* ‖ 2 τολμῶσι : debent *l* ‖ 3 ὁ ἄνθρ. : monachus *l* ‖ 5 ἐκφοβῆσαι : ἐμποδίσαι QT

et que mon esprit, à cause d'eux, ne soit pas distrait de l'œuvre de Dieu. »

69 Abba Moïse demanda à abba Silvain : « L'homme peut-il chaque jour poser un (nouveau) fondement ? » Et abba Silvain dit : « S'il est travailleur, il peut chaque jour et chaque heure poser un fondement. »

Sil 11 (412 B-C)

70 Certains demandèrent un jour à abba Silvain : « Quel genre de vie as-tu pratiqué pour obtenir cette sagesse ? » Et il leur répondit : « Jamais je n'ai laissé pénétrer dans mon cœur une pensée attirant la colère de Dieu. »

Sil 6 (409 D)

71 Abba Sarapion dit : « De même que les soldats de l'empereur, tandis qu'ils se tiennent à ses côtés, n'osent pas regarder à droite ou à gauche, de même l'homme qui se tient en présence de Dieu et garde sans cesse en lui sa crainte : aucune menace de l'ennemi ne peut l'effrayer. »

Sér 3 (416 C-D)

72 Amma Synclétique dit : « Mes enfants, tous nous connaissons la voie du salut, mais à cause de notre négligence naturelle, nous nous écartons du salut[1]. »

Syn S 5 (*Recherches*, p. 35)

73 Elle dit encore : « Soyons vigilants ; car c'est par nos sens que, même si nous ne le voulons pas, les voleurs entrent. En effet, comment une maison peut-elle ne pas être noircie si de la fumée est poussée de l'extérieur et que les fenêtres sont ouvertes[2] ? »

Syn S 6 *(ibid.)*

72 YOQRTSV
1 ἀμμᾶ : ἁγία QT || 2 τῆς σωτηρίας *om.* T
73 YOQRTSV *l*
3 *post* θυρίδων *add.* αὐτοῦ QR || 4 *post* ἀνεῳγμ. *add.* οὐσῶν QRT

1. Repris de *Vita*, n° 22 (*PG* 28, 1500 B).
2. *Vita*, n° 25a (*PG* 28, 1501 C).

74 Εἶπε πάλιν ὅτι· Δεῖ ἡμᾶς κατὰ τῶν δαιμόνων καθοπλίζεσθαι. Καὶ γὰρ καὶ ἔξωθεν προσέρχονται καὶ ἐκ τῶν ἔνδοθεν κινοῦνται· καὶ ἡ ψυχὴ καθάπερ ναῦς ποτὲ μὲν ἔξωθεν ἐκ τῶν τρικυμιῶν καταποντίζεται, ποτὲ δὲ
5 ὑπὸ τῆς ἔνδοθεν ἀντλείας ὑποβρύχιος γίνεται· οὕτως καὶ ἡμεῖς ποτὲ μὲν διὰ τῶν ἐκτὸς πρακτικῶν ἁμαρτημάτων ἀπολλύμεθα, ποτὲ δὲ διὰ τῶν ἔνδοθεν λογισμῶν μιαινόμεθα. Δεῖ οὖν καὶ τὰς ἔξωθεν τῶν πνευμάτων ἐπιτηρεῖν προσβολάς, καὶ τὰς ἔνδον τῶν λογισμῶν ἐξαντλεῖν ἀκαθαρσίας.

75 Εἶπε πάλιν· Οὐκ ἔχομεν ἐνταῦθα τὸ ἀμέριμνον. Φησὶ γὰρ ἡ Γραφή· « Ὁ στήκων βλεπέτω μὴ πέσῃ[u]·» ἐν ἀδήλῳ πλέομεν, θάλασσα γὰρ ὁ βίος ἡμῶν ὑπὸ τοῦ ἱεροψάλτου Δαυὶδ εἴρηται· ἀλλὰ τὰ τῆς θαλάσσης τὰ μὲν καὶ θηρίων
5 πλήρη τὰ δὲ καὶ γαληνά. Ἡμεῖς οὖν ἐν τῷ γαληνῷ μέρει τῆς θαλάσσης δοκοῦμεν πλεεῖν, οἱ δὲ κοσμικοὶ ἐν τοῖς κινδυνώδεσιν· καὶ ἡμεῖς μὲν ἡμέρας πλέομεν ὑπὸ τοῦ ἡλίου τῆς δικαιοσύνης ὁδηγούμενοι, ἐκεῖνοι δὲ ἐν νυκτὶ ἀπὸ τῆς ἀγνωσίας φερόμενοι. Ἀλλ' ἐνδέχεται πολλάκις
10 τὸν κοσμικὸν ἐν χειμόνι καὶ ἐν κινδύνῳ τυγχάνοντα βοήσαντα καὶ ἀγρυπνήσαντα σῶσαι τὸ ἑαυτοῦ σκάφος, ἡμᾶς δὲ ἐν γαλήνῃ ὄντας ὑπὸ ἀμελείας βυθισθῆναι τὸ πηδάλιον τῆς δικαιοσύνης ἀφέντας.

74 YOQRTSV *l*

1 *post* δαιμόνων *add.* undique *l* || 2 ὁπλίζεσθαι OS || καὶ[2] *om.* YOQSV || 3 καὶ : ὁμοίως καὶ QRTV || καὶ ἡ ψυχὴ καθάπερ : siquidem et anima nostra id patitur. Sicut enim *l* || 5 οὑτῶς : οὑτῶς οὖν RS *om.* QT || 6 ἡμεῖς : ὑμεῖς S || 7 ποτὲ δὲ – μιαινόμεθα *om.* V || 8 τηρεῖν SV

75 YOQRTSV *l*

1-2 Φησὶ ... ἡ Γραφή : apostolo dicente *l* || 4 Δαυὶδ *om. l* || τα[1] *om.* TS || *post* μὲν *add.* εἰσι πετρώδη τὰ δὲ YOSV || 5 θηρίων : periculis *l* || ἐν *om.* QRT || 6 μέρει *om.* Q || 9 ἀπὸ : ὑπὸ S || 10 τυγχάνοντα : διάγοντα Q || βοήσαντα : pro metu periculi ad Deum clamando *l* ||

74 Elle dit encore : « Il nous faut bien nous armer contre les démons, car à la fois ils nous attaquent de l'extérieur et ils sont mus de l'intérieur ; et l'âme est comme un bateau tantôt submergé par de grosses vagues extérieures, tantôt s'enfonçant parce que la sentine, à l'intérieur, est trop remplie. Nous aussi, de même, parfois nous nous perdons à cause des fautes extérieures que nous commettons, parfois nous nous souillons à cause de nos pensées intérieures. Il nous faut donc et surveiller les attaques extérieures des esprits, et nous débarrasser de l'impureté intérieure des pensées[1]. »

Syn S 7 *(ibid.)*

75 Elle dit encore : « Nous n'avons pas ici bas de tranquillité. L'Écriture dit en effet : *Que celui qui se tient debout veille à ne pas tomber*[u]. Nous naviguons dans l'obscurité, car le saint psalmiste David appelle notre vie une mer[2] ; or la mer est tantôt pleine de monstres, tantôt paisible. Et nous, nous semblons naviguer sur une mer paisible, tandis que les séculiers sont sur une mer dangereuse. Nous, nous naviguons de jour, conduits par le Soleil de justice, et eux dans la nuit, emportés par l'ignorance. Et pourtant il arrive souvent que le séculier, en appelant à l'aide et en veillant dans la tempête et le danger, sauve son embarcation, tandis que nous qui sommes sur une mer paisible, nous faisons naufrage par négligence, pour avoir lâché le gouvernail de la justice[3]. »

Syn S 8 (*Recherches*, p. 35)

11 ἑαυτοῦ : ἑαυτοῖς S *om.* QRT || 12 ὑπὸ ἀμελείας *om.* QRT || 13 ἀφέντας : ἀπολέσαντας Y ἀφέντες O

u. 1 Co 10, 12

1. *Vita*, n° 45 (*PG* 28, 1513 BC).
2. Citation introuvable.
3. *Vita*, n° 46 fin-47 (*PG* 28, 1513 D-1516 A).

76 Εἶπεν ἀββᾶ Ὑπερέχιος· Ἡ ἐνθύμησίς σου ἔστω διαπαντὸς ἐν τῇ βασιλείᾳ τῶν οὐρανῶν, καὶ ταχέως κληρονομήσεις αὐτήν.

77 Εἶπε πάλιν· Ζωὴ μοναχοῦ κατὰ μίμησιν ἀγγέλων γινέσθω καταφλέγουσα τὴν ἁμαρτίαν.

78 Εἶπεν ἀββᾶ Ὠρσίσιος· Νομίζω ὅτι ἐὰν μὴ ἄνθρωπος φυλάξῃ τὴν ἑαυτοῦ καρδίαν καλῶς πάντα ὅσα ἤκουσεν ἐπιλανθάνεται καὶ ἀμελεῖ, καὶ οὕτως ὁ ἐχθρὸς εὑρὼν ἐν αὐτῷ τόπον καταβάλλει αὐτόν. Ὥσπερ γὰρ λύχνος 5 σκευασθεὶς καὶ φαίνων ἐὰν ἀμεληθῇ τοῦ λαβεῖν ἔλαιον κατ᾽ ὀλίγον σβέννυται καὶ λοιπὸν ἐνδυναμοῦται τὸ σκότος κατ᾽ αὐτοῦ, οὐ μόνον δὲ ἀλλὰ καί ποτε περὶ αὐτὸν μῦς ἐρχόμενος καὶ ζητῶν τὸ ἐλλύχνιον καταφαγεῖν πρὸ τοῦ μὲν σβεσθῇ τοῦ ἐλαίου οὐ δύναται χρήσασθαι, ἐὰν δὲ ἴδῃ ὅτι φῶς 10 οὐκ ἔχει ἀλλ᾽ οὐδὲ θέρμην πυρὸς τότε τὸ ἐλλύχνιον θέλων χρήσασθαι, καταβάλλει τὸν λύχνον· καὶ ἐὰν μὲν ὀστράκινος ᾖ συντρίβεται, ἐὰν δὲ χαλκοῦς ὑπὸ τοῦ οἰκοδεσπότου σκευάζεται ἄνωθεν. Οὕτως ἀμελουμένης ψυχῆς, κατὰ μικρὸν τὸ ἅγιον Πνεῦμα ὑποχωρεῖ ἕως τέλεον ἀποσβεσθῇ τῆς 15 θέρμης αὐτῆς, καὶ λοιπὸν ὁ ἐχθρὸς καταφαγὼν τὴν προθυμίαν τῆς ψυχῆς καὶ τὸ σῶμα ἀφανίζει κακίᾳ· ἐὰν δὲ ἄνθρωπος καλὸς εἴη πρὸς τὸν Θεὸν τῇ διαθέσει, ἁπλῶς δὲ ἡρπάγη εἰς ἀμέλειαν, ὁ Θεὸς ὁ οἰκτίρμων βαλὼν εἰς

76 YOQRTMSV *l*

2 διαπαντὸς *om.* QT || ταχέως : ἐν τάχει QTM || 2-3 κληρονομεῖς T

77 YOQRTV *l*

1 ἀγγέλου QT || 2 καταφλ. : comburens atque consumens *l*

78 YOQRTMSV *l*

1 Ἀρσίσιος YO Ἀρσένιος V Ὧρ MS || 2 καλῶς *om. l* || πάντων ὧν MS || *post* ἤκουσεν *add.* et uidet *l* || 5 σκευασθεὶς : oleo et lychino praeparata *l* || λαβεῖν : βαλεῖν Q[ac] RT || 7 ποτε : πολλάκις MS *om. l* || 8 τὸ ἐλλύχνιον : myxum *l* || σβεσθῇ YOR : σβεσθῆναι *cett.* || 9 τοῦ ἐλαίου : τὸν λύχνον MS || χρήσασθαι : propter calorem ignis *l om.* MS ||

76 Abba Hypéréchios dit : « Que ta méditation soit toujours dans le royaume des cieux, et bientôt tu le recevras en héritage[1]. »

Hyp 7 (429 D-432 A)

77 Il dit encore : « Que la vie du moine, à l'imitation des anges, brûle le péché[2]. »

78 Abba Orsisios dit : « Je pense que si l'homme ne garde pas bien son cœur, il oublie et néglige tout ce qu'il entend, et ainsi l'ennemi, trouvant place en lui, le fait tomber. Il en va, en effet, comme d'une lampe garnie de sa mèche et allumée : si on a négligé de prendre de l'huile, elle s'éteint peu à peu et finalement les ténèbres en ont raison ; bien plus, il arrive qu'un rat s'approche de la lampe, cherchant à dévorer la mèche : avant que l'huile ne soit épuisée, il ne peut le faire, mais quand il voit qu'il n'y a plus ni lumière ni chaleur, alors en voulant prendre la mèche il renverse la lampe ; et si celle-ci est en terre cuite elle se brise, mais si elle est en airain, le maître de la maison l'équipe à nouveau. Ainsi en va-t-il de l'âme négligente : peu à peu l'Esprit saint s'éloigne jusqu'à complète extinction de sa ferveur ; et alors, l'ennemi dévorant la ferveur de l'âme, le corps lui aussi dépérit de malice. Mais si cet homme est dans une bonne disposition envers Dieu et qu'il a été simplement surpris par négligence, Dieu qui est compatissant lui envoie sa

Ors 2 (316 C-D)

post ὅτι *add.* οὐ μόνον QRTMSV ‖ 10 θέλων : βουλόμενος S ‖ 11 χρήσασθαι : ἀνασπᾶσαι M κατασπᾶσαι S trahere myxum eius *l* ‖ τὸν : ὅλον τὸν MS ‖ 12 *post* χαλκοῦς *add.* πάλιν QRT εὑρέθη M ‖ 12-13 ὑπὸ – ἄνωθεν : σκευάζεται πάλιν ὑπὸ τοῦ δεσπότου ἄνωθεν S ‖ 13 ἀμελούσης MSV ‖ κατὰ μικρὸν : ὅσον M ὅσον ὅσον S ‖ 16 ἀφανίσας V ‖ 17 ἄνθρ. ... εἴη : ἢ ἐκεῖνος MS ‖ ἁπλῶς YV *l* : ἁπλοῦς (δὲ) ὢν *cett.*

1. Repris de Hyp *Adhort.* 23 (*PG* 79, 1476 B).
2. Repris de Hyp *Adhort.* 25a (*PG* 79, 1476 C).

αὐτὸν τὸν φόβον αὐτοῦ καὶ τῶν κολάσεων τὴν μνήμην
20 παρασκευάζει αὐτὸν νήφειν καὶ τηρεῖν ἑαυτὸν εἰς τὰ ἔμπροσθεν μετὰ ἀσφαλείας πολλῆς ἕως τῆς ἐπισκοπῆς αὐτοῦ.

79 Ἀδελφὸς ἠρώτησε γέροντα λέγων· Τί ποιήσω ὅτι ἡ γλῶσσά μου θλίβει με καὶ ὅταν ἔρχομαι ἐν μέσῳ ἀδελφῶν οὐ δύναμαι κατασχεῖν ἐμαυτοῦ ἀλλὰ κατακρίνω αὐτοὺς ἐν παντὶ ἔργῳ ἀγαθῷ ἐλέγχων αὐτούς; Ἀποκριθεὶς δὲ ὁ
5 γέρων εἶπεν· Εἰ οὐ δύνασαι κατασχεῖν ἑαυτοῦ φύγε καταμόνας· ὁ γὰρ καθεζόμενος μεταξὺ ἀδελφῶν οὐκ ὀφείλει εἶναι τετράγωνος ἀλλὰ στρογγύλος καὶ νήφειν πρὸς τὸ πάντας κερδαίνειν καὶ τὸν νοῦν ἑαυτοῦ τηρεῖν διὰ τοῦ φόβου τοῦ Θεοῦ.

80 Διηγήσαντό τινες τῶν πατέρων ὅτι ἦν τις γέρων μεγάλων ἀξιωθεὶς χαρισμάτων παρὰ τοῦ Θεοῦ καὶ περιβόητος γενόμενος· διὰ τὴν ἀρετὴν αὐτοῦ ἔφθασε τὸ ὄνομα αὐτοῦ μέχρι τοῦ βασιλέως. Ὁ δὲ βασιλεὺς μετεστείλατο αὐτὸν
5 διὰ τὸ ἀξιωθῆναι τῶν εὐχῶν αὐτοῦ. Συγτυχὼν δὲ αὐτῷ καὶ πολλὰ ὠφεληθεὶς προσήνεγκεν αὐτῷ χρυσίον. Ὁ δὲ γέρων ἐδέξατο καὶ ἐπανελθὼν εἰς τὰ ἴδια ἤρξατο φιλοκαλεῖν ἀγρὸν καὶ ἑτέραν κτῆσιν. Ἦλθε δὲ δαιμονιῶν κατὰ τὸ ἔθος, καὶ λέγει ὁ γέρων τῷ δαίμονι· Ἔξελθε ἀπὸ τοῦ
10 πλάσματος τοῦ Θεοῦ. Ὁ δὲ δαίμων λέγει αὐτῷ· Οὐκ ἀκούω σου. Λέγει ὁ γέρων· Διατί; Λέγει ὁ δαίμων· Ὅτι γέγονας ὡς εἷς ἐξ ἡμῶν καταλείψας τὴν μέριμναν τὴν πρὸς τὸν Θεὸν καὶ μερίμνῃ γηΐνῃ ἀπεσχόλησας ἑαυτόν· διὰ τοῦτο οὐκ ἀκούω σου καὶ ἐξέρχομαι.

19 φόβον : mentem *l* ‖ *post* κολάσεων *add.* quae in futuro saeculo peccatoribus praeparantur *l* ‖ 21 πολλῆς : πάσης MS

79 YOQRTMSV

2 καὶ : ἕως καὶ V ‖ ἀδελφῶν : ἀνθρώπων M ‖ 4 ἐλέγχων : καὶ ἐλέγχω M ‖ 5 κατασχεῖν : κατέχειν M ‖ ἑαυτὸν OMS ‖ 6 καθήμενος TM ‖ μετάξυ : μετὰ M ‖ 8 *post* τηρεῖν *add.* ἀδιαλείπτως MS

crainte et le souvenir des châtiments, et il le prépare à être vigilant et à se garder à l'avenir avec beaucoup de sûreté, jusqu'à sa visite[1].»

79 Un frère interrogea un vieillard en disant : «Que faire? Ma langue me fait souffrir : chaque fois que je vais parmi des frères, je ne peux pas me retenir, mais je les condamne, leur reprochant tout ce qu'ils font de bien.» Et le vieillard lui répondit : «Si tu ne peux te contenir, fuis dans la solitude; car celui qui demeure au milieu des frères ne doit pas être carré mais rond et veiller à les gagner tous et à garder son esprit par la crainte de Dieu.»

cf. Mat 13 (293 C)

80 Des Pères racontaient qu'un vieillard fut jugé par Dieu digne de grands charismes, et qu'il était devenu célèbre. À cause de sa vertu, son nom était parvenu jusqu'à l'empereur. Et l'empereur le fit venir afin d'être honoré de ses prières. Il le rencontra et, après en avoir beaucoup profité, il lui apporta de l'or. Le vieillard accepta, rentra chez lui et entreprit de cultiver un champ et une autre possession. Or, comme d'habitude, vint un démoniaque et le vieillard dit au démon : «Sors de la créature de Dieu.» Mais le démon lui dit : «Je ne t'entends pas.» Le vieillard dit : «Pourquoi?» Le démon dit : «Parce que tu es devenu comme l'un de nous, ayant abandonné le souci de Dieu et te consacrant à des soucis terrestres. C'est pour cela que je ne t'entends pas et que je ne sors pas.»

N 398

80 YOQRTMSV

1 διηγήσατό τις QRT || 3 διὰ : διὰ οὖν QRT || αὐτοῦ² *om.* Y || 7 *post* ἐδέξ. *add.* αὐτὸ QRT || 8 δὲ : οὖν TM || 12 ὡς *om.* RT || 12-13 τὴν πρὸς τὸν Θεὸν : τοῦ Θεοῦ V || 14 καὶ ἐξερχ. : ἐξελθεῖν QM

---

1. Le même texte se retrouve dans la troisième Vie grecque de Pachôme, 170 : F. HALKIN, *Sancti Pachomii vitae graecae*, Bruxelles 1932 (*Subsid. Hagiogr.* 19), p. 373, l. 3 - 374, l. 5.

81 Παρέβαλέ τις τῶν γερόντων πρὸς ἄλλον γέροντα καὶ λαλούντων αὐτῶν ἔλεγεν ὁ εἷς · Ἐγὼ ἀπέθανον τῷ κόσμῳ. Καὶ λέγει ὁ ἄλλος · Μὴ θάρρη σεαυτῷ ἕως οὗ ἐξέλθης ἐκ τοῦ σώματος τούτου · εἰ γὰρ σὺ λέγεις ὅτι · Ἀπέθανον,
5 ἀλλ' ὁ Σατανᾶς οὐκ ἀπέθανεν.

82 Εἶπε γέρων · Σπούδασον ἐπιμελῶς τοῦ μὴ ἁμαρτάνειν ἵνα μὴ τὸν συνοικοῦντά σοι Θεὸν ὑβρίσῃς καὶ διώξῃς ἀπὸ τῆς ψυχῆς σου.

83 Εἶπε γέρων · Ἀγωνίζου ὅσον δύνῃ περὶ βίου σεμνοῦ ὅπως κατορθώσῃς.

84 Εἶπε πάλιν · Ἐνθυμοῦ τὰ καλὰ πάντοτε ἵνα καὶ πράττῃς αὐτά · ἔννοια γὰρ ἀνθρώπου οὐ λανθάνει Θεόν · ἔστω σου οὖν ἡ διάνοια καθαρὰ ἀπὸ παντὸς κακοῦ.

85 Εἶπε γέρων · Φωτισθῆναί σου τὴν ψυχὴν ἀδύνατον μὴ πρότερον καθαρίσαντα ἑαυτόν.

86 Εἶπε πάλιν · Ἡ μέλισσα ὅπου ὑπάγει μέλι ποιεῖ · οὕτως καὶ ὁ μοναχὸς ὅπου ὑπάγει τὸ ἔργον τοῦ Θεοῦ ἐργάζεται.

87 Εἶπε τις τῶν πατέρων · Χρὴ τὸν μοναχὸν νηστεύειν μετὰ πόνου καὶ ψάλλειν μετὰ συνέσεως καὶ εὔχεσθαι μετὰ νήψεως καὶ αἰτεῖν τὸν Θεὸν μετὰ γνώσεως καὶ μηδὲν γήϊνον ποιεῖν ἀλλὰ πάντα πνευματικά · ἐν τούτοις γὰρ ὁ μοναχός.

81 YOQRTMSV *l*
1 *post* γερόντων [πατέρων S] *add.* ποτε TMV ‖ 3 θάρρη σεαυτῷ YOR : θαρρήσῃς ἑαυτῷ *cett.* ‖ *post* σεαυτῷ *add.* ἄδελφε M ‖ 4 ἐκ : ἀπὸ QT ‖ τούτου *om.* M
82 YQRTMSV
2 Θεὸν : Χριστὸν V
83 YOQRTV
84 YOQRTMSV

81 L'un des vieillards se rendit chez un autre vieillard ; et, dans leur conversation, le premier disait : « Moi, je suis mort au monde. » Et l'autre dit : « Ne te fie pas à toi-même tant que tu n'as pas quitté ce corps ; car tu peux bien dire : je suis mort, pourtant Satan n'est pas mort. » N 266

82 Un vieillard dit : « Applique-toi à ne pas pécher afin de ne pas injurier Dieu qui habite en toi et le chasser de ton âme. » N 650

83 Un vieillard dit : « Combats autant que tu le peux pour une vie pieuse, afin d'être justifié. »

84 Il dit encore : « Médite toujours le bien afin de le faire aussi, car la pensée de l'homme n'échappe pas à Dieu. Que ton esprit soit donc pur de tout mal. »

85 Un vieillard dit : « Il est impossible que ton âme soit illuminée si tu ne t'es pas d'abord purifié. »

86 Il dit encore : « Où qu'elle aille, l'abeille fait du miel ; de même le moine, où qu'il aille, il accomplit l'œuvre de Dieu. » N 399

87 L'un des Pères dit : « Il faut que le moine jeûne avec peine, chante avec intelligence, prie avec vigilance, supplie Dieu avec connaissance et ne fasse rien de terrestre mais toutes les œuvres spirituelles : car c'est en cela que consiste le moine. »

85 YOQRTV
2 καθαρίσαντι OV
86 YOQRTMSV
1 πάλιν : γέρων MS
87 YOQRTMSV
3 τὸν Θεὸν *om.* Q || καὶ² *om.* YOMS || 4 παντὰ τὰ πν. T

88 Εἶπε πάλιν· Αἰσχρόν ἐστι τὸν παρόντα καιρὸν προιεμένους ὕστερόν ποτε ἀνακαλέσασθαι ὅτε οὐδέν ἐσται πλέον ἀνιωμένοις ἡμῖν.

89 Εἶπε πάλιν· Ἀγωνισώμεθα ὑπὲρ τῶν μελλόντων ἀγαθῶν καὶ παρασκευάσθωμεν πρὸς τὴν ἔξοδον καὶ μὴ μάτην τὸν χρόνον ἑαυτῶν ἀναλώσωμεν.

90 Εἶπε πάλιν· Νήψωμεν, ἀδελφοί, ἐν τῇ ὥρᾳ τοῦ πολέμου μὴ χαυνωθῶμεν καὶ ἑλκυσθῶμεν εἰς μελέτην πονηρῶν ἔργων ἵνα μὴ εὕρῃ ὁ λογισμὸς ὁ πονηρὸς εἴσοδον ἐν ταῖς ψυχαῖς ἡμῶν.

91 Εἶπε γέρων· Ὀφείλει ὁ μοναχὸς καθ' ἑσπέραν καὶ πρωὶ ποιεῖν λόγον πρὸς ἑαυτόν· Τί ὧν θέλει ὁ Θεὸς οὐκ ἐποίησα καὶ τί ὧν θέλει ἐποίησα, καὶ οὕτως τρακτεύοντα ἑαυτὸν τὴν πᾶσαν ζωὴν μετανοεῖν. Οὕτως χρὴ εἶναι τὸν μοναχόν, 5 οὕτως ἔζησεν ἀββᾶ Ἀρσένιος.

92 Εἶπε γέρων ὅτι· Χρυσὸν ἐάν τις ἀπολέσῃ ἢ ἄργυρον δύναται ἀντ' αὐτοῦ εὑρεῖν, καιρὸν δὲ ὁ ἀπόλλων οὐκέτι εὑρίσκει αὐτόν.

93 Ἔλεγε γέρων ὅτι· Οὐ δεῖ μεριμνᾶν περί τινος εἰ μὴ μόνον περὶ τοῦ φόβου τοῦ Θεοῦ. Ἔλεγε γάρ· Κἂν ἀναγκασθῶ μεριμνῆσαι περὶ χρείας σωματικῆς οὐδέποτε πρὸ καιροῦ ἐλογισάμην αὐτήν.

88 YOQRTV

1-2 προσιεμένοις QTV ‖ 2 ἀνακαλεῖσθαι QRT ‖ 3 ἀνιωμ. ἡμ. : ἀνιομένους V

89 YOQRTMSV

1 τῶν : τῶν ἡμῖν V

90 YOQRTMSV

2 μὴ : καὶ μὴ QRTM ‖ ἑλκ. : ἐκλυθῶμεν R

91 YOQRTMSV *l*

2 πρὸς : καθ' QRT ‖ *post* ἑαυτὸν *add.* καὶ λέγειν MS ‖ ὧν : οὖν ὃ οὐ V ‖ ἐποίησεν OQ ἐποιήσαμεν MS ‖ 3 καὶ – ἐποίησα : καὶ ὅτι ὧν

88 Il dit encore : « Il est honteux qu'après avoir été négligents dans le temps présent nous nous rétractions ensuite, lorsque notre chagrin ne nous donnera rien de plus. »

89 Il dit encore : « Combattons pour les biens à venir, préparons-nous à quitter cette vie et ne gaspillons pas notre temps. »

90 Il dit encore : « Soyons vigilants, frères, à l'heure du combat, ne nous relâchons pas et ne nous dissolvons pas en nous souciant d'œuvres mauvaises, afin que la pensée mauvaise ne trouve pas accès dans nos âmes. »

91 Un vieillard dit : « Le moine doit chaque soir et chaque matin se rendre des comptes à lui-même : Qu'ai-je omis de ce que Dieu veut, et qu'ai-je fait de ce qu'il veut? Et en s'interrogeant ainsi, il doit faire pénitence toute sa vie. Tel doit être le moine, tel a vécu Abba Arsène. »

NisGr 5a (308 C) N 264

92 Un vieillard dit : « Si quelqu'un perd de l'or ou de l'argent, il peut en trouver en échange ; mais celui qui perd du temps ne le retrouve pas. »

N 265

93 Un vieillard disait qu'il ne faut se soucier de rien d'autre que de la seule crainte de Dieu. Il disait en effet : « Même si je suis contraint à me préoccuper d'un besoin corporel, je n'y pense jamais avant le temps. »

N 651

θέλει ἐποίησεν O *om.* QMS || 3 καὶ[2] : καὶ λοιπὸν R || τρακτεύοντα tractantem *l* : πρακτ– QM στρατ– V || 4 τὴν π. ζωὴν : ἐν πάσῃ τῇ ζωῇ αὐτοῦ QRT || οὕτως *om. l*

92 YOQRTMSV *l*

1 χρύσιον ... ἀργύριον M || 2 *post* εὑρεῖν *add.* ἄλλον YMSV ἕτερον Q*man. rec.* || 2-3 καιρὸν δὲ *ad fin. om. l* || οὐκέτι εὑρ. αὐτόν : οὐ δύναται ἔτι εὑρίσκειν Q

93 YOQRTMSV

1 περὶ[2] *om.* MSV || 3 ἀναγκασθῶμεν R || σωματ. : σαρκικῆς OMSV

94 Εἶπε γέρων ὅτι · Ὥσπερ ὁ στρατιώτης καὶ ὁ κυνηγὸς ἀπερχόμενοι εἰς τὸν ἀγῶνα οὐ φροντίζουσιν εἰ τιτρώσκεται ἄλλος ἢ σώζεται, ἀλλ' ἕκαστος ὑπὲρ ἑαυτοῦ μόνου ἀγωνιᾷ, οὕτως χρὴ εἶναι τὸν μοναχόν.

95 Εἶπε γέρων · Ὥσπερ οὐ δύναταί τις ἀδικῆσαι τὸν ἐγγὺς τοῦ βασιλέως, οὕτως οὐδὲ ὁ Σατανᾶς δύναταί τι ποιεῖν ἡμῖν ἐὰν ἡ ψυχὴ ἡμῶν ἐγγὺς τοῦ Θεοῦ ἐστι · Ἐγγίζετε γάρ μοι, φησί, καὶ ἐγγιῶ ὑμῖν[v]. Ἀλλ' ἐπειδὴ συνεχῶς 5 μετεωριζόμεθα εὐχερῶς ὁ ἐχθρὸς ἁρπάζει τὴν ταλαίπωρον ἡμῶν ψυχὴν εἰς τὰ πάθη τῆς ἀτιμίας.

96 Εἶπε γέρων ὅτι · Χρὴ τὸν ἄνθρωπον φυλάττειν τὸ ἔργον αὐτοῦ ἵνα μὴ ἀπόληται · ἐὰν γάρ τις ἐργάσηται πολλὰ καὶ μηδὲν φυλάξῃ, οὐδὲν ὠφέλησεν · ἐὰν δέ τις μικρὸν ἐργάσηται καὶ φυλάξῃ τούτου στήκει τὸ ἔργον.

97 Εἶπε πάλιν ὁ γέρων · Ἀπὸ μικροῦ ἔργου ἕως μεγάλου ὧν πράττομεν νοεῖν δεῖ εἰς τὸν σκόπον τί τέξεται εἴτε ἐν λογισμοῖς εἴτε ἐν πράξεσιν.

98 Εἶπε γέρων · Καθεύδοντός σου καὶ ἐγειρομένου ἢ ἄλλο τι ποιοῦντος ἐὰν ὁ Θεὸς πρὸ ὀφθαλμῶν σου εἴη ἐν οὐδένι δύναται ὁ ἐχθρὸς ἐκφοβῆσαί σε · ἐὰν οὖν ὁ λογισμὸς οὗτος ἐμμείνῃ ἐν τῷ ἀνθρώπῳ, καὶ ἡ δύναμις τοῦ Θεοῦ παραμενεῖ 5 αὐτῷ.

94 YOQRTMSV *l*
2 εἰς τὸν ἀγῶνα : ad propositum sibi laborem *l om.* Q ‖ 3 μόνου : μόνον V *om.* Y ‖ ἀγωνίζεται MS
95 YOQRTMSV *l*
1 οὐ ... τις : οὐδεὶς OMSV ‖ 2 *post* βασίλ. *add.* ἑστῶτα M ‖ 2 οὕτως *om.* R ‖ ποιῆσαι TM nocere *l* ‖ 3 ἐστιν : ᾖ M ‖ ἐγγίσατε M ‖ 4 ἐγγιῶ ἐγγνω S ‖ 6 ἡμῶν *om.* QRT
96 YOQRTMSV
2 ἐργάζεται Y ‖ 3 μηδὲν : μὴ S ‖ φυλάττει Y ‖ μικρὸν : μικρὰ QRT

4 Un vieillard dit : « De même que le soldat ou le chasseur qui vont au combat ne se soucient pas de savoir si un autre est blessé ou sauvé, mais que chacun combat pour lui seul, ainsi doit être le moine. » N 267

5 Un vieillard dit : « De même que personne ne peut faire du tort à celui qui est auprès de l'empereur, de même Satan ne peut-il nous en faire si notre âme est près de Dieu. Approchez-vous de moi, est-il dit en effet, et je vous serai proche[v]. Mais puisque nous nous laissons continuellement distraire, l'ennemi attire facilement notre pauvre âme dans les passions honteuses. » N 268

6 Un vieillard dit : « L'homme doit surveiller son œuvre afin qu'elle ne se perde pas. En effet, si quelqu'un travaille beaucoup mais sans rien surveiller, il n'en tire aucun profit ; mais s'il travaille peu et surveille son œuvre, celle-ci va tenir. » N 473a

7 Le vieillard dit encore : « En toutes nos actions, petites ou grandes, il faut penser au but à atteindre, soit dans les pensées soit dans les actes. » N 652

8 Un vieillard dit : « Que tu dormes ou sois éveillé et occupé à quelqu'autre chose, si tu as Dieu devant les yeux l'ennemi ne peut aucunement t'effrayer. Si donc cette pensée demeure en l'homme, la puissance de Dieu, elle aussi, lui demeurera présente. » N 377

97 YOQRTV
2 σκόπον : κόπον YOV || 3 ἐν ... ἐν *om.* T
98 YOQRTMSV
4 ἐμμείνῃ YO : παραμείνῃ QT παραμενεῖ R παραμένει M ἐμμένει SV || 5 αὐτῷ : ἐν αὐτῷ QRTMS

v. Cf. Za 1, 3

99 Εἶπε γέρων· Ἀνιστάμενος τῷ πρωῒ λέγε σεαυτῷ· σῶμα ἔργασαι ἵνα τραφῇς, ψυχὴ νῆφε ἵνα κληρονομήσῃς τὴν βασιλείαν τῶν οὐρανῶν.

100 Ἀδελφὸς ἠρώτησε γέροντα λέγων· Τί ποιήσω διὰ τὴν ἀμέλειάν μου; Λέγει αὐτῷ ὁ γέρων· Ἐὰν μὴ ἐκριζώσῃς τὴν μικρὰν βοτάνην ταύτην ἥτις ἐστὶν ἡ ἀμέλεια μέγας ἧλος γίνεται.

101 Ἀδελφὸς εἶπε γέροντί τινι· Οὐδὲν βλέπω πολέμου ἐν τῇ καρδίᾳ μου. Λέγει αὐτῷ ὁ γέρων· Σὺ τετράπυλον εἶ καὶ ὁ θέλων εἰσέρχεται καὶ ἐξέρχεται διὰ σοῦ, σὺ δὲ οὐ νοεῖς· ἐὰν δὲ ἔχῃς θύραν καὶ κλείσῃς αὐτὴν καὶ μὴ 5 συγχωρήσῃς τινὰ δι' αὐτῆς εἰσελθεῖν τοῦτ' ἔστιν τοὺς πονηροὺς λογισμούς, τότε βλέπεις αὐτοὺς ἔξω ἑστῶτας καὶ πολεμοῦντάς σε.

102 Ἔλεγον περί τινος γέροντος ὅτι ὅτε ἔλεγον αὐτῷ οἱ λογισμοί· Ἄφες τὸ σήμερον καὶ αὔριον μετανοεῖς, ἀντέλεγεν αὐτοῖς καὶ αὐτός· οὐχί, ἀλλὰ τὴν σήμερον μετανοήσω καὶ αὔριον τὸ θέλημα τοῦ Θεοῦ γενέσθω.

103 Εἶπε γέρων· Εἰ μὴ ὁ ἔσω ἡμῶν ἄνθρωπος νήφῃ, οὐ δύνατόν ἐστι φυλάξαι καὶ τὸν ἔξω.

104 Εἶπε γέρων ὅτι· Τρεῖς εἰσι δυνάμεις τοῦ Σατανᾶ αἵτινες προτρέπονται πάσης ἁμαρτίας, πρώτη ἡ λήθη, δευτέρα ἡ ἀμέλεια, τρίτη ἡ ἐπιθυμία· ἐκ δὲ τῆς ἐπιθυμίας πίπτει ὁ

99 YOQRTMSV
2-3 τὴν βασιλ. *om.* OMS || 3 τῶν οὐρανῶν *om.* OQRTMS
100 YOQRTV
3 ἡ *om.* YO || 3-4 μέγας ἧλος *scripsi*: μέγα ἕλος *codd.*
101 YOQRTMSV *l*
1 οὐδένα ... πόλεμον T || 3 διὰ σοῦ : διὰ μέσου V || 3-4 οὐ νοεῖς : οὖν ὁ εἷς V || 5 τινα *om.* OQRTV *l* || τοῦτ' ἔστιν *om. l* || 6 πονηρούς : ῥυπαρούς QRT || ἔξωθεν RV

9 Un vieillard dit : « Levé au petit matin, dis-toi : Corps, travaille pour te nourrir ; âme, sois vigilante pour hériter du royaume des cieux. » N 269

0 Un frère demanda à un vieillard : « Que faire pour mon insouciance ? » Le vieillard lui dit : « Si tu n'arraches pas cette petite plante qu'est l'insouciance, elle deviendra une grande excroissance. » N 420 cf. XXI, 45

1 Un frère dit à un vieillard : « Je ne vois pas de combat dans mon cœur. » Le vieillard lui dit : « Tu es un édifice a quatre portes : chacun entre et sort comme il veut, et toi tu ne le remarques pas ; mais si tu avais une porte et que tu la fermes et ne permette pas à quelqu'un, c'est-à-dire aux mauvaises pensées, d'entrer par elle, alors tu les verrais se tenant dehors et te combattant. » N 270

2 On disait d'un vieillard que lorsque ses pensées lui disaient : « Relâche-toi aujourd'hui, et demain tu feras pénitence », il leur ripostait : « Non, mais je ferai pénitence aujourd'hui et demain que la volonté de Dieu se fasse. » N 271

3 Un vieillard dit : « Si notre homme intérieur n'est pas vigilant, il n'est pas possible de garder même l'homme extérieur. » N 272

4 Un vieillard dit : « Triples sont les puissances de Satan qui poussent à toute faute : la première est l'oubli, la seconde la négligence, la troisième le désir ; et l'homme N 273

102 YOQRTMSV *l*
2 τὸ *om.* M || 3 καὶ αὐτὸς : λέγων TM || τὴν YO : *om. cett.* || 4 μετανόησον O
103 YOQRTMSV *l*
2 δύναται V || ἐστι *om.* MSV || καὶ *om.* OMSV *l*
104 YOQRTMSV *l*
1 ἔλεγον οἱ γέροντες M || Σατανᾶ : ἐχθροῦ Y || 2 προτρέπονται : praecedunt *l* || εἰς πᾶσαν ἁμαρτίαν QRTMSV || 3 *post* ἐπιθυμία *add.* etenim si obliuio uenerit generat negligentiam, de negligentia uero concupiscentiam nascitur *l*

ἄνθρωπος. Ἐὰν οὖν νήφῃ ὁ νοῦς ἀπὸ τῆς λήθης οὐκ
5 ἔρχεται εἰς τὴν ἀμέλειαν, ἐὰν δὲ μὴ ἀμελήσῃ οὐκ ἔρχεται
εἰς τὴν ἐπιθυμίαν, ἐὰν δὲ μὴ ἐπιθυμήσῃ οὐ πίπτει ποτὲ
χάριτι Χριστοῦ.

105 Εἶπε γέρων· Σιωπὴν ἄσκει, μηδένος φρόντιζε, πρόσεχε
τῇ μελετῇ σου κοιταζόμενος καὶ ἀνιστάμενος μετὰ τοῦ
φόβου τοῦ Θεοῦ, καὶ ἀσεβῶν ὁρμὰς οὐ μὴ φοβηθῇς.

106 Εἶπε γέρων ὅτι· Ὁ Σατανᾶς σχοινοπλόκος ἐστίν· ὅσον
παρέχεις αὐτῷ λώματα καὶ αὐτὸς πλέκει. Τοῦτο δὲ εἶπε
περὶ τῶν λογισμῶν.

107 Εἶπε γέρων τινὶ ἀδελφῷ ὅτι· Ὁ διάβολός ἐστίν ὁ
ἐχθρὸς καὶ σὺ ὁ οἶκος. Ὁ διάβολος οὖν οὐ παύεται ῥίπτων
ἐν σοὶ εἴ τι ἐὰν βούληται πᾶσαν ἐπιχέων ἀκαθαρσίαν, σὸν
δέ ἐστι δέξασθαι ἢ μὴ δέξασθαι. Ἐὰν οὖν ἀμελήσῃς
5 πληροῦταί σου ὁ οἶκος τῶν ἀκαθαρσιῶν, καὶ οὐκέτι ἰσχύεις
εἰσελθεῖν ἐκεῖ· ἀλλὰ πρῶτον ἅπερ ἐκεῖνος ῥίπτει σὺ ἔκβαλε
κατὰ μικρὸν καὶ μενεῖ ὁ οἶκος καθαρὸς διὰ τῆς χάριτος
τοῦ Χριστοῦ.

108 Ἔλεγέ τις τῶν γερόντων· Ὅταν σκεπασθῶσιν οἱ ὀφθαλμοὶ
τοῦ ζῴου, τότε περικάμπτει εἰς τὴν μηχανήν· ἐὰν δὲ μὴ
σκεπασθῶσιν οὐ περικάμπτει. Οὕτως καὶ ὁ διάβολος, ἐὰν
φθάσῃ σκεπᾶσαι τοὺς ὀφθαλμοὺς τῆς καρδίας ἐν παντὶ
5 ἁμαρτήματι ταπεινοῖ αὐτόν, ἐὰν δὲ φωτισθῶσιν οἱ ὀφθαλμοὶ
τῆς καρδίας αὐτοῦ, εὐχερῶς δύναται φυγεῖν ἀπ' αὐτοῦ.

4 οὖν : δὲ TMV ‖ νοῦς : ἄνθρωπος Y *om.* S ‖ 6 ποτε *om.* V ‖
7 Χριστοῦ : Θεοῦ YOV

105 YOMSV *l*

1 μηδ. φρ. : et nihil uanum cogites *l* ‖ 2-3 τοῦ ... τοῦ *om.* MSV ‖
3 καὶ : et haec faciens *l*

106 YOQRTMSV

3 περὶ : διὰ M

107 YOQRTMSV *l*

1 δάβολος Y ‖ 3 ἐν QR : super *l om. cett.* ‖ ἐὰν YO : ἂν R *om. cett.* ‖
4 δέξασθαι ἢ μὴ δέξ. : non negligere ut proiicias foris quae ille iactauerit *l* ‖

tombe à cause du désir. Si donc l'esprit se tient en garde contre l'oubli, il ne devient pas négligent; et s'il n'est pas négligent, il ne cède pas au désir; et s'il ne désire pas, il ne tombe jamais, par la grâce du Christ[1].»

5 Un vieillard dit: «Pratique le silence, ne te soucie de rien, applique-toi à la méditation, te couchant et te levant dans la crainte de Dieu, et tu n'auras pas à craindre les assauts des impies.» N 274

6 Un vieillard dit: «Satan est un cordier; aussi longtemps que tu lui fournis des fils, il les tisse.» Il disait cela à propos des pensées. N 400

7 Un vieillard dit à un frère: «Le diable est l'ennemi, et toi tu es la maison. Le diable ne cesse de jeter en toi tout ce qu'il veut, déversant toute sorte d'impuretés. Il dépend de toi de l'accepter ou de ne pas l'accepter. Si donc tu es négligent, ta maison se remplit d'impuretés et tu ne peux plus y entrer; mais dès que celui-ci commence à jeter quelque chose, toi rejette-le peu après et la maison demeurera propre par la grâce du Christ.» N 275

8 L'un des vieillards disait: «Lorsqu'on couvre les yeux de l'animal, il fait tourner la meule; mais si on ne les couvre pas, il ne la fait pas tourner. Ainsi fait le diable: s'il parvient à couvrir les yeux du cœur, il humilie l'homme en toute sorte de fautes; mais si les yeux de son cœur sont éclairés, l'homme peut facilement le fuir.» N 276

5 σου *om.* TMV || ἰσχύσεις S ἰσχὺς V || 6 ἐκεῖ *om.* V || σὺ *om.* YOTMSV || 7 κατὰ μικρὸν *om.* YQRT || 8 Χριστοῦ : Θεοῦ YOQRTV

108 YOQRTMSV *l*

2 ζῴου : βοός YOMSV || 4 τῆς καρδίας hominis *l* || 4-6 ἐν παντὶ – καρδίας *om.* M || 5 αὐτὸν : αὐτήν R ἑαυτήν QTM || 6 τῆς καρδίας *om.* *l* || αὐτοῦ *om.* QR

1. Cf. MARC LE MOINE, *La loi spirituelle* 79 (*SC* 445, p. 94).

109 Ἦλθέ τις ἱερεὺς τῶν εἰδώλων εἰς Σκῆτιν καὶ ἐκοιμήθη πρός τινα γέροντα, καὶ θεωρήσας τὴν διαγωγὴν αὐτοῦ εἶπεν αὐτῷ · Οὐδὲν θεωρεῖτε παρὰ τοῦ Θεοῦ ὑμῶν; Λέγει ὁ γέρων · Οὐχί. Καὶ εἶπεν ὁ ἱερεύς · Ἡμῶν μικρὰς 5 λειτουργίας ποιούντων ὅλα τὰ μυστήρια ἡμῖν ἀποκαλύπτονται, καὶ ὑμεῖς τοσοῦτον κόπον ποιοῦντες ἀγρυπνίας καὶ τοσαύτας λειτουργίας λέγεις ὅτι οὐδέν; Πάντως πονηροὺς λογισμοὺς ἔχετε ἐν ταῖς καρδίαις ὑμῶν καὶ τοῦτο ἔστι τὸ χωρίζον ὑμᾶς ἀπὸ τοῦ Θεοῦ ὑμῶν καὶ οὐ γνωρίζει 10 ὑμῖν τὰ μυστήρια αὐτοῦ. Καὶ ὡς ἤκουσαν οἱ πατέρες ἐθαύμασαν λέγοντες ὅτι · Οἱ ἀκάθαρτοι λογισμοὶ χωρίζουσιν ἡμᾶς ἀπὸ τοῦ Θεοῦ.

110 Ἔλεγον ὅτι · Ἐν τῷ ὄρει τοῦ ἀββᾶ Ἀντωνίου ἐκαθέζοντο ἑπτὰ ὀνόματα, καὶ τῷ καιρῷ τῶν φοινίκων ἐφύλασσεν ὁ εἷς ἐξ αὐτῶν τὸ σοβεῖν τὰ πετεινά. Ἦν δὲ ἐκεῖ γέρων, καὶ ὅτε ἐφύλασσε τὴν ἡμέραν αὐτοῦ ἔκραζε λέγων · Ὑπάγετε οἱ ἔσω πονηροὶ λογισμοὶ καὶ τὰ ἔξω πετεινά.

111 Ἀδελφός τις εἰς τὰ Κελλία ἔβρεξε τὰ θαλλία ἑαυτοῦ, καὶ ὡς ἐκαθέσθη πλέξαι λέγει αὐτῷ ὁ λογισμός · Ὕπαγε παράβαλε τῷδε τῷ γέροντι. Καὶ πάλιν λογίζεται ἐν ἑαυτῷ λέγων ὅτι · Μετ' ὀλίγας ἡμέρας ὑπάγω. Καὶ λέγει αὐτῷ 5 πάλιν ὁ λογισμός · Ἐὰν ἀποθάνῃ τί ποιήσῃς; Ἅμα δὲ καὶ λαλεῖς διὰ τὸ θέρος. Λέγει πάλιν ἐν ἑαυτῷ · Ἀλλ' οὐκ ἔστι καιρός. Πάλιν οὖν λογίζεται λέγων · Ἀλλ' ὡς κόπτεις τὰ θρύα γίνεται ὁ καιρός. Ὁ δὲ ἔφη · Τελέσω τὰ θαλλία καὶ οὕτως ἀπέρχομαι. Πάλιν ἐν ἑαυτῷ λέγει ·

109 YOQRTMSV
3 τῷ Θεῷ V ‖ 5-6 ἀποκαλύπτεται QT ‖ 8 ὑμῶν : ἡμῶν Q ‖ 9 ἀπὸ : ἐκ S ‖ 10 ὡς ἤκουσαν : ἀκούσαντες O ‖ 11 λογισμοὶ : δαίμονες (?)
110 YOQRTV *l*
1 ἔλεγον ὅτι *om.* QRT ‖ 2 ὀνόματα : monachi *l* ‖ τῶν καιρῶν T ‖ 3 τὸ YV : τοῦ *cett.* ‖ ἀποσοβεῖν QRT ‖ 5 πονηροὶ *om.* V
111 YOQRTMSV *l*
1 τις *om.* RTMV ‖ 2 ἐκαθέσθη : ἐκάθισε MS ‖ 3 τῷδε *om.* V ‖

9 Un prêtre des idoles vint à Scété et dormit chez un vieillard. Ayant vu sa façon de vivre, il lui dit : « N'avez-vous aucune vision venant de votre Dieu? » Le vieillard dit que non. Et le prêtre dit : « Nous qui accomplissons de courtes liturgies, tous les mystères nous sont révélés; et vous qui vous donnez tant de mal à veiller et qui accomplissez tant de liturgies, tu dis que vous ne voyez rien? Certainement, vous avez dans le cœur des mauvaises pensées, et c'est cela qui vous sépare de votre Dieu qui ne vous fait pas connaître ses mystères. » Et lorsqu'ils l'apprirent, les Pères furent dans l'étonnement et dirent : « Les pensées impures nous séparent de Dieu. »

Oly 1 (313 C-D)

10 On disait que sur la montagne d'abba Antoine demeuraient sept personnes et que, à la saison des dattes, l'un d'eux veillait pour chasser les oiseaux. Or il y avait là un vieillard qui, lorsque c'était son jour de garde, criait : « Allez-vous-en, mauvaises pensées du dedans et oiseaux du dehors. »

N 277

11 Un frère, aux Cellules, trempa ses feuilles de palmier et, lorsqu'il fut assis pour les tisser, sa pensée lui dit : « Va trouver tel vieillard. » Et ensuite il réfléchit, se disant en lui-même : « J'irai dans quelques jours. » Et sa pensée lui dit encore : « S'il meurt, que feras-tu? En même temps tu lui parleras aussi de la moisson. » Il se dit encore : « Mais ce n'est pas le moment. » De nouveau il réfléchit en disant : « Mais lorsque tu coupes les joncs, c'est le moment. » Mais il dit : « Je vais finir les feuilles de palmier, et alors je partirai. » Et à nouveau il se dit : « Pourtant,

N 278

3-4 ἐν ἑ. λέγων YO : καὶ λέγει ἐν ἑαυτῷ *cett.* ‖ 5 πάλιν *om.* YO ‖ ποιεῖς OMSV ‖ 5-6 ἅμα δὲ καὶ : ἀλλὰ ἄπελθε ἐν τῷ ἅμα QRT ‖ ἅμα – λαλεῖς : sed uadam modo ut loquar ei *l* ‖ 6 διὰ : καὶ διὰ QRT ‖ ἀλλ' *om.* QRT ‖ 7 Πάλιν – λέγων M *l*: λέγει αὐτῷ ὁ λογισμός *cett.* ‖ 8 τελέσω : τελειώσω QR ‖ 9 πάλιν YO *l*: πάλιν οὖν *cett.*

10 Ἀλλὰ καλὸς ὁ ἀήρ ἐστιν ἄρτι. Καὶ ἀναστὰς ἀφῆκε τὰ θαλλία βρεκτὰ καὶ λαβὼν τὸ μηλωτάριον αὐτοῦ ἀπίει. Ἦν δέ τις γέρων γειτνιῶν αὐτῷ διορατικός, καὶ ὡς εἶδεν αὐτὸν τρέχοντα ἔκραξεν αὐτὸν λέγων· Αἰχμάλωτε, αἰχμάλωτε, δεῦρο ὧδε. Καὶ ὡς ἦλθεν λέγει αὐτῷ ὁ γέρων·
15 Ὑπόστρεψον εἰς τὸ κελλίον σου. Καὶ διηγήσατο αὐτῷ ὁ ἀδελφὸς τὸν πόλεμον. Καὶ ὡς ἦλθεν εἰς τὸ κελλίον αὐτοῦ ἔβαλε μετάνοιαν· ἐβόησαν δὲ φωνῇ μεγάλῃ οἱ δαίμονες λέγοντες· Ἐνικήσατε ἡμᾶς, ὦ μοναχοί. Καὶ ἐγένετο τὸ ψιαθίον αὐτοῦ τὸ ὑποκάτω αὐτοῦ ὡς ὑπὸ πυρὸς κεκαυμένον,
20 καὶ αὐτοὶ δὲ ὡς καπνὸς ἀφανεῖς γεγόνασιν, καὶ αὐτὸς ἔμαθε τὰς πανουργίας αὐτῶν.

112 Εἶπε γέρων· Γρηγορήσωμεν, ἀδελφοί, νήψωμεν ἐν ταῖς προσευχαῖς, σχολάσωμεν τῷ Θεῷ ἵνα σωθῶμεν τὰ ἀρεστὰ αὐτῷ ποιοῦντες. Ὁ στρατιώτης ἐν τῷ πολέμῳ μόνης τῆς ψυχῆς αὐτοῦ φροντίζει, ὁμοίως καὶ ὁ κυνηγός· ὁμοιωθῶμεν
5 οὖν αὐτοῖς. Ὁ κατὰ Θεὸν ζῶν σὺν αὐτῷ ζῇ. « Ἐνοικήσω γὰρ ἐν αὐτοῖς καὶ ἐμπεριπατήσω καὶ ἔσομαι αὐτῶν Θεὸς καὶ αὐτοὶ ἔσονταί μοι λαός[w]. »

113 Εἶπε τίς τῶν πατέρων· Φυλάττου τοὺς ἐπαινοῦντάς σε ἀδελφοὺς καὶ τοὺς λογισμοὺς καὶ τοὺς τὸν πλησίον ἐξουθενοῦντας· οὐδεὶς γὰρ οὐδὲν οἶδεν. Ὁ λῃστῆς ἐν τῷ σταυρῷ ἦν καὶ ἀπὸ λόγου ἑνὸς ἐδικαιώθη[x], καὶ ὁ Ἰουδᾶς
5 μετὰ τῶν ἀποστόλων συνηριθμήθη καὶ ἐν μιᾷ νυκτὶ ἀπώλεσεν ὅλον τὸν κάματον αὐτοῦ καὶ κατέβη ἐκ τοῦ οὐρανοῦ εἰς τὸν Ἅδην[y]. Διὸ μηδεὶς εὐπράττων καυχάσθω· πάντες γὰρ οἱ πεποιθῶτες ἐφ' ἑαυτοῖς ἔπεσαν ἐν μιᾷ καιροῦ ῥοπῇ.

10 ἄρτι : σήμερον M ‖ 13 τρέχοντα *om.* V ‖ ἔκραζεν O ‖ 13-14 *post* αἰχμ.² *add.* ubi curris? *l* ‖ 14-16 λέγει – αὐτοῦ *om.* V ‖ 16-17 καὶ ὡς – μετάνοιαν : ὡς δὲ ἔβαλε μετάνοιαν καὶ ἐστράφη εἰς τὸ κελλίον αὐτοῦ QRT ‖ 17 *ante* ἐβόησαν *add.* hoc autem facto *l* ‖ 18 λέγοντες *om.* Y ‖ 19 τὸ ὑπ. αὐτοῦ *om.* Q ‖ καιόμενον Q

l'air est bon aujourd'hui. » Et se levant, il laissa les feuilles de palmier trempées, prit sa mélote et partit. Or il avait comme voisin un vieillard qui possédait le don de clairvoyance ; lorsqu'il le vit en train de courir, il lui cria : « Prisonnier, prisonnier, viens ici. » Il vint, et le vieillard lui dit : « Retourne à ta cellule. » Et le frère lui raconta son combat. Et lorsqu'il arriva à sa cellule, il fit la métanie ; et les démons crièrent à pleine voix : « Vous nous avez vaincus, ô moines. » Et sa natte qui était sous lui fut brûlée comme par du feu ; et eux, comme une fumée, devinrent invisibles. Quant au frère, il s'instruisit de leurs ruses.

112 Un vieillard dit : « Frères soyons vigilants, sobres dans la prière, vaquons à Dieu afin d'être sauvés en faisant ce qui lui plaît. Le soldat au combat ne se soucie que de sa seule vie, de même que le chasseur. Faisons donc comme eux. Celui qui vit selon Dieu vit avec lui ; car *J'habiterai au milieu d'eux et j'y marcherai, et je serai leur Dieu et eux ils seront mon peuple*[w]. » N 653

113 L'un des vieillards dit : « Garde-toi des frères qui t'exaltent, des pensées, et de ceux qui diminuent le prochain. Car personne ne sait rien. Le voleur était sur la croix et pour une seule parole il fut justifié[x] ; Judas était compté parmi les apôtres et en une seule nuit il perdit toute sa peine et descendit du ciel dans l'Hadès[y]. Aussi, que personne ne se flatte de ce qu'il agit bien ; car tous ceux qui se fiaient en eux-mêmes tombèrent en un instant. » cf. Xan 1 (313 AB)

112 YOQRTV
2 τῷ Θεῷ *om.* YOV || 7 αὐτοὶ *om.* QV
113 YOQRTMSV
3 οὐδὲν *om.* MS || 6 ἐκ : ἀπὸ QRT || 8 ἔπεσον S

w. 1 Co 6, 16 x Cf. Lc 23, 40-43 y. Cf. Mt 27, 3-10

114 Εἶπε γέρων · Ἐὰν ἴδῃς ἀδελφὸν ἁμαρτήσαντα μὴ ἐπιγράψῃς αὐτῷ τὴν ἁμαρτίαν ἀλλὰ τῷ πολεμοῦντι αὐτὸν καὶ λέγε · Οὐαί μοι ὅτι ὡς οὗτος ἡττήθη, οὕτως κἀγώ. Καὶ κλαίε ζητῶν τὴν βοήθειαν τοῦ Θεοῦ καὶ συμπάθει 5 τῷ ἀκουσίως πεσόντι. Οὐδεὶς γὰρ ἁμαρτῆσαι θέλει πρὸς Θεόν, ἀλλὰ πάντες ἀπατώμεθα.

115 Ἔλεγον περί τινος γέροντος ὅτι ἐν Σκήτει ἀπέθνησκεν, καὶ ἐκύκλωσαν οἱ ἀδελφοὶ τὴν κλίνην αὐτοῦ καὶ ἐσχημάτισαν αὐτὸν κλαίοντες. Ἤνοιξε δὲ τοὺς ὀφθαλμοὺς αὐτοῦ καὶ ἐγέλασεν. Καὶ ἕως τρίτου ἐγέλασεν. Καὶ 5 παρεκαλοῦν αὐτὸν οἱ ἀδελφοὶ λέγοντες · Εἰπὲ ἡμῖν, ἀββᾶ, διὰ τί ἡμεῖς κλαίομεν καὶ σὺ γελᾷς. Λέγει αὐτοῖς · Ἐγέλασα πρῶτον ὅτι φοβεῖσθε πάντες τὸν θάνατον, καὶ τὸ δεύτερον ἐγέλασα ὅτι οὐκ ἐστε ἕτοιμοι, τὸ δὲ τρίτον ἐγέλασα ὅτι ἀπὸ κόπου εἰς ἀνάπαυσιν ἀπέρχομαι. Καὶ 10 εὐθέως παρέδωκε τὴν ψυχήν.

116 Εἶπε γέρων · Ὥσπερ οὐκ ἰσχύει ὁ ξενοπάροχος εἰσαγαγεῖν τὸν ξένον μήπω ἀκούσας ὑπὸ τοῦ κυρίου τῆς οἰκίας, οὕτως καὶ ὁ ἐχθρὸς ἐὰν μὴ δεχθῇ οὐ μὴ εἰσέλθῃ. Εὐχόμενος οὖν λέγε · Κύριε, σὺ οἶδας πάντα, ἐγὼ κτῆνος εἰμί, οὐδὲν 5 οἶδα[z] · σὺ ἤνεγκάς με εἰς τὸ τάγμα τῆς σωτηρίας ταύτης, σῶσόν με, Κύριε · «ἐγὼ δοῦλος σὸς καὶ υἱὸς τῆς παιδίσκης σου[a]», Κύριε, σῶσόν με διὰ τοῦ θελήματός σου.

114 YOQRTMSV

1 ἁμαρτάνοντα M ‖ 2 ἁμαρτίαν : αἰτίαν OS ‖ 4 κλαίε – Θεοῦ καὶ *om.* MS

115 YOQRTMSV *l*

1 ἔλεγε O ‖ εἰς Σκῆτιν TM ‖ 4 *post* ἐγέλασεν[1] *add.* et adiecit iterum ridere *l* ‖ 4 καὶ ἕως τρ. ἐγέλ. : ἐκ τρίτου MS *om.* T ‖ 4 καὶ[3] : quod cum uiderent *l* ‖ 6 γελᾷς : ἐγέλασες Q ‖ 7 πρῶτον *om.* M ‖ πάντες *om.* V uos *l* ‖ 8 ἐγέλασα *om.* QTS ‖ 9 ἐγέλασα *om.* YOR ‖ ἀπέρχομαι :

14 Un vieillard dit : « Si tu vois un frère qui a commis une faute, n'impute pas la faute à lui mais à celui qui le combat, et dis : Malheur à moi, car moi aussi je suis comme celui-ci qui a été vaincu. Et pleure en demandant l'aide de Dieu, et compatis à celui qui est tombé malgré lui. Personne, en effet, ne veut pécher contre Dieu, mais tous nous sommes trompés. » N 663

15 On disait d'un vieillard à Scété qu'il était en train de mourir et que les frères entourèrent sa couche et lui mirent l'habit en pleurant. Et il ouvrit les yeux et rit ; et il rit par trois fois. Et les frères lui demandaient : « Abba, dis-nous pourquoi nous, nous pleurons et toi, tu ris ? » Il leur dit : « J'ai ri la première fois parce que vous avez tous peur de la mort ; la seconde fois, j'ai ri parce que vous n'êtes pas prêts ; et la troisième, j'ai ri parce que je quitte la peine pour le repos. » Et aussitôt il rendit l'âme. N 279

16 Un vieillard dit : « De même que le portier ne peut pas introduire un étranger tant que le maître de maison ne le lui dit pas, de même l'ennemi ne peut pas entrer s'il n'est pas reçu. Lorsque tu pries, dis donc : « Seigneur, toi tu sais tout ; moi je suis une bête et je ne sais rien[z]. C'est toi qui m'as conduit à cet ordre de salut ; sauve-moi, Seigneur, *je suis ton serviteur et le fils de ta servante*[a]. Seigneur, sauve-moi par ta volonté. » N 403 cf. XII, 28

ὑπάγω M uado et uos ploratis *l* || 10 παρέδ. τ. ψ. : ὁ γέρων παρέδωκεν OSV ἐκοιμήθη ὁ γέρων M utpote moriens clausit oculos *l*

116 YOQRTV

1 ὁ *om.* O || 2 μηδέπω OV || ὑπὸ : παρὰ QRT || 4 ἐγὼ : ἐγὼ γὰρ QRT || 6 κύριε *om.* QRT || 7 τὸ θέλημα QRT

---

z. Cf. Ps 72, 22 a. Ps 115, 7

117 Ἦλθεν ἀδελφὸς οἰκῶν εἰς τὰ Κελλία πρὸς ἕνα τῶν πατέρων καὶ εἶπεν αὐτῷ λογισμὸν εἰς ὃν ἐθλίβετο. Καὶ λέγει αὐτῷ ὁ γέρων· Σὺ ἀφῆκας τὸ μέγα καὶ τίμιον τὸν φόβον τοῦ Θεοῦ καὶ ἔλαβες σεαυτῷ κατέχειν καλαμίνην 5 ῥάβδον, τουτέστι πονηροὺς λογισμούς· ἀλλὰ μᾶλλον κτῆσαι τὸ πῦρ ὅ ἐστιν ὁ φόβος τοῦ Θεοῦ. Καὶ ἡνίκα ἔρχεταί σοι λογισμὸς ἐγγίσαι, ὡς καλάμη ὑπὸ τοῦ πυρὸς κατακαίεται. Οὐ γὰρ ἰσχύει τι πονηρὸν κατὰ τοῦ ἔχοντος τὸν φόβον τοῦ Θεοῦ.

118 Εἶπε γέρων· Ἐὰν ἀπετάξω τοῖς κατὰ σάρκα διὰ τὸν Θεόν, μὴ ἐάσῃς ἡδόνην ἕλκυσαί σε καθημένου σου ἐν τῷ κελλίῳ οἰκτείρων πατέρα ἢ μητέρα ἢ φιλίαν ἀδελφῶν ἢ σπλάγχνα υἱῶν ἢ θυγατέρων ἢ γυναικὸς φιλίαν. Πάντα 5 γὰρ κατέλιπες διὰ τὸν Θεόν· μνήσθητι οὖν τῆς ὥρας τοῦ θανάτου ὅτι οὐδεὶς αὐτῶν δύναταί βοηθῆσαί σοι.

119 Εἶπε γέρων· Δύο εἰσὶ μεγάλαι ῥίζαι καὶ ἰσχυραί· ἐὰν οὖν τις φυλάξῃ αὐτὰς χάριτι Θεοῦ περιγίνεται πάντων τῶν παθῶν· τὸ ἔχειν τὸν φόβον τοῦ Θεοῦ ἐν τῇ καρδίᾳ αὐτοῦ καὶ τὴν ταπεινοφροσύνην.

120 Ἔλεγέ τις τῶν γερόντων· Πρέπει τῷ μοναχῷ τὰ τρία ταῦτα· ἡ ξενιτεία καὶ ἡ πτωχεία καὶ ἡ σιωπὴ μετὰ νήψεως.

121 Ἔλεγέ τις τῶν πατέρων ὅτι φιλόπονός τις προσεῖχεν ἑαυτῷ καὶ συνέβη αὐτὸν ἀμελῆσαι ὀλίγον. Ἐν δὲ τῷ

117 YOQRTV *l*

1 *post* ἦλθεν *add.* aliquando *l* || εἰς τὰ κελλία : in cella *l* || 2 λογ. εἰς ὃν [ὃ T] : quia a cogitatione sua *l* || 3 ἀφῆκας τὸ μ. κ. τίμιον : proiecisti in terra ferramentum magnum *l* || 4 καλάμην V || 5 ἀλλὰ Y : ergo *l om. cett.* || 7 λογισμὸς *om.* YORV

118 YOQRTMSV

2 σε *om.* R || 3 τοῦ οἰκτεῖραι RT || φιλίαν *eras.* Y || 5 κατέλιπες : κατέλειπας YO || 6 *post* θανάτου *add.* σου QTMS || αὐτῶν : τούτων QRT

17 Un frère qui habitait aux Cellules alla chez l'un des pères lui dire une pensée pour laquelle il était tracassé. Et le vieillard lui dit : « Tu as abandonné ce qui a grande valeur, la crainte de Dieu, et tu as préféré garder ce bâton de roseau que sont les mauvaises pensées. Mais acquiers plutôt le feu – c'est-à-dire la crainte de Dieu – et chaque fois qu'une pensée s'approchera de toi, comme un roseau elle sera brûlée par le feu. Aucun mal, en effet, n'a de pouvoir contre celui qui possède la crainte de Dieu. » N 654

18 Un vieillard dit : « Si tu as renoncé pour Dieu aux liens charnels, ne te laisse pas attirer par le plaisir alors que tu demeures dans ta cellule, en regrettant ton père ou ta mère ou l'amitié de tes frères ou l'affection de tes fils et filles ou l'amitié de ton épouse. En effet, tu as tout abandonné pour Dieu ; souviens-toi donc qu'à l'heure de la mort aucun d'eux ne pourra te secourir. » N 405

19 Un vieillard dit : « Il y a deux racines grandes et puissantes, et si on les protège on est, par la grâce de Dieu, vainqueur de toutes les passions : c'est d'avoir dans le cœur la crainte de Dieu, et l'humilité. »

20 L'un des vieillards disait : « Voici les trois choses qui conviennent au moine : la vie comme un étranger, la pauvreté et un silence vigilant. » And 1 (136 B)

21 L'un des pères disait que quelqu'un était attentif à lui-même sans craindre sa peine, mais qu'il lui arriva de se N 401

119 YOQRTMSV
1 δύο : τρεῖς Q || 3 *post* Θεοῦ *add.* καὶ τὴν κατάνυξιν QRT
120 YOQRTMSV
2 νήψεως : κατανήψεως V
121 YOQRTMSV
1 *post* τις[2] *add.* μοναχὸς M || 2 ὀλίγον : μικρόν M

ἀμελεῖν καταγνοὺς ἑαυτοῦ εἶπεν· Ψυχή, ἕως πότε ἀμελεῖς τῆς σωτηρίας σου καὶ οὐ φοβῇ τὸ κρῖμα τοῦ Θεοῦ μὴ
5 καταληφθῇς ἐν τῇ ἀμελείᾳ ταύτῃ καὶ παραδοθῇς ταῖς αἰωνίοις κολάσεσιν; Ταῦτα λέγων ἐν ἑαυτῷ διήγειρεν ἑαυτὸν εἰς τὸ ἔργον τοῦ Θεοῦ. Ποιοῦντος οὖν αὐτοῦ τὴν σύναξιν, ἦλθον οἱ δαίμονες καὶ ἐθορύβουν αὐτόν. Ὁ δὲ λέγει πρὸς αὐτούς· Ἕως πότε θλίβετέ με; οὐκ ἠρκέσθητε τῇ ἀμελείᾳ
10 τοῦ παρελθόντος χρόνου; Λέγουσιν αὐτῷ οἱ δαίμονες· Ὅτε ἦς ἐν ἀμελείᾳ καὶ ἡμεῖς ἠμελοῦμέν σου· ὡς δὲ πάλιν ἠγέρθης καθ' ἡμῶν, καὶ ἡμεῖς ἠγέρθημεν κατὰ σοῦ. Ταῦτα ἀκούσας πλέον διήγειρεν ἑαυτὸν εἰς τὸν φόβον τοῦ Θεοῦ καὶ προέκοπτεν τῇ χάριτι τοῦ Θεοῦ.

122 Ἀδελφός τις πειραζόμενος ἀπῆλθε πρός τινα γέροντα καὶ ἀνέθετο αὐτῷ τοὺς πειρασμοὺς οὓς ὑπέμενεν. Καὶ λέγει αὐτῷ ὁ γέρων· Μὴ πτοήτωσάν σε οἱ συμβαίνοντές σοι πειρασμοί· ὅσον γὰρ θεωροῦσιν οἱ ἐχθροὶ τὴν ψυχὴν
5 ἀναγομένην καὶ συναπτομένην τῷ Θεῷ, χαλεπαίνουσι φθόνῳ τηκόμενοι· ἀμήχανον γὰρ μὴ παρεῖναι τὸν Θεὸν καὶ τοὺς ἁγίους ἀγγέλους αὐτοῦ ἐν τοῖς πειρασμοῖς, μόνον μὴ διαλίπῃς μετὰ ταπεινώσεως πολλῆς ἐπικαλούμενος αὐτόν. Ὅτε οὖν γίνεταί σοι τοιοῦτόν τι, λαβὲ εἰς ἔννοιαν τοῦ
10 Θεοῦ τοῦ βοηθοῦ ἡμῶν τὴν παρουσίαν καὶ τὴν ἡμετέραν ἀσθένειαν καὶ τοῦ ἐχθροῦ ἡμῶν τὴν ὠμότητα, καὶ τυγχάνεις τῆς βοηθείας τοῦ Θεοῦ.

123 Ἠρωτήθη γέρων· Τί ἐστι τὸ ἀπερισπάστως προσεύξασθαι τῷ Θεῷ; Καὶ ἀπεκρίθη· Τὸ ἐν καθαρότητι προσέχειν ταῖς ἐντολαῖς τοῦ Θεοῦ καὶ παντὶ τῷ θελήματι αὐτοῦ.

3 καταγνοὺς ἑ. : κατέγνω ἑαυτοῦ καὶ QRT || 4 καὶ *om.* ORTSV || μή : μήπως Q || 7 *post* σύναξιν *add.* ἐν μιᾷ QM || 9 ἠρκ. τῇ ἀμελ. : ἠρκέσθη ἡ ἀμέλεια QM || 11 πάλιν *om.* M || 12 διηγέρθης TMV || 12-14 ταῦτα *ad fin. om.* MS || 13 τὸν φόβον : τὸ ἔργον OV || 14 καὶ προέκ. *ad fin. om.* Q

122 YOQRTMSV

relâcher un peu. Et s'accusant lui-même dans son relâchement, il dit : « Mon âme, jusqu'à quand négligeras-tu ton salut et ne craindras-tu pas le jugement de Dieu afin de ne pas être surprise dans cette négligence et livrée aux châtiments éternels ? » En se disant cela, il se réveilla pour l'œuvre de Dieu. Et tandis qu'il faisait sa synaxe, les démons vinrent le troubler. Il leur dit : « Jusqu'à quand me troublerez-vous ? N'en avez-vous pas assez avec ma négligence passée ? » Les démons lui disent : « Lorsque tu te négligeais, nous aussi nous te négligions ; mais quand tu t'es réveillé contre nous, nous aussi nous nous sommes réveillés contre toi. » Ces paroles le stimulaient davantage pour la crainte de Dieu, et il progressa par la grâce de Dieu.

22 Un frère qui était tenté alla chez un vieillard lui exposer les tentations qu'il supportait. Et le vieillard lui dit : « Ne t'épouvante pas des tentations qui te surviennent ; chaque fois, en effet, que les ennemis voient l'âme tournée vers Dieu et attachée à lui, ils s'irritent et se consument de jalousie. Car il est impossible que Dieu et ses saints anges ne soient pas présents dans les tentations ; seulement, ne cesse pas de l'appeler à l'aide avec une grande humilité. Aussi, lorsqu'il t'arrive quelque chose de tel, mets-toi dans l'esprit la venue de Dieu notre défenseur ainsi que notre faiblesse et la cruauté de notre adversaire, et tu obtiendras le secours de Dieu. » N 402

23 On demanda à un vieillard : « Qu'est-ce que prier Dieu sans distraction ? » Et il répondit : « S'appliquer avec pureté aux commandements de Dieu et à toute sa volonté. »

2 *post* πειρασμοὺς *add.* αὐτοῦ OMSV || ὑπέμεινεν QTMS || 4 *post* ψυχὴν *add.* σου Q || 5 καὶ συναπτ. *om.* V || 7 ἁγίους *om.* MV || 9 γίνεταί YOV : γένηται *cett.* || εἰς ἔννοιαν *om.* M || 10 τοῦ βοηθοῦ ἡμῶν : βοηθοῦντος ἡμῖν MS || παρουσίαν : παρησίαν *sic* T[pc] || 11 ὠμότητα : ὁμοιότητα V

123 YOQRTV

124 Ἀδελφὸς ἠρώτησε γέροντα λέγων· Τί ἐστιν ἡ γεωργία τῆς ψυχῆς ἵνα ἐνέγκῃ καρπὸν καλόν; Λέγει αὐτῷ ὁ γέρων· Τὸ κατ' ἐμέ, ἡ γεωργία τῆς ψυχῆς ἐστιν ἡ ἡσυχία μετὰ νήψεως καὶ ἡ ἐγκράτεια καὶ ἡ κακοπάθεια τοῦ σώματος 5 καὶ ἡ πολλὴ εὐχὴ σωματικὴ καὶ τὸ μὴ προσέχειν πταίσμασιν ἀνθρώπων.

125 Εἶπέ τις τῶν πατέρων· Ἐὰν μὴ μισήσῃς πρῶτον οὐ δύνασαι ἀγαπῆσαι, ἐὰν μὴ μισήσῃς τὴν ἁμαρτίαν οὐ ποιεῖς τὴν δικαιοσύνην, καθὼς γέγραπται· «Ἔκκλινον ἀπὸ κακοῦ καὶ ποίησον ἀγαθόν[b].» Πλὴν καὶ ἐν πᾶσι τούτοις ἡ πρόθεσίς 5 ἐστιν ἡ ζητουμένη παρὰ τοῦ Θεοῦ πανταχοῦ. Ἀδὰμ γὰρ ἐν τῷ παραδείσῳ ὢν παρέβη τὴν ἐντολὴν τοῦ Θεοῦ, καὶ Ἰὼβ ἐπὶ τῆς κοπρίας καθήμενος ἐφύλαξεν αὐτήν. Πρόθεσιν οὖν ἀγαθὴν ζητεῖ ὁ Θεὸς ἀπὸ τοῦ ἀνθρώπου καὶ ἵνα αὐτὸν φοβῆται πάντοτε.

126 Εἶπε γέρων ὅτι· Ἦν τις γεωργὸς πλούσιος σφόδρα καὶ θέλων διδάξαι τοὺς υἱοὺς αὐτοῦ τὴν γεωργίαν εἶπεν αὐτοῖς· Τέκνα, οἴδατε πῶς ἐπλούτισα, καὶ ὑμεῖς οὖν ἐὰν ἀκούσητέ μου πλουτήσετε. Εἶπον οὖν αὐτῷ· Παρακαλοῦμέν σε, 5 πάτερ, εἰπεῖν ἡμῖν πῶς. Ὁ δὲ ἐχρήσατο τεχνικῶς ἵνα μὴ ἀμελῶσιν καὶ εἶπεν αὐτοῖς· Ἔστι μία ἡμέρα τοῦ ἐνιαυτοῦ ἐάν τις εὑρέθῃ ἐργαζόμενος ἐν αὐτῇ πλουτεῖ· ἀλλὰ ἀπὸ τοῦ γήρους ἐπελαθόμην ποία ἐστὶν αὕτη. Μὴ ἀμελήσητε οὖν μηδεμίαν ἡμέραν ἐργαζόμενοι μήπως εὑρέθῃ ἡ 10 εὐλογημένη ἐκείνη ἣν οὐκ εἰργάσασθε ἐν αὐτῇ καὶ εἰς

124 YOQRTMSV
2 καλόν : ἀγαθόν M || 6 ἀνθρώπων : ἑτέρων MS
125 YOQRTMSV *l*
1 *post* εἰπέ *add.* πάλιν YO || 2 *post* ἀγαπῆσαι *add.* τοῦτ' ἐστιν QRT ergo *l* || 5 παρὰ τοῦ Θεοῦ *om. l* || 7 τὴν κοπρίαν V || αὐτήν : τὴν ἐντολὴν τοῦ Θεοῦ V αὐτὸν M *om. l* || 8 ἀγαθὴν *om.* O || ἀπὸ τοῦ : παρὰ παντὸς Y || 9 φοβῆται : teneat *l*

24 Un frère demanda à un vieillard : « Qu'est-ce que la culture de l'âme, qui lui fait porter du bon fruit ? » Le vieillard lui dit : « A mon avis, la culture de l'âme c'est le recueillement dans la vigilance, la continence, l'inconfort du corps, beaucoup de prière corporelle et ne pas être attentif aux fautes des hommes. » cf. J 705

25 L'un des pères dit : « Si tu ne hais pas d'abord, tu ne pourras pas aimer ; si tu ne hais pas le péché, tu ne pratiqueras pas la justice, selon ce qui est écrit : *Détourne-toi du mal et fais le bien*[b]. D'ailleurs en tout cela c'est l'intention que Dieu recherche partout. En effet, Adam qui était au paradis transgressa le commandement de Dieu, et Job assis sur le fumier le garda. Par conséquent, Dieu demande à l'homme une intention bonne, et de le craindre toujours. » N 378

26 Un vieillard dit qu'il y avait un agriculteur très riche qui, voulant enseigner à ses fils l'agriculture, leur dit : « Mes enfants, vous savez comment j'ai fait fortune ; vous aussi, si vous m'écoutez, vous deviendrez riches. » Alors ils lui dirent : « Nous te supplions, père, de nous dire comment. » Mais lui, il manœuvra habilement pour qu'ils ne se relâchent pas ; il leur dit : « Il y a un jour dans l'année où, si l'on est trouvé en train de travailler, on devient riche ; mais ma vieillesse m'a fait oublier quel est ce jour. Ne négligez donc aucun jour de travailler, de peur que ce jour béni ne soit celui où vous n'aurez pas N 407

126 YOQRTMSV
3 οὖν *om.* QRTS || 4 οὖν *om.* TMV || 5 εἰπεῖν Y : εἰπε *cett.* || πῶς *om.* M || 7 ἐν αὐτῇ *om.* Q || ἀπὸ : ὑπὸ M || 8 αὕτη *om.* TMV || 9 ἡμέραν *om.* YRS || ἐργαζ. : τοῦ μὴ ἐργάζεσθαι QRT || μήπως : καὶ ἴσως RT || 10 ἐκείνη : ἡμέρα QT || ἣν : καὶ M καὶ πλουτήσητε ἐὰν μίαν μόνην ἀμελήσητε μήπως ἐκείνη ἐστιν ἡ καλὴ ἡμέρα ἐν ᾗ QRT

---

b. Ps 36, 27

κένον κοπιάσατε ὅλον τὸ ἔτος. Οὕτως καὶ ἡμεῖς ἐὰν ἐργαζώμεθα ἀδιαλείπτως εὑρίσκομεν τὴν ὁδὸν τῆς ζωῆς.

127 Εἶπεν ἀμμᾶ Σάρρα · Βάλλω τὸν πόδα μου ἐπὶ τὴν κλίμακα καὶ τιθῶ τὸν θάνατον πρὸ ὀφθαλμῶν μου πρὸ τοῦ ἀνελθεῖν με ἐν αὐτῇ.

11 Κοπ. ὅ. τὸ ἔτος : γένηται ὅλος ὁ κόπος τοῦ ἔτους QRT || *post* οὕτως *add.* οὖν QTMV

travaillé et que vous n'ayez peiné en vain toute l'année. » Il en est de même pour nous : si nous travaillons sans cesse, nous trouverons le chemin de la vie.

27 Amma Sarra dit : « Je pose mon pied sur l'échelle et je place la mort devant mes yeux avant d'y monter. » Sar 6 (421 A)

127 YOQRTV
1 ἐπὶ : εἰς V || τὴν : τὸν YV || 3 ἀπελθεῖν O || ἐν αὐτῇ YOV ἐκεῖ *cett.*

XII

Περὶ τοῦ ἀδιαλείπτως καὶ νηφόντως προσεύχεσθαι

1 Ἔλεγον περὶ τοῦ ἀββᾶ Ἀρσενίου ὅτι ὀψὲ σαββάτου ἐπιφωσκούσης κυριακῆς ἤφιε τὸν ἥλιον ὀπίσω αὐτοῦ καὶ ἔτεινε τὰς χεῖρας αὐτοῦ εἰς τὸν οὐρανὸν εὐχόμενος ἕως οὗ λάμψῃ ὁ ἥλιος εἰς τὸ πρόσωπον αὐτοῦ, καὶ οὕτως 5 λοιπὸν ἐκαθέζετο.

2 Ἠρώτησαν ἀδελφοὶ τὸν ἀββᾶ Ἀγάθωνα λέγοντες· Ποία ἀρετή ἐστι, πάτερ, ἐν ταῖς πολιτείαις ἔχουσα πλείονα κόπον; Λέγει αὐτοῖς· Συγχωρήσατέ μοι, λογίζομαι ὅτι οὐκ ἔστιν ἕτερος κάματος ὡς τὸ εὔξασθαι τῷ Θεῷ 5 ἀπερισπάστως. Πάντοτε γὰρ ὅτε θέλει ἄνθρωπος προσεύξασθαι βούλεται ὁ ἐχθρὸς ἐκκόψαι αὐτόν· οἶδε γὰρ ὅτι οὐδαμόθεν ἐμποδίζεται εἰ μὴ ἀπὸ τοῦ προσεύξασθαι τῷ Θεῷ· καὶ πᾶσαν πολιτείαν ἣν ἐὰν μελετήσῃ ἄνθρωπος ἐγκαρτερῶν ἐν αὐτῇ κτᾶται ἀνάπαυσιν, τὸ δὲ εὔξασθαι 10 ἕως ἐσχάτης ἀναπνοῆς ἀγώνων χρεία.

3 Διηγήσατο ἀββᾶ Δουλᾶς ὁ μαθητὴς τοῦ ἀββᾶ Βισσαρίωνος λέγων ὅτι· Ἦλθόν ποτε εἰς τὸ κελλίον τοῦ

Tit. YOQRTMSV *l*
καὶ νηφ. *om.* V || προσεύχ. : debet orari *l*
1 YOQRTMSV *l*
1 σαββάτων YOQRTMS || 4 οὗ : πάλιν M οὗ πάλιν S || *post* οὗ *add.* mane die dominico *l* || λάμψῃ YO : ἔλαμψεν *cett.* || 4 ὁ ἥλιος : ascendens sol *l*

XII

De la prière constante et vigilante

1 On disait d'abba Arsène que, le soir du samedi alors que le dimanche s'apprêtait à resplendir, il tournait le dos au soleil et tendait ses mains vers le ciel en priant jusqu'à ce que le soleil éclaire sa face. Alors il s'asseyait. — Ars 30 (97 C)

2 Des frères demandèrent à abba Agathon : « Quelle est dans notre manière de vivre la vertu qui demande le plus de peine ? » Il leur dit : « Pardonnez-moi ; je crois qu'il n'y a pas d'autre travail pénible comme de prier Dieu sans distraction. A chaque fois, en effet, que l'homme veut prier, l'ennemi cherche à l'en empêcher, car il sait que rien ne lui fait obstacle sinon le fait de prier Dieu. Et pour toute manière de vivre en laquelle l'homme s'exerce avec persévérance, il y obtient du repos ; mais pour la prière il lui faut lutter jusqu'à son dernier souffle. » — Aga 9 (112 B-C)

3 Abba Doulas, le disciple d'abba Bessarion, racontait ceci. J'allai un jour à la cellule de mon abba, et je le — Bes 4a (140 A-C)

2 YOQRTMSV *l*

2 πάτερ *om.* YOQRSV || πλείονα *om.* QRT || 5 ἀπερισπάστως *om.* *l* || ὅτε : ὅτ' ἂν S || 6 βούλεται – αὐτόν : semper inimici daemones festinant interrumpere orationem eius *l* || οἶδε : οἴδασι OMSV *l* || 7 ἐμποδίζονται OMSV *l* || ἀπὸ : ὑπὸ QRT || εὔξασθαι M προσεύχεσθαι V || 8 μελετήσῃ : μετέλθῃ MS || 9 ἐγκ. ἐν αὐτῇ *om.* Q || 10 χρείαν Q

3 YOQRTMSV *l*

1 *post* διηγήσατο *add.* ἡμῖν QTM || 2-3 ἦλθεν... εὗρεν O

ἀββᾶ μου καὶ εὗρον αὐτὸν ἑστῶτα εἰς προσευχὴν καὶ αἱ χεῖρες αὐτοῦ ἐκτεταμέναι εἰς τὸν οὐρανόν. Ἔμεινε δὲ
5 τοῦτο ποιῶν ἐπὶ δεκατέσσαρας ἡμέρας. Καὶ μετὰ τοῦτο ἐφώνησέ με καὶ εἶπέ μοι· Ἀκολούθει μοι. Καὶ ἐξελθόντες ἐπορεύθημεν εἰς τὴν ἔρημον. Καὶ διψήσας εἶπον αὐτῷ· Ἀββᾶ, διψῶ. Λαβὼν δὲ ὁ γέρων τὸ μηλωτάριον αὐτοῦ ἐπορεύθη ἀπ' ἐμοῦ ὡσεὶ λίθου βολήν. Καὶ ποιήσας εὐχὴν
10 ἤνεγκέ μοι αὐτὸ μεστὸν ὕδατος. Καὶ ὡδεύσαμεν εἰς τὴν Λυκὼ ἕως οὗ ἤλθαμεν πρὸς τὸν ἀββᾶ Ἰωάννην. Καὶ ἀσπασάμενοι αὐτὸν ἐποιήσαμεν εὐχήν· εἶτα ἐκαθίσαμεν ὁμιλεῖν περὶ τῆς θεωρίας ἧς εἶδεν. Εἶπε δὲ ἀββᾶ Βισσαρίων ὅτι· Ἐξῆλθεν ἀπόφασις ἀπὸ Κυρίου ἵνα καθαιρεθῶσιν τὰ
15 ἱερά. Ἐγένετο δὲ οὕτως καὶ καθηρέθησαν.

4 Εἶπε γέρων· Ἐὰν ἀθυμῇς προσεύχου, καθὼς γέγραπται· Προσεύχου δὲ μετὰ φόβου καὶ τρόμου[a] νηφαλαίως καὶ ἐγρηγορότως[b]. Οὕτως προσεύχεσθαι δεῖ μάλιστα διὰ τοὺς κακοτρόπους καὶ κακοσχόλους ἐπηρεάζειν ἡμᾶς θέλοντας
5 ἐν τούτῳ τοὺς ἀοράτους ἐχθροὺς ἡμῶν.

5 Εἶπε πάλιν· Ὅταν λογισμὸς ἐπιστῇ τῇ καρδίᾳ σου πολέμιος, μὴ ἄλλα ἀντὶ ἄλλων δι' εὐχῆς ἐπιζήτει, κατὰ δὲ τοῦ πολεμίου τὸ ξίφος τῶν δακρύων ἀκόνα.

6 Ἐδηλώθη τῷ μακαρίῳ Ἐπιφανίῳ τῷ ἐπισκόπῳ Κύπρου παρὰ τοῦ ἀββᾶ τῆς μονῆς ἧς εἶχεν ἐν Παλαιστίνῃ ὅτι·

10 *post* ὕδατος *add.* καὶ πιῶ Q καὶ πιῶν T || 11 ἤλθομεν RS ἐφθάσαμεν QTM || πρὸς : εἰς V || 12 εἶτα : καὶ QRTM || 12-13 ἐκαθ. ὁμιλ. : sedentes coeperunt loqui *l* || 13 εἶδεν : uiderant *l* || 15 *post* ἱερά *add.* τῶν εἰδώλων QRTM || ἐγένετο δὲ οὕτως *om.* S

4 YOQRTMSV *l*

1 γέρων : abbas Euagrius *l* || *post* προσεύχου *add.* συνέχως T || καθὼς γέγρ. *om.* *l* || 2 *post* τρόμου *add.* et labore *l* || 3 ἐγρηγηρότως QTMSV || *post* οὕτως *add.* γὰρ QRTMS || δεῖ : χρὴ MS || διὰ : διὰ τὸ Q

5 YOQRTMSV *l*

1 πάλιν : γέρων Q || *post* λογισμὸς *add.* πονηρὸς QT || 2 ἄλλων : ἄλλου Q || διὰ προσευχῆς MS ἐπὶ εὐχῆς V || 2-3 κατὰ δὲ : ἀλλὰ κατὰ QRT

trouvai debout en prière, les mains tendues vers le ciel. Et il demeura ainsi pendant quatorze jours. Ensuite, il m'appela et me dit : « Suis-moi. » Nous sortîmes et allâmes au désert. Ayant soif, je lui dis : « Abba, j'ai soif. » Alors le vieillard, prenant sa mélote, s'éloigna de moi d'environ un jet de pierre. Il fit une prière et me l'apporta pleine d'eau. Et nous fîmes route vers Lyco, jusqu'à ce que nous arrivions chez abba Jean. Et nous l'embrassâmes et fîmes la prière. Ensuite, nous nous assîmes pour parler de la vision qu'il avait vue. Abba Bessarion dit : « Une réponse vint du Seigneur, que les temples seraient renversés. » C'est ce qui se passa ; ils furent renversés.

4 Un vieillard dit : « Lorsque tu es sans courage, prie, selon ce qui est écrit : Prie avec crainte et tremblement[a] dans la tempérance et la veille[b]. C'est ainsi qu'il faut prier, surtout à cause de nos ennemis invisibles, ces fourbes et ces pervers qui veulent nous faire tort dans cet état[1]. » N 664

5 Il dit encore : « Lorsqu'une pensée adverse s'introduit dans ton cœur, ne cherche pas à lui en substituer d'autres par la prière, mais contre la pensée adverse aiguise le glaive des larmes. » N 665

6 On fit savoir au bienheureux Épiphane, l'évêque de Chypre, de la part de l'abba du monastère qu'il avait en Ép 3 (164 B-C)

6 YOQRTMSV *l*
1 *post* ἐδηλώθη *add.* ποτε O ‖ μακαρίῳ : sanctae memoriae *l* ‖ Ἐπιφανίῳ τῷ *om.* V ‖ ἀρχιεπισκόπῳ QT ‖ Κύπρου *om.* V

a. Cf. Ps 2, 11 b. Cf. 1 P 5, 8

1. Repris, sous forme anonyme, de Évagre, *Rerum mon. rationes* n° 11 (*PG* 40, 1264 B). Se retrouve, sous le nom d'Évagre, dans la section finale de la série des anonymes (N 664).

Εὐχαῖς σου οὐκ ἠμελήσαμεν τοῦ κανόνος, ἀλλὰ μετὰ σπουδῆς καὶ τὴν τρίτην καὶ τὴν ἕκτην καὶ τὴν ἐννάτην
5 καὶ τὸ λυχνικὸν ἐπιτελοῦμεν. Ὁ δὲ καταγνοὺς αὐτῶν ἐδήλωσε αὐτοῖς λέγων· Φανεροί ἐστε ἀργοῦντες ἀπὸ εὐχῆς τὰς ἄλλας ὥρας τῆς ἡμέρας. Δεῖ γὰρ τὸν ἀληθινὸν μοναχὸν ἀδιαλείπτως τὴν εὐχὴν καὶ τὴν ψαλμωδίαν ἔχειν ἐν τῇ καρδίᾳ αὐτοῦ.

7 Ἦλθέ ποτε ἀββᾶ Μωυσῆς εἰς τὸν λάκκον ἀντλῆσαι ὕδωρ καὶ εἶδε τὸν ἀββᾶ Ζαχαρίαν εὐχόμενον ἐπὶ τοῦ λάκκου καὶ τὸ πνεῦμα τοῦ θεοῦ ὡς περιστερὰν καθήμενον ἐπ' αὐτόν.

8 Εἶπεν ἀββᾶ Ἡσαίας· Ὁ πρεσβύτερος τοῦ Πηλουσίου γενομένης ἀγάπης καὶ τῶν ἀδελφῶν ἐσθιόντων καὶ συλλαλούντων ἀλλήλοις ἐπιτιμήσας αὐτοῖς ἔφη· Σιωπήσατε, ἀδελφοί, οἶδα ἐγὼ ἀδελφὸν ἐσθίοντα μεθ' ὑμῶν, καὶ ἡ
5 εὐχὴ αὐτοῦ ἀναβαίνει ἐνώπιον τοῦ Θεοῦ ὡς πῦρ.

9 Παρέβαλεν ἀββᾶ Λὼτ τῷ ἀββᾶ Ἰωσὴφ καὶ λέγει αὐτῷ· Ἀββᾶ, κατὰ τὴν δύναμίν μου ποιῶ τὴν μικρὰν νηστείαν καὶ τὴν εὐχὴν καὶ τὴν μελέτην καὶ τὴν ἡσυχίαν, καὶ κατὰ τὴν δύναμίν μου καθαριεύω τοῖς λογισμοῖς· τί οὖν ἔχω
5 ποιῆσαι λοιπόν; Ἀναστὰς οὖν ὁ γέρων ἥπλωσε τὰς χεῖρας αὐτοῦ εἰς τὸν οὐρανόν, καὶ γεγόνασιν οἱ δάκτυλοι αὐτοῦ ὡς δέκα λαμπάδες πυρός, καὶ λέγει αὐτῷ· Εἰ θέλεις, γενοῦ ὅλος ὡς πῦρ.

3 εὐχαῖς : δι' εὐχῶν QRT ‖ *post* κανόνος *add.* ἡμῶν TMV ‖ 4 *post* καὶ[1] *add.* τὴν πρώτην καὶ YQRT ‖ καὶ τὴν ἐννάτην *om.* V ‖ 5 ἐπιμελοῦμεν T ‖ αὐτῶν : eum *l* ‖ 6 αὐτοῖς : ei *l om.* YOQRS ‖ 8 καὶ τὴν ψαλμωδίαν MS (aut certe psallere *l*) : *om. cett.*

7 YOQRTMSV

1 Μωσῆς R ‖ εἰς τὸν λάκκον *om.* M ‖ 4 ἐπ' αὐτὸν : ἐπάνω αὐτοῦ M

8 YOQRTMSV *l*

1 εἶπεν – πηλουσίου *om.* QRT ‖ ἀββᾶ Ἡσαΐας : γέρων Y ‖

Palestine : « Grâce à tes prières, nous ne négligeons pas la règle, mais nous accomplissons avec ardeur tierce, sexte, none et le lucernaire. » Mais lui, il les réprimanda en leur faisant dire : « Vous manifestez que vous ne vous occupez pas à prier les autres heures du jour. » Il faut donc que le véritable moine ait sans cesse la prière et la psalmodie en son cœur.

7 Abba Moïse vint un jour au réservoir pour puiser de l'eau, et il vit abba Zacharie priant au bord du réservoir et l'Esprit de Dieu demeurant sur lui comme une colombe.

Zac 2
(180 A)

8 Abba Isaïe dit : « Le prêtre de Péluse, lors d'une agape où les frères mangeaient et parlaient ensemble, les réprimanda en ces termes : Taisez-vous, mes frères ; moi, je connais un frère qui mange avec vous, et dont la prière monte en présence de Dieu comme un feu. »

Isa 4
(181 A-B)

9 Abba Lot alla trouver abba Joseph et lui dit : « Abba, autant que je le peux, je pratique un jeûne modéré, je prie, je médite, je vis dans le recueillement, et autant que je le peux je purifie mes pensées ; qu'ai-je encore à faire ? » Alors le vieillard se leva, tendit ses mains vers le ciel et ses doigts devinrent comme dix lampes de feu ; et il lui dit : « Si tu le veux, deviens tout entier comme du feu. »

JoP 7
(229 C-D

post πηλουσίου *add.* τῶν κελλίων MS || 2 γενάμενης O || *post* γενόμ. *add.* ποτε QRT || *post* ἀγάπης *add.* εἰς τὸ πηλούσιον QRT || *post* ἐσθιόντων *add.* in ecclesia *l* || 3 *post* ἀλλήλοις *add.* ὁ πρεσβύτερος QRT || ἔφη *om.* YOMSV || σιωπᾶτε TMV || 4 μεθ' ὑμῶν *om.* Q || *post* μεθ' ὑμῶν *add.* καὶ πίνοντα ποτήρια ἴσα ὑμῶν YOQRTMS

9 YOQRTMSV *l*

2 τὴν[1] *om.* O || *post* ποιῶ *add.* modicam regulam et *l* || 4 καθαριεύω : κατακυριεύω YQTMSV || 6 οἱ : οἱ δέκα OQMSV || 8 ὅλος ὡς : ὅλως ὡς M ὅλος YOQRT ὅλως V

10 Παρέβαλόν ποτε τῷ ἀββᾷ Λουκίῳ τῷ εἰς τὸ Ἔνατον τινὲς μοναχοὶ οἱ λεγόμενοι εὐχῆται, καὶ ἠρώτησεν αὐτοὺς ὁ γέρων λέγων· Τί τὸ ἐργόχειρον ὑμῶν; Οἱ δὲ εἶπον· Ἡμεῖς ἐργόχειρον οὐ ψηλαφοῦμεν, ἀλλὰ καθὼς εἶπεν ὁ
5 ἀπόστολος ἀδιαλείπτως προσευχόμεθα[c]. Καὶ εἶπεν ὁ γέρων· Οὐκ ἐσθίετε; Οἱ δὲ εἶπον· Ναί. Καὶ λέγει ὁ γέρων· Ὅτε οὖν ἐσθίετε, τίς εὔχεται ὑπὲρ ὑμῶν; Πάλιν οὖν εἶπεν αὐτοῖς· Οὐ κοιμᾶσθε; Καὶ εἶπον· Ναί. Καὶ λέγει ὁ γέρων· Ὅτε οὖν κοιμᾶσθε, τίς εὔχεται ὑπὲρ ὑμῶν; Καὶ οὐκ εὗρον
10 πρὸς ταῦτα ἀποκριθῆναι αὐτῷ. Καὶ εἶπεν αὐτοῖς· Συγχωρήσατέ μοι, ἰδοὺ οὐ ποιεῖτε καθὼς λέγετε. Ἐγὼ δὲ δεικνύω ὑμῖν ὅτι τὸ ἐργόχειρόν μου ἐργαζόμενος ἀδιαλείπτως προσεύχομαι· καθέζομαι οὖν σὺν Θεῷ βρέξας ἐμαυτῷ μικρὰ θαλλία, καὶ πλέκων αὐτὰ σειρὰν λέγω·
15 « Ἐλέησόν με, ὁ Θεός, κατὰ τὸ μέγα ἔλεός σου, καὶ κατὰ τὸ πλῆθος τῶν οἰκτιρμῶν σου ἐξάλειψον τὸ ἀνόμημά μου[d] ». Καὶ εἶπεν αὐτοῖς· Οὐκ ἔστιν εὐχή; Καὶ εἶπαν· Ναί. Καὶ εἶπεν ὁ γέρων· Ὅταν μείνω δι' ὅλης τῆς ἡμέρας ἐργαζόμενος καὶ εὐχόμενος, ποιῶ πλείω ἢ ἔλαττον νουμία
20 δεκαέξ, καὶ παρέχω ἐξ αὐτῶν εἰς τὴν θύραν δύο καὶ τὰ λοιπὰ ἐσθίω, καὶ εὔχεται ὑπὲρ ἐμοῦ ὁ λαβὼν τὰ δύο νουμία ὅτε ἐσθίω καὶ ὅτε κοιμῶμαι, καὶ διὰ τῆς χάριτος τοῦ Θεοῦ πληροῦταί μοι τὸ ἀδιαλείπτως προσεύχεσθαι.

11 Ἠρώτησάν τινες τὸν ἀββᾶ Μάκαριν λέγοντες· Πῶς ὀφείλομεν προσεύχεσθαι; Λέγει αὐτοῖς ὁ γέρων· Οὐκ ἔστι χρεία βαττολογεῖν[e] ἀλλ' ἐκτείνειν τὰς χεῖρας πυκνὰ καὶ λέγειν· Κύριε, ὡς θέλεις καὶ ὡς οἶδας ἐλέησόν με. Ἐὰν

10 YOQRTMSV *l*
2 οἱ *om.* QMS ‖ εὐχῆται : Euchitae hoc est orantes *l* ‖ 3 ἐργόχειρον : ἔργον QT ‖ 5-6 ὁ γέρων – λέγει *om.* YOMSV ‖ 7 οὖν² *om.* R ‖ 9 ὑπὲρ : περὶ TM ‖ 11 *post* μοι *add.* fratres *l* ‖ καθὼς : ὡς Q ‖ 12 ἐργαζ. : ἐργάζομαι καὶ Q ‖ 13 οὖν (enim *l*) *om.* YOTMSV ‖ 14 ἐμαυτῷ *om.* M ‖ μικρὰ : τὰ μικρά μου TM ‖ 17 καὶ εἶπεν αὐτοῖς *om.* QT ‖ 18 ἐμμείνω M permansero *l* ‖ 19 καὶ εὐχ. *om.* YOQRTSV ‖ *post* εὐχ. *add.* corde

10 Vinrent un jour chez abba Lucius, celui de l'Ennaton, certains moines qu'on appelle "euchites". Le vieillard leur demanda : « Quel est votre travail manuel? » Ils lui dirent : « Nous, nous ne touchons pas au travail manuel; mais, comme le dit l'Apôtre, nous prions sans cesse[c]. » Et le vieillard dit : « Ne mangez-vous pas? » Ils répondirent que si. Le vieillard dit : « Alors, lorsque vous mangez, qui prie pour vous? » Et il ajouta : « Ne dormez-vous pas? » Ils dirent que si. Et le vieillard dit : « Alors, lorsque vous dormez, qui prie pour vous? » Et ils ne trouvèrent rien à lui répondre. Et il leur dit : « Pardonnez-moi; mais vous n'agissez pas comme vous dites. Moi, je vais vous montrer que, en faisant mon travail manuel, je prie sans cesse. Je m'asseois donc avec Dieu, après avoir trempé quelques joncs; et en les tissant en une corde, je dis : *Aie pitié de moi, mon Dieu, selon ta grande miséricorde; et selon l'abondance de tes compassions, efface mon iniquité*[d]. » Et il leur dit : « N'est-ce pas une prière? » Ils dirent que si. Le vieillard dit : « Lorsque je demeure à travailler et à prier pendant toute la journée, je fais plus ou moins seize piécettes de bronze; j'en mets deux à la porte, et je mange avec le reste. Et celui qui prend les deux piécettes prie pour moi lorsque je mange et lorsque je dors, et par la grâce de Dieu s'accomplit en moi le 'priez sans cesse'. »

Luc 1 (253 B-C)

11 On demanda à abba Macaire « Comment devons-nous prier? » Le vieillard leur dit : « Il faut non faire de longs discours[e], mais étendre fréquemment les mains et dire : Seigneur, comme tu le veux et le sais, prends pitié de

Mac 19 (269 C)

uel ore *l* || 20 δύο : ὀλίγα R || 21 δύο : ὀλίγα R || 22 ὅτε ἐσθίω καὶ *om.* MS || 23 μοι : ἐν ἐμοὶ QRT a me *l*

11 YOQRTMSV *l*

1 Μακάριον QMSV Macarium *l* || 4 με *om.* YOTMSV

c. Cf. 1 Th 5, 17 d. Ps 50, 1 e. Cf. Mt 6, 7

5 δὲ ἐπίκειται πόλεμος· Κύριε, βοήθει μοι. Καὶ αὐτὸς οἶδε τὰ συμφέροντα καὶ ποιεῖ μεθ' ἡμῶν ἔλεος.

12 Ἐν τοῖς χρόνοις Ἰουλιανοῦ τοῦ ἀντάρτου ὅτε κατῆλθεν ἐπὶ τὴν Περσίδα ἔπεμψε δαίμονα ἵνα ὀξέως ἀπέλθῃ ἐπὶ τὴν δύσιν καὶ ἐνέγκῃ αὐτῷ ἐκεῖθεν ἀπόκρισίν τινα. Φθάσαντος δὲ τοῦ δαίμονος ἐν τόπῳ τινὶ ἐν ᾧ μονάζων 5 ᾤκει ἔμεινεν ἐπὶ δέκα ἡμέρας ἀσάλευτος μήτε ἡμέρᾳ μήτε νυκτὶ δυνάμενος προβῆναι ἐπὶ τὰ ἔμπροσθεν διὰ τὸ τὸν μοναχὸν μὴ παύσασθαι ἀπὸ εὐχῆς τὰς αὐτὰς ἡμέρας. Καὶ ὑπέστρεψεν ἄπρακτος πρὸς τὸν ἀποστείλαντα αὐτόν. Εἶπεν δὲ αὐτῷ· Διὰ τί ἐβράδυνας; Ἀπεκρίθη αὐτῷ ὁ δαίμων· 10 Καὶ ἐβράδυνα καὶ ἄπρακτος ἦλθον· παρέμεινα γὰρ δέκα ἡμέρας τηρῶν Πούπλιον τὸν μοναχὸν εἴπως παύσηται τῆς εὐχῆς ἵνα παρέλθω, καὶ οὐκ ἐπαύσατο· ὅθεν οὐδὲ ἠδυνήθην παρελθεῖν, ἀλλ' ὑπέστρεψα ἄπρακτος. Τότε ὁ ἀσεβὴς Ἰουλιανὸς ἀγανακτήσας εἶπεν· Ὑποστρέψας ποιήσω τὴν 15 ἐκδίκησίν μου ἀπ' αὐτοῦ. Καὶ εἴσω ὀλίγων ἡμερῶν ἐσφάγη ὑπὸ τῆς Προνοίας. Καὶ εἷς τῶν μετ' αὐτοῦ ἐπάρχων ἀπελθὼν πέπρακε πάντα ὅσα εἶχεν καὶ ἔδωκε πτωχοῖς[f], καὶ ἦλθε πρὸς τὸν γέροντα γενέσθαι μοναχός. Καὶ γενόμενος μεγὰς ἀσκητὴς ἐτελεύτησεν ἐν Κυρίῳ.

13 Ἔλεγον περὶ τοῦ ἀββᾶ Τιθόη ὅτι εἰ μὴ ταχέως κατέφερε τὰς χεῖρας αὐτοῦ ὅτε ἵστατο εἰς προσευχήν, ἡρπάζετο ὁ νοῦς αὐτοῦ ἄνω. Εἰ οὖν συνέβη αὐτὸν ἀδελφῷ συνεύχεσθαί ποτε, ἐσπούδαζε ταχέως καταφέρειν τὰς χεῖρας ἵνα μὴ 5 ἁρπάγῃ ὁ νοῦς αὐτοῦ καὶ χρονίσῃ.

5 Κύριε *om.* *l* ‖ μοι *om.* YOTMS ‖ 6 τὸ συμφέρον S ‖ ἔλεος *om.* O
12 YOQRTMSV
1 *post* τοῦ *add.* ἀθέου καὶ S ‖ 3 ἐκεῖθεν *om.* QRT ‖ 4 εἰς τόπον τινα QT ‖ 5-6 ἡμέρᾳ ... νυκτὶ Y : ἡμέραν ... νυκτὰ *cett.* ‖ 7 ἀπὸ *om.* QT ‖ αὐτὰς : τοσαύτας QRT ‖ 8 ἄπρακτος : ἄκαρπος T ‖ 9 ἐβράδυνες R ‖ *post* δαίμων *add.* καὶ εἶπεν O ‖ 11 Πουπλίῳ τῷ μοναχῷ R ‖ μοναχὸν : μονάζοντα QT ‖ εἴπως : ὅπως R ‖ 12 οὐδὲ : οὐκ R ‖ 13 παρελθεῖν : ἀπελ– V ‖ 15 ἀπ' : ἐξ R ‖ 16 καὶ : καὶ εὐθέως OR ‖ ἐπάρχων : ὑπάρχων QR

moi; et si le combat se poursuit : Seigneur, secours-moi! Lui-même sait ce qui nous convient et nous fait miséricorde.»

12 À l'époque de Julien le rebelle, lorsqu'il descendit en Perse, il envoya un démon en Occident pour qu'il y aille vite et lui en rapporte une réponse. Mais tandis que le démon s'avançait dans un lieu où habitait un moine, il resta immobilisé dix jours sans pouvoir ni de jour ni de nuit aller de l'avant, parce que pendant tout ce temps le moine ne cessait de prier. Et il retourna sans avoir rien fait chez celui qui l'avait envoyé et qui lui dit : «Pourquoi as-tu tardé ?» Le démon lui dit : «Non seulement je suis en retard, mais je n'ai rien fait; car j'ai attendu dix jours en surveillant le moine Pouplios pour le cas où il cesserait de prier, afin que je puisse passer; et il ne s'est pas arrêté. Aussi n'ai-je pu passer, et je suis revenu sans avoir rien fait.» Alors l'impie Julien se mit en colère et dit : «A mon retour, je le punirai.» Et quelques jours plus tard, il fut assassiné par la Providence. Et l'un des officiers de sa suite alla vendre tout ce qu'il avait, le donna aux pauvres[f] et vint trouver le vieillard pour devenir moine. Devenu grand ascète, il mourut dans le Seigneur. N 409

13 On disait d'abba Tithoès que, s'il ne baissait pas rapidement les mains lorsqu'il se tenait en prière, son esprit était ravi en haut. Si donc il lui arrivait de prier avec un frère, il s'efforçait de rapidement baisser les mains afin que son esprit ne soit pas ravi et ne s'attarde pas. Tit 1 (428 B)

13 YOQRTMSV *l*
1 Τιθόη : Sisoi *l* || 3 αὐτὸν : αὐτῷ QRTS *om.* MV || ἀδελφῷ : μετὰ ἀδελφοῦ QRT ἀδελφοὺς MV || 4 ποτε : αὐτῷ MV *om.* OS

f. Cf. Mt 19, 21

14 Παρέβαλέ τις ἀδελφὸς διορατικῷ γέροντι καὶ παρεκάλει αὐτὸν λέγων· Εὖξαι ὑπὲρ ἐμοῦ, πάτερ, ἀσθενὴς γάρ εἰμί. Καὶ ἀποκριθεὶς ὁ γέρων εἶπε τῷ ἀδελφῷ ὅτι· Τίς ποτε τῶν ἁγίων εἶπεν· Ὁ βάλλων εἰς τὴν χεῖρα αὐτοῦ ἔλαιον 5 τοῦ ἀλεῖψαι ἀσθενοῦντα, αὐτὸς πρῶτον μετέχει τῆς τοῦ ἐλαίου πιότητος· οὕτως καὶ ὁ εὐχόμενος ὑπὲρ ἀδελφοῦ πρὸ τοῦ ἐκεῖνον ὠφελῆσαι αὐτὸς τῆς ὠφελείας μετέχει διὰ τὴν προαίρεσιν τῆς ἀγάπης. Εὐξώμεθα οὖν ὑπὲρ ἀλλήλων, ἄδελφέ μου, ὅπως ἰαθῶμεν. Τοῦτο γὰρ καὶ ὁ 10 ἀπόστολος παραινεῖ λέγων· «Εὔχεσθε ὑπὲρ ἀλλήλων ὅπως ἰαθῆτε[g].»

15 Ἔλεγέ τις γέρων ὅτι· Τὸ συνεχῶς προσεύχεσθαι ταχὺ εἰς κατόρθωσιν φέρει τὸν νοῦν.

16 Ἔλεγέ τις τῶν πατέρων ὅτι· Ὥσπερ ἀδύνατον θεωρῆσαί τινα τὸ πρόσωπον αὐτοῦ ἐν ὕδατι θολώδει, οὕτως καὶ ἡ ψυχὴ ἐὰν μὴ καθαριεύσῃ ἀπὸ λογισμῶν ἀλλοτρίων θεωρητικῶς προσεύξασθαι οὐ δύναται.

17 Ἦλθέ τις γέρων ποτὲ εἰς τὸ ὄρος Σινᾶ. Καὶ ὡς ἐξήρχετο ἐκεῖθεν συνήντησεν αὐτῷ ἀδελφὸς ἐν τῇ ὁδῷ καὶ στενάζων ἔλεγε τῷ γέροντι· Θλιβόμεθα, ἀββᾶ, διὰ τὴν ἀβροχίαν. Καὶ λέγει αὐτῷ ὁ γέρων· Διὰ τί οὐκ εὔχεσθε καὶ 5 παρακαλεῖτε τὸν Θεόν; Ἔφη αὐτῷ ὁ ἀδελφός· Καὶ εὐχὴν ποιοῦμεν καὶ λιτανείαν, καὶ οὐ βρέχει. Καὶ λέγει ὁ γέρων· Πάντως οὐκ εὔχεσθε ἐκτενῶς· θέλεις δὲ γνῶναι ὅτι οὕτως

14 YOQRTMSV

1-2 παρεκ. αὐτ. λέγ. : λέγει αὐτῷ παρακαλῶν R ‖ 2 ὑπὲρ : περὶ O ‖ 4 βαλὼν S ‖ 5 πρῶτος RTMV πρώτως Q ‖ 5-7 τῆς τοῦ – μετέχει *om.* M ‖ 6 *post* οὕτως *add.* οὖν QRT ‖ 7 *post* αὐτὸς *add.* πρῶτος QRT ‖ 9 ἄδελφέ μου *om.* MS ‖ 10 προσεύχεσθε MS

15 YOQRTMSV *l*

1 τις *om.* O

16 YOQRTMSV *l*

2 τεθολωμένῳ QR θολωμένῳ T turbida *l* ‖ 3 καθαρεύσῃ Q ‖ 4 θεωρητικῶς *om.* M ‖ εὔξασθαι M orare Deum *l*

14 Un frère alla chez un vieillard clairvoyant et le suppliait en disant : « Prie pour moi, père, car je suis faible. » Le vieillard répondit au frère que l'un des saints avait dit une fois : « Celui qui met de l'huile dans sa main pour oindre un malade est le premier à profiter du bienfait de l'huile ; de même, celui qui prie pour un frère : avant que ce dernier en tire profit, c'est lui qui en retire du profit par sa résolution de charité. Prions donc les uns pour les autres, mon frère, afin que nous soyons guéris ; car c'est à cela que l'Apôtre nous invite en disant : *Priez les uns pour les autres afin d'être guéris*[g]. » N 635

15 L'un des pères disait que la prière constante conduit bientôt l'esprit à la rectitude.

16 L'un des pères disait : « De même qu'on ne peut pas contempler son visage dans une eau trouble, de même l'âme ne peut-elle, sans s'être purifiée des pensées étrangères, prier de façon contemplative. » N 379

17 Un vieillard alla un jour sur le mont Sinaï. Et comme il en revenait, un frère le croisa sur le chemin et lui dit en gémissant : « Abba, nous sommes éprouvés par la sécheresse. » Le vieillard lui dit : « Pourquoi ne priez-vous pas et ne suppliez-vous pas Dieu ? » Le frère lui dit : « Nous prions et faisons des litanies, et il ne pleut pas. » Et le vieillard dit : « Assurément, vous ne priez pas avec intensité. Veux-tu savoir qu'il en est ainsi ? Levons-nous Xoi 2 (312 D-313 A)

17 YOQRTMSV *l*

2 ἐν τῇ ὁδῷ *om.* QTM || 3 τῷ γέροντι *om.* TMV || θλίβομαι QTV || ἀββᾶ : πάτερ YQ ἄδελφε V || *post* ἀβροχίαν *add.* quia nobis non pluit *l* || 5 ἀδελφός : γέρων RM ille *l* || 5-6 καὶ[1] – λιτανείαν : καὶ εὐχόμεθα καὶ λίτας ποιοῦμεν M || 6 λιτανείαν : λιτάνιον YSV λιτανείας O deprecamur assidue Deum *l* || καὶ[2] : ἀλλ' QRTM

g. Jc 5, 16

ἐστίν; Στῶμεν εἰς προσευχήν. Καὶ ἐκτείνας τὰς χεῖρας εἰς τὸν οὐρανὸν ηὔξατο καὶ εὐθέως κατέβη ἡ βροχή. Καὶ
10 ἰδὼν ὁ ἀδελφὸς ἐφοβήθη, καὶ πεσὼν προσεκύνησεν αὐτῷ. Ὁ δὲ γέρων εὐθὺς ἔφυγεν ἐκεῖθεν.

18 Διηγήσαντο ἀδελφοὶ λέγοντες ὅτι· Παρεβάλομέν ποτε γέρουσιν, καὶ κατὰ τὸ εἰωθὸς γενομένης εὐχῆς, ἀσπασάμενοι ἀλλήλους ἐκαθέσθημεν. Καὶ μετὰ τὸ λαλῆσαι μέλλοντες ἀναχωρεῖν ᾐτήσαμεν εὐχὴν γενέσθαι. Εἶπε δὲ εἷς τῶν
5 γερόντων πρὸς ἡμᾶς· Τί γάρ; Οὐκ ηὐξάμεθα; Καὶ εἴπαμεν αὐτῷ· Ὅτε εἰσήλθομεν, ἀββᾶ, ἐγένετο εὐχὴ καὶ ὁμιλοῦμεν ἕως ἄρτι. Εἶπεν δέ· Συγχωρήσατέ μοι, ἀδελφοί, μεθ' ὑμῶν καθεζόμενός τις ἀδελφὸς καὶ ὁμιλῶν ἑκατὸν τρεῖς εὐχὰς ἐποίησεν. Καὶ τοῦτο αὐτοῦ εἰπόντος ἐποίησαν εὐχὴν καὶ
10 ἀπέλυσαν ἡμᾶς.

19 Εἶδε τις ἀναχωρητὴς δαίμονα προτρεπόμενον ἕτερον δαίμονα ἐλθεῖν καὶ διυπνῆσαι μοναχόν. Καὶ ἀκούει τοῦ ἄλλου λέγοντος· Οὐ δύναμαι τοῦτο ποιῆσαι· ἄλλοτε γὰρ αὐτὸν ἐξύπνησας καὶ ἀναστὰς ἔκαυσέ με ψάλλων καὶ
5 προσευχόμενος.

20 Ἠρωτήθη γέρων· Τί ἐστι τὸ ἀδιαλείπτως προσεύχεσθαι; Καὶ ἀπεκρίθη· Ἡ ἐξ αὐτοῦ τοῦ βάθους τῆς καρδίας ἀναπεμπομένη δέησις πρὸς Θεὸν ἐπὶ αἰτήσει τῶν συμφερόντων. Οὐ μόνον γὰρ ὅτε ἱστάμεθα εἰς προσευχὴν
5 τότε προσευχόμεθα, ἀλλὰ ἀληθὴς προσευχή ἐστιν ὅταν καθ' ἑαυτὸν δύνασαι πάντοτε προσεύξασθαι.

8 *post* στῶμεν *add.* pariter *l* || 11 εὐθὺς ... ἐκεῖθεν *om.* M
18 YOQRTMSV *l*
1 παρέβαλον V || 2 *post* εὐχῆς *add.* καὶ TV || 3 ἐκαθέσθησαν V || μέλλοντας Y || 4 *post* εὐχὴν *add.* rursus *l* || εἷς : τις M || 5 ηὐξάμεθα : orastis *l* || 7 ὑμῶν : ἡμῶν SV || 8 καὶ ὁμιλῶν *om.* MS || τρεῖς *om.* V || εὐχὰς : προσευχὰς V
19 YOQRTMSV
1 εἶδε : εἶπε T || 2 ἐλθεῖν : τοῦ ἐλθ. RT ἐπὶ τὸ ἐλθ. MS ἀπελθ.

pour prier. » Et étendant les mains vers le ciel, il pria et aussitôt la pluie tomba. Voyant cela, le frère fut rempli de crainte et s'inclina à terre devant lui. Mais le vieillard s'enfuit aussitôt.

18 Des frères racontaient ceci : Nous allâmes un jour chez des vieillards et, selon la coutume, après la prière, nous nous embrassâmes et nous assîmes. Et après l'entretien, voulant partir, nous demandâmes que l'on fasse la prière. Mais l'un des vieillards nous dit : « Quoi donc ? N'avons-nous pas prié ? » Nous lui dîmes : « En entrant, abba, on a fait la prière, puis nous avons parlé jusqu'à présent. » Mais il dit : « Pardonnez-moi, frères, un frère assis au milieu de vous et parlant a fait cent trois prières. » Ceci dit, ils firent la prière et nous congédièrent. N 280

19 Un anachorète vit un démon qui poussait un autre démon à aller réveiller un moine. Et il entendit l'autre qui disait : « Je ne peux pas le faire, car une autre fois où je l'avais réveillé, il s'est levé et m'a brûlé en chantant et en priant. » N36

20 On demanda à un vieillard : « Qu'est-ce que prier sans cesse ? » Il répondit : « C'est la supplication qui remonte vers Dieu du fond du cœur pour demander ce qui convient. Car nous ne prions pas seulement lorsque nous sommes debout pour la prière ; mais la vraie prière, c'est lorsque tu peux prier sans cesse en toi-même. »

QR || *ante* μοναχὸν *add.* καθεύδοντα OMSV || 3 ἄλλοτε : ἀλλ' ὅτι V || 4 αὐτὸν ἐξύπν. : τοῦτο ἐποίησα QRTM

20 YOQRTMSV

4 προσευχὴν : εὐχὴν OV || 5 *post* τότε *add.* μόνον QRT || 5-6 καθ' ἑαυτὸν : εἰς αὐτὸν Y εἰς ἑαυτὸν OV εἰς αὐτὸ [τοῦτο *add.* R] QRT || 6 προσεύχεσθαι TMSV

21 Ἀδελφός τις ἐν τῇ ἐρήμῳ ἡσύχαζεν ἐν τῷ κελλίῳ ἑαυτοῦ, καὶ ἐθλίβετο ἰσχυρῶς ἀπὸ τῆς ἀκηδίας ἐπὶ τὸ ἐξελθεῖν ἀπὸ τοῦ κελλίου· καὶ ἔλεγεν ἐν ἑαυτῷ· Ψυχή, μὴ ἐκκακήσῃς τοῦ καθίσαι ἐν τῷ κελλίῳ· ἀρκεῖ σοι τοῦτο 5 εἰ καὶ οὐδὲν ποιεῖς τὸ μηδένα σκανδαλίζειν ἢ θλίβειν τινὰ ἢ θλίβεσθαι ὑπό τινος. Γίνωσκε ἀπὸ πόσων κακῶν ἐρρύσατό σε ὁ Κύριος διὰ τὸ ἡσυχάζειν καὶ ἀπερισπάστως προσεύχεσθαι αὐτῷ· οὐκ ἀργολογεῖς, οὐκ ἀκούεις τὰ μὴ συμφέροντα, οὐκ ὁρᾷς τὰ βλάπτοντα. Εἷς σοι πόλεμός 10 ἐστιν ὁ τῆς ἀκηδίας. Δυνατὸς ὁ Θεὸς καὶ τοῦτον καταργῆσαι κτησαμένου μου τὴν ταπείνωσιν. Γινώσκει γὰρ τὴν ἐν πᾶσιν μου ἀσθένειαν, διὸ καὶ συγχωρεῖ μου πειράζεσθαι τὴν ψυχήν. Ταῦτα αὐτοῦ λογιζομένου ἐν ἑαυτῷ, πολλὴ παράκλησις ἐγίνετο αὐτῷ διὰ τῆς ἀδιαλείπτου προσευχῆς. 15 Ἔσχε δὲ ὁ ἀδελφὸς οὗτος τὴν διδαχὴν ταύτην παρὰ τῶν ἁγίων πατέρων τῶν εἰς τὴν ἔρημον γηρασάντων.

22 Εἶπε γέρων· Θαῦμά ἐστι πῶς τὰς μὲν εὐχὰς οὕτως ἐπιτελοῦμεν ὡς παρόντος τοῦ Θεοῦ καὶ ἀκούοντος τὰ ῥήματα ἡμῶν, ἐν δὲ τῷ ἁμαρτάνειν ὡς αὐτοῦ μὴ βλέποντος ἡμᾶς οὕτως πράττομεν.

23 Ἀδελφὸς ἠρώτησε γέροντα λέγων· Διὰ τί ὅτε στήκω εἰς προσευχὴν ἀσχολεῖ με ὁ λογισμός; Καὶ ἀπεκρίθη· Ὅτι ὁ διάβολος ἐξ ἀρχῆς μὴ θέλων προσκυνῆσαι τὸν ἐπὶ πάντων Θεὸν ἐσφενδονίσθη ἐκ τῶν οὐρανῶν καὶ ἀλλότριος 5 ἐγένετο τῆς βασιλείας τοῦ Θεοῦ. Διὰ τοῦτο καὶ αὐτὸς ἀσχολεῖ ἡμᾶς ἀπὸ τῆς εὐχῆς, τὸν αὐτὸν τρόπον καὶ ἐν ἡμῖν κατεργάσασθαι βουλόμενος.

21 YOQRTMSV[H]

2 ἀπὸ : ὑπὸ Q ‖ ἐπὶ τὸ : τοῦ V ‖ 3 *post* κελλίου *add.* ἑαυτοῦ S ‖ 6 γίνωσκε : -σκεις O γνῶθι S ‖ 7-8 εὔχεσθαι MS ‖ 8 αὐτῷ : τῷ θεῷ OV ‖ 10 ἀκηδίας : καρδίας YV ‖ δυνατὸς : καὶ δυν. ἐστιν QRTMV ‖ τοῦτον : τοῦτο RTM ‖ 11 [ταπείνωσις *inc.* H ‖ 12 καὶ : καὶ οὐ QRTMS ‖ μου[2] : μοι H ‖ 14 ἐγίνετο *om.* Q ‖ 15 οὗτος Y : ἐκεῖνος *cett.*

22 YOQRTSVH

1 ἐστι πῶς : ἦν εἰ Y ὅτι εἰς OSVH ‖ 2 ἐπιτελοῦμεν Y : εὐχόμεθα

21 Un frère vivait dans le recueillement dans sa cellule au désert, et était violemment tourmenté par l'acédie qui le poussait à sortir de sa cellule. Et il se disait : « Mon âme, ne te décourage pas de demeurer dans la cellule ; même si tu ne fais rien, il te suffit de ne scandaliser ou de n'affliger personne ou de n'être affligé par personne. Sache de combien de malheurs le Seigneur t'a arraché par le recueillement et la prière sans distraction : tu ne dis pas de vaines paroles, tu n'entends pas ce qu'il ne faut pas, tu ne vois pas ce qui est nuisible. Tu as un seul combat : celui de l'acédie. Dieu est capable de le réduire, lui aussi, si j'acquiers l'humilité. Il sait, en effet, ma totale faiblesse ; aussi permet-il que mon âme soit mise à l'épreuve. » Réfléchissant à cela, il trouvait un grand réconfort dans la prière continuelle. Or ce frère avait reçu cet enseignement des saints pères qui vieillirent dans le désert.

22 Un vieillard dit : « C'est étonnant comme nous accomplissons nos prières comme si Dieu était présent et entendait nos paroles ; mais quand nous péchons nous agissons comme s'il ne nous voyait pas. »

23 Un frère demanda à un vieillard « Pourquoi, lorsque je me tiens en prière, ma pensée n'est-elle pas libre ? » Et il répondit : « Parce que le diable, dès l'origine, ayant refusé d'adorer le Dieu de toutes choses fut éjecté des cieux et devint étranger au royaume de Dieu. C'est pour cela qu'il ne nous laisse pas vaquer à la prière, voulant produire en nous aussi la même attitude[1]. »

cett. || 3-4 ἐν δὲ *ad fin.* : τὰς δὲ ἁμαρτίας ὡς αὐτοῦ μὴ βλέποντος [παρόντος QT] πράττομεν QRT || 4 οὕτως πράττ. *om.* H

23 YOQRTMSVH

4 τοῦ οὐρανοῦ V || 6 καὶ *om.* R || εὐχῆς : προσευχῆς H || 7 ἐν *om.* QRT

1. Repris de *Dialogue sur les pensées,* n° 14 (éd. J.-Cl. Guy, *Revue d'Ascétique et de Mystique* 130, 1957, p. 179).

24 Εἶπε γέρων · Εἰ θέλεις εἶναι μοναχὸς κράτει βίαν. Ὁ γὰρ μὴ ἔχων τὴν βίαν οὐκ ἔστι μοναχός. Λέγει ὁ ἀδελφός · Ἐὰν εὑρεθῶ εἰς ἀγάπην πατέρων, τί ποιήσω; λέγει αὐτῷ ὁ γέρων · Ἀντὶ νηστείας πῆξον ἄμετρον προσευχὴν ἐν 5 ταπεινώσει. Καὶ δύναμαι, φησί, τρώγειν καὶ ἀκούειν λαλούντων καὶ προσεύχεσθαι; Λέγει ὁ γέρων · Ἡ βία πάντα δύναται. Λέγει ὁ ἀδελφός · Ποίους λογισμοὺς ὀφείλω ἔχειν ἐν τῇ καρδίᾳ μου; Λέγει αὐτῷ ὁ γέρων · Πάντα ὅσα λογίζεται ἄνθρωπος ἀπὸ τοῦ οὐρανοῦ καὶ κάτω 10 ματαιότης ἐστίν, ὁ δὲ προσκαρτερῶν τῇ μνήμῃ τοῦ Θεοῦ, οὗτος ἐν τῇ ἀληθείᾳ ἐστίν.

25 Εἶπε γέρων · Οἱ προσευχόμενοι τῷ Θεῷ ὀφείλουσιν ἐν εἰρήνῃ καὶ ἡσυχίᾳ καὶ πολλῇ καταστάσει τὴν εὐχὴν ποιεῖσθαι, καὶ οὐχὶ ἀπρεπέσι κραυγαῖς συγκεχυμέναις, ἀλλὰ πόνῳ καρδίας καὶ λογισμοῖς νήφουσιν προσέχειν τῷ Θεῷ. 5 Ὥσπερ οὖν ἵνα τις ἔχων πάθη καὶ καυτηριάζεται ἀνδρείως καὶ ὑπομονητικῶς φέρει τὸν πόνον ἄνευ θορύβου καὶ ταραχῆς κρατῶν ἑαυτοῦ, ἔστι δὲ ἄλλος καὶ ἐν τῷ καυτηριάζεσθαι ἢ χειρουργεῖσθαι κραυγαῖς ἀπρεπέσιν κέχρηται · καὶ ὁ αὐτός ἐστι πόνος τοῦ βοῶντος καὶ τοῦ μὴ βοῶντος. Οὕτως 10 εἰσί τινες μετὰ ταραχῆς καὶ θορύβου τὰς προσευχὰς ποιοῦντες εἰς τὸ καὶ τοὺς ἀκούοντας σκανδαλίζεσθαι. Οὐ χρὴ δὲ τὸν τοῦ Θεοῦ δοῦλον ἐν ἀκαταστασίᾳ εἶναι ἀλλὰ ἐν ταπεινοφροσύνῃ καὶ ἡσυχίᾳ, καθὼς ἐν τῷ προφήτῃ λέγει · «Ἐπὶ τίνας ἐπιβλέψω ἀλλ' ἐπὶ τὸν ταπεινὸν καὶ 15 ἡσύχιον καὶ τρέμοντά μου τοὺς λόγους[h].» Οἱ γὰρ ἐν ἡσυχίᾳ διάγοντες πάντας οἰκοδομοῦσιν. Εὑρίσκομεν γὰρ ἐν τῷ ἀποστόλῳ ὅτι τὸν οἰκοδομοῦντα τὸν πλησίον μείζονα εἶπεν. Φησὶ γάρ · «Ὁ λαλῶν ἐν γλώσσαις ἑαυτὸν οἰκοδομεῖ, ὁ δὲ προφητεύων ἐκκλησίαν οἰκοδομεῖ. Μείζων οὖν ὁ προ-

24 H
1 θέλεις *correxi* : θέλει H ‖ 11 οὗτος *correxi* : οὕτως H
25 H
8 κέχρηται *correxi* : σέχρηται H ‖ 13 ἐν[1] *correxi* : πασιν H

4 Un vieillard dit : « Si tu veux être moine, deviens fort ; car celui qui n'a pas de force n'est pas moine. » Le frère dit : « Si je me trouve dans une agape des pères, que dois-je faire ? » Le vieillard lui dit : « Au lieu du jeûne, attache-toi sans compter à la prière dans l'humilité. » Il dit : « Mais puis-je manger, écouter ceux qui parlent et prier ? » Le vieillard dit : « La force peut tout. » Le frère dit : « Quelles pensées dois-je avoir dans le cœur ? » Le vieillard lui dit : « Tout ce que l'homme pense du ciel ou d'en bas est vanité ; mais celui qui persévère dans le souvenir de Dieu est dans la vérité. » N 501

5 Un vieillard dit : « Ceux qui prient Dieu doivent le prier dans la paix, le recueillement et une grande tranquillité, et être attentifs à Dieu non en poussant des cris indécents mais dans la peine du cœur et la vigilance des pensées. De même que quelqu'un qui est malade et qu'on cautérise supporte avec courage et endurance la douleur sans bruit ni trouble, en se dominant, et qu'un autre lorsqu'on le cautérise ou qu'on l'opère pousse des cris inconvenants – et pourtant identique est la douleur de celui qui crie et de celui qui ne crie pas –, de même il y en a qui font leurs prières dans le trouble et le bruit, au point même de scandaliser ceux qui les écoutent. Or il ne faut pas que le serviteur de Dieu soit dans l'instabilité, mais dans l'humilité et le recueillement, selon ce que dit le prophète : *Vers qui tournerai-je mon regard sinon vers celui qui est humble, recueilli et qui tremble à mes paroles*[h] ? Ceux qui vivent dans le recueillement édifient tout le monde. Nous constatons, en effet, que l'Apôtre déclare plus grand celui qui édifie le prochain. Il dit en effet : *Celui qui parle en langue s'édifie lui-même, celui qui prophétise édifie l'église ; celui qui prophétise est donc*

h. Is 66, 2

20 φητεύων ἢ ὁ λαλῶν ἐν γλώσσῃ[i].» Ἕκαστος οὖν ἐπιλεξάσθω εἰς τὸ ἀλλήλους οἰκοδομῆσαι, καὶ καταξιοῦται τῆς βασιλείας τῶν οὐρανῶν.

26 Εἶπε γέρων· Γνῶθι σεαυτὸν καὶ οὐδέποτε πίπτεις· Δὸς ἐργασίαν τῆς ψυχῆς σου, τουτέστιν εὐχὴν ἐκτενὴν καὶ ἀγάπην εἰς Θεόν, πρὶν ἄλλος δῷ αὐτῇ λογισμοὺς πονηρούς.

27 Ἠρώτησέ τίς τινα γέροντα λέγων· Διὰ τί ὅτε ἐξέρχομαι εἰς ἔργον ῥαθυμῶ περὶ τῆς ψυχῆς μου; Καὶ λέγει αὐτῷ ὁ γέρων· Ὅτι οὐ θέλεις πληρῶσαι τὸ γεγραμμένον. Λέγει γάρ· «Εὐλογήσω τὸν Κύριον ἐν παντὶ καιρῷ· διὰ παντὸς
5 ἡ αἴνεσις αὐτοῦ ἐν τῷ στόματί μου[j].» Ἐάν τε ἔσω ἐάν τε ἔξω ὅπου δ'ἂν ὑπάγῃς, μὴ παύσῃ εὐλογῶν τὸν Θεόν, οὐ μόνον ἔργῳ καὶ λόγῳ ἀλλὰ καὶ διανοίᾳ δόξαζέ σου τὸν δεσπότην. Οὐ γὰρ ἐν τόπῳ τὸ θεῖον περιγράφεται, ἀλλ' ἐν παντὶ ὢν τὰ πάντα συνέχει διὰ τῆς θεικῆς δυνάμεως
10 αὐτοῦ.

28 Εἶπε γέρων· Ὥσπερ ξένος πάροικος οὐκ ἐξουσιάζει εἰσαγαγεῖν τὸν ξένον εἰς τὸν οἶκον, οὕτως οὐδὲ ὁ ἐχθρὸς ἐὰν μὴ δέχθῃ οὐ μὴ εἰσέλθῃ. Εὐχόμενος δὲ λέγε· Πῶς κτήσομαί σε, Κύριε, σὺ οἶδας, ἐγὼ κτῆνός εἰμι· σὺ μὲ
5 ἤνεγκας εἰς τὸ τάγμα τῆς σωτηρίας ταύτης, σῶσόν με, Κύριε· «ἐγὼ δοῦλος σὸς καὶ υἱὸς τῆς παιδίσκης σου, Κύριε[k].»

21 καταξιοῦται *correxi* : –ξιοῦνται H
26 H
27 H
9 ὢν *suppleui sec. Nau 414*
28 H
5 τάγμα *correxi sec. Nau 403* : πρᾶγμα H

---

i. 1 Co 14, 4-5 j. Ps 33, 2 k. Ps 115, 7

plus grand que celui qui parle en langue[i]. Aussi, que chacun choisisse d'édifier les autres et il méritera le royaume des cieux[1]. »

26 Un vieillard dit : « Connais-toi toi-même et jamais tu ne tomberas. Donne son activité à ton âme, c'est-à-dire une prière continue et l'amour pour Dieu, avant qu'un autre ne lui donne des pensées mauvaises. »

27 Quelqu'un demanda à un vieillard : « Pourquoi, lorsque je sors pour un travail, est-ce que je néglige mon âme ? » Et le vieillard lui dit : « Parce que tu ne veux pas accomplir l'Écriture ; elle dit en effet : *Je bénirai le Seigneur en tout temps ; sans cesse sa louange sera en ma bouche*[j]. A l'intérieur ou à l'extérieur, où que tu ailles, ne cesse pas de bénir Dieu, rends gloire à ton maître non seulement en acte et en parole, mais aussi en pensée. La divinité n'est pas circonscrite en un lieu mais, étant partout, elle maintient tout par sa puissance divine. » N 414

28 Un vieillard dit : « De même qu'un voisin étranger n'a pas le pouvoir d'introduire un étranger dans la maison, de même l'ennemi ne peut-il non plus entrer s'il n'est pas accueilli. Lorsque tu pries, dis : Comment je t'obtiendrai, Seigneur, toi tu le sais ; moi, je suis une bête. C'est toi qui m'as conduit à cet ordre de salut ; sauve-moi, Seigneur ; *moi, je suis ton serviteur et le fils de ta servante, Seigneur*[k 2]. » N 403

1. Texte parallèle dans Ps. Macaire, *Hom.* 6, 1-2.4 (l. 1-10, 13-15, 18-21, 65-69), éd. H. Dörries, E. Klostermann, M Kroeger, Berlin 1964 (*Patristische Texte und Studien* 4), p. 63-67.

2. Doublet, avec d'importantes variantes, de XI, 116.

XIII

῞Οτι φιλοξενεῖν χρὴ καὶ ἐλεεῖν ἐν ἱλαρότητι.

1 Ἀπῆλθόν ποτέ τινες τῶν πατέρων πρὸς τὸν ἀββᾶ Ἰωσὴφ εἰς Πανέφω ἵνα ἐρωτήσωσιν αὐτὸν περὶ τῆς ἀπαντήσεως τῶν ἀδελφῶν τῶν ἐπιξενιζομένων πρὸς αὐτούς, εἰ χρὴ συγκαταβαίνειν καὶ παρρησιάζεσθαι μετ' αὐτῶν. Καὶ πρὸ
5 τοῦ ἐρωτηθῆναι αὐτὸν εἶπεν ὁ γέρων τῷ μαθητῇ αὐτοῦ · Κατανόησον ὃ μέλλω ποιεῖν σήμερον καὶ ὑπόμεινον. Καὶ ἔθηκεν ὁ γέρων δύο ἐμβρίμια ἓν ἐξ ἀριστερῶν καὶ ἓν ἐκ δεξιῶν αὐτοῦ, καὶ εἶπε · Καθίσατε. Καὶ εἰσῆλθεν εἰς τὴν κέλλαν αὐτοῦ καὶ ἐφόρεσε ἱμάτια παλαιά. Καὶ ἐξελθὼν
10 ἐπέρασεν ἐν μέσῳ αὐτῶν. Καὶ πάλιν εἰσελθὼν ἐφόρεσε τὰ ἱμάτια αὐτοῦ, καὶ πάλιν ἐξελθὼν ἐκάθισεν ἐν μέσῳ αὐτῶν. Ἀυτοὶ δὲ ἐξέσθησαν ἐπὶ τῷ ἔργῳ τοῦ γέροντος. Καὶ εἶπεν αὐτοῖς · Κατενοήσατε τί ἐποίησα ; Λέγουσιν · Ναί. Λέγει αὐτοῖς · Μὴ ἠλλάγην ἀπὸ τοῦ ἀτίμου φορέματος ; Λέγουσιν ·
15 Οὔ. Λέγει πάλιν ὁ γέρων · Μὴ ἠλλάγην ἀπὸ τοῦ καλοῦ φορέματος ; Λέγουσιν · Οὔ. Εἶπεν δὲ αὐτοῖς · Εἰ οὖν ἐγὼ αὐτός εἰμι ἐν ἀμφοτέροις, ὡς τὸ πρῶτον καὶ οὐκ ἠλλάγην

Tit. YOQRTMSVH *l*
χρὴ : δεῖ QRT
1 YOQRTMSVH *l*

3 ἐπιξενουμένων QRTMS qui superueniunt *l* || 5 αὐτὸν *om.* R || 6 καὶ ὑπόμεινον *om.* MS || 7-8 δεξιῶν ... ἀριστερῶν [εὐονύμων Q] QTMVH || 8 εἰσελθὼν QT || 9 *post* ἱμάτια *add.* ἐπαιτικὰ MS || 10-11 τὰ ἱμάτια αὐτοῦ : rescellas suas quas prius habuerat *l* || 11 πάλιν

XIII

Il faut joyeusement pratiquer l'hospitalité et la miséricorde

1 Quelques pères se rendirent un jour chez abba Joseph à Panépho pour l'interroger sur l'accueil des frères qu'ils hébergeaient et savoir s'il fallait se mêler à eux et leur parler librement. Avant d'être interrogé, le vieillard dit à son disciple : « Fais attention à ce que je vais faire aujourd'hui et supporte-le. » Et le vieillard plaça deux coussins, l'un à sa gauche et l'autre à sa droite, et dit : « Asseyez-vous. » Et il rentra dans sa cellule et mit de vieux vêtements; puis il sortit et passa au milieu d'eux. Rentrant à nouveau, il remit ses vêtements et revint s'asseoir au milieu d'eux. Quant à eux, ils étaient surpris de la façon de faire du vieillard; et il leur dit : « Avez-vous remarqué ce que j'ai fait? » Ils répondirent que oui. Il leur dit : « Ai-je été changé par ce vêtement méprisable? » Ils lui dirent que non. Le vieillard dit encore : « Ai-je été changé par ce beau vêtement? » Ils dirent que non. Il leur dit alors : « Si donc moi je suis resté le même dans les deux cas, si le premier vêtement ne m'a pas plus changé que le deuxième ne m'a

JoP 1 (228 A-C)

om. QRT || 12 *post* γέροντος *add.* interrogauerunt eum quid hoc esset *l* || 13 κατενοήσατε : uidistis *l* || ἐποίησα : ἔργον πεποίηκα V || 14 φορέσματος Y || 15-16 λέγει – οὔ *om.* QRMS || 16 φορέσματος Y || 17 καὶ *om.* RTMVH || ἤλλαξέ με MH

οὕτως οὐδὲ τὸ δεύτερον ἔβλαψέ με, οὕτως ὀφείλομεν ποιεῖν εἰς τὴν τῶν ἀδελφῶν ἀπαντήν, κατὰ τὸ ἅγιον Εὐαγγέλιον· 20 «Δότε γάρ, φησί, τὰ Καίσαρος Καίσαρι καὶ τὰ τοῦ Θεοῦ τῷ Θεῷ[a].» Ὅτε οὖν ἐστι παρουσία ἀδελφῶν, μετὰ ἱλαρότητος δεξώμεθα αὐτούς. Ὅτε δὲ καταμόνας ἐσμέν, χρείαν ἔχομεν τοῦ πένθους ἵνα παραμείνῃ ἡμῖν. Οἱ δὲ ἀκούσαντες ἐθαύμασαν ὅτι καὶ τὰ ἐγκάρδια αὐτῶν εἶπεν 25 αὐτοῖς πρὶν ἢ ἐρωτήσωσιν αὐτὸν καὶ ἐδόξασαν τὸν Θεόν.

2 Εἶπεν ἀββᾶ Κασιανὸς ὅτι· Παρεβάλομεν ἀπὸ Παλαιστίνης εἰς Αἴγυπτόν τινι τῶν πατέρων. Καὶ φιλοξενήσας ἡμᾶς ἠρωτήθη παρ' ἡμῶν· Τίνος ἕνεκεν ἐν τῷ καιρῷ τῆς ὑποδοχῆς τῶν ξένων ἀδελφῶν τὸν κανόνα τῆς νηστείας 5 ὑμῶν ὡς ἐν Παλαιστίνῃ παρελάβομεν οὐ φυλάττετε; Καὶ ἀπεκρίθη λέγων· Ἡ νηστεία πάντοτε μετ' ἐμοῦ ἐστιν, ὑμᾶς δὲ πάντοτε κατέχειν μετ' ἐμοῦ οὐ δύναμαι· καὶ ἡ μὲν νηστεία εἰ καὶ χρήσιμόν ἐστι πρᾶγμα καὶ ἀναγκαῖον, τῆς ἡμετέρας ἐστὶ προαιρέσεως· τὴν δὲ τῆς ἀγάπης 10 πλήρωσιν ἐξ ἀνάγκης ἀπαιτεῖ ὁ τοῦ Θεοῦ νόμος. Ἑνὰ οὖν ἐξ ὑμῶν δεξάμενος τὸν Χριστὸν ὡς χρεώστης θεραπεύω μετὰ πάσης σπουδῆς. Ἐπὰν δὲ προπέμψω ὑμᾶς, τὸν κανόνα τῆς νηστείας δύναμαι ἀνακτήσασθαι. «Οὐ δύνανται γὰρ οἱ υἱοὶ τοῦ νυμφῶνος νηστεύειν ἐφ' ὅσον χρόνον μετ' 15 αὐτῶν ἐστιν ὁ νύμφιος· ὅταν δὲ ἐπαρθῇ ἀπ' αὐτῶν, τότε μετ' ἐξουσίας νηστεύσουσιν[b].»

18 οὕτως : καὶ QRTH ‖ 19 ἀπάντησιν Q ‖ 23 ἵνα παραμ. ἡμῖν *om. l* ‖ 24 ἐγκάρδια : ἐν τῇ καρδίᾳ OTMSVH ‖ 25 ἢ *om.* TMVH

2 YOQRTMSVH *l*

1 Κασσιανός O ‖ 4 ξένων *om. l* ‖ 6 λέγων : ὁ γέρων Q ‖ 7 ὑμᾶς – ἐμοῦ : οὐ πάντοτε ἔχω ἢ κατέχειν μεθ' ἑαυτοῦ H ‖ κατέχειν : ἔχειν R ‖ μετ' ἐμοῦ Y : μεθ' ἑαυτοῦ *cett.* ‖ 8 εἰ καὶ χρήσιμός ἐστι καὶ ἀναγκαία QR ‖ 9 *post* ἡμετέρας *add.* δὲ MS ‖ 10 πλήρωσιν :

fait de tort, ainsi devons-nous faire lorsque nous accueillons des frères, selon le saint Évangile : *Donnez,* dit-il en effet, *ce qui est à César à César, et ce qui est à Dieu à Dieu*[a]. Donc, lorsque des frères sont là, recevons-les avec joie ; mais lorsque nous sommes seuls, nous avons besoin que la componction demeure en nous. » L'ayant écouté, ils furent dans l'admiration de ce qu'il leur avait dit ce qu'ils avaient dans le cœur avant qu'ils ne l'interrogent ; et ils rendirent gloire à Dieu.

2 Abba Cassien dit[1] : « Nous allâmes de Palestine en Égypte chez l'un des pères. Il nous accorda l'hospitalité, et nous lui demandâmes : « Pourquoi, lorsque vous recevez des frères étrangers, n'observez-vous pas votre règle du jeûne comme dans notre tradition de Palestine ? » Et il répondit : « Le jeûne est toujours avec moi ; mais vous, je ne peux pas vous retenir toujours avec moi. Et même si le jeûne est une pratique utile et nécessaire, il dépend pourtant de notre choix ; tandis que l'accomplissement de la charité, la loi de Dieu le réclame nécessairement. En accueillant l'un de vous, je sers le Christ comme je le dois, en toute diligence ; et lorsque je vous congédierai, je pourrai reprendre la loi du jeûne. En effet, *les compagnons de l'époux ne peuvent jeûner aussi longtemps que l'époux est avec eux; mais lorsqu'il leur sera retiré, alors ils jeûneront*[b] librement. »

Cas 1
(244 A-B)

ἐκπλήρωσιν H ἐντολὴν QRT *om.* YOV || *post* ἀνάγκης *add.* ἐκπληροῦμεν ὡς YOQRTV || 11 ὡς χρ. θερ. : debeo exhibere quae charitatis sunt *l* || χρεωστῶ θεραπεῦσαι MSH || 15 ἀπάρθῃ OQT ἄρθῃ MSH

a. Lc 20, 25 b. Mt 9, 15

1. Repris de *Inst. cén.,* V, 24 (éd. Guy, *SC* 109, p. 232).

3 Εἶπε πάλιν ὅτι· Παρεβάλομεν ἑτέρῳ γέροντι καὶ ἐποίησεν ἡμᾶς γεύσασθαι. Προετρέπετο δὲ ἡμᾶς κορεσθέντας ἔτι μεταλαβεῖν τροφῆς. Ἐμοῦ δὲ εἰρηκότος μηκέτι δύνασθαι, ἀπεκρίθη· Ἐγὼ λοιπὸν ἑξάκις διαφόρων παραγενομένων
5 ἀδελφῶν τράπεζαν τέθηκα, καὶ προτρεπόμενος ἕκαστον συνήσθιον αὐτοῖς καὶ ἀκμὴν πεινῶ. Σὺ δὲ ἅπαξ τοῦτο φαγών, οὕτως ἐκορέσθης ὡς μηκέτι φαγεῖν δυνάμενος;

4 Ἐδόθη ποτὲ ἐντολὴ εἰς Σκῆτιν ὅτι· Νηστεύσατε τὴν ἑβδομάδα ταύτην καὶ ποιήσατε πάσχα. Συνέβη δὲ παραβαλεῖν ἀδελφοὺς ἀπὸ Αἰγύπτου τῷ ἀββᾷ Μωϋσῇ, καὶ ἐποίησεν αὐτοῖς μικρὸν ἕψημα. Καὶ ἰδόντες οἱ γείτονες
5 αὐτοῦ τὸν καπνὸν ἀνήγγειλαν τοῖς κληρικοῖς ὅτι· Ἰδοὺ Μωϋσῆς κατέλυσε τὴν ἐντολὴν τῶν πατέρων καὶ ἐποίησεν παρ' ἑαυτῷ ἕψημα. Οἱ δὲ εἶπαν· Ὅτε ἔλθη ἡμεῖς λαλοῦμεν αὐτῷ. Τοῦ δὲ σαββάτου γενομένου, οἱ κληρικοὶ εἰδόντες τὴν μεγάλην πολιτείαν τοῦ ἀββᾶ Μωϋσῆ λέγουσιν αὐτῷ
10 ἔμπροσθεν τοῦ λαοῦ· Ὦ ἀββᾶ Μωϋσῆ, τὴν ἐντολὴν τῶν ἀνθρώπων κατέλυσας, τὴν δὲ τοῦ Θεοῦ ᾠκοδόμησας.

5 Ἀδελφὸς παρέβαλε τῷ ἀββᾷ Ποιμένι εἰς τὰς δύο ἑβδομάδας τῆς τεσσαρακοστῆς, καὶ ἐξειπὼν τοὺς λογισμοὺς αὐτοῦ καὶ τυχὼν ἀναπαύσεως λέγει αὐτῷ· Παρ' ὀλίγον κατεσχέθην παραγενέσθαι ὧδε σήμερον. Λέγει αὐτῷ ὁ
5 γέρων· Διὰ τί; Λέγει ὁ ἀδελφός· Ὑπέλαβον μήποτε διὰ τὴν τεσσαρακοστὴν οὐκ ἀνοίγεταί μοι. Λέγει αὐτῷ ἀββᾶ

3 YOQRTMSVH *l*

1 ἑτέρῳ TMH *cf.* alium *l* : τινι *cett.* || 3 μεταλαμβάνειν V || 4 ἀπεκρίθη : εἶπεν ὁ γέρων R || ἑξάκις : ἐξ ἀνάγκης H || 5 ἕκαστον : μεθ' ἑκάστου RT ἅπαντας QMS || 7 ὡς : ὥστε TMH || δύνασθαι QTMS

4 YOQRTMSVH *l*

5 *post* κληρικοῖς *add.* ecclesiae quae illic est *l* || 7 παρ' ἑαυτῷ M apud se *l* : *om. cett.* || ὅτε : ὅταν QR || ἔλθη : ἔρχεται M || λαλοῦμεν : λέγομεν R || 8 διαγενομένου O || εἰδόντες YR : γινώσκοντες H ἰδόντες *cett.* || 9 Μωϋσέως MSV || 11 ἔλυσας M κατέλυσεν H || τὴν δὲ : τὰς δὲ TMS τὰ V καὶ τὴν H || ᾠκοδόμησας : ἐποίησεν H

3 Il dit encore[1] : « Nous allâmes chez un autre vieillard qui nous fit à manger. Alors que nous étions rassasiés, il nous invitait à reprendre de la nourriture. Et comme je lui disais ne plus le pouvoir, il répondit : Moi, c'est maintenant la sixième fois que pour différents frères qui arrivent je dresse la table ; et, invitant chacun, je mangeais avec eux et j'ai encore faim. Mais toi, qui n'as mangé qu'une fois, tu es tellement rassasié que tu ne peux plus manger ? » — Cas 3 (244 C)

4 On donna un jour ce commandement à Scété : « Jeûnez cette semaine et faites la pâque. » Or il se trouva que des frères vinrent d'Égypte chez abba Moïse qui leur fit cuire un peu de nourriture. Voyant de la fumée, ses voisins annoncèrent aux clercs : « Voilà que Moïse a violé le commandement des pères et a fait cuire quelque chose chez lui. » Ils dirent : « Lorsqu'il viendra, nous lui parlerons. » Le samedi venu, les clercs, qui savaient la grande vertu d'abba Moïse, lui disent devant tout le monde : « O abba Moïse, tu as violé le commandement des hommes, mais tu as accompli celui de Dieu. » — Mos 5 (284 B-C)

5 Un frère se rendit chez abba Poemen dans la deuxième semaine de Carême[2]. Lui exposant ses pensées et trouvant le repos, il lui dit : « Pour un peu, je me serais abstenu de venir ici aujourd'hui. » Le vieillard lui dit : « Pourquoi ? » Le frère dit : « Je me disais : Peut-être, à cause du carême, ne me sera-t-il pas ouvert. » Abba Poemen lui dit : « On — Poe 58 (336 B)

5 YOQRTMSVH *l*

1 in secunda hebdomada *l* || 3 αὐτοῦ *om.* YOQRS || τυχὼν ἀναπ. : μεγάλως ὠφεληθεὶς MS || 4 κατεσχέθη T || 5 μήποτε : ὅτι O || 6 ἀνοίγεταί M aperiretur *l* : ἀνοίγεις *cett.*

1. Repris de *Inst. cén.*, V, 25 (éd. Guy, *SC* 109, p. 234).

2. « Dans la deuxième semaine » : traduction qui suit la version latine ; litt. : « dans les deux semaines ».

Ποιμήν · Ἡμεῖς οὐκ ἐδιδάχθημεν κλείειν τὴν ξυλίνην θύραν ἀλλὰ μᾶλλον τὴν τῆς γλώσσης.

6 Ἀδελφὸς εἶπε τῷ ἀββᾷ Ποιμένι · ἐὰν δῶ τῷ ἀδελφῷ μου μικρὸν ἄρτον ἢ ἕτερόν τι οἱ δαίμονες μολύνουσι αὐτὸ ὡς κατὰ ἀνθρωπαρέσκιαν γινόμενον. Λέγει αὐτῷ ὁ γέρων · Εἰ καὶ κατὰ ἀνθρωπαρέσκιαν γίνεται, ἀλλ' ἡμεῖς τὴν χρείαν
5 δῶμεν τῷ ἀδελφῷ. Εἶπε δὲ αὐτῷ καὶ παραβολὴν τοιαύτην · Δύο ἦσαν ἄνθρωποι γεωργοὶ ἐν μιᾷ πόλει οἰκοῦντες, καὶ ὁ μὲν εἷς ἐξ αὐτῶν σπείρας ἐποίησεν ὀλίγα καὶ ἀκάθαρτα, ὁ δὲ ἄλλος ἀμελήσας τοῦ σπεῖραι οὐδὲ ὅλως ἐποίησεν. Λιμοῦ δὲ γενομένου, τίς τῶν δύο εὑρίσκεται ζῆσαι;
10 Ἀπεκρίθη ὁ ἀδελφός · Ὁ ποιήσας τὰ ὀλίγα καὶ ἀκάθαρτα. Λέγει αὐτῷ ὁ γέρων · Οὕτως οὖν καὶ ἡμεῖς σπείρωμεν ὀλίγα καὶ ἀκάθαρτα ἵνα μὴ τῷ λιμῷ ἀποθάνωμεν.

7 Ἀδελφὸς ἠρώτησεν αὐτὸν λέγων · Εἰπέ μοι ῥῆμα. Λέγει αὐτῷ ὁ γέρων ὅτι · Ὅσον δύνῃ ἐργάζου ἐργόκειρον ἵνα ἐξ αὐτοῦ παρέχῃς τῷ χρείαν ἔχοντι. Γέγραπται γὰρ ὅτι · «Ἐλεημοσύναις καὶ πίστεσιν ἀποκαθαίρονται ἁμαρτίαι[c].» Λέγει
5 αὐτῷ ὁ ἀδελφός · Τί ἐστι πίστις; Λέγει ὁ γέρων · Ἡ πίστις ἐστὶν τὸ ἐν ταπεινοφροσύνῃ διάγειν καὶ ποιεῖν ἔλεος.

8 Ἀδελφὸς παρέβαλέ τινι γέροντι καὶ ἐκβαίνων λέγει αὐτῷ · Συγχώρησόν μοι, ἀββᾶ, ὅτι κατήργασά σε ἀπὸ τοῦ κανόνος σου. Ὁ δὲ ἀποκριθεὶς εἶπεν αὐτῷ · Ὁ ἐμὸς κανών ἐστιν ἵνα ἀναπαύσω σε καὶ ἀποστείλω σε ἐν εἰρήνῃ.

7 ἐδιδ. : ἐμάθομεν M ‖ ξυλίνην *om.* R ‖ τὴν² : τὰ H *om.* M ‖ τῆς γλώσσης : γλῶσσαν O ‖ *post* γλώσσης *add.* cupimus clausam habere *l*

6 YOQRTMSVH *l*

2 *post* μολύν. *add.* μοι QRT ‖ αὐτὸ : αὐτὰ YOQRV ‖ 3 ὡς *om.* V ‖ γινόμενον : –μενα YQ διδόμενα O γίνεται R ‖ 6 οἰκοῦντες MS *l* : *om. cett.* ‖ 7 καὶ *om.* QTH ‖ ἀκάθαρτα : καθαρὰ V ‖ 8 σπεῖραι M *l* : σπόρου *cett.* ‖ ἐποίησεν : ἔσπειρεν QT ‖ 9 εὑρίσκεται Y : εὑρίσκει *cett.* ‖ 10 καὶ *om.* QT ‖ ἀκάθαρτα : καθαρά V ‖ 12 καὶ *om.* QT ‖ ἀκάθ. : καθαρὰ V ‖ τῆς λιμοῦ Y

7 YOQRTMSVH

ne nous a pas appris à fermer la porte de bois, mais plutôt celle de notre langue. »

6 Un frère dit à abba Poemen : « Quand je donne à mon frère un peu de pain ou quelque chose d'autre, les démons le souillent comme si c'était fait pour plaire aux hommes. » Le vieillard lui dit : « Même si c'est pour plaire aux hommes, donnons quand même au frère ce dont il a besoin. » Et il lui dit cette parabole : « Il y avait deux cultivateurs qui habitaient la même ville ; l'un d'eux, après avoir semé, fit une récolte petite et de mauvaise qualité, tandis que l'autre négligea de semer et ne récolta rien du tout. Si survient une famine, lequel des deux va trouver à vivre ? » Le frère répondit : « Celui qui a fait une récolte petite et de mauvaise qualité. » Le vieillard lui dit : « De même, semons donc nous aussi des graines peu nombreuses et de mauvaise qualité afin de ne pas mourir de la famine. »

Poe 51 (333 B-C)

7 Un frère lui demanda : « Dis-moi une parole. » Le vieillard lui dit : « Autant que tu le peux, fais un travail manuel afin d'avoir de quoi donner à qui est dans le besoin. Car il est écrit que *par les aumônes et les œuvres de foi sont purifiés les péchés*[c]. » Le frère lui dit : « Qu'est-ce que l'œuvre de foi ? » Le vieillard dit : « L'œuvre de foi, c'est vivre dans l'humilité et faire miséricorde. »

Poe 69b (337 C-D)

8 Un frère se rendit chez un vieillard et, en partant, il lui dit : « Pardonne-moi, abba, car je t'ai distrait de ta règle. » Mais ce dernier lui répondit : « Ma règle, c'est de te donner du repos et de te renvoyer en paix. »

N 283

1 αὐτὸν : τὸν αὐτὸν γέροντα QRT || εἶπον Y || *post* μοι *add.* πάτερ Q || 2 ἐργάζου : ἔχε O κάτεχε MS κτῆσαι V || 5 λέγει : ἀπεκρίθη O

8 YORTMSVH *l*

1 τινι γέρ. : ad quemdam solitarium *l* || ἐμβαίνων H || 2 κατήργησα O || ἀπὸ *om.* O || 4 σε[1] *om.* R || ἀποστ. : ἀπολύσω V || μετὰ εἰρήνης R

c. Pr 15, 27a (hebr. 16, 6)

9 Ἀναχωρητὴς ἐκάθητο ἐγγὺς κοινοβίου πολιτείας ποιῶν πολλάς. Καὶ συνέβη τινὰς παραβαλεῖν εἰς τὸ κοινόβιον, καὶ ἐβιάσαντο αὐτὸν παρὰ ὥραν φαγεῖν. Καὶ μετὰ ταῦτα λέγουσιν αὐτῷ οἱ ἀδελφοί· Ἄρτι οὐκ ἐθλίβης, ἀββᾶ; Ὁ
5 δὲ εἶπεν αὐτοῖς· Ἡ ἐμὴ θλῖψις ἐστὶν ὅταν ποιήσω τὸ ἴδιον θέλημα.

10 Ἔλεγον περί τινος γέροντος ἐν τῇ Συρίᾳ ὅτι παρὰ τὴν ὁδὸν τῆς ἐρήμου ἔμενεν. Καὶ αὕτη ἦν ἡ ἐργασία αὐτοῦ· οἵαν ὥραν ἤρχετο μοναχὸς ἐκ τῆς ἐρήμου ἀγαθῇ πεποιθήσει ἐποίει αὐτῷ ἀνάπαυσιν. Ἦλθεν οὖν ποτε εἷς ἀναχωρητὴς
5 καὶ ἐποίησεν αὐτῷ ἀνάπαυσιν. Ὁ δὲ οὐκ ἠθέλησε γεύσασθαι εἰπὼν ὅτι· Ἐγὼ νηστεύω. Λυπηθεὶς οὖν ὁ γέρων εἶπεν αὐτῷ· Μὴ παρέλθῃς τὸν παῖδά σου, δέομαί σου, μὴ ὑπερίδῃς με. Δεῦρο, εὐξώμεθα, καὶ ἰδοὺ δένδρον ἐστὶν ἐνταῦθα ᾧτινι συγκαμφθῇ γονυπετοῦντι καὶ εὐχομένῳ τούτῳ
10 ἐξακολουθήσωμεν. Ἔκλινεν οὖν γονὺ ὁ ἀναχωρητὴς εἰς προσευχήν, καὶ οὐδὲν γέγονεν. Ἔκλινε δὲ καὶ ὁ ξενοδόχος, καὶ εὐθέως ἔκλινε μετ' αὐτοῦ τὸ δένδρον. Καὶ πληροφορηθέντες ηὐχαρίστησαν τῷ Θεῷ τῷ θαυμαστὰ ποιοῦντι.

11 Παρέβαλόν ποτε δύο ἀδελφοὶ πρός τινα γέροντα. Ἡ δὲ συνήθεια τοῦ γέροντος ἦν τὸ μὴ ἐσθίειν καθ' ἡμέραν. Καὶ ὡς εἶδεν τοὺς ἀδελφούς, χαίρων ὑπεδέξατο αὐτοὺς καὶ εἶπεν ὅτι· Ἡ νηστεία μισθὸν ἔχει, καὶ ὁ ἐσθίων πάλιν
5 δι' ἀγάπην δύο ἐντολὰς πληροῖ ὅτι καὶ τὸ ἴδιον θέλημα ἀφῆκε, καὶ τὴν ἐντολὴν ἐπλήρωσε, ἀναπαύσας τοὺς ἀδελφούς.

9 YOQRTMSVH *l*

1 ἀναχ. : solitarius *l* ‖ 2 *post* καὶ² *add.* diuertentes ad solitarium illum *l* ‖ 3 παρεβιάσαντο MH ‖ παρὰ ὥραν φαγεῖν : παραφαγεῖν H ‖ 6 ἴδιον θέλ. : ἐμὸν θέλ. Y θέλ. μου QRT

10 YOQRTMSVH *l*

3 μοναχὸς : ἀδελφὸς H ‖ 4 εἷς : τις QRTMH ‖ 5 ἐποίησεν αὐτῷ ἀνάπ. : ille petebat ab eo ut gustaret *l* ‖ ἤθελε R ‖ 6 λυπηθεὶς οὖν ὁ

9 Près d'un cénobion demeurait un anachorète menant une vie très austère. Or il arriva que des visiteurs venant au cénobion le contraignirent à manger en dehors de l'heure. Ensuite, les frères lui disent : « N'en as-tu pas été affligé, abba? » Et il leur dit : « Mon affliction, c'est de faire ma volonté propre. » N 284

10 On disait d'un vieillard en Syrie qu'il demeurait sur la route du désert ; et voici quelle était son œuvre. A quelque heure que vienne du désert un moine, il lui faisait à manger en toute confiance. Or vint un jour un anachorète, auquel il fit à manger. Mais l'autre ne voulut pas y goûter, disant : « Je jeûne. » Alors le vieillard, peiné, lui dit : « Ne néglige pas ton serviteur, je t'en prie, ne me méprise pas. Viens, prions. Il y a ici un arbre ; nous suivrons celui de nous qui le fera pencher en mettant le genou en terre pour prier. » L'anachorète s'agenouilla donc pour la prière, et rien ne se passa. Celui qui l'accueillait s'agenouilla à son tour, et aussitôt l'arbre pencha avec lui. Ainsi affermis, ils rendirent grâce à Dieu qui fait des merveilles. N 285

11 Deux frères se rendirent un jour chez un vieillard. Or ce vieillard avait la coutume de ne pas manger chaque jour. Lorsqu'il vit les frères, il les accueillit avec joie et dit : « Le jeûne a sa récompense ; mais celui qui recommence à manger par charité accomplit deux préceptes puisqu'il abandonne son vouloir propre et accomplit le précepte de restaurer les frères. » N 288

γέρων QR *l* : καὶ λυπηθεὶς *cett.* || 9 ἐνταῦθα : ὧδε M || εὐχ. : προσευχ- TM || 12 εὐθέως *om.* S || 13 θαύματα T

11 YOQRTMSVH *l*

1 ποτε *om.* YOSVH || 5 δι' ἀγάπην *om.* YR || 6 ἐκπληροῖ O

12 Ἦν τις γέρων οἰκῶν ἐν ἐρήμῳ τόπῳ. Ἦν δὲ ἄλλος
μηκόθεν αὐτοῦ μανιχαῖος καὶ αὐτὸς πρεσβύτερος, ἐκ τῶν
λεγομένων παρ' αὐτοῖς πρεσβυτέρων. Καὶ ὡς ἦλθεν
παραβαλεῖν τινι τῶν ὁμοδόξων αὐτοῦ κατέλαβεν αὐτὸν
5 ἑσπέρα εἰς τὸν τόπον ὅπου ἦν ὁ γέρων. Καὶ ἐν ἀγωνίᾳ
γέγονε, βουλόμενος κροῦσαι καὶ εἰσελθεῖν κοιμηθῆναι παρ'
αὐτῷ. Ἤδει γὰρ ὅτι ἐγίνωσκεν αὐτὸν ὄντα μανιχαῖον,
καὶ ἐλογίζετο μήποτε οὐδὲ ἀνέχεται δέξασθαι αὐτόν.
Συσχεθεὶς δὲ τῇ ἀνάγκῃ ἔκρουσεν. Καὶ ἀνοίξας ὁ γέρων
10 καὶ γνωρίσας αὐτόν, ἐδέξατο μετὰ χαρᾶς καὶ ἐβιάσατο
αὐτὸν εὔξασθαι, καὶ ἀναπαύσας ἐκοίμησεν. Ὁ δὲ μανιχαῖος
ἐν ἑαυτῷ γενόμενος τὴν νύκτα, ἐθαύμαζε λέγων · Πῶς
οὐδεμίαν ὑποψίαν ἔλαβεν εἰς ἐμέ; Ὄντως οὗτος ἄνθρωπος
τοῦ Θεοῦ ἐστιν · Καὶ ἐλθὼν ἔπεσεν εἰς τοὺς πόδας αὐτοῦ
15 λέγων · Ἐγὼ ὀρθόδοξός εἰμι ἀπὸ τῆς σήμερον. Καὶ οὕτως
ἔμεινε μετ' αὐτοῦ.

13 Μοναχός τις θηβαῖος τῆς διακονίας ἔσχε χάρισμα παρὰ
τοῦ Θεοῦ ἵνα ἑκάστῳ τῶν ἐπερχομένων οἰκονόμῃ τὰ
πρὸς τὴν χρείαν. Συνέβη δὲ αὐτόν ποτε εἰς κώμην τινὰ
διδόναι ἀγάπην, καὶ ἰδοὺ γυνή τις ἦλθε πρὸς αὐτὸν λαβεῖν
5 ἀγάπην φοροῦσα παλαιά. Καὶ ἰδὼν αὐτὴν ὅτι παλαιὰ ἐφόρει
ἐχάλασε τὴν χεῖρα δοῦναι αὐτῇ πολλά. Καὶ συνεσπάσθη
ἡ χεὶρ αὐτοῦ καὶ ἀνήνεγκεν ὀλίγα. Καὶ ἰδοὺ ἄλλη ἦλθε
πρὸς αὐτὸν φοροῦσα καλῶς. Καὶ ἰδὼν αὐτῆς τὰ ἱμάτια
ἐχάλασε τὴν χεῖρα δοῦναι αὐτῇ ὀλίγα, καὶ ἡπλώθη ἡ χεὶρ
10 αὐτοῦ καὶ ἀνήνεγκε πολλά. Καὶ ἠρώτησε περὶ ἀμφοτέρων
καὶ ἔμαθεν ὅτι ἡ τὰ καλὰ ἱμάτια φοροῦσα ἀπὸ ἀξιολόγων

12 YOQRTMSVH *l*

1 *post* γέρων *add.* in Ægypto *l* ‖ ἐρ. τόπῳ : τῇ ἐρήμῳ MS ‖ δὲ : δὲ καὶ R ‖ 2 ἐκ *om.* YOQRTVH ‖ 3 ἦλθεν : uellet *l* ‖ *post* ἦλθεν *add.* ἐν μιᾷ QRT ‖ 5 εἰς τὸν τόπον *om.* QH ‖ ὁ γέρων : uir ille sanctus et orthodoxus *l* ‖ 6 κροῦσαι καὶ *om.* QT ‖ 7 *post* αὐτὸν *add.* ὁ γέρων QTMSVH ‖ 10 ἐδέξατο : ἐκάθητο OMSV ‖ *post* ἐδέξ. *add.* αὐτὸν QRT ‖ μετὰ χαρᾶς : χαίρων QT ‖ 11 εὔξασθαι : γεύσασθαι MS ‖

12 Il y avait un vieillard qui habitait dans un lieu désert. Et loin de lui, il y en avait un autre, manichéen, qui était prêtre, du moins de ceux qu'on appelle prêtres chez eux. Et un jour qu'il se rendait chez l'un de ses coreligionnaires, il fut surpris par le soir à l'endroit où se trouvait le vieillard, et il était dans l'angoisse, voulant frapper et entrer dormir chez lui; il savait en effet que le vieillard le connaissait comme manichéen et il craignait qu'il ne veuille pas le recevoir. Mais, poussé par la nécessité, il frappa. Et le vieillard lui ouvrit, le reconnut, l'accueillit avec joie, l'invita à prier et, après l'avoir restauré, le fit dormir. Et le manichéen, rentrant en lui-même pendant la nuit, se disait avec étonnement : « Comment n'a-t-il eu aucune méfiance envers moi? Vraiment c'est un homme de Dieu. » Et il alla se jeter à ses pieds en disant : « A partir d'aujourd'hui je suis orthodoxe. » Et ainsi il demeura avec lui. N 289

13 Un moine thébain avait reçu de Dieu un charisme du service pour procurer ce dont il avait besoin à quiconque se présentait. Or il arriva qu'un jour où il faisait la charité dans un village, une femme se présenta à lui pour la recevoir, portant de vieux vêtements. Voyant qu'elle portait de vieux vêtements, il ouvrit la main pour lui donner beaucoup. Mais sa main se referma et il rapporta peu. Puis une autre vint à lui, bien habillée. Voyant ses vêtements, il plongea la main pour lui donner peu; mais sa main s'ouvrit et il rapporta beaucoup. Alors il s'informa sur ces deux femmes, et il apprit que celle qui portait de beaux vêtements, d'origine noble, était devenue pauvre, N 287

ἐκοιμήθησαν H || 13 ἄνθρωπος : seruus *l om.* H || 14 ἐλθὼν : surgens mane *l* || 15 *post* σήμερον *add.* et non recedam a te *l* || οὕτως : deinceps *l*

13 YOQRTMSVH *l*

2 ἵνα : καὶ QR || ἐπερχομένων RV indigentibus *l* || τὰ *om.* O || 5 φορεῖ QRS φερεῖ TMVH || 6 συνεπάσθη YQ συνεστάλη M || 8 καλῶς : καλὰ V || 9 τὴν χεῖρα *om.* TMH || 11 ἱμάτια *om.* MV

οὖσα ἐπτώχευσε καὶ ὑπολήψεως χάριν ἐχρήσατο τὰ καλὰ ἱμάτια· Ἡ δὲ ἄλλη χάριν τοῦ λαβεῖν εὐποροῦσα ἐνεδύσατο παλαιά.

14 Μοναχός τις ἦν ἔχων ἀδελφὸν κοσμικὸν πτωχεύοντα, καὶ εἴ τι εἰργάζετο παρεῖχεν αὐτῷ. Ὅσον δὲ παρεῖχεν αὐτῷ πλέον ἐπτώχευεν. Ἀπελθὼν δὲ ὁ ἀδελφὸς ἀνήγγειλέ τινι γέροντι τὸ πρᾶγμα. Εἶπε δὲ αὐτῷ ὁ γέρων· Εἰ θέλεις 5 μου ἀκοῦσαι, μηκέτι δώσῃς αὐτῷ, ἀλλ' εἰπὲ αὐτῷ· Ἀδελφέ, ὅτε εἶχον παρεῖχόν σοι, καὶ σὺ οὖν ὃ εὐοδοῦσαι ἐξ ὧν ἐργάζῃ φέρε μοι. Καὶ εἴ τι ἂν ἐνέγκῃ λάμβανε παρ' αὐτοῦ, καὶ ὅπου ἐὰν ἴδῃς ξένον ἢ γέροντα πτωχὸν δὸς αὐτὸ καὶ παρακάλεσον ἵνα εὐχὴν ποιήσῃ ὑπὲρ αὐτοῦ. 10 Ἀπελθὼν δὲ ὁ ἀδελφὸς ἐποίησεν οὕτως. Καὶ ὡς ἦλθεν ὁ κοσμικὸς αὐτοῦ ἀδελφός, ἐλάλησεν αὐτῷ κατὰ τὴν παραγγελίαν τοῦ γέροντος. Καὶ ἀπῆλθε λυπούμενος. Καὶ ἰδοὺ ἐν τῇ πρώτῃ ἡμέρᾳ λαβὼν ἐκ τοῦ κήπου αὐτοῦ λεπτολάχανα ἤνεγκεν αὐτῷ. Λαβὼν δὲ αὐτὰ ὁ ἀδελφὸς 15 ἔδωκε τοῖς γέρουσιν, καὶ παρεκάλεσεν αὐτοὺς εὔξασθαι ὑπὲρ αὐτοῦ. Καὶ εὐλογηθεὶς ὑπέστρεψεν εἰς τὸν οἶκον αὐτοῦ. Ὁμοίως πάλιν ἤνεγκε λάχανα καὶ ἄρτους τρεῖς· καὶ λαβὼν ὁ ἀδελφὸς αὐτοῦ ἐποίησεν ὡς τὸ πρῶτον. Καὶ εὐλογηθεὶς πάλιν ἀπῆλθεν. Ἐλθὼν δὲ τὸ τρίτον ἤνεγκε 20 πολλὰ ἀναλώματα καὶ οἶνον καὶ ἰχθύας. Ἰδὼν δὲ ὁ ἀδελφὸς

12 *post* χάριν *add.* natalium suorum *l* || καλὰ *om.* YORSV || 13 χάριν τοῦ λαβεῖν H *l* : χήρα *cett.* || εὐποροῦσα *om. l* || ἐνεδύσατο : ἐχρήσατο H

14 YOQRTMSVH *l*

1 κοσμικὸν *om.* MS || 3 ἐπτώχευσεν RTMSVH || δὲ YMS : οὖν *cett.* || 5 *post* αὐτῷ[1] *add.* τίποτε M || 6 *post* σοι *add.* τὰ νῦν δὲ MS || καὶ σύ οὖν ὃ εὐοδοῦσαι : tu ergo modo labora et *l* || οὖν : οὐ H *om.* OMSV || ὃ : τὸ MS *om.* H || κατευοδοῦσαι H || 8 γέροντα H *l* : *om. cett.* || 9 παρακάλει S || ποιήσωσι O || 10 ἀπελθὼν : haec audiens *l* || 11 ἐπαγγελίαν V || 13 πρώτῃ ἡμ. : κυριακῇ RT quadam die *l* ||

et qu'elle utilisait ces beaux vêtements pour sauver les apparences, tandis que l'autre, afin de recevoir, bien qu'elle fût aisée, portait de vieux vêtements.

14 Un moine avait un frère vivant dans le monde, qui était pauvre et auquel il donnait le fruit de son travail. Mais plus il lui donnait, plus l'autre s'appauvrissait. Le frère alla donc chez un vieillard pour lui manifester la chose. Et le vieillard lui dit : « Si tu veux m'écouter, ne lui donne plus rien, mais dis-lui : Frère, quand j'avais quelque chose, je te le fournissais ; toi donc, ce que tu obtiendras[1] par ton travail, apporte-le-moi. Et ce qu'il t'apportera, accepte-le ; et chaque fois que tu verras un étranger ou un vieillard pauvre, donne-le-lui et supplie-le de faire une prière pour ton frère. » Le frère partit et fit ainsi ; lorsque vint son frère séculier, il lui parla selon la recommandation du vieillard, et l'autre s'en alla triste. Et le premier jour, il lui porta quelques petits légumes qu'il prit dans son champ. Le frère les prit et les donna aux vieillards en leur demandant de prier pour son frère ; et ayant reçu leur bénédiction, il retourna à sa demeure. Une seconde fois, il lui apporta de même des légumes et trois pains. Le frère les prit et fit comme la première fois. Et ayant de nouveau reçu la bénédiction, il se retira. Venant pour la troisième fois, l'autre apporta beaucoup de vivres et du vin et des poissons. En

N 286

14 *post* λεπτολ. *add.* καὶ ἄρτους τρεῖς M || 17 ὁμοίως δὲ καὶ πάλιν QTMSV καὶ πάλιν ὁμ. R || 18 αὐτοῦ *om.* Y

1. La forme εὐοδοῦσαι comme deuxième pers. sg. de l'indic. prés. de εὐοδόω est bien attestée dans nos mss. La tendance à rétablir la flexion -σαι, en réintroduisant le σ intervocalique même dans la flexion thématique (cf. P. CHANTRAINE, *Morphologie historique du grec*, Paris 1961², § 344, p. 295), est visible dès la *koinè* (cf. pour le NT Lc 16, 25 ὀδυνᾶσαι) et s'est imposée en grec moderne. Je remercie mes collègues L. Basset et J. Paramelle pour ces précisions. [BM]

αὐτοῦ ἐθαύμασε καὶ ἐκάλεσε πτωχοὺς καὶ ἀνέπαυσεν αὐτούς. Εἶπε δὲ τῷ ἀδελφῷ αὐτοῦ· Μὴ χρείαν ἔχεις ὀλίγων ἄρτων; Ὁ δὲ ἔφη· Οὐκί, κύριέ μου· ἡνίκα γὰρ ἐλάμβανον παρὰ σοῦ τί ποτε, ὡς πῦρ εἰσήρχετο εἰς τὸν
25 οἶκόν μου καὶ ἀνήλισκε αὐτά· ἐξότε δὲ οὐδὲν λαμβάνω παρὰ σοῦ, περισσεύω καὶ ὁ Θεὸς εὐλογεῖ με. Ἀπελθὼν οὖν ὁ ἀδελφὸς ἀνήγγειλε τῷ γέροντι πάντα. Ὁ δὲ γέρων λέγει αὐτῷ· Οὐκ οἶδας ὅτι τὸ ἔργον τῶν μοναχῶν πῦρ ἐστιν καὶ ὅπου ἐὰν εἰσέρχηται καίει; Τοῦτο δὲ μᾶλλον
30 ὠφελεῖ αὐτόν· τοῦ ποιεῖν αὐτὸν ἐκ τοῦ κόπου αὐτοῦ ἐλεημοσύνην καὶ λαμβάνειν εὐχὴν παρὰ τῶν ἁγίων, καὶ οὕτως εὐλογεῖται.

15 Γέρων τις ἐκαθέζετο μετὰ ἀδελφοῦ κοινόβιον. Ἦν δὲ ὁ γέρων ἐλεήμων, καὶ γενομένου λιμοῦ ἤρξαντό τινες εἰς τὴν θύραν αὐτοῦ ἔρχεσθαι καὶ λαμβάνειν ἀγάπην. Ὁ δὲ γέρων πᾶσι τοῖς ἐρχομένοις παρεῖχε ψωμία. Ἰδὼν δὲ ὁ
5 ἀδελφὸς τὸ γινόμενον λέγει τῷ γένοντι· Δός μοι τὸ μέρος μου τῶν ἄρτων, καὶ ὡς θέλεις σὺ ποίησον τὸ μέρος σου. Ὁ δὲ γέρων διεμέρισε τοὺς ἄρτους καὶ ἐποίει ἐλεημοσύνην ἐκ τοῦ μέρους αὐτοῦ. Πολλοὶ δὲ συνέτρεχον πρὸς τὸν γέροντα ἀκούοντες ὅτι πᾶσι παρέχει. Ἰδὼν δὲ ὁ Θεὸς
10 τὴν πρόθεσιν αὐτοῦ εὐλόγησε τοὺς ἄρτους καὶ οὐκ ἐξέλιπον. Ὁ δὲ ἀδελφὸς καταφαγὼν τὰ ἑαυτοῦ ψωμία λέγει τῷ γέροντι· Ἐπειδὴ ἄλλα μικρὰ ψωμία ἔχω, ἀββᾶ, λάβε με πάλιν κοινόβιον. Καὶ εἶπεν αὐτῷ ὁ γέρων· Ὡς θέλεις ποιῶ. Καὶ ἐκαθέσθησαν πάλιν κοινόβιον. Γενομένης δὲ τῆς

22 τῷ : illi seaculari *l* || 23 ἄρτων : ἥτων Q || κύριέ μου *om.* RT || 24 τί ποτε MH *l*: *om. cett.* || 24-25 εἰς τὸν οἶκόν μου *om.* MS || 25 αὐτά : τὰ ὄντα YOQRTVH πάντα S || 26 ὁ Θεὸς εὐλ. με : ὅλως εὐλογοῦμαι H || 27 *post* πάντα *add.* τὰ συμβάντα H quae facta fuerunt *l* || 28 τοῦ μοναχοῦ QTM || 29 ἀπέρχεται YOSV || 31 εὐχὴν : εὐλογίαν QRT || 31-32 καὶ οὕτως εὐλ. : τοῦτο γὰρ αὐτοῦ ποιοῦντος εὐλογεῖται παρὰ τοῦ Θεοῦ QRT et ita benedictionem consequens multiplicabitur labor eius *l*

voyant cela, son frère s'étonna, invita des pauvres et les fit manger. Et il dit à son frère : « N'as-tu pas besoin de quelques pains? » L'autre dit : « Non, mon seigneur; car lorsque je recevais quelque chose de toi, il y avait comme un feu qui pénétrait dans ma maison et qui le détruisait; mais depuis que je ne reçois plus rien de toi, je suis dans l'abondance et Dieu me bénit. » Alors le frère alla rapporter tout cela au vieillard, et le vieillard lui dit : « Ne sais-tu pas que l'œuvre des moines est du feu et que, là où elle pénètre, elle brûle? Il lui est plus utile de faire l'aumône avec le fruit de sa peine et de recevoir la prière des saints, et ainsi d'être béni. »

15 Un vieillard menait vie commune avec un frère. Or le vieillard était miséricordieux. Survint une famine et certains commencèrent à venir à sa porte pour recevoir la charité. Et, à tous ceux qui venaient, le vieillard donnait des morceaux de pain. Voyant ce qui se passait, le frère dit au vieillard : « Donne-moi ma part des pains, et toi, fais comme tu le veux avec ta part. » Et le vieillard partagea les pains et fit l'aumône avec sa part. Beaucoup accouraient chez le vieillard, entendant dire qu'il donnait à tous; et Dieu, voyant son propos, bénit les pains qui ne manquèrent pas. Quant au frère qui avait mangé ses morceaux à lui, il dit au vieillard : « Puisqu'il me reste encore quelques morceaux, abba, reprends-moi pour la vie commune. » Et le vieillard lui dit : « Je ferai comme tu veux. » Et ils menèrent à nouveau vie commune. Et

N 281

15 YO[Q]RTMSVH *l*

1 ἐκάθητο S ‖ εἰς κοινόβιον Y^ac O^ac MSVH ‖ 3 θύραν : hospitium *l* ‖ 6 ἄρτων : ψωμίων H ‖ 7 ἐμέρισε V ‖ *post* ἐποίει *add.* more solito *l* ‖ 8 μέρους] *hic. des.* Q ‖ 8-9 πρὸς τὸν γέρ. *om.* S ‖ 9 ἀκούοντες Y *l* (audientes) : ἀκούσαντες *cett.* ‖ παρεῖχεν O ‖ 10 πρόθεσιν : προαίρεσιν RT ‖ καὶ οὐκ ἐξελ. *om.* OMSVH *l* ‖ 11 *post* ἀδελφὸς *add.* qui acceperat partem suam et nulli dabat *l* ‖ 13-14 κοινόβιον – πάλιν *om.* MS ‖ 14 ἐκαθ. : ἐκάθισαν TV ‖ 14-15 γενομ. δὲ τῆς εὐθ. : facta autem iterum egestate uictualium *l*

15 εὐθηνίας, ἤρχοντο πάλιν οἱ χρῄζοντες λαμβάνειν ἀγάπην. Ἐγένετο δὲ μιᾷ τῶν ἡμερῶν καὶ εἰσελθὼν ὁ ἀδελφὸς εἶδεν ὅτι ἐξέλιπον οἱ ἄρτοι. Ἦλθε δὲ πτωχὸς καὶ εἶπεν ὁ γέρων δοῦναι αὐτῷ ἄρτον. Ὁ δὲ εἶπεν · Οὐκέτι ἔνι, πάτερ. Καὶ λέγει αὐτῷ ὁ γέρων · Εἴσελθε καὶ ζήτησον. 20 Ὁ δὲ ἀδελφὸς εἰσελθὼν πρόσεσχε καὶ εὗρε τὸ ἀρτοθέσιον πεπληρωμένον ἄρτων. Καὶ τοῦτο ἑωρακὼς ἐφοβήθη, καὶ λαβὼν ἔδωκε τῷ πτωχῷ. Καὶ γνοὺς τὴν πίστιν καὶ τὴν ἀρετὴν τοῦ γέροντος ἐδόξασε τὸν Θεόν.

16 Ἔλεγέ τις τῶν γερόντων ὅτι · ἔστι τις πολλάκις ποιῶν πολλὰ καλὰ καὶ ὁ πονηρὸς ἐμβάλλει αὐτῷ ἀκριβολογίαν εἰς ἐλάχιστα πράγματα ἵνα τὸν μισθὸν ἀπολέσῃ πάντων ὧν ἐργάζεται ἀγαθῶν. Καθημένου γάρ μοῦ ποτε ἐν 5 Ὀξυρύγχῳ πρός τινα πρεσβύτερον ποιοῦντα πολλὰς ἐλεημοσύνας, ἦλθε χήρα ζητοῦσα αὐτὸν μικρὸν σῖτον. Καὶ λέγει αὐτῇ · Ὕπαγε, φέρε μοι ἱμάτιον καὶ μετρῶ σοι. Ἡ δὲ ἤνεγκεν. Καὶ ψηλαφήσας τὸ ἱμάτιον τῇ χειρὶ εἶπεν · Μέγα ἐστίν. Καὶ κατέσχυνε τὴν χήραν. Ὅτε δὲ ἀνεχώρησεν 10 ἡ χήρα, εἶπον αὐτῷ · Ἀββᾶ, πέπρακας τὸν σῖτον τῇ χήρᾳ; Ὁ δὲ εἶπεν · Οὐχί, ἀλλὰ ἀγάπην δέδωκα αὐτῇ. Εἶπον δὲ αὐτῷ · Εἰ οὖν τὸ ὅλον δέδωκας αὐτῇ ἀγάπην, πῶς εἰς τὸ μικρὸν ἠκριβεύσω καὶ κατῄσχυνας αὐτήν;

17 Ἔλεγον περί τινος νεωτέρας ὅτι ἐτελεύτησαν οἱ γονεῖς αὐτῆς, καὶ ὑπελείφθη ὀρφανή. Ἐλογίσατο οὖν εἰς ἑαυτὴν ποιῆσαι τὸν οἶκον ἑαυτῆς ξενοδοχεῖον τῶν πατέρων τῆς Σκήτεως. Ἔμεινεν οὖν οὕτως ξενεδοχοῦσα καὶ ἐπὶ χρόνον

16 ἐγένετο *om.* TMH ‖ μιᾷ : ἐν μιᾷ RV ἐν μιᾷ δὲ TMH ‖ 17 ὅτι ἐξ. οἱ ἄρτοι : τοὺς ἄρτους λήψαντας H ‖ 18 ἄρτον : ψωμὶν OMSV ψώμια H ‖ 20 εἰσελθὼν *om.* S ‖ πρόσεσχε καὶ *om.* M ‖ 22 λαβὼν *om.* YORTSV

16 YOQRTVH *l*

2 ὁ πονηρὸς : diabolus *l* ‖ 3 ἐλάχιστα πράγματα H *l* : ἐλάχιστον πρᾶγμα *cett.* ‖ 4 *post* μοῦ *add.* φησίν YOQRTV ‖ ποτε *om.* YOQR ‖ 6 μικρὸν H *l* : *om. cett.* ‖ 7 ἱμάτιον : ἀγγεῖον R modium *l* ‖ ψηλαφ. :

l'abondance revenue, ceux qui étaient dans le besoin continuèrent à venir recevoir la charité. Il arriva un jour que le frère, en entrant, vit qu'on manquait de pain. Or un pauvre vint et le vieillard dit de lui donner du pain. L'autre dit : « Il n'y en a plus, père. » Le vieillard lui dit : « Va en chercher. » Le frère y alla et trouva la huche pleine de pains. A cette vue, il fut rempli de crainte, il en prit et en donna au pauvre. Reconnaissant alors la foi et la vertu du vieillard, il rendit gloire à Dieu.

16 L'un des vieillards disait que souvent, à qui fait beaucoup de bonnes choses, le Malin inspire de la mesquinerie sur de tout petits points afin de lui faire perdre la récompense de tout le bien qu'il fait. En effet, un jour, lorsque je demeurais à Oxyrhynque chez un prêtre qui faisait de larges aumônes, une veuve vint lui demander un peu de blé. Il lui dit : « Va, apporte moi un manteau, et je vais t'en mesurer. » Elle l'apporta. Et tâtant le manteau avec la main, il dit : « Il est grand. » Et il fit honte à la veuve. Lorsque la veuve fut partie, je lui dis : « Abba, as-tu vendu le blé à la veuve ? » Il dit : « Non, mais je lui ai donné la charité. » Je lui dis : « Si donc tu lui as tout donné en aumône, comment as-tu été mesquin sur un détail et lui as-tu fait honte ? »

N 282

17 On disait d'une jeune fille que ses parents étaient morts et qu'elle était restée orpheline. Elle se proposa de faire de sa maison un hospice pour les pères de Scété. Elle demeura donc ainsi pendant un certain temps, héber-

JnC 40 (217 A-220 A)

ἀκριβάσας H mensurans *l* || 8 τὸ ἱμάτιον : modium *l om.* R || τῇ χειρὶ : αὐτό R || 9 μέγα ἐστιν : μέγας ἐστιν ὁ σάκκος R || 9-10 ὅτε – χήρα *om.* QRH || 10 *post* ἀββᾶ *add.* πρεσβύτερε T || 13 μικρὸν : μετρὸν H || ἠκρίβευσας H

17 YO[Q]RTMSVH

2 αὐτῆς *om.* TMH || *post* ὀρφανή *add.* ὄνομα δὲ αὐτῇ Παησία MS *cf. Alph.* || εἰς ἑαυτὴν YR : *om. cett.* || 3 *post* ξενοδ. *add.* εἰς λόγον M

5 ἱκανὸν θεραπεύουσα τοὺς πατέρας. Μετὰ δὲ χρόνον τινά, ὡς ἀνηλώθη τὰ χρήματα αὐτῆς ἤρξατο ὑστερεῖσθαι. Ἐκολλήθησαν οὖν αὐτῇ διάστροφοι ἄνθρωποι καὶ μετέστησαν αὐτὴν ἀπὸ τοῦ σκόπου τοῦ ἀγαθοῦ. Καὶ λοιπὸν ἤρξατο διάγειν κακῶς, ὥστε φθάσαι αὐτὴν καὶ ἕως τοῦ 10 πορνεύειν. Ἤκουσαν οὖν οἱ πατέρες καὶ πάνυ ἐλυπήθησαν, καὶ προσκαλεσάμενοι τὸν ἀββᾶ Ἰωάννην τὸν κολοβὸν λέγουσιν αὐτῷ· Ἠκούσαμεν περὶ τῆς ἀδελφῆς ἐκείνης ὅτι κακῶς διάγει, καὶ αὐτὴ μὲν ὅτε ἠδύνατο τὴν ἀγάπην αὐτῆς ἐπεδείξατο εἰς ἡμᾶς, καὶ νῦν ἐπιδειξώμεθα καὶ ἡμεῖς 15 εἰς αὐτὴν ἀγάπην καὶ βοηθήσωμεν αὐτῇ. Σκύλθητι οὖν πρὸς αὐτὴν καὶ κατὰ τὴν σοφίαν ἥν ἔδωκέ σοι ὁ Θεὸς οἰκοδόμησον αὐτήν. Ἀπῆλθεν οὖν ἀββᾶ Ἰωάννης πρὸς αὐτὴν καὶ λέγει τῇ θυρωρῷ· μήνυσόν με πρὸς τὴν κυρίαν σου. Ἡ δὲ παρεπέμψατο αὐτὸν λέγουσα· Ὑμεῖς ἐξ ἀρχῆς 20 κατεφάγετε τὰ αὐτῆς καὶ ἴδε πτωχή ἐστιν. Λέγει αὐτῇ ὁ ἀββᾶ· Εἰπὲ αὐτῇ· Πάνυ αὐτὴν ἔχω ὠφελῆσαι. Οἱ δὲ παῖδες αὐτῆς λέγουσιν αὐτῷ ὑπομειδιῶντες· Τί γὰρ αὐτῇ θέλεις δοῦναι ὅτι θέλεις συγτυχεῖν αὐτῇ; Ἀνελθοῦσα οὖν ἡ θυρωρὸς εἶπεν αὐτῇ περὶ αὐτοῦ. Καὶ λέγει αὐτῇ ἡ 25 νεωτέρα· Οὗτοι οἱ μοναχοὶ ἀεὶ διακινοῦσι παρὰ τὴν θάλασσαν τὴν ἐρυθράν, καὶ εὑρίσκουσι μαργαρίτας. Κοσμήσασα οὖν ἑαυτὴν λέγει αὐτῇ· Κάλεσον αὐτόν. Ὡς οὖν ἦλθεν, προλαβοῦσα αὐτὴ ἐκαθέσθη ἐπὶ τὴν κλίνην. Ἐλθὼν δὲ ἀββᾶ Ἰωάννης ἐγγὺς αὐτῆς καὶ προσχὼν εἰς τὸ πρόσωπον 30 αὐτῆς λέγει αὐτῇ· Τί κατέγνως τοῦ Ἰησοῦ ὅτι εἰς τοῦτο ἦλθες; Ἀκούσασα δὲ ἀπεπάγη ὅλη. Καὶ κλίνας τὴν κεφαλὴν αὐτοῦ ὁ γέρων ἤρξατο κλαίειν σφοδρῶς. Λέγει οὖν αὐτῷ ἐκείνη· Ἀββᾶ, τί κλαίεις; Ὡς δὲ ἀνένευσε πάλιν ἔκλινεν ἑαυτὸν κλαίων καὶ λέγων· Βλέπω ὅτι ὁ Σατανᾶς παίζει

5 θεραπ. : ἀναπαύουσα RT ‖ 6 χρήματα αὐτῆς : πράγματα M ‖ 7 οὖν *om.* RT ‖ 10 οὖν YOS : δὲ *cett.* ‖ 14 ἐνεδείξατο TM ‖ 17 ἀπῆλθεν : ἦλθεν M ‖ 18 *post* λέγει *add.* τῇ γραΐδι MS ‖ 19 σου *om.* YOR ‖

geant et soignant les pères. Ensuite, ayant dépensé ses biens, elle commença à manquer. Alors des hommes pervers s'attachèrent à elle et la détournèrent de son bon propos. Finalement, elle se mit à vivre mal au point d'en venir à se prostituer. Les pères l'apprirent et en furent très chagrinés. Ils firent appel à abba Jean Colobos et lui dirent : « Nous avons appris de cette sœur qu'elle vit mal. Or, lorsqu'elle le pouvait, elle nous témoigna sa charité ; aussi maintenant, témoignons-lui à notre tour notre charité et aidons-la. Dérange-toi donc pour aller vers elle et édifie-la selon la sagesse que Dieu t'a donnée. » Abba Jean alla donc chez elle et dit à la portière : « Annonce-moi à ta maîtresse. » Mais elle le renvoya en disant : « Vous, autrefois, vous avez mangé son bien, et voici qu'elle est pauvre. » L'abba lui dit : « Dis-lui que je puis lui être très utile. » Les fils de la portière lui disent en ricanant : « Qu'as-tu donc à lui donner que tu veuilles la rencontrer? » La portière monta en parler à la jeune fille. Celle-ci lui dit : « Ces moines circulent sans cesse le long de la mer Rouge et ils trouvent des pierres. » Elle se para donc et lui dit : « Appelle-le. » Tandis qu'il venait, elle prit les devants et s'installa sur le lit. Arrivant près d'elle, abba Jean la regarda dans les yeux et lui dit : « Qu'as-tu à reprocher à Jésus que tu en viennes à cela? » En l'écoutant, elle se raidit complètement. Inclinant la tête, le vieillard commença à pleurer à chaudes larmes. Elle lui dit : « Abba, pourquoi pleures-tu? » Quand il releva la tête, il s'inclina à nouveau et dit en pleurant : « Je vois Satan s'amuser devant toi, et je ne pleurerais pas? » En

ἀπεπέμψατο M || 20 ἴδε : ἤδη OMSVH || 21 ἀββᾶ : γέρων R ἀββᾶ Ἰωάννης O || πάνυ : πάνυ γὰρ O || 23 θέλεις[1] : ἔχεις OMSVH || ἀπελθοῦσα R || 24 θυρωρὸς : γραῦς M || 25 παρὰ : περὶ R || 27 ἦλθεν : ἀνῆλθεν TM || 28 ἐπι : εἰς M || 29 εἰς YOR : ἐπὶ *cett.* || 31 *post* κλίνας *add.* κάτω M || 33 ὡς δὲ ἀνένευσε : ἀνανεύσας δὲ Y

35 εἰς τὴν ὄψιν σου, καὶ μὴ κλαύσω; Ἀκούσασα δὲ πλέον ἀπεπάγη ὅλη, καὶ λέγει αὐτῷ· Ἔνι μετάνοια, ἀββᾶ; Καὶ λέγει αὐτῇ· Ἔνι· Λέγει αὐτῷ ἐκείνη· Λάβε με ὅπου θέλεις. Καὶ λέγει αὐτῇ· Ἄγωμεν. Καὶ ἀναστᾶσα ἠκολούθησεν αὐτῷ. Προσέσχε δὲ ἀββᾶ Ἰωάννης ὅτι οὐδὲν 40 διετάξατο ἢ ἐλάλησεν περὶ τοῦ οἴκου αὐτῆς, καὶ ἐθαύμασεν. Ὡς οὖν ἔφθασαν εἰς τὴν ἔρημον βραδίον ἐγένετο. Καὶ ποιήσας ἀπὸ ψάμμου ὡς μικρὸν προσκεφάλαιον αὐτῇ καὶ σφραγίδα ποιήσας λέγει αὐτῇ· Καθεύδησον ἐνταῦθα. Ποιήσας δὲ καὶ ἑαυτῷ ἀπὸ μικροῦ διαστήματος, καὶ τὰς 45 συνήθεις εὐχὰς αὐτοῦ ποιήσαντος ἀνεκλίθη. Περὶ δὲ τὸ μεσονύκτιον διυπνισθεὶς βλέπει ὡς ὁδόν τινα φωτεινὴν ἀπὸ τοῦ οὐρανοῦ ἕως αὐτῆς ἐστηριγμένην, καὶ εἶδε τοὺς ἀγγέλους τοῦ Θεοῦ ἀναφέροντας αὐτῆς τὴν ψυχήν. Ἀναστὰς οὖν καὶ ἀπελθὼν ἔνυξεν αὐτὴν τῷ ποδί. Ὡς οὖν εἶδεν ὅτι 50 ἀπέθανεν, ἔρριψεν ἑαυτὸν δεόμενος τοῦ Θεοῦ ἐπὶ πρόσωπον, καὶ ἤκουσε φωνῆς λεγούσης ὅτι· Ἡ μία ὥρα τῆς μετανοίας αὐτῆς προσεδέχθη ὑπὲρ μετανοίας πολλῶν χρονιζόντων καὶ μὴ ἐνδεικνυμένων τὸ ἔργον τῆς τοιαύτης μετανοίας.

18 Ἀββᾶ Τιμόθεος ὁ πρεσβύτερος εἶπε τῷ ἀββᾶ Ποιμένι ὅτι· Ἔστι τις γυνὴ ἐν Αἰγύπτῳ ἥτις πορνεύει καὶ δίδωσι τὸν μισθὸν αὐτῆς ἐλεημοσύνην. Καὶ ἀποκριθεὶς ὁ γέρων εἶπε· Οὐ μένει ἐν τῇ πορνείᾳ, φαίνεται γὰρ ἐν αὐτῇ 5 καρπὸς πίστεως. Ἐγένετο δὲ ἐλθεῖν τὴν μητέρα Τιμοθέου τοῦ πρεσβυτέρου πρὸς αὐτὸν συντυχεῖν αὐτῷ. Ὁ δὲ ἠρώτησε τὴν μητέρα αὐτοῦ λέγων· Ἐκείνη ἡ γυνὴ ἔμεινε πορνεύουσα; Λέγει αὐτῷ· Καὶ προσέθηκε τοὺς ἐραστὰς ἑαυτῆς πλὴν καὶ τὴν ἐλεημοσύνην προσέθηκεν. Καὶ ἀπελθὼν

35 σου : μου M || μὴ : οὐ μὴ MSV || πλέον YR : ἐπὶ πλεῖον *cett.* || 36 ἐπάγη OMSVH || ἔνι : ἔστιν R ναί M || 37 *ante* λάβε *add.* οὐκοῦν R || 38-39 ἀναστ. ἠκολ. YRT : ἀνέστη ἀκολουθῆναι [-σαι *Alph.*] OMSVH *cf. Alph.* || 39 *post* Ἰωάννης *add.* καὶ εἶδεν T || 40 ἢ ἐλάλησεν *om.* Y || καὶ ἐθαύμ. *om.* H || 42 ἀπὸ ψάμμου : ἐκ τοῦ ἄμμου M || ἀ[πὸ ψάμ. *hic inc.* Q || ὡς *om.* QRTMV || μικρὸν *om.* R || 43 σφραγ.

entendant cela, elle se raidit encore plus et lui dit : « Est-il possible de faire pénitence, abba ? » Il lui dit : « C'est possible. » Elle lui dit : « Emmène-moi là où tu voudras. » Il lui dit : « Allons. » Et elle se leva pour le suivre. Or abba Jean remarqua qu'elle ne prit aucune disposition ni ne dit rien au sujet de sa maison, et il s'en étonna. Lorsqu'ils arrivèrent au désert, il se fit tard. Avec du sable, il lui fit une sorte de petit oreiller, il la signa et lui dit : « Dors ici. » Il fit de même pour lui un peu plus loin et, après avoir achevé ses prières habituelles, il se coucha. Réveillé vers le milieu de la nuit, il voit comme un chemin lumineux s'étendant du ciel jusqu'à elle et il vit les anges de Dieu qui enlevaient son âme. Il se leva donc et alla la toucher du pied. Lorsqu'il vit qu'elle était morte, il se jeta la face contre terre en suppliant Dieu, et il entendit une voix lui dire : « Son unique heure de pénitence a été mieux accueillie que celle de beaucoup qui s'y attardent sans manifester l'œuvre d'une telle pénitence. »

18 Abba Timothée le Prêtre dit à abba Poemen : « Il y a en Égypte une femme qui se prostitue et donne son gain en aumône. » Le vieillard lui répondit : « Elle ne demeure pas dans la prostitution, car apparaît en elle un fruit de la foi. » Or il se trouva que la mère du prêtre Timothée vint la trouver ; et il demanda à sa mère : « Cette femme est-elle demeurée dans la prostitution ? » Elle lui dit : « Elle a même augmenté ses amants, mais aussi ses aumônes. »

Tim 1 (429 A-B)

ποιήσας : σφραγισάμενος TM ‖ 43-45 λέγει – ποιήσαντος *om.* QRT ‖ 45 ποιήσαντος : ποίησας αὐτός MS ‖ 46 ὡς *om.* M ‖ 49 οὖν[1] YOS : δὲ *cett.* ‖ 52 μετάνοιαν MSH *om.* QT ‖ 53 τὸ ἔργον : τὰ ἔργα QR ‖ τοιαύτης *om.* R

18 YOQRTMSVH

4 αὐτῇ : αὐτῷ Y ‖ 5 πίστεως : μετανοίας T ‖ 8 *post* αὐτῷ *add.* ναί QTM ἡ μήτηρ αὐτοῦ R ‖ 9-11 καὶ ἀπ. – ταῦτα : καὶ ἀπελθὼν [ἀπ. *om.* M] ἀνήγγειλεν ἀββᾶ Τιμόθεος τῷ ἀββᾷ Ποιμένι OMSVH

10 ἀββᾶ Τιμόθεος πρὸς τὸν ἀββᾶ Ποιμὴν ἀνήγγειλεν αὐτῷ ταῦτα. Ὁ δὲ εἶπεν· Οὐ μένει ἐν τῇ πορνείᾳ. Ἦλθε δὲ πάλιν ἡ μήτηρ τοῦ ἀββᾶ Τιμοθέου καὶ εἶπεν αὐτῷ· Οἶδας ὅτι ἐκείνη ἡ πόρνη ἐζήτει συνεξελθεῖν μετ' ἐμοῦ ἵνα εὔξῃ ὑπὲρ αὐτῆς, καὶ οὐ κατεδεξάμην; Ὁ δὲ ἀκούσας ἀπήγγειλε 15 τῷ ἀββᾶ Ποιμένι, καὶ λέγει αὐτῷ ἀββᾶ Ποιμήν· Μᾶλλον σὺ ἄπελθε καὶ σύντυχε αὐτῇ. Καὶ ἀπελθὼν ἀββᾶ Τιμόθεος συνέτυχεν αὐτῇ. Ἡ δὲ ὡς εἶδεν αὐτὸν καὶ ἤκουσε τὸν λόγον τοῦ Θεοῦ παρ' αὐτοῦ ἔκλαυσε πολλὰ καὶ κατενύγη καὶ εἶπεν αὐτῷ· Ἐγὼ ἀπὸ τοῦ νῦν παύομαι τοῦ πορνεύειν 20 καὶ προσκολλῶμαι τῷ φόβῳ τοῦ Θεοῦ. Καὶ εὐθέως πορευθεῖσα εἰσῆλθεν εἰς μοναστήριον γυναικῶν καὶ εὐηρέστησε τῷ Θεῷ μεγάλως.

19 Εἶπεν ἡ ἀμμᾶ Σάρρα ὅτι· Καλὸν τὸ ποιεῖν ἐλεημοσύνην. Εἰ γὰρ καὶ δι' ἀνθρωπαρεσκείαν ποιεῖ τις τὸ πρῶτον, ἀλλὰ ἀπὸ ἀνθρωπαρεσκείας ἔρχεται εἰς φόβον Θεοῦ.

10 αὐτῷ *om.* YQ ‖ 13 συνεξ. : ἐξελθεῖν OQSVH ἐλθεῖν M ‖ μετ' ἐμοῦ : σὺν ἐμοὶ Q ‖ 15 ἀββᾶ Ποιμήν : γέρων R ‖ 15-16 ἀπελθὼν ... συνέτυχεν YQ : ἀπῆλθεν ... καὶ συνέτ. *cett.* ‖ 17 ὡς : ἡδέως O ‖ ὡς εἶδεν : ἰδοῦσα QTM ‖ ἤκουσε : ἀκούσασα QTM ‖ 18 παρ' αὐτοῦ : λαλουμένου ὑπ' αὐτοῦ H ‖ 19 τοῦ νῦν : τῆς σήμερον M ‖ 19-20 παύομαι τοῦ π. καὶ *transp. infra. (lin. 20)* OM ‖ 20 *post* Θεοῦ *add.* καὶ παύομαι τοῦ πορνεύειν O καὶ οὐ προσθήσω ἔτι πορν. M ‖ 21-22 πορευθ. *ad fin.* : εἰσελθοῦσα εἰς μοναστήριον εὐηρέστησε τῷ Θεῷ M *(cf. Alph.)* ‖ 22 μεγάλως *om.* Q

Et abba Timothée, allé chez abba Poemen, le lui annonça. L'autre dit : « Elle ne demeure pas dans la prostitution. » La mère de Timothée vint à nouveau et lui dit : « Sais-tu que cette prostituée cherchait à venir avec moi pour que tu pries pour elle? Mais je n'y ai pas consenti. » Entendant cela, il le rapporta à abba Poemen qui lui dit : « Vas-y plutôt toi-même et rencontre-la. » Et abba Timothée alla la rencontrer. Lorsqu'elle le vit et entendit de lui la parole de Dieu, elle pleura abondamment et, dans sa componction, lui dit : « Désormais je cesse de me prostituer et je m'attache à la crainte de Dieu. » Partant aussitôt, elle alla dans un monastère de femmes et plut grandement à Dieu.

19 Amma Sarra dit : « Il est bien de faire l'aumône. Même si, au commencement, on le fait pour plaire aux hommes, on en vient de là à la crainte de Dieu. » Sar 7 (421 A)

19 YOQRTMSVH
2 καὶ : κἂν TMS ‖ ἀνθρωπαρεσκείας O ‖ 2-3 ἀνθρ. – ἀπὸ *om.* V ‖ 3 εἰσέρχεται V ‖ φόβον Θεοῦ : θεαρεσκείαν H

XIV

Περὶ ὑπακοῆς

1 Εἶπεν ἀββᾶ Ἀντώνιος ὅτι· Ὑπακοὴ μετὰ ἐγκρατείας ὑποτάσσει θηρία.

2 Ὁ μακάριος Ἀρσένιος εἶπέ ποτε τῷ ἀββᾶ Ἀλεξάνδρῳ· Ὅταν ἀποσχίσῃς τὰ θαλλία σου δεῦρο γεῦσαι μετ' ἐμοῦ· ἐὰν δὲ ἔλθωσι ξένοι φάγε μετ' αὐτῶν. Ὁ δὲ ἀββᾶ Ἀλέξανδρος ὁμαλῶς εἰργάζετο καὶ ἐπιεικῶς. Καὶ ὡς
5 γέγονεν ἡ ὥρα, ἀκμὴν εἶχε θαλλία. Καὶ θέλων πληρῶσαι τὸν λόγον τοῦ γέροντος ἔμεινε πληρῶσαι τὰ βαΐα. Ὁ δὲ ἀββᾶ Ἀρσένιος ὡς εἶδεν ὅτι ἐχρόνισεν ἐγεύσατο λογισάμενος ὅτι μήποτε ξένους ἔσχεν. Ὁ δὲ ἀββᾶ Ἀλέξανδρος ὡς ἐτέλεσεν ὀψὲ τὰ θαλλία ἀπῆλθεν· καὶ λέγει αὐτῷ ὁ γέρων·
10 ξένους ἔσχες; Καὶ λέγει· Οὐχί. Εἶπε δὲ αὐτῷ· Πῶς οὖν οὐκ ἦλθες; Ὁ δὲ λέγει· Ὅτι εἶπες μοι· Ὅταν ἀποσχίσῃς τὰ θαλλία σου τότε ἐλθέ. Καὶ τηρῶν τὸν λόγον σου οὐκ ἦλθον ὅτι ἄρτι ἐπλήρωσα. Καὶ ἐθαύμασεν ὁ γέρων τὴν ἀκρίβειαν αὐτοῦ καὶ λέγει αὐτῷ· Ταχύτερον κατάλυε ἵνα

Tit. YOQRTMSVH *l*
1 YOQRTMSVH
1 ὑπακοή : ἡ ὑποταγή M ‖ 2 θηρία : καὶ τὰ [τὰ *om.* S] θ. MS
2 YOQRTMSVH *l*
1 μακάριος : beatae memoriae abbas *l* ‖ ποτε *om.* Q ‖ 2 ἀποσχ. : ἀπόσχῃ QTH ἀπὸ ἔχῃς V perexpenderis *l* ‖ δεῦρο : δεῦ YO[pc] ἐλθὲ QR ‖ 3 αὐτῶν : αὐτοῦ Q ‖ 4 ὁμαλῶς : καλῶς R ‖ γέγονε : ἐγένετο R ‖ πληρῶσαι : τηρῆσαι TMSV ‖ 6 ἀνέμεινε MSH ‖ βαΐα : θαλλία MSH ‖

XIV

De l'obéissance

1 Abba Antoine dit : « L'obéissance jointe à la continence donne pouvoir sur les bêtes sauvages. »

Ant 36 (88 A-B)

2 Le bienheureux Arsène dit un jour à abba Alexandre : « Lorsque tu auras taillé tes feuilles de palmier, viens manger avec moi ; mais si des hôtes arrivent, mange avec eux. » Or abba Alexandre travaillait de façon égale et méticuleuse. Aussi, quand vint l'heure, il avait encore des feuilles. Et voulant accomplir la parole du vieillard, il resta pour achever les feuilles. Abba Arsène, voyant qu'il tardait, mangea en pensant qu'il avait sans doute des hôtes. Mais abba Alexandre, lorsqu'il eut tardivement terminé ses feuilles, partit, et le vieillard lui dit : « Tu as eu des hôtes ? » Il répondit que non. L'autre lui dit : « Comment, alors, n'es-tu pas venu ? » Il dit : « Parce que tu m'as dit : Viens lorsque tu auras taillé tes feuilles. Pour garder ta parole, je ne suis pas venu parce que je viens juste d'achever. » Et le vieillard admira sa rigueur et lui

Ars 24 (93 C-96 A)

8 ὅτι *om.* YO || *post* ἔσχεν *add.* et cum ipsis gustauerit *l* || 8-9 ὡς – ἀπῆλθεν : posteaquam explicauit uespere, perrexit ad abbatem Arsenium *l* || 9 τὰ θαλλία Y : τὰ βαΐα QRT *om. cett.* || 10 οὖν *om.* O || ἀποσχ. : ἀπόσχῃ QT ἀπόσχῃς OVH defecerint *l* || 12 τότε *om.* MS || 12-13 οὐκ – ἐπλήρωσα : ἄρτι τελέσας αὐτὰ ἦλθον YOQRTV

15 καὶ τὴν σύναξίν σου ποιῇς καὶ τοῦ ὕδατος σου μεταλάβῃς. Εἰ δὲ μή γε ταχέως ἔχει τὸ σῶμα σου ἀσθενῆσαι.

3 Παρέβαλεν ἀββᾶ Ἀβραὰμ τῷ ἀββᾶ Ἀρί, καὶ καθημένων αὐτῶν ἦλθε καὶ ἄλλος ἀδελφὸς πρὸς τὸν γέροντα καὶ εἶπεν αὐτῷ · Εἰπέ μοι τί ποιήσω ἵνα σωθῶ. Καὶ λέγει αὐτῷ ὁ γέρων · Ὕπαγε, ποίησον τὸν ἐνιαυτὸν τοῦτον κατ' ὀψὲ 5 ἐσθίων ἄρτον καὶ ἅλας, καὶ δεῦρο πάλιν καὶ λαλῶ σοι. Καὶ ἀπελθὼν ἐποίησεν οὕτως. Πληρωθέντος δὲ τοῦ ἐνιαυτοῦ, ἦλθε πάλιν ὁ ἀδελφὸς πρὸς τὸν ἀββᾶ Ἀρί. Ηὑρέθη δὲ πάλιν ἀββᾶ Ἀβραὰμ ἐκεῖ. Καὶ πάλιν ὁ γέρων εἶπε τῷ ἀδελφῷ · Ὕπαγε, νήστευσον τὸν ἐνιαυτὸν τοῦτον δύο δύο. 10 Καὶ ὡς ἀπῆλθεν ὁ ἀδελφός, λέγει ἀββᾶ Ἀβραὰμ τῷ ἀββᾶ Ἀρί · Διὰ τί ὅλοις τοῖς ἀδελφοῖς μετὰ ζυγοῦ ἐλαφροῦ λαλεῖς, καὶ τῷ ἀδελφῷ τούτῳ φορτία βαρέα ἐπιτιθεῖς; Λέγει αὐτῷ ὁ γέρων · Οἱ ἀδελφοὶ καθὼς ἔρχονται ζητοῦντες οὕτως καὶ ὑπάγουσιν. Οὗτος δὲ διὰ τὸν Θεὸν ἔρχεται 15 ἀκοῦσαι λόγον – ἐργατὴς γάρ ἐστιν – καὶ εἴ τι ἐὰν εἴπω αὐτῷ μετὰ σπουδῆς ποίει · διὰ τοῦτο κἀγὼ λαλῶ αὐτῷ τὸν λόγον τοῦ Θεοῦ.

4 Διηγήσαντο περὶ τοῦ ἀββᾶ Ἰωάννου τοῦ Κολοβοῦ ὅτι ἀναχωρήσας πρὸς θηβαῖον γέροντα ἐν Σκήτει ἐκάθητο ἐν τῇ ἐρήμῳ · Λαβὼν δὲ ὁ ἀββᾶ αὐτοῦ ξύλον ξηρὸν ἐφύτευσεν καὶ εἶπεν αὐτῷ · Καθ' ἡμέραν πότιζε αὐτὸ λαγύνιον ὕδατος 5 ἕως οὗ καρπὸν ποιήσῃ. Ἦν δὲ μακρὰν τὸ ὕδωρ ἀπ' αὐτῶν ὡς ἀπὸ ὀψὲ ἀπελθεῖν καὶ ἐλθεῖν πρωΐ. Μετὰ δὲ τρία ἔτη ἐποίησε καρπόν, καὶ λαβὼν ὁ γέρων τὸν καρπὸν

15 ποιήσῃς OV βάλῃς MSH || *post* ποιῇς *add.* ἀταράχως YOQRTV || καὶ² – μεταλάβῃς *om.* H || μεταλαμβάνῃς QRTMSV

3 YOQRTMSVH *l*

1 *(et passim)* Ἄρρη QR Ἀρη M Arem *l* || 2 ἄλλος : quidam *l* || 3 *post* μοι *add.* πάτερ QR || 4 τοῦτον *om.* R || 5 λαλήσω V λέγω H || 7 ἀβ. Ἀρί : γέροντα QR || 8-9 τῷ ἀδ. *om.* QTMSV || 9 *post* νήστ. *add.* καὶ OTMSV || 12 λαλεῖς : λέγεις QR imponis *l* || 13 οἱ : alii *l* ||

dit : « Dépêche-toi de rompre le jeûne afin de faire ta synaxe, et bois de ton eau sinon ton corps sera bientôt malade. »

3 Abba Abraham alla trouver abba Arès. Tandis qu'ils étaient assis, un autre frère vint chez le vieillard et lui dit : « Dis-moi que faire pour être sauvé. » Le vieillard lui dit : « Va, passe toute cette année en mangeant chaque soir du pain et du sel, puis reviens et je te parlerai. » Il partit et fit ainsi. Une fois l'année écoulée, le frère revint chez abba Arès. Or il se trouva qu'abba Abraham à nouveau était là. Et le vieillard dit encore au frère : « Va, durant cette année jeûne un jour sur deux. » Le frère parti, abba Abraham dit à abba Arès : « Pourquoi à tous les frères parles-tu avec un joug léger, et à celui-ci imposes-tu des charges pesantes ? » Le vieillard lui dit : « Selon ce qu'ils viennent chercher, les frères s'en retournent ; lui, c'est à cause de Dieu qu'il vient entendre une parole – car c'est un travailleur – et il accomplit avec empressement ce que je lui dis. C'est pour cela que, moi aussi, je lui dis la parole de Dieu. »

Ar 1 (132 C-133 A)

4 On racontait d'abba Jean Colobos que, s'étant retiré à Scété auprès d'un vieillard thébain, il demeurait dans le désert. Son abba, prenant un bois sec, le planta et lui dit : « Chaque jour arrose-le d'une bouteille d'eau jusqu'à ce qu'il donne du fruit. » Or l'eau était loin de chez eux : il fallait partir le soir et revenir le matin. Au bout de trois ans, le bois produisit du fruit. Le vieillard prit ce

JnC 1 (204 C)

13-14 ζητ. οὕτως καὶ *om.* H ‖ 15 ἀκοῦσαι λόγον MS *l* : *om. cett.* ‖ γὰρ *om.* O ‖ ἐὰν *om.* Q ‖ εἴπω MS *l* : εἴπῃς *cett.* ‖ 16 *post* τοῦτο *add.* οὖν Q οὖν λοιπόν R

4 YOQRTMSVH *l*

4 αὐτὸ YQ : τοῦτο *cett.* ‖ 5 δὲ : δὲ οὕτως QT ‖ 6 αὐτῶν : αὐτοῦ QT ‖ ὡς *om.* YORVH ‖ 7 *post* ἔτη *add.* uiruit lignum illud et *l*

αὐτοῦ ἤνεγκεν εἰς τὴν ἐκκλησίαν λέγων τοῖς ἀδελφοῖς· Λάβετε, φάγετε καρπὸν ὑπακοῆς.

5 Ἔλεγον περὶ τοῦ ἀββᾶ Ἰωάννου τοῦ μαθητοῦ τοῦ ἀββᾶ Παύλου ὅτι εἶχε μεγάλην ὑπακοήν. Ἦν δὲ ἔν τινι τόπῳ μνημεῖον καὶ ᾤκει ἐν αὐτῷ ὕαινα κακή. Εἶδε δὲ ὁ γέρων εἰς τὸν τόπον ἐκεῖνον βόλβιτα, καὶ λέγει τῷ Ἰωάννῃ 5 ἀπελθεῖν καὶ ἐνεγκεῖν αὐτά. Ὁ δὲ λέγει αὐτῷ· Καὶ τί ποιήσω, ἀββᾶ, διὰ τὴν ὕαιναν; Ὁ δὲ γέρων χαριεντιζόμενος λέγει αὐτῷ· Ἐὰν ἔλθῃ ἐπάνω σου, δῆσον αὐτὴν καὶ φέρε ὧδε. Ἀπῆλθεν οὖν ὁ ἀδελφὸς ἐκεῖ ὀψέ, καὶ ἰδοὺ ἦλθεν ἡ ὕαινα ἐπάνω αὐτοῦ. Ὁ δὲ κατὰ τὸν λόγον τοῦ γέροντος ὥρμησε 10 κρατῆσαι αὐτήν. Ἔφυγε δὲ ἡ ὕαινα. Καὶ διώκων αὐτὴν ἔλεγεν· Μεῖνον, ὁ ἀββᾶ μου εἶπέ μοι ἵνα σε δεσμεύσω. Καὶ κρατήσας αὐτὴν ἔδησεν. Ἐθλίβετο δὲ ὁ γέρων καὶ ἐκάθητο περιμένων αὐτόν. Καὶ ἰδοὺ ἦλθε φέρων τὴν ὕαιναν δεδεμένην. Ἰδὼν δὲ ὁ γέρων ἐθαύμασεν. Καὶ θέλων 15 ταπεινῶσαι αὐτόν, ἔτυψεν αὐτὸν λέγων· Σαλέ, κύνα σαλὸν ἤνεγκάς μοι ὧδε; Ἔλυσε δὲ αὐτὴν ὁ γέρων καὶ ἀφῆκεν ἀπελθεῖν.

6 Εἶπεν ἀββᾶ Μωϋσῆς τινι ἀδελφῷ· Κτησώμεθα τὴν ὑπακοὴν τὴν γεννῶσαν τὴν ταπείνωσιν καὶ τὴν φέρουσαν τὴν ὑπομονὴν καὶ τὴν μακροθυμίαν καὶ τὴν κατάνυξιν καὶ τὴν φιλαδελφίαν καὶ τὴν ἀγάπην· ταῦτα γάρ εἰσι τὰ ὅπλα 5 ἡμῶν τὰ πολεμικά.

7 Εἶπε πάλιν· Δεῦρο, ἄδελφε, εἰς τὴν ὑπακοὴν τῆς ἀληθείας, ὅπου ἔστι ταπείνωσις, ὅπου ἔστιν ἰσχύς, ὅπου

5 YOQRTMSVH *l*
1 ἀββᾶ[1] *om.* *l* ‖ 3 μνημεῖα OH memoria *l* ‖ ἐν αὐτῷ QRT *l* : ἐκεῖ *cett.* ‖ ὕαινα : leaena *l* ‖ 5 ἐνέγκαι QR ‖ 8 ἐκεῖ ὀψὲ *om.* QRTH ‖ *post* ἰδοὺ *add.* ὀψὲ QRT ‖ 11 μεῖνον *om.* OMSVH ‖ 13 *post* ἰδοὺ *add.* tarde *l* ‖ φέρων YQ : ἔχων *cett.* ‖ 15 σαλέ : bauose *l*
6 YOQRTMSVH
1 Μωσῆς QR ‖ 2 καὶ *om.* TMSH ‖ φοροῦσαν Q ‖ 4 καὶ τὴν ἀγάπην *post* μακροθ. *transp.* QR

fruit et le porta à l'église en disant aux frères : « Prenez, mangez le fruit de l'obéissance[1]. »

5 On disait d'abba Jean, le disciple d'abba Paul, qu'il avait une grande obéissance. Or il y avait quelque part un tombeau dans lequel habitait une hyène féroce ; et en ce même endroit le vieillard vit de la bouse et dit à abba Jean d'aller et de la rapporter. Celui-ci lui dit : « Et que ferai-je, abba, cause de l'hyène ? » Et le vieillard en plaisantant lui dit : « Si elle te saute dessus, attache-la et apporte-la ici. » Le frère y alla donc le soir, et l'hyène vint sur lui. Et lui, selon la parole du vieillard, il s'élança pour la prendre. Mais l'hyène s'enfuit ; et il la poursuivit en disant : « Attends, mon abba m'a dit de t'attacher. » Et se saisissant d'elle, il l'attacha. Or le vieillard s'inquiétait, assis à l'attendre, lorsqu'il vint conduisant l'hyène attachée. A cette vue, le vieillard s'étonna et, voulant l'humilier, il le frappa en disant : « Stupide, tu m'as amené ici un chien stupide ? » Et le vieillard détacha l'hyène et la laissa partir.

JnPa 1 (240 B-C)

6 Abba Moïse dit à un frère : « Acquérons l'obéissance qui engendre l'humilité et qui apporte l'endurance, la longanimité, la componction, l'amour des frères et la charité ; car telles sont nos armes pour le combat. »

7 Il dit encore : « Allons, frère, vers l'obéissance à la vérité ; là est l'humilité, là est la force, là est la joie, là

7 YOQRTVH
2 ὅπου[1] – ἰσχύς *om.* T

1. Ce récit est rapporté, sous une forme sans doute plus authentique, par Jean Cassien qui l'attribue au célèbre Jean de Lycopolis (*Inst. cén.* IV, 24, 2-4) ; on le retrouve, encore enjolivé, dans le panégyrique copte de Jean Colobos par Zacharie, fin VIIe siècle (Amelineau, p. 347-348). La littérature occidentale sur l'obéissance le réemploie très souvent.

ἔστι χαρά, ὅπου ἔστιν ὑπομονή, ὅπου ἔστι φιλαδελφία, ὅπου ἔστι μακροθυμία, ὅπου ἔστι κατάνυξις, ὅπου ἔστιν
5 ἀγάπη. Ὁ γὰρ ἔχων ἀγάπην πασῶν τῶν ἐντολῶν τοῦ Θεοῦ πεπλήρωται[a].

8 Εἶπε πάλιν · Μοναχὸς νηστεύων ὑπὸ πατέρα ὢν πνευματικόν, μὴ ἔχων ὑπακοὴν καὶ ταπείνωσιν, ὁ τοιοῦτος οὐδεμίαν ἀρετὴν οὐ μὴ κτήσηται, οὐδὲ οἶδε τί ἐστι μοναχός.

9 Εἶπε πάλιν · Ἡ ὑπακοὴ ἀνθ' ὑπακοῆς ἐστιν. Εἴ τις ὑπακούει τῷ Θεῷ, ὁ Θεὸς εἰσακούει αὐτοῦ.

10 Ἔλεγον περὶ τοῦ ἀββᾶ Μεγεθίου ὅτι διὰ δύο ἐσθίων ἕνα ἄρτον ἔτρωγεν. Συντυχὼν οὖν τῷ ἀββᾶ Σισόῃ καὶ τῷ ἀββᾶ Ποιμένι ἠρώτα αὐτοὺς περὶ τούτου. Καὶ λέγουσιν αὐτῷ · Τέκνον, εἰ θέλεις ἀκοῦσαι ἡμῶν, φάγε καθ' ἡμέραν
5 τὸ ἥμισυ τοῦ ἄρτου. Καὶ ποιήσας οὕτως εὗρεν ἀνάπαυσιν.

11 Ἔλεγον περὶ τοῦ ἀββᾶ Σιλουανοῦ ὅτι εἶχεν ἐν Σκήτει μαθητὴν ὀνόματι Μάρκον. Ἦν δὲ ἔχων ὑπακοὴν μεγάλην, καὶ ἦν καλλιγράφος. Ἠγάπα δὲ αὐτὸν ὁ γέρων διὰ τὴν ὑπακοὴν αὐτοῦ. Εἶχε δὲ καὶ ἄλλους ἕνδεκα μαθητάς, καὶ
5 ἐθλίβοντο ὅτι ἠγάπα αὐτὸν ὑπὲρ αὐτούς. Καὶ ἀκούσαντες οἱ γέροντες ἐλυποῦντο. Ἦλθον δὲ ἐν μιᾷ πρὸς αὐτὸν οἱ γέροντες, καὶ λαβὼν αὐτοὺς ἐξῆλθεν καὶ ἔκρουσε κατὰ κελλίον λέγων · Ὁ δεῖνα ἄδελφε, δεῦρο ὅτι χρῄζω σε. Καὶ εἷς ἐξ αὐτῶν οὐκ ἠκολούθησεν αὐτῷ εὐθύς. Καὶ ἦλθεν
10 ἐπὶ τὴν κέλλαν τοῦ Μάρκου, καὶ ἔκρουσεν ὁ γέρων λέγων ·

3-4 φιλαδ. ... μακροθ. : μακροθ. ... φιλαδ. *transp.* RTVH || 5 ἀγάπην : ὑπακοὴν ἀγαθὴν OVH || 5-6 τοῦ Θεοῦ *om.* QT

8 YORVH

2 μὴ : καὶ μὴ R

9 YOQRTV

1 ὑπακοῆς : ὑπακοή YQR || τις : τις γὰρ QRTV || 2 τῷ Θεῷ : τοῦ Θεοῦ QRTV

10 YOQRTVH

2 *post* οὖν *add.* οὗτος ORTVH αὐτὸς Q || 3 ἠρώτησεν OTVH || 4 *post* αὐτῷ *add.* ἐκεῖνοι QR

est l'endurance, là est l'amour des frères, là est la longanimité, là est la componction, là est la charité. Or qui a la charité est accompli dans tous les commandements de Dieu[a]. »

8 Il dit encore : « Un moine jeûneur qui est dans la dépendance d'un père spirituel sans avoir d'obéissance et d'humilité, ce moine ne peut acquérir aucune vertu ; il ne sait même pas ce que c'est qu'être moine. »

9 Il dit encore : « L'obéissance répond à l'obéissance ; si quelqu'un obéit à Dieu, Dieu l'exauce. » Miôs 1 (301 B)

10 On disait d'abba Mégéthios qu'il mangeait un jour sur deux d'un seul pain. Rencontrant abba Sisoès et abba Poemen, il les interrogeait à ce propos. Et ils lui disent : « Mon enfant, si tu veux nous écouter, mange chaque jour la moitié du pain. » Et faisant ainsi, il trouva la paix. Még 2b (301 A)

11 On disait d'abba Silvain qu'il avait à Scété un disciple nommé Marc. Il avait une grande obéissance et était calligraphe, et le vieillard l'aimait à cause de son obéissance. Mais il avait onze autres disciples qui souffraient de ce qu'il l'aimait plus qu'eux. Les vieillards l'apprirent et s'en affligèrent ; aussi vinrent-ils une fois chez lui. Il les emmena avec lui et frappa à chaque cellule en disant : « Frère un tel, viens ; j'ai besoin de toi. » Et aucun d'eux ne le suivit aussitôt. Puis le vieillard vint à la cellule de Marc et frappa McSil 1 (293 D-296 A)

11 YOQRTMSVH *l*
4 *post* αὐτοῦ *add.* ὑπὲρ τοὺς λοιπούς QRT || εἶχε δὲ : ἦν γὰρ ἔχων QRT || ἕνδεκα H *l* *cf. Alph.* : δεκατέσσαρα *cett.* || 6 γέροντες : uicini senes *l* || 7 *post* γέροντες *add.* καὶ ἀνήγγειλαν αὐτῷ τὸ πρᾶγμα H || 9 εἷς : οὐδεὶς MV || καὶ[2] : ὡς δὲ QRT || ἦλθεν : ἦλθον O || 10-11 ὁ γέρ. λέγ. ... ὁ δὲ *om.* QRT

---

a. Cf. Ga 5, 14

Μάρκε. Ὁ δὲ ἀκούσας τὴν φωνὴν τοῦ γέροντος εὐθέως ἐπήδησεν ἔξω. Καὶ ἔπεμψεν αὐτὸν εἰς διακονίαν. Καὶ λέγει τοῖς γέρουσιν· Ποῦ εἰσιν οἱ λοιποὶ ἀδελφοί, πατέρες; Καὶ εἰσελθὼν εἰς τὴν κέλλαν αὐτοῦ ἐψηλάφησεν τὸ τετραδίον
15 αὐτοῦ καὶ ηὗρεν ὅτι τὸ Ω ἤρξατο, καὶ ἀκούσας τῆς φωνῆς τοῦ γέροντος οὐκ ἔστρεψε τὸν κάλαμον τοῦ πληρῶσαι αὐτό. Λέγουσιν οὖν οἱ γέροντες· Ὄντως ὃν σὺ ἀγαπᾷς, ἀββᾶ, καὶ ἡμεῖς ἀγαπῶμεν, ὅτι καὶ ὁ Θεὸς αὐτὸν ἀγαπᾷ.

12 Κατῆλθέ ποτε ἡ μήτηρ τούτου τοῦ ἀδελφοῦ Μάρκου ἰδεῖν αὐτόν, καὶ εἶχε πολλὴν φαντασίαν. Καὶ ἐξῆλθεν ὁ γέρων πρὸς αὐτήν. Ἡ δὲ εἶπεν αὐτῷ· Ἀββᾶ, εἰπὲ τῷ υἱῷ μου ἐξελθεῖν ἵνα ἴδω αὐτόν. Εἰσελθὼν δὲ ὁ γέρων
5 εἶπεν αὐτῷ· Ἔξελθε, ἔξελθε ἵνα σὲ ἴδῃ ἡ μήτηρ σου. Ἦν δὲ φορῶν κεντονάριον καὶ ἠσβολωμένος ἀπὸ τοῦ μαγειρείου. Καὶ ἐξελθὼν διὰ τὴν ὑπακοὴν ἐκάμμυσε τοὺς ὀφθαλμοὺς αὐτοῦ καὶ εἶπεν αὐτοῖς· Σωθῆτε, σωθῆτε. Καὶ οὐκ εἶδεν αὐτούς, οὐδὲ ἡ μήτηρ αὐτοῦ ἐγνώρισεν αὐτὸν
10 ὅτι οὗτός ἐστιν. Πάλιν οὖν πέμπει πρὸς τὸν γέροντα λέγουσα· Ἀββᾶ, πέμψον τὸν υἱόν μου ἵνα αὐτὸν ἴδω. Καὶ λέγει τῷ Μάρκῳ· Οὐκ εἶπόν σοι ἐξελθεῖν ἵνα σὲ ἴδῃ ἡ μήτηρ σου; Καὶ εἶπεν ὅτι· Ἐξῆλθον κατὰ τὸν λόγον σου, ἀββᾶ· πλὴν παρακαλῶ σε μὴ εἴπῃς μοι ἄλλο ἅπαξ ἐξελθεῖν
15 ἵνα μὴ παρακούσω σου. Καὶ ἐξελθὼν ὁ γέρων εἶπεν αὐτῇ· Αὐτός ἐστιν ὁ ἀπαντήσας ὑμῖν καὶ εἰπών· Σωθῆτε. Καὶ παρακαλέσας αὐτὴν ἀπέλυσεν ὁ γέρων.

13 Ἦν τις κοσμικὸς πάνυ εὐλαβής, καὶ ἦλθε πρὸς τὸν ἀββᾶ Ποιμένα, καὶ πολλοὶ ἄλλοι ἀδελφοὶ αἰτοῦντες λόγον

11 Μάρκε : ἄδελφε Μάρκε QTMS *om.* R ‖ τῆς φωνῆς O ‖ 12 ἐξεπήδησεν QRT ‖ 15 τῆς φωνῆς H *l*: *om. cett.* ‖ 16 *post* γέροντος *add.* non fixit *l* ‖ 17 ὄντως : οὕτως R

12 YOQRTMSVH *l*

1 τούτου *om.* O ‖ 2-3 ὁ γέρων *om.* V ‖ 3 ἡ δὲ : καὶ OMSVH ‖ 3-4 εἰπὲ τῷ υ. μου ἐξ. : πέμψον τὸν υἱόν μου MS ‖ 4 εἰσελθὼν :

en disant : « Marc. » Celui-ci, entendant la voix du vieillard, se précipita dehors. Il l'envoya en diaconie et dit aux vieillards : « Pères, où sont les autres frères ? » Entrant dans la cellule, il prit en main son cahier et constata qu'il avait commencé un oméga mais qu'entendant la voix du vieillard il n'avait pas retourné la plume pour le terminer. Alors les vieillards dirent : « Vraiment, abba, celui que tu aimes, nous l'aimons nous aussi car Dieu aussi l'aime. »

12 La mère de ce frère Marc vint un jour en grand apparat pour le voir. Et le vieillard sortit à sa rencontre. Elle lui dit : « Abba, dis à mon fils de sortir pour que je le voie. » Le vieillard rentra donc lui dire : « Sors, sors, afin que ta mère te voie. » Or il portait un vieux vêtement rapiécé et était noir de suie, venant de la cuisine. Sortant par obéissance, il ferma les yeux et leur dit : « Salut ! salut ! » Il ne les vit pas, et sa mère non plus ne reconnut pas que c'était lui. Elle envoie donc à nouveau dire au vieillard : « Abba, envoie mon fils afin que je le voie. » Et il dit à Marc : « Ne t'ai-je pas dit de sortir afin que ta mère te voie ? » Il dit : « Je suis sorti selon ta parole, abba ; mais je t'en supplie, ne me dis pas de sortir une autre fois afin que je ne te désobéisse pas. » Et le vieillard sortit et dit à la mère : « C'est lui qui est venu à votre rencontre en disant : Salut ! » Et avec de bonnes paroles le vieillard la congédia.

McSil 3 (296 B-C)

13 Un séculier très pieux vint chez abba Poemen où se trouvaient aussi plusieurs autres frères qui demandaient

Poe 109 (348 D-349 B)

ἐξελ- V || 5 ἔξελθε[2] YO *l om. cett.* || 6 ἀσβολ– O || 9 αὐτὸν *om.* MSVH || 10 οὗτος ἦν QR οὕτως ἦν T αὐτός ἐστιν OMSVH || τὸν γέροντα : αὐτὸν Q || 11 πέμψον τ. υ. μου : εἰπὲ τῷ υἱῷ μου ἐξελθεῖν MS || ἵνα : ὅπως QR || 14 ἄλλο ἅπαξ : ἄλλο QRT *om. l* || 16 σωθῆτε σωθῆτε QTH || 17 ὁ γέρων *om.* OQMSVH

13 YOQRTMSVH

2 πολλοὶ *om.* MS

ἀκοῦσαι παρὰ τοῦ γέροντος. Καὶ εἶπεν ἀββᾶ Ποιμὴν τῷ κοσμικῷ· Εἶπον τοῖς ἀδελφοῖς λόγον. Λέγει ὁ κοσμικός·
5 Ἐγὼ τί ἔχω εἰπεῖν ὁ ταλαίπωρος; Ἀναγκασθεὶς δὲ πολλὰ εἶπεν· Ἐγὼ οὐκ οἶδα τίποτε· ἤκουσα δὲ παραβολὴν μεγάλου γέροντος ὅτι· Τίς ποτε παρεκάλεσε φίλον λέγων· Ἐπειδὴ ἐπιθυμίαν ἔχω ἰδεῖν τὸν βασιλέα, ἀπένεγκέ με πρὸς αὐτόν. Ὁ δὲ λέγει αὐτῷ· Ἔρχομαι μετά σου ἕως
10 τοῦ ἡμίσους τῆς ὁδοῦ. Καὶ εἶπεν ἄλλῳ φίλῳ· Ἀπένεγκέ με πρὸς τὸν βασιλέα. Ὁ δὲ λέγει αὐτῷ· Ἔρχομαι μετά σου ἕως τοῦ παλατίου. Καὶ εἶπεν ἄλλῳ φίλῳ καὶ λέγει· Ἐγὼ εἰσφέρω σε μετὰ παρρησίας καὶ λαλῶ ὑπὲρ σοῦ. Καὶ λέγουσιν αὐτῷ· Φράσον ἡμῖν τὴν παραβολήν. Ὁ δὲ
15 εἶπεν· Ὁ πρῶτός ἐστιν ἡ ἄσκησις ἡ ὁδηγοῦσα ἕως ἡμίσυ τῆς ὁδοῦ, ὁ δεύτερος ἡ ἁγνεία ἡ φθάνουσα ἕως τοῦ οὐρανοῦ, ὁ τρίτος ἡ ὑπακοὴ ἡ εἰσάγουσα μετὰ παρρησίας πρὸς τὸν Θεόν.

14 Παρέβαλόν ποτε τέσσαρες σκητιῶται τῷ μακαρίῳ ἀββᾶ Παμβώ, φοροῦντες δέρματα· καὶ ἀνήγγειλεν ἕκαστος τὴν ἀρετὴν τοῦ ἑτέρου, μὴ παρόντος αὐτοῦ. Ὁ μὲν οὖν εἷς ἐνήστευε πολλά, ὁ δεύτερος ἀκτήμων ἦν καὶ ὁ τρίτος
5 ἐκτήσατο πολλὴν ἀγάπην. Λέγουσιν δὲ αὐτῷ περὶ τοῦ τετάρτου ὅτι εἴκοσι δύο ἔτη ἔχει ἐν ὑποταγῇ γέροντος. Ἀπεκρίθη δὲ αὐτοῖς ἀββᾶ Παμβώ· Λέγω ὑμῖν ὅτι ἡ ὑπακοὴ τῆς ἀρετῆς ὑμῶν πάντων μείζων ἐστίν. Ἕκαστος

3 ἀκοῦσαι Y : ὠφελείας QRT *om. cett.* ‖ 5 τί *om.* OMSVH ‖ 6 *post* τίποτε *add.* κοσμικός εἰμι λάχανα πωλῶν καὶ πραγματευόμενος, λύω τὰ δεμάτια καὶ ποιῶ μικρά, ἀγοράζω ὀλίγου καὶ πωλῶ πολλοῦ MS *cf. Alph.* ‖ 8 ἀπένεγκέ : -νεγκόν O ἀπένεκών *sic* Y ‖ 9 πρὸς αὐτόν : ἐκεῖ OMSVH ‖ 10 ἡμίσους : μέσον MS ‖ ἀπένεγκόν YO ‖ 11 πρὸς : εἰς Q ‖ 11-12 μετά σου *om.* V ‖ 13 εἰσφέρω : εἰσάγω QT ‖ *post* παρρησίας *add.* πρὸς [εἰς Q] τὸν βασιλέα QTMSVH ‖ 15 *post* πρῶτος *add.* φίλος QRTMS ‖ ἡμίσους QR τὸ μέσον TMS ‖ 16 ὁδοῦ : βασιλείας Q ‖ 17 ὑπακοὴ : ἐλεημοσύνη ἐστιν MS *cf. Alph.* ‖ ἡ εἰσάγ. : ἡ φθάνουσα καὶ εἰσάγουσα QRT ‖ 18 *post* τὸν *add.* βασιλέα ἤγουν πρὸς τὸν QRT

à entendre une parole du vieillard. Et abba Poemen dit au séculier : « Dis aux frères une parole. » Le séculier dit : « Qu'ai-je à dire, misérable que je suis? » Mais, après beaucoup d'insistance, il dit : « Moi, je ne sais rien[1] ; mais j'ai entendu d'un grand vieillard la parobole que voici. Quelqu'un demanda un jour à un ami : Comme je désire voir l'empereur, conduis-moi chez lui. Celui-ci lui dit : Je t'accompagne jusqu'à la moitié du chemin. Puis il dit à un autre ami : Conduis-moi auprès de l'empereur. Ce dernier lui dit : Je t'accompagne jusqu'au palais. Et il parla à un troisième qui lui dit : Moi, je vais t'introduire avec assurance, et je parlerai pour toi. ». Les frères lui dirent : « Explique-nous la parabole. » Il dit : « Le premier, c'est l'ascèse qui conduit jusqu'à mi-chemin ; le second, la pureté qui mène jusqu'au ciel ; le troisième, l'obéissance qui introduit avec assurance auprès de Dieu. »

14 Quatre scétiotes vêtus de peaux vinrent un jour chez le bienheureux abba Pambo, et chacun exposa la vertu de l'autre, celui-ci n'étant pas présent. Le premier jeûnait beaucoup, le second était pauvre et le troisième avait acquis une grande charité. Du quatrième, ils lui dirent que depuis vingt-deux ans il vivait dans la soumission à un vieillard. Et abba Pambo leur répondit : « Je vous le dis, l'obéissance est plus grande que votre vertu à tous ;

Pam 3
(369 A-B)

14 YOQRTMSVH *l*

1 μακαρίῳ *om.* *l* || 2 δερμάτια S || 3 ἀρετὴν : πολιτείαν QRT || μὴ παρ. αὐτοῦ *om.* M || 5 ἐκτήσ. : ἦν ἔχων QRT habebat *l* || 6 ὑποταγῇ : ὑπακοῇ OMSVH || γέροντος : seniorum *l* || 8 ὑμῶν πάντων QRT caeterorum *l* : τούτου *cett.*

---

1. L'addition des mss M et S, indiquée dans l'apparat, et qu'on lit aussi dans *Alph.* n° 109, trace un portrait peu flatteur du séculier commerçant : « Je suis séculier, je vends des légumes et fais des affaires, je défais les bottes et j'en fais des petites, j'achète à bas prix et je vends cher. »

γὰρ ὑμῶν οἵαν ἀρετὴν ἐκτήσατο θελήματι ἑαυτοῦ
10 ἐκράτησεν· οὗτος δὲ τὸ θέλημα ἑαυτοῦ κόψας ἄλλου ποιεῖ θέλημα. Οἱ οὖν τοιοῦτοι ὁμολογηταὶ εἰσὶν ἐὰν φυλάξωσιν εἰς τέλος.

15 Ἦλθέ τις πρὸς τὸν ἀββᾶ Σισώην τὸν Θηβαῖον θέλων γενέσθαι μοναχός. Καὶ ἠρώτησεν αὐτὸν ὁ γέρων εἰ ἔχει τίποτε ἐν τῷ κόσμῳ. Ὁ δὲ λέγει· Ἔχω ἕνα υἱόν. Ὁ δὲ γέρων λέγει αὐτῷ· Ὕπαγε, ῥίψον αὐτὸν εἰς τὸν ποταμόν,
5 καὶ τότε γίνῃ μοναχός. Ὡς οὖν ἀπῆλθε ῥίψαι αὐτόν, ἔπεμψεν ὁ γέρων τοῦ κωλῦσαι αὐτόν· καὶ ὡς ἐπῆρεν τοῦ ῥίψαι αὐτόν, λέγει αὐτῷ ὁ ἀδελφός· Ὁ γέρων πάλιν εἶπεν μὴ ῥίψαι αὐτόν. Καὶ καταλειπὼν αὐτὸν ἦλθε πρὸς τὸν γέροντα καὶ γέγονε δοκιμώτατος μοναχὸς διὰ τὴν ὑπακοὴν
10 αὐτοῦ.

16 Ἀδελφὸς ἠρώτησε τὸν ἀββᾶ Σώπατρον λέγων· Δός μοι ἐντολήν, ἀββᾶ, καὶ φυλάξω αὐτήν. Ὁ δὲ εἶπεν· Μὴ εἰσέλθῃ γύνη εἰς τὸ κελλίον σου, καὶ μὴ ἀναγνώσῃς ἀπόκρυφα, καὶ μὴ ἐκζητήσῃς περὶ τῆς εἰκόνος· Τοῦτο γὰρ οὐκ ἔστιν
5 αἵρεσις ἀλλ' ἰδιωτεία καὶ φιλονεικία τῶν ἀμφοτέρων. Ἀδύνατον γὰρ καταληφθῆναι τοῦτο τὸ πρᾶγμα ἀπὸ πάσης κτίσεως.

17 Εἶπεν ἡ μακαρία Συγκλητική· Ἐν κοινοβίῳ ὄντες τὴν ὑπακοὴν τῆς ἀσκήσεως μᾶλλον προκρίνωμεν. Ἡ μὲν γὰρ ὑπεροψίαν διδάσκει, ἡ δὲ ταπεινοφροσύνην ἐπαγγέλλεται.

9 ἑαυτοῦ : αὐτοῦ MSV ἰδίῳ QRT || 10 ἐκράτ. : ἐκτήσατο QRT || 11 οὖν QR *l*: *om. cett.*

15 YOQRTMSVH *l*

1 *post* ἦλθε *add.* ποτε TMVH || θέλων : λέγων ὅτι θέλω QRT || 5 γένῃ O || 6 *post* γέρων *add.* unum de fratribus *l* || κωλῦσαι QRT *l*: καλέσαι *cett.* || 6-7 ὡς ἐπ. τοῦ ῥ. αὐτὸν *om.* QTMS || 7 *post* ἀδελφὸς *add.* quiesce, quid facis? et ille respondit : abbas mihi dixit ut proiiciam eum. et dixit ei frater *l cf. Alph.* || 8 ῥίψαι : ῥίψῃς QRT *l* || 9 δοκιμώτατος *om.* H || τὴν : τὴν πολλὴν H

car chacun de vous a choisi volontairement la vertu qu'il voulait acquérir, tandis que lui, retranchant son vouloir propre, il fait la volonté d'autrui. De tels hommes sont donc des confesseurs s'ils persévérèrent jusqu'au bout.»

15 Quelqu'un vint trouver abba Sisoès le Thébain, voulant devenir moine. Et le vieillard lui demanda s'il avait quelque chose dans le monde. Il dit : «J'ai un fils.» Le vieillard lui dit : «Va le jeter dans le fleuve, et alors deviens moine.» Et comme il partait le jeter, le vieillard envoya quelqu'un pour l'en empêcher; et au moment où il se dressait pour le jeter, le frère lui dit : «Le vieillard a dit ensuite de ne pas le jeter.» Le laissant donc, il vint auprès du vieillard et devint, grâce à son obéissance, un moine très éprouvé.»

Sis 10 (393 C-396 A)

16 Un frère demanda à abba Sopatros : «Donne-moi un commandement, abba, et je le garderai.» Il dit : «Ne fais entrer de femme dans ta cellule, ne lis pas d'apocryphes et ne discute pas sur l'image[1]. Car il n'y a pas là hérésie, mais singularité et chicanerie de part et d'autre. Il est en effet impossible qu'une créature quelconque puisse saisir cela.»

So 1 (413 A)

17 La bienheureuse Synclétique dit : «Lorsque nous sommes dans une communauté, préférons l'obéissance à l'ascèse, car celle-ci enseigne le mépris mais l'autre manifeste l'humilité[2].»

Syn 16 (425 D-428 A)

16 YOQRTVH
1 Σωσίπατρον QRT || 6 γὰρ *om.* V || ἀπὸ : ὑπὸ QRT
17 YOQRTMSVH *l*
1 μακαρία : sancta *l*

---

1. Ces discussions sur l'«image» visent, selon toute vraisemblance, les querelles sur l'anthropomorphisme, très vives dans certains milieux monastiques égyptiens autour de l'an 400 (cf. JEAN CASSIEN, *Inst. cén.* VIII, 2-4 et *Conf.* X, 2-3; SOCRATE, *H.E.* VI, 7; SOZOMÈNE, *H.E.* VIII, 11).
2. Repris de *Vita,* 100 (*PG* 28, 1549 A).

18 Εἶπε πάλιν· Δεῖ ἡμᾶς τῇ διακρίσει κυβερνᾶν τὴν ψυχήν, καὶ ἐν κοινοβίῳ ὄντας μὴ τὰ ἑαυτῶν ζητεῖν μήτε μὴν οἰκείᾳ δουλεύειν γνώμῃ, ἀλλὰ τῷ κατὰ πίστιν πατρὶ πειθαρχεῖν. Ἐξορίᾳ ἑαυτοὺς παρεδώκαμεν, τοῦτ' ἔστιν τῶν
5 κοσμικῶν φροντίδων ἔξω γεγόναμεν. Οὗ οὖν ἐκβεβλήμεθα μὴ τὰ αὐτοῦ ζητῶμεν. Ἐκεῖ δόξαν εἴχομεν, ὧδε ὀνειδισμόν, ἐκεῖ ἀδηφαγίαν τροφῶν, ἐνταῦθα καὶ τοῦ ἄρτου ἔνδειαν.

19 Εἶπεν ἀββᾶ Ὑπερέχιος ὅτι· Κειμήλιον μοναχοῦ ἐστιν ὑπακοή. Ὁ κεκτημένος αὐτὴν καὶ αὐτὸς εἰσακουσθήσεται καὶ μετὰ παρρησίας τῷ σταυρωθέντι παρασταθήσεται. Ὁ γὰρ ἐπὶ τοῦ σταυροῦ Κύριος ὑπήκοος γέγονε μεχρὶ
5 θανάτου[b].

20 Ἔλεγον οἱ γέροντες· Ἐὰν ἔχῃ τις πίστιν εἴς τινα καὶ δίδωσιν ἑαυτὸν ὑποταγῆναι αὐτῷ, οὐ χρείαν ἔχει προσέχειν ἐντολαῖς Θεοῦ ἀλλὰ τῷ πατρὶ ἑαυτοῦ συγχωρεῖν τὰ θελήματα αὐτοῦ, καὶ ἔγκλημα οὐκ ἔχει παρὰ τοῦ Θεοῦ.

21 Ἔλεγον οἱ γέροντες· Ταῦτα ζητεῖ ὁ Θεὸς παρὰ χριστιανοῖς ἵνα τις ὑπακούῃ ταῖς θείαις Γραφαῖς καὶ τὰ λεκτέα ποιῇ πρακτέα, καὶ πείθηται τοῖς ἡγουμένοις καὶ πατράσιν ὀρθοδόξοις.

22 Ἀδελφὸς ἐπηρεασθεὶς ὑπό τινος ἀπῆλθε πρὸς γέροντα εἰς τὰ Κελλία, καὶ λέγει αὐτῷ· Πάτερ, θλίβομαι. Καὶ

18 YOQRTMSVH *l*

2 ὄντες Q ‖ 3-4 ἀλλὰ – πειθαρχεῖν *om.* *l* ‖ 3 κατὰ πίστιν : καταπιστευθέντι QRT ‖ 4 *post* παρεδ. *add.* uni secundum fidem Patri *l* ‖ 6 μὴ : μὴ πάλιν MS ‖ ὧδε ὀνειδ. *om.* *l*

19 YOQRTMSV *l*

1 κειμήλιον : ministerium *l* ‖ 2 κτησάμενος T

20 YOQRTMSVH *l*

2 δίδωσιν : ἐκδῷ TMS ‖ χρείαν ἔχει : debet *l* ‖ 3 *post* ἑαυτοῦ *add.* spirituali *l* ‖ 3-4 συγχ. τὰ θελ. αὐτοῦ *om.* V ‖ 3 *post* συγχωρεῖν *add.* πάντα H ‖ 4 καὶ : quia illi per omnia obediens *l*

21 YOQRTV *l*

1 dicebat senex *l* ‖ 2-3 καὶ τὰ. λ. π. πρακτέα : quoniam inde

18 Elle dit encore : « Il nous faut gouverner notre âme avec discernement et, étant en communauté, ne pas rechercher ce qui est nôtre ni suivre notre opinion personnelle, mais obéir à notre père selon la foi. Nous nous sommes livrés à l'exil, c'est-à-dire nous nous sommes rendus étrangers aux soucis du monde. Ne recherchons donc pas ce dont nous sommes exclus : là nous avions la gloire, ici l'opprobre ; là la voracité pour les mets, ici le manque même du pain[1]. » cf. Syn 17 (428 A)

19 Abba Hypéréchios dit : « Le bien propre du moine, c'est l'obéissance. Qui l'a acquise sera à son tour exaucé et se tiendra avec confiance auprès du crucifié. Car le Seigneur sur la croix s'est fait obéissant jusqu'à la mort[b][2]. » Hyp 8 (432 A)

20 Les vieillards disaient : « Si quelqu'un a foi en un autre et se donne à lui pour lui être soumis, il ne lui faut plus s'appliquer aux commandements de Dieu mais abandonner à son père ses volontés ; et il n'encourra aucun reproche de la part de Dieu. » N 290a

21 Les vieillards disaient : « Voici ce que Dieu demande aux chrétiens : se soumettre aux divines Écritures, mettre en pratique ce qu'on a lu, et obéir aux guides et pères orthodoxes. » N 388

22 Un frère calomnié par quelqu'un se rendit chez un vieillard aux Cellules et lui dit : « Père, je suis accablé. »

accipiet loquendorum et agendorum forman *l* || 2 ποιῇ : ποιεῖν V *om.* O || 3 πείθηται *scripsi* : πείθεται QR πείθεσθαι *cett.* || *post* πατράσιν *add.* ὀρθόδοξος [-δόξως QR] καὶ αὐτοῖς οὖσιν QRT
22 YOQRTVH

b. Cf. Ph 2, 8

1. Repris de *Vita,* 101 (*PG* 28, 1549 C-D).
2. Repris de *Adhortatio,* 59 et 139 (*PG* 79, 1480 B et 1488 A).

λέγει αὐτῷ ὁ γέρων· Διὰ τί; Εἶπε δὲ αὐτῷ· Ἀδελφός τις ἐπηρέασέ με, καὶ θλίβει με ὁ δαίμων ἕως οὗ κἀγὼ
5 ἀνταμύνομαι αὐτόν. Καὶ λέγει αὐτῷ ὁ γέρων· Ἄκουσόν μου, τέκνον, καὶ ῥύεταί σε ὁ Θεὸς ἐκ τοῦ πάθους τούτου. Συνθεμένου οὖν τοῦ ἀδελφοῦ, λέγει αὐτῷ ὁ γέρων· Ὕπαγε εἰς τὸ κελλίον σου καὶ ἡσύχασον δεόμενος τοῦ Θεοῦ ἐκτενῶς περὶ τοῦ λυπήσαντός σε ἀδελφοῦ. Ἀπελθὼν δὲ
10 ἐποίησεν καθὼς εἶπεν αὐτῷ ὁ γέρων, καὶ εἴσω ἑβδομάδος ἐξήλιψεν ὁ Θεὸς τὴν ὀργὴν ἀπ' αὐτοῦ διὰ τὴν βίαν ἣν ἐβιάσατο ἑαυτὸν καὶ διὰ τὴν ὑπακοὴν τὴν πρὸς τὸν γέροντα.

23 Ἀδελφὸς ἐν Σκήτει ὑπάγων εἰς θέρος παρέβαλε μεγάλῳ γέροντι καὶ εἶπεν αὐτῷ· Ἀββᾶ, εἰπέ μοι τί ποιήσω, ἀπέλθω εἰς τὸ θέρος; Λέγει αὐτῷ ὁ γέρων· Καὶ ἐάν σοι εἴπω, πείθῃ μοι; Λέγει ὁ ἀδελφός· Ἀκούσω σου. Εἶπε
5 δὲ αὐτῷ ὁ γέρων· Εἰ πείθει μοί, ἀναστὰς ἀποτάξαι τῷ θερισμῷ τούτῳ καὶ δεῦρο καὶ ἀπαγγελῶ σοι τί ποιήσεις. Καὶ ἀπελθὼν ὁ ἀδελφὸς ἀπετάξατο τῷ θερισμῷ, καὶ ἦλθεν πρὸς τὸν γέροντα. Εἶπε δὲ αὐτῷ ὁ γέρων· Εἴσελθε εἰς τὸ κελλίον σου καὶ ποίησον τὴν πεντηκοστὴν ταύτην ἅπαξ
10 ἐσθίων τὴν ἡμέραν ἄρτον μετὰ ἅλατος, καὶ ἀπαγγελῶ σοι πρᾶγμα ἕτερον. Ἀπελθὼν δὲ ἐποίησεν οὕτως, καὶ ἦλθε πάλιν πρὸς τὸν γέροντα. Ὁ δὲ γέρων εἰδὼς ὅτι ἐργάτης ἐστιν ἀνήγγειλεν αὐτῷ τὸ πῶς δεῖ καθίσαι ἐν τῷ κελλίῳ. Καὶ ἀπελθὼν ὁ ἀδελφὸς εἰς τὸ κελλίον ἑαυτοῦ ἔβαλεν
15 ἑαυτὸν ἐπὶ πρόσωπον ἐπὶ τὴν γῆν ἡμέρας τρεῖς καὶ νύκτας τρεῖς κλαίων ἐνώπιον τοῦ Θεοῦ. Καὶ μετὰ ταῦτα ὅτε ἔλεγον αὐτῷ οἱ λογισμοί· Ὑψώθης, γέγονας μέγας, ἔφερε καὶ αὐτὸς τὰ ἐλαττώματα ἑαυτοῦ λέγων· Καὶ ποῦ εἰσιν

3 *post* αὐτῷ[2] *add.* ὁ ἀδελφός Q ‖ 4 κἀγὼ *om.* Q ‖ 6 ῥύεται : ῥύσσεται QRTH ‖ 7 οὖν YQ : δὲ *cett.* ‖ 9 περὶ : ὑπὲρ TVH ‖ λυπήσ. : ἀδικήσαντος OVH ‖ δὲ *om.* QTH ‖ 12 ἑαυτὸν *om.* Y

23 YOQRTMSVH *l*

3 ἀπέλθω : pergens *l* ‖ *post* θέρος *add.* ἢ οὔ YQRT ‖ 4 ἀκούω O ‖ 5 πείθει μοι *scripsi* : πείθῃ μοι QR πειθεσε μοι *cett.* ‖ 6 ἀπαγγελῶ

Le vieillard lui dit : « Pourquoi? » Et il lui dit : « Un frère m'a calomnié et le démon m'accable jusqu'à ce que je me venge à mon tour. » Le vieillard lui dit : « Écoute-moi, mon enfant, et Dieu te libérera de cette passion. » Le frère y consentant, le vieillard lui dit : « Va dans ta cellule et recueille-toi suppliant Dieu instamment pour le frère qui t'afflige. » Il partit, fit comme le vieillard lui disait et, au bout d'une semaine, Dieu le libéra de sa colère parce qu'il s'était fait violence et qu'il avait obéi au vieillard.

23 Un frère à Scété allant à la moisson se rendit chez un grand vieillard et lui dit : « Abba, dis-moi que faire : aller à la moisson? » Le vieillard lui dit : « Et si je te dis quelque chose, me croiras-tu? » Le frère dit : « Je t'écouterai. » Le vieillard lui dit : « Si tu me crois, lève-toi, renonce à cette moisson, puis viens et je te dirai que faire. » Le frère partit, renonça à la moisson, et vint chez le vieillard. Le vieillard lui dit : « Rentre dans ta cellule et passes-y ces cinquante jours en ne mangeant qu'une fois par jour du pain et du sel, puis je t'indiquerai une autre pratique. » Il partit, fit ainsi puis revint chez le vieillard. Et le vieillard, voyant qu'il était un travailleur, lui enseigna comment demeurer en cellule. Rentrant dans sa cellule, le frère se prosterna la face contre terre pendant trois jours et trois nuits, pleurant en présence de Dieu. Et, ensuite, lorsque les pensées lui disaient : « Tu t'es élevé, tu es devenu grand », il rappelait quant à lui ses fautes en disant : « Et

N 291

YQR : ἀναγγ- *cett.* || ποιήσεις : σε δεῖ ποιῆσαι H || 10 ἄρτον H *l* *om. cett.* || ἅλατος H *l* : ξηροῦ ἅλ. *cett.* || *post* καὶ *add.* πάλιν ἐλθὲ καὶ QRT || ἀναγγελῶ TMSH || 12 εἰδὼς : ἰδὼν MSH || 13 *post* δεῖ *add.* δέξασθαι καὶ H || 15 ἐπὶ πρόσωπον *om.* MS || 15-16 καὶ νύκτας τρεῖς : καὶ νύκτας OMSVH *om.* Y || 16 κλαίων ἐνώπιον : δεόμενος QRT || 17 λογισμοί : δαίμονες QT || γέγονας μέγας *om.* YQRT || *post* μέγας *add.* ipse temperans uitia cogitationum suarum *l* || 18-19 καὶ ποῦ – μου : πολλὰ ἐποίησας ἐν ἀμελείᾳ M

πᾶσαι αἱ πλημμέλειαί μου; Εἰ δὲ πάλιν ἔλεγον αὐτῷ · Πολλὰ
20 ἐποίησας ἐν ἀμελείᾳ, ἔλεγε καὶ αὐτός · Ἀλλὰ ποιῶ
λειτουργείας τῷ Θεῷ καὶ πιστεύω ὅτι ποιεῖ μετ' ἐμοῦ
ἔλεος. Ἡττηθέντα δὲ τὰ πνεύματα ἐφάνησαν αὐτῷ αἰσθητῶς
λέγοντα · Ἐχειμάσθημεν μετά σου. Λέγει αὐτοῖς · Διὰ τί;
Λέγουσιν αὐτῷ · Ἐὰν σὲ ὑψώσωμεν τρέχεις εἰς ταπείνωσιν,
25 ἐὰν σὲ ταπεινώσωμεν ἀνάγεις εἰς ὕψος.

24 Ἔλεγον οἱ γέροντες ὅτι οὐδὲν οὕτως ζητεῖ ὁ Θεὸς παρὰ
τῶν ἀρχαρίων ὡς τὸν διὰ τῆς ὑπακοῆς σκυλμόν.

25 Γέρων τις ἀναχωρητὴς εἶχε διακονητὴν οἰκοῦντα ἐν
κώμῃ. Συνέβη δὲ ἅπαξ βραδυνάντος τοῦ διακονητοῦ εἰς
τὸ παραγενέσθαι κατὰ τὸ ἔθος, ἐκδαπανηθῆναι τὰς χρείας
τοῦ γέροντος καὶ τὸ ἐργόχειρον ὅπερ εἶχεν ἐν τῷ κελλίῳ
5 ἑαυτοῦ. Καὶ ἐθλίβετο μήτε τι ἐργάσασθαι ἔχων μήτε τὰ
πρὸς τὴν τροφὴν ἀναγκαῖα. Καὶ λέγει τῷ μαθητῇ αὐτοῦ ·
Θέλεις ἀπελθεῖν εἰς τὴν κώμην καλέσαι τὸν διακονητήν;
Ὁ δὲ εἶπεν · Ὡς θέλεις ποιῶ. Ἀνεβάλετο δὲ ἔτι ὁ γέρων
μὴ τολμῶν πέμψαι τὸν ἀδελφόν. Ὡς δὲ ἔμειναν ἐπὶ πολὺ
10 θλιβόμενοι, τοῦ διακονητοῦ μὴ ἐρχομένου, πάλιν λέγει ὁ
γέρων τῷ ἀδελφῷ · Θέλεις ἀπελθεῖν ἕως τῆς κώμης; Καὶ
λέγει ὁ ἀδελφός · Ὡς θέλεις ποιῶ. Ἐφοβεῖτο δὲ καὶ ὁ
ἀδελφὸς προσεγγίσαι τῇ κώμῃ διὰ τὰ σκάνδαλα · ἵνα δὲ
μὴ παρακούσῃ τοῦ πατρός, κατεδέξατο ἀπελθεῖν. Εἶπε δὲ
15 αὐτῷ ὁ γέρων · Ὕπαγε, πιστεύω εἰς τὸν Θεὸν τῶν πατέρων
μου ὅτι σκεπάζει σε ἀπὸ παντὸς πειρασμοῦ. Καὶ ποιήσας
εὐχὴν ἀπέλυσεν αὐτόν. Ἐλθὼν δὲ ὁ ἀδελφὸς εἰς τὴν κώμην

19 πᾶσαι O *l*: *om. cett.* ‖ 19-20 πολλὰ – ἀμελείᾳ : πολλαὶ αἱ πλημμελείαι σου M ‖ 23 μετά : ἀπό QRT

24 YOQRTMSV *l*

25 YOQRTVH *l*

1-2 εἰς τὴν κώμην ORTVH ‖ 2-3 εἰς τὸ : μὴ YH *om.* OV ‖ 3 κατὰ τὸ ἔθος *om. l* ‖ δαπανηθῆναι OH ‖ 6 ἀναγκαῖα *om.* OVH ‖ 7 *post* διακον. *add.* qui solet afferre quae opus sunt nobis *l* ‖ 11 *post* κώμης

où sont toutes mes négligences?» Si au contraire elles lui disaient : «Tu as commis beaucoup de négligences», il disait à son tour : «Mais je fais des liturgies à Dieu, et je crois qu'il me prend en pitié.» Vaincus, les esprits lui apparurent sensiblement et lui dirent : «Nous avons été troublés par toi.» Il leur dit : «Pourquoi?» Ils lui dirent : «Lorsque nous t'exaltons, tu cours dans l'humilité; et lorsque nous t'abaissons, tu montes sur les hauteurs.»

24 Les vieillards disaient que Dieu ne recherche rien autant chez les débutants que le mal qu'ils se donnent à cause de l'obéissance. N 292 =N 290 b

25 Un vieillard anachorète avait un commissionnaire qui demeurait dans un village. Or il arriva une fois, comme le commissionnaire tardait à venir selon la coutume, que les provisions du vieillard furent épuisées, de même que le travail manuel qu'il avait à faire dans sa cellule; et il était ennuyé de ne plus rien avoir à faire et de manquer du nécessaire pour se nourrir. Il dit à son disciple : «Veux-tu aller au village appeler le commissionnaire?» Celui-ci dit : «Je ferai comme tu veux.» Mais le vieillard hésitait encore, n'osant pas envoyer le frère. Mais comme ils demeurèrent longtemps dans la gêne, le commissionnaire ne venant pas, le vieillard dit à nouveau au frère : «Veux-tu aller jusqu'au village?» Et le frère dit : «Je ferai comme tu veux.» Or le frère avait peur de s'approcher du village à cause des occasions de chute; mais pour ne pas désobéir à son père il accepta d'y aller. Le vieillard lui dit : «Vas-y; j'ai foi dans le Dieu de mes pères : il te protégera de toute tentation.» Il fit une prière et le congédia. Arrivant au village, le frère chercha où demeurait N 293

add. et adducere eum *l* || 14 πατρός : γέροντος H || 15-16 πιστεύω ... μου : crede ... tuorum *l* || 17 ἀδελφὸς : μαθητὴς Q

περιειργάσατο ποῦ ᾤκει ὁ διακονητής, καὶ εὗρεν. Συνέβη δὲ αὐτὸν καὶ τοὺς αὐτοῦ πάντας ἔξω τῆς κώμης εἰς
20 μνημόσυνον εὑρεθῆναι πλὴν μιᾶς θυγατρὸς αὐτοῦ, ἥτις κρούσαντος τοῦ ἀδελφοῦ τὴν θύραν ἐπήκουσεν. Καὶ ἀνοίξασα ἐν τῷ τὸν ἀδελφὸν ἐπερωτᾶν περὶ τοῦ πατρὸς αὐτῆς προετρέπετο ἔσω εἰσελθεῖν, ἅμα δὲ καὶ εἷλκεν. Ὁ δὲ οὐκ ἠνείχετο. Ἐπὶ πολὺ δὲ βιαζομένη κατίσχυσεν, καὶ
25 ἐπεσπάσατο αὐτὸν πρὸς ἑαυτήν. Ὁ δὲ ἑωρακὼς ἑαυτὸν ἑλκόμενον εἰς ἀσέλγειαν ἅμα δὲ καὶ τοῖς λογισμοῖς συγχεόμενον, στενάξας ἐβόησε πρὸς τὸν Θεόν· Κύριε, σῶσόν με διὰ τῶν εὐχῶν τοῦ πατρός μου ἐν τῇ ὥρᾳ ταύτῃ. Καὶ τοῦτο εἰπών, ἐξαίφνης εὑρέθη εἰς τὸν ποταμὸν
30 ὑπάγων εἰς τὸ μοναστήριον. Καὶ ἀπεκατεστάθη ἀβλαβὴς πρὸς τὸν ἀββᾶ αὐτοῦ.

26 Εἶπε γέρων· Ἀρχὴν τῶν μαθημάτων αὐτοῦ ὁ Σωτὴρ θλῖψιν καὶ στενοχωρίαν ἔσχεν. Ὁ οὖν φεύγων τὴν ἀρχὴν ἔφυγε γνῶσιν Θεοῦ. Ὡς γὰρ τὰ γράμματα ἀρχὴ παιδεύσεως δίδοται τοῖς παιδίοις τοῦ εἰδέναι ἐπιστήμην, οὕτως καὶ ὁ
5 μοναχὸς ἐν κόποις καὶ θλίψεσιν ὑπακοὴν ἔχων γίνεται Χριστοῦ συγκληρονόμος[c] καὶ υἱὸς Θεοῦ.

27 Δύο ἀδελφοὶ κατὰ σάρκα παρεγένοντο οἰκῆσαι εἰς μοναστήριον, ὁ εἷς αὐτῶν ἦν ἀσκητής, ὁ δὲ ἕτερος ἔχων ὑπακοὴν μεγάλην. Ἔλεγε τούτῳ ὁ πατήρ· Ποίησον τοῦτο, καὶ ἐποίει, καὶ ποίησον ἐκεῖνο, καὶ ἐποίει, φάγε πρωὶ καὶ
5 ἤσθιεν. Καὶ ἐδοξάζετο διὰ τὴν ὑπακοὴν αὐτοῦ. Κεντηθεὶς

18 *post* ᾤκει *add.* ὁ κοσμικὸς Y ὁ ἀδελφὸς OVH ‖ διακονητής RT *l* : διακ. αὐτῶν Q διακονῶν αὐτοῖς *cett.* ‖ *post* εὗρεν *add.* hospitium eius *l* ‖ 19-20 εἰς μνημόσυνον *om. l* ‖ 21 τοῦ ἀδελφοῦ : αὐτοῦ RT ‖ 23 *post* ἔσω *add.* ἀδελφὸν TVH ‖ ἅμα δὲ καὶ εἷλκεν *om.* H ‖ 23-24 ὁ δὲ – κατίσχυσεν *om.* Q ‖ 25 *post* ἑαυτήν *add.* et complexa eum coepit eum illicere ad commistionem corporis sui *l* ‖ 26 εἰς : πρὸς QR *om.* T ‖ ἀσελγείαν *om.* T ‖ 27 συγχεόμ. : συνεχόμενον QRT ‖ 28 ἐν *om.* Q ‖ 31 πρὸς : εἰς QR

26 YOQRTV

1 μαθημάτων OV : μαθητῶν *cett.* ‖ 3 ὡς YO : ὥσπερ *cett.*

leur commissionnaire, et il le découvrit. Or il se trouva que lui et tous les siens étaient hors du village, au tombeau, à l'exception d'une de ses filles, qui répondit lorsque le frère frappa à la porte. Ouvrant la porte, comme le frère l'interrogeait sur son père, elle l'invita à entrer à l'intérieur et en même temps l'y attirait. Lui s'y refusait. Mais après bien des efforts, elle fut plus forte et l'attira à elle. Mais lui, se voyant poussé à l'impureté et bouleversé par les pensées, il cria vers Dieu en gémissant : « Seigneur, par les prières de mon père, sauve-moi en cette heure. » Comme il disait cela, il se trouva aussitôt sur le fleuve, retournant au monastère. Et il fut rendu indemne à son abba.

26 Un vieillard dit : « Le Sauveur a posé comme fondement de ses enseignements l'affliction et l'austérité. Donc celui qui fuit le fondement fuit la connaissance de Dieu. De même, en effet, que les lettres sont données aux enfants comme le début de l'instruction pour acquérir une science, de même c'est en acquérant l'obéissance dans les peines et les afflictions que le moine devient cohéritier du Christ[c] et fils de Dieu. » N 666

27 Deux frères selon la chair allèrent habiter dans un monastère ; l'un était ascète et l'autre avait une grande obéissance. Le père disait à ce dernier : « Fais ceci », et il le faisait ; ou : « Fais cela », et il le faisait ; « mange le matin », et il mangeait. Et on l'estimait à cause de son N 294

27 YOQRTMSVH *l*
1-2 ἐν μοναστηρίῳ τινι O || 2 ἦν *om.* Y || 3 τούτῳ : οὖν τῷ ἑνὶ QRT || 4 ἐποίει καὶ *om.* Q || καὶ ποίησον ἐκ. κ. ἐποίει *om.* H || 5 ἤσθιεν : ἔτρωγεν H || ἐν τῇ ὑπακοῇ QT || κεντηθεὶς : punctus inuidiae mucrone *l*

c. Cf. Rm 8, 17

οὖν εἷς αὐτὸν ὁ ἀσκητὴς ἀδελφὸς εἶπεν πρὸς ἑαυτόν· Δοκιμάσω αὐτὸν εἰ ἔχει ὑπακοήν. Καὶ προσελθὼν τῷ ἡγουμένῳ εἶπεν· Πέμψον μετ' ἐμοῦ τὸν ἀδελφόν μου ἵνα παραβάλωμεν πού ποτε. Καὶ ἀπέλυσεν αὐτὸν ὁ ἀββᾶ. Καὶ
10 παραλαβὼν αὐτὸν ὁ ἀσκητὴς ἀδελφὸς ἦλθεν εἰς ποταμόν τινα· εἶχε δὲ πλῆθος κροκοδείλων, καὶ θέλων αὐτὸν πειρᾶσαι λέγει αὐτῷ· Κατάβηθι εἰς τὸν ποταμὸν καὶ πάρελθε. Καὶ κατέβη ἐκεῖνος, καὶ ἦλθον οἱ κροκόδειλοι καὶ ἔλειχον αὐτοῦ τὸ σῶμα, καὶ οὐκ ἔβλαψαν αὐτόν. Καὶ
15 ἰδὼν αὐτὸν ὁ ἀσκητὴς εἶπεν αὐτῷ· Ἀνάβηθι ἀπὸ τοῦ ποταμοῦ. Καὶ ὁδεύοντες ηὗρον σῶμα ἐρριμμένον ἐν τῇ ὁδῷ. Καὶ εἶπεν ὁ ἀσκητής· Εἰ εἴχομεν παλαίωμα, ἐβάλομεν ἐπάνω αὐτοῦ. Καὶ λέγει ὁ τὴν ὑπακοὴν ἔχων· Μᾶλλον εὐξώμεθα εἴπως ἀνάστῃ. Καὶ ἔστησαν εἰς εὐχήν· καὶ
20 εὐξαμένων αὐτῶν ἀνέστη ὁ νεκρός. Καὶ ἐκαυχᾶτο ὁ ἀσκητὴς λέγων· Διὰ τὴν ἄσκησίν μου ἀνέστη ὁ νεκρός. Ἀπεκάλυψεν δὲ ὁ Θεὸς τῷ πατρὶ τῆς μονῆς πάντα, καὶ ὡς ἐπείρασεν τὸν ἀδελφὸν αὐτοῦ ἐν τοῖς κροκοδείλοις, καὶ ὡς ἀνέστη ὁ νεκρός. Καὶ ὡς ἦλθον εἰς τὸ μοναστήριον, λέγει ὁ ἀββᾶ
25 τῷ ἀσκητῇ· Τί οὕτως ἐποίησας τῷ ἀδελφῷ σου πειράσας αὐτόν; Καὶ ἰδοὺ διὰ τῆς ὑπακοῆς αὐτοῦ ἀνέστη ὁ νεκρός.

28 Ἄλλος τίς βιωτικὸς ἔχων παιδία τρία ἀνεχώρησεν ἐν μοναστηρίῳ ἐάσας αὐτὰ ἐν τῇ πόλει. Ὡς οὖν ἔμεινεν ἔτη τρία ἐν τῷ μοναστηρίῳ, ἤρξαντο οἱ λογισμοὶ μνήμην τῶν αὐτοῦ παιδίων φέρειν αὐτῷ, καὶ ἐλυπεῖτο δι' αὐτὰ σφόδρα
5 μὴ ἀναγγείλας τῷ ἀββᾶ ὅτι εἶχε τέκνα. Βλέπων οὖν αὐτὸν ὁ ἀββᾶ στυγνάζοντα λέγει αὐτῷ· Τί στυγνὸς εἶ; Καὶ

6 πρὸς ἑαυτὸν *om.* YQR ‖ 8 *post* πέμψον *add.* ἀββᾶ Q ‖ 10 λαβὼν OMVH ‖ 14 τὸ σῶμα : τοὺς πόδας QRTH ‖ 15 ἀπὸ : ἐκ TMSV ‖ 19 εἴπως : ὅπως QT ‖ 20-21 καὶ ἐκαυχᾶτο – νεκρός *om.* R ‖ 21 ἀνέστη : ἠγέρθη T ‖ 22 τῆς μονῆς Y : τοῦ μοναστηρίου *cett.* ‖ 25 οὕτως : οὖν T ‖ πειράσας αὐτὸν *om.* *l* ‖ 26 καὶ ἰδοὺ : γίνωσκε οὖν λοιπὸν ὅτι QRT ‖ τὴν ὑπακοὴν QRTMSVH

obéissance. Piqué au vif contre lui, le frère ascète se dit à lui-même : « Je vais éprouver s'il est obéissant. » Allant trouver l'higoumène, il dit : « Envoie mon frère avec moi afin que nous allions quelque part. » Et l'abba le laissa partir. Le frère ascète l'emmena et vint à un fleuve. Il y avait beaucoup de crocodiles et, voulant le mettre à l'épreuve, il lui dit : « Descends dans le fleuve et traverse. » Celui-ci descendit, et les crocodiles venaient lui lécher le corps, mais ne lui firent aucun mal. L'ascète le vit et lui dit : « Remonte du fleuve. » Et tandis qu'ils marchaient, ils trouvèrent un cadavre abandonné sur le chemin. L'ascète dit : « Si nous avions un vieux vêtement, nous l'en recouvririons. » Celui qui était obéissant dit : « Prions plutôt ; peut-être ressuscitera-t-il. » Ils se mirent en prière et, tandis qu'ils priaient, le mort ressuscita. Et l'ascète s'en glorifiait en disant : « C'est à cause de mon ascèse que le mort est ressuscité. » Or Dieu révéla tout cela au père du monastère, et comment il avait mis son frère à l'épreuve avec les crocodiles, et comment le mort était ressuscité. Et lorsqu'ils parvinrent au monastère, l'abba dit à l'ascète : « Pourquoi as-tu agi ainsi avec ton frère en le mettant à l'épreuve ? Voici que c'est par son obéissance que le mort est ressuscité. »

28 Un autre séculier qui avait trois enfants se retira dans un monastère, les laissant à la ville. Après trois ans passés au monastère, les pensées commencèrent à lui suggérer le souvenir de ses enfants, et il était ennuyé à leur sujet, n'ayant pas déclaré à l'abba qu'il avait des enfants. Le voyant donc abattu, l'abba lui dit : « Pourquoi es-tu N 295

28 YOQRTMSVH *l*

1 βιωτικὸς : saecularis uitae *l* || ἀνεχώρησεν : renuntiauit saeculo et uenit *l* || 2 πόλει : κώμῃ QT || 3 τῷ μοναστ. : τῇ μονῇ OMSVH || 4 περιφέρειν V || αὐτὰ YO *l* : αὐτὸ *cett.* || 5 μὴ : ἦν δὲ μὴ Y[ac]OMSVH ἦν γὰρ μὴ QRT || 6 ἀββᾶ Y *l* : πάτηρ *cett.*

διηγήσατο αὐτῷ λέγων· Πάτερ, τρία παιδία ἔχω ἐν τῇ πόλει, καὶ ἤθελον ἐνέγκαι αὐτὰ εἰς τὴν μονήν. Ἐπέτρεψε δὲ αὐτῷ ὁ ἀββᾶ τοῦτο ποιῆσαι. Καὶ ἀπελθὼν ἐν τῇ πόλει
10 εὗρεν τὰ δύο κεκοιμημένα καὶ τὸ ἓν μόνον καταλελειμμένον. Καὶ λαβὼν αὐτὸ ἦλθε φέρων εἰς τὸ μοναστήριον. Καὶ ἐπιζητήσας τὸν πατέρα οὐχ εὗρεν ἐκεῖ. Καὶ εἶπε τοῖς ἀδελφοῖς· Ποῦ ἐστιν ὁ ἀββᾶ; Οἱ δὲ εἶπον· Ἕως τοῦ ἀρτοκοπείου ἀπῆλθεν. Καὶ λαβὼν τὸν υἱὸν αὐτοῦ ἀπῆλθεν
15 εἰς τὸ αρτοκοπεῖον. Καὶ ἰδὼν αὐτὸν ὁ πατὴρ ἐλθόντα ἠσπάσατο, καὶ λαβὼν τὸ παιδίον περιεπτύξατο καὶ ἐναγκαλισάμενος κατεφίλει. Καὶ λέγει τῷ πατρὶ αὐτοῦ· Ἀγαπᾷς αὐτό; Ὁ δὲ ἔφη· Ναί. Καὶ πάλιν εἶπεν αὐτῷ· Πάνυ φιλεῖς αὐτό; Καὶ ἀπεκρίθη· Ναί. Καὶ ταῦτα ἀκούσας
20 ὁ ἀββᾶ εἶπεν αὐτῷ· Ἆρον καὶ βάλε αὐτὸ εἰς τὸν φοῦρνον ὡς καίεται. Καὶ λαβὼν ὁ πατὴρ τὸ παιδίον ἑαυτοῦ ἔρριψεν αὐτὸ εἰς τὸν φοῦρνον ὡς ἐκαίετο. Καὶ ἐγένετο παραχρῆμα ὡς δρόσος ὁ φοῦρνος, καὶ ἀπηνέγκατο δόξαν ἐν τῷ καιρῷ ἐκείνῳ ὡς Ἀβραὰμ ὁ πατριάρχης[d].

29 Εἶπε γέρων ὅτι· Ὁ καθήμενος ἐν ὑποταγῇ πατρὸς πνευματικοῦ πλείω μισθὸν ἔχει τοῦ ἐν τῇ ἐρήμῳ καθ' ἑαυτὸν ἀναχωροῦντος. Καὶ ἔλεγεν ὅτι διηγήσατό τις τῶν πατέρων λέγων ὅτι· Εἶδον τέσσαρα τάγματα ἐν τῷ
5 οὐρανῷ· τὸ πρῶτον τάγμα ἄνθρωπον ἀσθενοῦντα καὶ εὐχαριστοῦντα τῷ Θεῷ, τὸ δεύτερον τάγμα ὁ τὴν φιλοξενίαν διώκων καὶ ἱστάμενος διακονῶν, τὸ τρίτον τάγμα ὁ τὴν ἔρημον διώκων καὶ μὴ βλέπων ἄνθρωπον, τὸ τέταρτον τάγμα ὁ ἐν ὑποταγῇ καθήμενος πατρὸς καὶ ὑποτασσόμενος

7 αὐτῷ λέγ. πάτερ YQR : τῷ πατρὶ ὅτι *cett.* ‖ ἐν τῇ πόλει *om.* MSV ‖ 8 ἐν τῇ μονῇ H ἐν τῷ μοναστηρίῳ MS ‖ 9 πόλει : κώμῃ QT ‖ 11 φέρων *om.* O *l* ‖ 13-14 εἰς τὸ ἀρτοκοπεῖον V ‖ 14 ἀπῆλθεν[1] : ἄπελθε M *om.* H ‖ 15 ὁ πατὴρ : abbas *l* ‖ 16 περιεπτ. καὶ *om.* V ‖ 18 *et* 19 *post* ναί *add.* πάτερ Q ‖ 20 *post* ἆρον *add.* ergo si amas eum *l* ‖ ὡς : ᾧ Q ‖ 21 παιδ. ἑαυτ. : ἴδιον παιδίον Q ‖ 23 *post* ἀπηνέγκατο *add.* οὗτος QR

abattu?» Et il lui expliqua : «Père, j'ai trois enfants à la ville, et je voudrais les amener au monastère.» L'abba lui ordonna de le faire. Allant à la ville, il en trouva deux morts, un seul restant en vie. Il le prit et l'amena au monastère. Et cherchant le père, il ne l'y trouva point et dit aux frères : «Où est l'abba?» Ils lui dirent : «Il est allé jusqu'à la boulangerie.» Prenant son fils il alla à la boulangerie. Et lorsqu'il le vit venir, le père le salua et, prenant l'enfant dans ses bras, il l'entourait et le couvrait de baisers, puis il dit à son père : «L'aimes-tu?» L'autre dit que oui. Et il dit encore : «L'aimes-tu vraiment?» Il répondit que oui. Entendant. cela, l'abba lui dit : «Prends-le et jette-le dans le four tandis qu'il est brûlant.» Et le père, prenant son propre enfant, le jeta dans le four brûlant. Et aussitôt le four devint comme une rosée; et il en reçut de la gloire en ce temps-là, comme Abraham le patriarche[d].

29 Un vieillard dit : «Celui qui demeure dans la soumission à un père spirituel reçoit une plus grande récompense que celui qui se retire seul dans le désert.» Et il disait : «L'un des pères m'a raconté ceci : Je vis quatre ordres dans le ciel. Le premier, l'homme qui est malade et rend grâces à Dieu; le second, celui qui pratique l'hospitalité et se tient debout pour servir; le troisième, celui qui cherche le désert sans voir personne; le quatrième, celui qui demeure dans la soumission à un père, lui obéissant

Ruf 2 (389 C-392 A) cf. N 296

29 YOQRTMSVH *l*

1 ὑποταγῇ : ὑπακοῇ M || 2-3 τῶν ... καθ' ἑαυτῶν ἀναχωρουμένων Q || 3 καὶ ἔλεγε Y *l* : ἔλ. δὲ οὕτως O ἔλ. δὲ καὶ τοιοῦτον QRT *om. cett.* || 7 ἱστάμενος : instanter *l* || 7-8 ὁ τὴν – ἄνθρωπον : ὁ τὰ ἔργα αὐτοῦ ποιῶν καθαρὰ ἐνώπιον τοῦ Θεοῦ καὶ μὴ ἔχων μίγ ////ἀνθρώπ // Q ὁ εἰς τὴν ἔρημον καθ' ἑαυτὸν ἀναχωρῶν H || 9 ὑποταγῇ : ὑπακοῇ OMSVH

d. Cf. Gn 22, 1-14

10 αὐτῷ διὰ τὸν Κύριον. Ἐφόρει δὲ ὁ τὴν ὑπακοὴν ἔχων στέφανον χρυσοῦν καὶ γοργόναν καὶ πλείω τῶν ἄλλων δόξαν εἶχεν. Ἐγὼ δέ, φησί, εἶπον τῷ ὁδηγοῦντί με ὅτι· Πῶς οὗτος ὁ μικρότερος ὑπὲρ τοὺς ἄλλους ἔχει πλείονα δόξαν; Ὁ δὲ ἀποκριθεὶς εἶπέ μοι· Ἐπειδὴ ὁ τὴν φιλοξενίαν 15 ποιῶν ἰδίῳ θελήματι ποιεῖ, ὁμοίως καὶ ὁ εἰς τὴν ἔρημον τῷ ἰδίῳ θελήματι ἀνεχώρησεν· οὗτος δὲ ὁ τὴν ὑπακοὴν ἔχων πάντα τὰ ἑαυτοῦ θελήματα καταλείψας ἐκρέμαται τῷ Θεῷ καὶ τῷ ἰδίῳ πατρί, ἕνεκεν τούτου πλείονα δόξαν ἔλαβε παρὰ τοὺς ἄλλους. Διὰ τοῦτο, τέκνα, καλὴ ἡ ὑπακοὴ 20 ἡ διὰ τὸν Κύριον γινομένη. Ἠκούσατε, τέκνα, ἐκ μέρους τοῦ κατορθώματος τούτου τι ἴχνος ὀλίγον· Ὦ ὑπακοὴ σωτήριον πάντων τῶν πιστῶν· ὦ ὑπακοὴ γεννητρία πασῶν τῶν ἀρετῶν· ὦ ὑπακοὴ βασιλείας εὑρετής· ὦ ὑπακοὴ οὐρανοὺς ἀνοίγουσα καὶ ἄνθρωπον ἀπὸ γῆς ἀνάγουσα· ὦ 25 ὑπακοὴ σύνοικε ἀγγέλων· ὦ ὑπακοὴ πάντων τῶν ἁγίων τροφέ· ἐκ σοῦ γὰρ ἀληθῶς ἐθηλάσθησαν καὶ διὰ σοῦ ἐτελειώθησαν.

30 Ἀδελφὸς πολεμηθεὶς οἰκῆσαι καθ' ἑαυτὸν ἀνήγγειλε τῷ ἀββᾶ Ἡρακλείδῃ. Καὶ λέγει αὐτῷ ἐκεῖνος στηρίζων αὐτὸν ὅτι· Τις γέρων εἶχε μαθητὴν ὑπήκοον ἐπὶ πολλὰ ἔτη. Ἐν μιᾷ οὖν πολεμηθεὶς ἔβαλε μετάνοιαν τῷ γέροντι λέγων· 5 Ποίησόν με γενέσθαι μοναχόν. Καὶ λέγει ὁ γέρων· Βλέπε τόπον καὶ ποιοῦμέν σοι κελλίον καὶ γίνῃ μοναχός. Ἀπελθὼν οὖν εὗρεν ἀπὸ σημείου ἑνός, καὶ ἐποίησαν τὸ κελλίον. Λέγει οὖν ὁ γέρων τῷ ἀδελφῷ· Εἴ τι λέγω σοι, τοῦτο

10 ἔχων *om.* OV || 11 στέφανον : μανίακιν OMSVH || γοργόνην Q || 12 φησι *om. l* || 13 ὁ μικρότερος : ordo qui paruus est *l* || 14 *post* ἐπειδὴ *add.* ὁ ἀσθενῶν καὶ εὐχαριστῶν τῷ Θεῷ ἰδίῳ θελήματι τοῦτο ποιεῖ R || 15 *post* ποιεῖ *add.* ὁ δὲ ἀσθενῶν καὶ εὐχαριστῶν τῷ Θεῷ καὶ αὐτὸς ἰδίῳ θελήματι τοῦτο ποιεῖ QT || 17 τὰ ἑαυτοῦ θελ. *om.* QT || καταλείψας : -λιπὼν TMSH || 18 πατρὶ : λογισμῷ H patris spiritualis *l* || 19 τέκνα *om.* Y || 20 Κύριον : Χριστὸν QTMVH Deum *l* || ἠκούσατε – ὀλίγον *om.* QRT || 21 ὦ : ὡς Y *om. l (et passim)* || 22 σωτήριον : -ρία QRT || 23 ἀρετῶν :

à cause du Seigneur. Or celui qui était obéissant portait une couronne et un collier en or et avait plus de gloire que les autres. Et moi, dit-il, je demandai à mon guide comment celui-ci, plus petit que les autres, avait plus de gloire qu'eux. Et il me répondit : “Parce que celui qui pratique l'hospitalité agit selon sa propre volonté, de même celui qui vit au désert s'est retiré selon sa propre volonté ; mais celui qui est obéissant, abandonnant toutes ses volontés, dépend de Dieu et de son propre père. C'est pour cela qu'il reçoit une gloire plus grande que les autres.” Aussi, mes enfants, belle est l'obéissance accomplie à cause du Seigneur. Vous avez entendu, mes enfants, une partie des petites traces laissées par cette œuvre. O obéissance, salut de tous les fidèles ! O obéissance, génératrice de toutes les vertus ! O obéissance, qui découvres le royaume ! O obéissance qui ouvres les cieux et élèves l'homme de la terre ! O obéissance, qui habites avec les anges. O obéissance, nourriture de tous les saints ! De toi, en vérité, ils ont été nourris, et par toi ils ont été accomplis. »

30 Un frère, tenté d'habiter dans la solitude, s'en ouvrit à abba Héraclide. Celui-ci lui dit pour le réconforter : « Un vieillard avait un disciple qui lui obéissait depuis de longues années. Or un jour, tenté, il fit la métanie au vieillard et lui dit : “Fais-moi devenir moine.” Et le vieillard lui dit : “Cherche un endroit et nous t'y ferons une cellule, et deviens moine.” Il partit donc et trouva à une borne milliaire de là ; et ils firent la cellule. Alors le vieillard dit au frère : “Ce que je vais te dire, fais-le. S'il t'arrive

Hér 1 (185 B-D)

ἀγαθῶν H || εὑρετής : εὑρέσις MH || 24 καὶ ἄνθ. ἀπὸ γῆς ἀνάγ. *om.* YT || ἀπὸ γῆς *om.* R || *post* γῆς *add.* εἰς αὐτοὺς QR || ἀνάγουσα : εἰσάγ. OVH || 24-25 ὦ ὑπ. σύν. ἀγγέλων *om.* H || 26 γὰρ ἀληθῶς QT enim *l* : *om. cett.* || ἐθηλάθησαν : ablactati *l*

30 YOQRMSVH

2 Ἡρακλίδα Y || 7 ἀπὸ : ὡς ἀπὸ QR || ἐποίησεν MS

ποίησον. Ὅταν πεινᾷς φάγε, πίε, κοιμῶ, μόνον τοῦ κελλίου
10 σου μὴ ἐξέλθῃς ἕως τοῦ σαββάτου, καὶ τότε ἔρχου ἐγγύς μου. Καὶ ὑπέστρεψεν ὁ γέρων εἰς τὸ κελλίον ἑαυτοῦ. Ὁ δὲ ἀδελφὸς ἐποίησε δύο ἡμέρας κατὰ τὸν λόγον τοῦ γέροντος· καὶ τῇ τρίτῃ ἡμέρᾳ ἀκηδιάσας λέγει· Τί τοῦτο ἐποίησέ μοι ὁ γέρων εὐχὰς μὴ ποεῖν; Καὶ ἀναστὰς ἔψαλλε
15 πλείωνας ψαλμούς, καὶ μετὰ τὸ δῦναι τὸν ἥλιον ἔφαγεν, καὶ ἀναστὰς ἀπῆλθε κοιμηθῆναι. Καὶ θεωρεῖ εἰς τὸ ψιαθίον αὐτοῦ Αἰθίοπα κείμενον καὶ τρίζοντα τοὺς ὀδόντας αὐτοῦ ἐπ' αὐτόν. Καὶ δρομαῖος φόβῳ πολλῷ ἦλθεν πρὸς τὸν γέροντα. Καὶ κρούσας τὴν θύραν λέγει· Ἐλέησόν με, ἀββᾶ,
20 καὶ ἄνοιξόν μοι ταχέως. Ὁ δὲ γέρων γνοὺς ὅτι οὐκ ἐφύλαξε τὸν λόγον αὐτοῦ οὐκ ἤνοιξεν αὐτῷ ἕως πρωΐ. Ἀνοίξας δὲ τὸ πρωΐ, ηὗρεν αὐτὸν παρακαλοῦντα, καὶ οἰκτειρήσας εἰσήνεγκεν αὐτόν. Τότε λέγει τῷ γέροντι· Δέομαί σου, πάτερ, Αἰθίοπα μελανὸν εἶδον ἐπὶ τοῦ ψιαθίου
25 μου ὡς ἀπῆλθον κοιμηθῆναι. Λέγει αὐτῷ ὁ γέρων· Τοῦτό σοι συνέβη διότι οὐκ ἐφύλαξας τὴν ἐντολήν μου. Τότε τυπώσας αὐτὸν πρὸς τὴν δύναμιν αὐτοῦ τὴν ἀκολουθίαν τοῦ μονήρους βίου ἀπέλυσεν αὐτόν, καὶ κατὰ μικρὸν μικρὸν ἐγένετο δόκιμος μοναχός.

31 Οἰκέτης τις γενόμενος μοναχὸς ἐπὶ τεσσαρακονταπέντε ἔτη ἔμεινεν ἐν ἅλατι καὶ ἄρτῳ ἀρκούμενος καὶ ὕδατι. Κατανυγεὶς δὲ ὁ τούτου δεσπότης μετὰ φανερὸν χρόνον ἀναχωρεῖ καὶ αὐτὸς καὶ γίνεται τοῦ ἰδίου δούλου μαθητὴς
5 ἐν ὑπακοῇ μεγάλῃ.

32 Διηγήσατό τις γέρων ὅτι· Σχολαστικός τις Ἀντιοχεὺς εὐλαβὴς παρεδρεύων τινὶ ἐγλείστῳ καὶ παρακαλῶν αὐτὸν ἵνα δέξηται καὶ ποιήσῃ αὐτὸν μοναχόν, λέγει αὐτῷ ὁ

10 σου *om.* O ‖ ἔρχῃ O ‖ 14-16 ἔψαλλε – ἀναστὰς : ἤρξατο εὔχεσθαι καὶ ὡς QR ‖ 16 καὶ[2] *om.* QR ‖ 18 δρομαίως OQ ‖ πρὸς : εἰς MS ‖ 19 *post* κρούσας *add.* εἰς MS ‖ 21 τὸν λόγον : τὴν ἐντολήν QR ‖ αὐτῷ

de peiner, mange, bois, dors, seulement ne sors pas de ta cellule jusqu'au samedi, et alors viens auprès de moi." Et le vieillard retourna dans sa propre cellule. Quant au frère, il passa deux jours selon la parole du vieillard. Le troisième jour, victime de l'acédie, il dit : "Pourquoi le vieillard ne m'a-t-il pas prescrit de faire des prières?" Et il se mit debout, chanta plusieurs psaumes et, après le coucher du soleil, mangea ; puis il se leva pour aller dormir. Et il voit couché sur sa natte un Éthiopien grinçant des dents contre lui. Rempli de crainte, il courut chez le vieillard, frappa à sa porte et dit : "Aie pitié de moi, abba, ouvre-moi vite." Mais le vieillard, comprenant qu'il n'avait pas gardé sa parole, ne lui ouvrit pas jusqu'au matin. Lui ouvrant alors, il le trouva suppliant et, ayant pitié de lui, il le fit rentrer. Alors il dit au vieillard : "J'ai besoin de toi, père ; j'ai vu un Éthiopien noir sur ma couche comme j'allais dormir." Le vieillard lui dit : "Cela t'est arrivé parce que tu n'as pas gardé mon commandement." Alors il lui fixa selon sa capacité la façon de procéder dans la vie solitaire, et il le congédia ; et peu à peu il devint un moine éprouvé. »

31 Un serviteur devenu moine passa quarante-cinq ans se contentant de sel, de pain et d'eau. Son maître en fut touché de componction, et après un certain temps il se retira à son tour et devint le disciple de son propre esclave, dans une grande obéissance. N 23a

32 Un vieillard racontait qu'un pieux avocat d'Antioche fréquentait un reclus et lui demandait de le recevoir et de faire de lui un moine. Le vieillard lui dit : « Si tu veux N 46

om. O || 22 ἀν. δὲ τὸ πρωΐ : πρωΐας δὲ ἀνοίξας Q || *post* αὐτὸν *add.* ἔξω MH || 27 αὐτὸν : αὐτῷ O

31 H

32 H

γέρων· Ἐὰν θέλεις ἵνα δέξωμαί σε, «ὕπαγε πώλησον
5 πάντα τὰ ὑπάρχοντά σοι καὶ δὸς πτωχοῖς[e]» κατὰ τὴν
ἐντολὴν τοῦ Κυρίου, καὶ δέχομαι σοι. Ἀπελθὼν δὲ
ἐποίησεν οὕτως. Μετὰ ταῦτα λέγει αὐτῷ· Ἄλλην ἐντολὴν
ἔχεις φυλάξαι ἵνα μὴ λαλήσῃς. Ὁ δὲ συνέθετο, καὶ ἐποίησε
πέντε ἔτη καὶ οὐκ ἐλάλησεν. Ἤρξαντο οὖν τινες δοξάζειν
10 αὐτόν, καὶ λέγει αὐτῷ ὁ ἀββᾶ αὐτοῦ· Οὐκ ὠφελεῖ ὧδε,
ἀλλὰ πέμπω σε εἰς κοινόβιον ἐν Αἰγύπτῳ. Καὶ ἔπεμψεν
αὐτόν. Οὐκ εἶπε δὲ αὐτῷ πέμπων αὐτὸν λαλῆσαι. Αὐτὸς
δὲ τηρῶν τὴν ἐντολήν, ἔμεινε μὴ λαλῶν. Θέλων οὖν
δοκιμάσαι αὐτὸν ὁ ἀββᾶ ὁ δεξάμενος αὐτὸν εἰ λάλος ἐστιν
15 ἢ οὔ, πέμπει αὐτὸν εἰς ἀπόκρισιν ἐν τῇ πλημμύρᾳ τοῦ
ποταμοῦ ἵνα ἀναγκασθεὶς εἴπῃ ὅτι· Οὐκ ἠδυνήθην περάσαι.
Καὶ πέμπει ἀδελφὸν ὀπίσω αὐτοῦ ἵνα ἴδῃ αὐτὸν τί ποιεῖ.
Καὶ ὡς ἦλθεν ἐπὶ τὸν ποταμὸν μὴ δυνάμενος περάσαι
ἔκλινε γόνυ, καὶ ἰδοὺ ἔρχεται κροκόδειλος καὶ βαστάζει
20 αὐτὸν καὶ ἀποφέρει εἰς τὸ πέραν. Καὶ ἀπελθὼν ὁ ἀδελφὸς
ὁ πεμφθεὶς ὀπίσω αὐτοῦ καὶ ἰδὼν τοῦτο ἀνήγγειλε τῷ
ἀββᾶ καὶ τοῖς ἀδελφοῖς καὶ ἐξεπλάγησαν. Συνέβη δὲ αὐτὸν
μετὰ χρόνον κοιμηθῆναι. Καὶ ἐδήλωσεν ὁ ἀββᾶ τῷ πέμψαντι
αὐτὸν λέγων· Εἰ καὶ ἄλαλον ἔπεμψας ἡμῖν, ἀλλ' ὅμως
25 ἄγγελον Θεοῦ. Τότε πέμπει ὁ ἔγκλειστος λέγων· Οὔκ
ἐστιν ἄλαλος ἀλλὰ καὶ πάνυ εὔλαλος, ἀλλὰ τηρῶν τὴν
ἐντολὴν ἣν ἐξ ἀρχῆς ἔδωκα αὐτῷ ἔμεινεν οὕτως. Καὶ
ἐθαύμασαν πάντες καὶ ἐδόξασαν τὸν Θεόν.

e. Mt 19, 21

que je te reçoive, *va, vends tout ce que tu possèdes et donne-le aux pauvres*[e] selon le commandement du Seigneur, et je te recevrai.» Partant donc, il fit ainsi. Ensuite il lui dit : «Tu as un autre commandement à garder : celui de ne pas parler.» Il y consentit et passa cinq ans sans parler. Alors certains commencèrent à faire son éloge, et son abba lui dit : «Tu ne profites pas ici ; aussi je vais t'envoyer dans un cénobion en Égypte.» Et il l'y envoya, mais sans lui dire de parler. Et lui, gardant le commandement, demeura sans parler. Voulant donc éprouver s'il pouvait parler ou non, l'abba qui l'avait reçu l'envoie en course pendant la crue du fleuve, afin qu'il soit contraint de dire : «Je n'ai pas pu traverser.» Et il envoie un frère derrière lui pour voir ce qu'il allait faire. Arrivé au fleuve, comme il ne pouvait pas le traverser, il s'agenouilla, et alors un crocodile vient le prendre et le porte sur l'autre rive. Ce que voyant, le frère envoyé derrière lui revint l'annoncer à l'abba et aux frères qui en furent stupéfaits. Plus tard, le frère mourut, et l'abba fit savoir à celui qui l'avait envoyé : «Même si tu nous as envoyé un muet, c'était pourtant un ange de Dieu.» Alors le reclus fit répondre : «Il n'est pas muet, mais très bon parleur ; c'est pour garder le commandement que dès le début je lui ai donné qu'il est resté ainsi.» Tous s'en étonnèrent et glorifièrent Dieu.

XV

Περὶ ταπεινοφροσύνης

1 Ὁ ἀββᾶ Ἀντώνιος ἀτενίσας εἰς τὸ βάθος τῶν τοῦ Θεοῦ κριμάτων ἤτησε λέγων · Κύριε, πῶς τινες ὀλιγόβιοι ἀποθνήσκουσίν, τινες δὲ ὑπεργηρῶσιν ; Καὶ διὰ τί τινες μὲν πείνονται, ἄλλοι δὲ πλουτοῦσιν ; Καὶ πῶς ἄδικοι μὲν πλουτοῦσιν, δίκαιοι δὲ πείνονται ; Ἦλθε δὲ αὐτῷ φωνὴ λέγουσα · Ἀντώνιε, σεαυτῷ πρόσεχε · ταῦτα γὰρ κρίματα Θεοῦ εἰσιν, καὶ οὐ συμφέρει σοι αὐτὰ μαθεῖν.

2 Εἶπεν ἀββᾶ Ἀντώνιος τῷ ἀββᾷ Ποιμένι ὅτι · Αὕτη ἐστὶν ἡ μεγάλη ἐργασία τοῦ ἀνθρώπου ἵνα τὸ σφάλμα αὐτοῦ ἐπάνω ἑαυτοῦ βάλῃ ἐνώπιον τοῦ Θεοῦ καὶ προσδοκήσῃ πειρασμὸν ἕως ἐσχάτης ἀναπνοῆς.

3 Εἶπε πάλιν ἀββᾶ Ἀντώνιος · Εἶδον πάσας τὰς παγίδας τοῦ διαβόλου ἡπλωμένας εἰς τὴν γῆν, καὶ στενάξας εἶπον · Τίς ἄρα παρέρχεται ταύτας ; Καὶ ἤκουσα φωνῆς λεγούσης · Ἡ ταπεινοφροσύνη.

4 Παρέβαλόν ποτε γέροντες τῷ ἀββᾷ Ἀντωνίῳ, καὶ ἦν ἀββᾶ Ἰωσὴφ μετ' αὐτῶν. Καὶ θέλων ὁ γέρων δοκιμάσαι

Tit. YOQRMSVH *l*

1 YOQRMSVH *l*

1 ἀββᾶ : μακάριος YQR ‖ εἰς : πρὸς OQRH ‖ 4 καὶ πῶς ἄδ. μὲν πλ. *om.* H ‖ 6 γὰρ MSH *l* : τὰ O *om. cett.* ‖ 7 αὐτὰ : ταῦτα MSH

2 YOQRMSVH *l*

2 μεγάλη *om.* O ‖ ἡ ἐργασία ἡ μεγάλη R ‖ 3 ἑαυτοῦ : αὐτοῦ O

XV

De l'humilité

1 L'abba Antoine, scrutant la profondeur des jugements de Dieu, demanda : « Seigneur, comment se fait-il que certains meurent jeunes, tandis que d'autres atteignent une extrême vieillesse ? Pourquoi y a-t-il des pauvres et des riches ? Comment se fait-il que des injustes soient riches, et des justes pauvres ? » Et une voix vint lui dire : « Antoine, sois attentif à toi-même ; car ce sont là des jugements de Dieu, et il ne te convient pas de les connaître. »

Ant 2 (76 B-C)

2 Abba Antoine dit à abba Poemen : « Voici la grande œuvre de l'homme : brandir sa faute au-dessus de soi devant Dieu et s'attendre à la tentation jusqu'au dernier soupir. »

Ant 4 (77 A)

3 Abba Antoine dit encore : « J'ai vu tous les filets du diable déployés sur la terre, et j'ai dit en gémissant : Qui donc les franchira ? Et j'ai entendu une voix dire : L'humilité. »

Ant 7 (77 A-B)

4 Des vieillards vinrent un jour chez abba Antoine ; parmi eux se trouvait abba Joseph. Voulant les éprouver, le

Ant 17 (80 D)

3 YOQRMSVH *l*

1 *post* πάλιν *add.* ὁ αὐτὸς QR || 3 τίς : τί MVH || ἤκουσεν Y || *post* λεγούσης *add.* μοι ὅτι R ἀντώνιε H

4 YOQRMSVH *l*

αὐτούς, προεϐάλετο ῥῆμα ἀπὸ τῆς Γραφῆς, καὶ ἤρξατο ἐρωτᾷν ἀπὸ τῶν μικροτέρων τί ἐστι τὸ ῥῆμα τοῦτο. 5 Καὶ ἕκαστος ἔλεγε πρὸς τὴν ἰδίαν δύναμιν. Ὁ δὲ γέρων ἔλεγεν ἑκάστῳ· Οὔπω εὗρες. Ὕστερον δὲ λέγει τῷ ἀϐϐᾶ Ἰωσήφ· Σὺ πῶς λέγεις εἶναι τὸν λόγον τοῦτον; Ὁ δὲ ἀπεκρίθη λέγων· Οὐκ οἶδα. Λέγει ἀϐϐᾶ Ἀντώνιος· Πάντως ἀϐϐᾶ Ἰωσὴφ εὗρε τὴν ὁδὸν ὅτι εἶπεν· Οὐκ οἶδα.

5 Ἐπέστησάν ποτε τῷ ἀϐϐᾷ Ἀρσενίῳ οἱ δαίμονες ἐν τῷ κελλίῳ θλίϐοντες αὐτόν. Παραϐαλόντες δὲ οἱ διακονοῦντες αὐτῷ καὶ στάντες ἔξω τῆς κέλλης ἤκουον αὐτοῦ βοῶντος πρὸς τὸν Θεὸν καὶ λέγοντος· Ὁ Θεός, μὴ ἐγκαταλίπῃς 5 με· οὐδὲν ἐποίησα ἐνώπιόν σου ἀγαθόν, ἀλλὰ δός μοι κατὰ τὴν χρηστότητά σου βαλεῖν ἀρχήν.

6 Ἔλεγον δὲ περὶ αὐτοῦ ὅτι ὥσπερ οὐδεὶς τοῦ παλατίου ἐφόρει βέλτιον αὐτοῦ ἐσθῆτα ὅτε ἦν ἐν τῷ παλατίῳ, οὕτως οὐδὲ εἰς τὴν ἐκκλησίαν εὐτελεστέραν τις αὐτοῦ ἐφόρει.

7 Ἐρωτῶντός ποτε τοῦ ἀϐϐᾶ Ἀρσενίου τινὰ γέροντα αἰγύπτιον περὶ τῶν ἰδίων λογισμῶν, ἕτερος ἰδὼν αὐτὸν εἶπεν· Ἀϐϐᾶ Ἀρσένιε, πῶς τοσαύτην παίδευσιν ῥωμαϊκὴν καὶ ἑλληνικὴν ἐπιστάμενος, τοῦτον τὸν ἄγροικον περὶ τῶν 5 σῶν λογισμῶν ἐπερωτᾷς; Ὁ δὲ εἶπεν πρὸς αὐτόν· Τὴν μὲν ῥωμαϊκὴν καὶ ἑλληνικὴν παίδευσιν ἐπίσταμαι, τὸν δὲ ἀλφάϐητον τοῦ ἀγροίκου τούτου οὔπω μεμάθηκα.

8 Ἔλεγον οἱ γέροντες ὅτι ἐδόθη ποτὲ εἰς Σκῆτιν πρὸς ὀλίγα ἰσχάδια· καὶ ὡς μηδὲν ὄντα, οὐκ ἀπέστειλαν τῷ

3 ἀπὸ *om.* OMSVH ‖ 5 πρὸς : κατὰ QMS ‖ 6 δὲ *om.* YO ‖ 7 πῶς : τί H ‖ τοῦτον QR *l* : *om. cett.* ‖ 8 *post* λέγει *add.* οὖν H ‖ 9 *post* Ἰωσὴφ *add.* solus *l* ‖ ὅτι : δι' ὅτι O

5 YOQRMSVH *l*

3 ἤκουσαν MVH

6 YOQRMSVH *l*

2 ὅτε ἦν ἐν τῷ παλ. *om.* OMSVH ‖ 3 εἰς τὴν ἐκκλησίαν : in conuersatione *l* ‖ εὐτελέστερα H ‖ ἐφορειν Q

vieillard proposa une parole de l'Écriture et se mit à leur demander en commençant par les plus jeunes, ce que signifiait cette parole. Chacun parlait selon qu'il en était capable ; et à chacun le vieillard disait : « Tu n'as pas encore trouvé. » Ensuite, il dit à abba Joseph : « Toi, comment expliques-tu cette parole ? » Il répondit : « Je ne sais pas. » Abba Antoine dit : « Vraiment, abba Joseph a trouvé la voie, car il a dit : Je ne sais pas. »

5 Les démons assaillirent un jour abba Arsène dans sa cellule en l'affligeant. Et lorsque ceux qui le servaient arrivèrent, de l'extérieur de la cellule ils l'entendaient crier vers Dieu en disant : « Dieu, ne m'abandonne pas ; je n'ai rien fait de bien en ta présence, mais donne-moi de commencer, selon ta bonté. » — Ars 3 (88 C)

6 On disait aussi de lui que de même que personne au palais, lorsqu'il y était, ne portait un plus beau vêtement que lui, de même personne a l'église n'en portait un plus commun. — Ars 4 (88 C)

7 Un jour qu'abba Arsène interrogeait sur ses propres pensées un vieillard égyptien, un autre, qui le voyait, dit : « Abba Arsène, comment toi, qui connais tant l'éducation romaine et grecque, interroges-tu ce paysan sur tes pensées ? » Il lui dit : « Je connais l'éducation romaine et grecque, mais je n'ai pas encore appris l'alphabet de ce paysan. » — Ars 6 (89 A)

8 Les vieillards disaient qu'on donna un jour à Scété quelques petites figues sèches ; et comme elles ne valaient — Ars 16 (92 B)

7 YOQRTMSV *l*
2 *post* ἕτερος *add.* γέρων QR || αὐτὸν *om.* R || 5 σῶν OMSV *l* : ἰδίων *cett.* || ἐπερωτᾷς YR : ἐρωτᾷς *cett.* || 6 *post* παίδευσιν *add.* quantum ad saeculum *l* || 7 τοῦ ἀγροίκου *om.* O
8 YOQRTMSVH *l*
2 ἰσχάδια : σχάδια YORTH

ἀββᾶ Ἀρσενίῳ ὡς ἵνα μὴ ὕβριν πάθῃ. Ὁ δὲ γέρων ἀκούσας οὐκ ἐξῆλθεν εἰς τὴν σύναξιν λέγων· Ἀφορίσατέ με τοῦ
5 μὴ δοῦναί μοι εὐλογίαν ἣν ἔπεμψεν ὁ Θεὸς τοῖς ἀδελφοῖς, ἣν οὐκ ἤμην ἄξιος λαβεῖν. Καὶ ἀκούσαντες ὠφελήθησαν εἰς τὴν ταπείνωσιν τοῦ γέροντος. Καὶ ἀπελθὼν ὁ πρεσβύτερος ἀπήνεγκεν αὐτῷ τὰ ἰσχάδια, καὶ ἤνεγκεν αὐτὸν εἰς τὴν σύναξιν μετὰ χαρᾶς.

9 Ἐλέγετο δὲ περὶ αὐτοῦ ὅτι οὐκ ἠδυνήθη τις καταλαβεῖν τὴν διαγωγὴν τῆς πολιτείας αὐτοῦ.

10 Καθεζομένου ποτὲ τοῦ αὐτοῦ ἀββᾶ Ἀρσενίου ἐν τοῖς κάτω μέρεσι καὶ ὀχλουμένου ἐκεῖσε ἔδοξεν αὐτῷ καταλιπεῖν τὸ κελλίον. Μηδὲν δὲ ἐξ αὐτοῦ λαβών, οὕτως ἐπορεύθη πρὸς τοὺς ἑαυτοῦ μαθητὰς τοὺς φαρανίτας, Ἀλέξανδρον
5 καὶ Ζώϊλον. Εἶπεν οὖν Ἀλεξάνδρῳ· Ἀναστὰς ἀνάπλευσον. Καὶ ἐποίησεν οὕτως. Καὶ τῷ Ζωΐλῳ εἶπεν· Δεῦρο μετ' ἐμοῦ ἕως τοῦ ποταμοῦ καὶ ζητήσωμεν πλοῖον ἐπὶ τὴν Ἀλεξάνδρειαν καταπλέον, καὶ οὕτως ἀνάπλευσον καὶ σὺ πρὸς τὸν ἀδελφόν σου. Ὁ δὲ Ζώϊλος ταραχθεὶς ἐπὶ τῷ
10 λόγῳ ἐσιώπησεν. Καὶ οὕτως ἐχωρίσθησαν ἀπ' ἀλλήλων. Κατῆλθεν οὖν ὁ γέρων ἐπὶ τὰ μέρη Ἀλεξανδρείας, καὶ ἠσθένησεν ἀσθένειαν μεγάλην. Οἱ δὲ τούτου διακονηταὶ εἶπον πρὸς ἀλλήλους· Μὴ ἄρα τίς ἡμῶν ἐλύπησε τὸν γέροντα, καὶ διὰ τοῦτο ἐχωρίσθη ἀφ' ἡμῶν; Καὶ οὐχ
15 εὗρον ἐν ἑαυτοῖς οὐδέν, οὐδ' ὅτι παρήκουσαν αὐτοῦ ποτέ. Ὑγιάνας δὲ ὁ γέρων εἶπεν· Πορεύομαι πρὸς τοὺς ἐμοὺς πατέρας. Καὶ οὕτως ἀναπλεύσας ἦλθεν εἰς τὴν Πέτραν

4 *post* ἐξῆλθεν *add.* iuxta morem *l* || 6 ἀκούσαντες Y : ἤκουσαν [οἱ πατέρες QT] πάντες καὶ *cett.* || 8 τὰ σχάδια YORTV τὰς σχάδας H || 9 εἰς τὴν σύν. *om.* H

9 YOQRTMSVH *l*

1 ἔλεγον TMH || οὐκ ἠδυν. τις : οὐδεὶς ἠδύνατο MS || 2 τὴν διαγωγὴν *om.* V

rien, on n'en porta pas à abba Arsène afin de ne pas lui faire injure. Mais lorsqu'il l'apprit, le vieillard ne se rendit pas à la synaxe, en disant : « Vous m'avez exclu en ne me donnant pas de l'eulogie que Dieu a envoyée aux frères, et que je n'étais pas digne de recevoir. » En entendant ces paroles, ils s'édifièrent de l'humilité du vieillard, et le prêtre alla lui porter des petites figues sèches et l'amena à la synaxe avec joie.

9 On disait aussi de lui que personne ne pouvait saisir sa façon de vivre.

Ars S1
N 15

.0 Au temps où le même abba Arsène demeurait dans les régions inférieures, il y fut accablé, et il jugea à propos de quitter sa cellule. Sans rien emporter, il se rendit alors chez ses disciples de Pharan, Alexandre et Zoïle. Il dit à Alexandre : « Debout, embarque » – ce qu'il fit. Et il dit à Zoïle : « Viens avec moi jusqu'au fleuve, cherchons une embarcation qui descende à Alexandrie, puis embarque-toi, toi aussi, pour retrouver ton frère. » Troublé par ce propos, Zoïle garda le silence. Et ainsi se séparèrent-ils. Le vieillard descendit donc dans la région d'Alexandrie, et il tomba gravement malade. Ses serviteurs se dirent entre eux : « Peut-être que l'un de nous a peiné le vieillard et qu'il s'est séparé de nous à cause de cela ? » Mais ils ne trouvèrent rien à se reprocher, pas même de lui avoir jamais désobéi. Une fois guéri, le vieillard dit : « Je vais aller chez mes pères. » Et, remontant le fleuve, il alla à Pétra où

Ars 32.
40.41b
(97 D-
100 C.
105 B-D)

10 YOQRTMSVH *l*

1 αὐτοῦ *om.* MSH || 2 *post* μέρεσι *add.* Ægypti *l* || 3-5 οὕτως – Ἀλεξάνδρῳ : dixit discipulis suis Alexandro et Zoilo *l* || 4 τοὺς φαρανίτας *om.* V || 6 καὶ ἐπ. οὕτως *om. l* || 7 ἕως τοῦ ποταμοῦ *om.* QRT || ζητήσωμεν : quaere mihi *l* || 12 ἀσθένειαν YQ : ἀρρωστίαν *cett.* || 13 ἡμῶν : ὑμῶν Y || 16 *post* εἶπεν *add.* ad se ipsum *l* || πορεύομαι : πορεύσομαι πάλιν QRT || ἐμοὺς *om.* YOMSV || 17 ἀναπλεύσας *om. l* || εἰς : πρὸς TMS

ὅπου ἦσαν οἱ διακονηταὶ αὐτοῦ. Πλησίον δὲ τοῦ ποταμοῦ παιδίσκη τις αἰθιόπισσα προσελθοῦσα ἥψατο τῆς μηλωτῆς
20 αὐτοῦ. Ὁ δὲ γέρων ἐπετίμησεν αὐτῇ. Ἡ οὖν παιδίσκη εἶπεν αὐτῷ· Εἰ μοναχὸς εἶ, πορεύου εἰς τὸ ὄρος. Ὁ δὲ γέρων κατανυγεὶς ἐπὶ τῷ λόγῳ εἶπεν ἐν ἑαυτῷ· Ἀρσένιε, εἰ μοναχὸς εἶ, πορεύου εἰς τὸ ὄρος. Καὶ ἐπὶ τούτῳ ὑπήντησαν αὐτῷ ὅ τε Ἀλέξανδρος καὶ Ζωΐλος. Καὶ ἐπι-
25 πεσόντων αὐτῶν τοῖς ποσὶν αὐτοῦ, ἔρριψεν ἑαυτὸν καὶ ὁ γέρων καὶ ἔκλαυσαν ἀμφότεροι. Εἶπε δὲ αὐτοῖς ὁ γέρων· Οὐκ ἠκούσατε ὅτι ἠσθένησα; Οἱ δὲ εἶπον· Ναί. Καὶ λέγει ὁ γέρων· Καὶ διὰ τί οὐκ ἤλθατε καὶ εἴδετέ με; Λέγει αὐτῷ ἀββᾶ Ἀλέξανδρος· Ὅτι ὁ χωρισμός σου ἀφ' ἡμῶν
30 οὐ γέγονεν ἁρμόδιος, καὶ πολλοὶ οὐκ ὠφελήθησαν λέγοντες ὅτι εἰ μὴ παρήκουσαν τοῦ γέροντος οὐκ ἂν ἐχωρίσθη ἀπ' αὐτῶν. Λέγει αὐτοῖς· Κἀγὼ ἔγνων· πάλιν οὖν μέλλουσι λέγειν οἱ ἄνθρωποι ὅτι οὐχ ηὗρεν ἡ περιστερὰ ἀνάπαυσιν τοῖς ποσὶν αὐτῆς καὶ ἀνέκαμψε πρὸς Νῶε εἰς τὴν κιβωτόν[a].
35 Καὶ οὕτως ἐπληροφορήθησαν καὶ ἔμειναν μετ' αὐτοῦ ἕως τῆς τελευτῆς αὐτοῦ. Μέλλοντος δὲ αὐτοῦ τελευτᾶν, ἐταράχθησαν οἱ μαθηταὶ αὐτοῦ, καὶ λέγει αὐτοῖς· Οὔπω ἦλθεν ἡ ὥρα· ὅτε δὲ ἔρχεται, λέγω ὑμῖν. Κριθῆναι δὲ ἔχω μεθ' ὑμῶν ἐπὶ τοῦ βήματος τοῦ Χριστοῦ ἐὰν δῶτε
40 τὸ λείψανόν μου τινί. Οἱ δὲ λέγουσιν αὐτῷ· Τί οὖν ποιήσωμεν ὅτι οὐκ οἴδαμεν ἐνταφιάζειν. Καὶ εἶπεν ὁ γέρων· Οὐκ οἴδατε βαλεῖν σχοινίον εἰς τὸν πόδα μου καὶ ἆραί με εἰς τὸ ὄρος; Ὡς δὲ ἤμελλε παραδιδόναι τὸ πνεῦμα, εἶδον αὐτὸν οἱ ἀδελφοὶ κλαίοντα, καὶ λέγουσιν
45 αὐτῷ· Ἐν ἀληθείᾳ καὶ σὺ φοβῇ, πάτερ; Καὶ εἶπεν αὐτοῖς· Ἐν ἀληθείᾳ ὁ φόβος ὁ νῦν μετ' ἐμοῦ ἐν τῇ ὥρᾳ ταύτῃ

19 προσελθοῦσα *om.* QRT ‖ 22 ἐπὶ τῷ λόγῳ *om.* H ‖ ἐν *om.* Y ‖ 24 ὑπήντησεν OMSV ‖ 26 *post* δὲ *add.* αὐτοῖς YQTMSVH ‖ 27 *post* ναί *add.* πάτερ QRT audiuimus *l* ‖ 28 ἤλθατε YH : ἤλθετε *cett.* ‖ καὶ εἴδετέ : ἰδεῖν QT ‖ 30 ἁρμόδιος : πειθανὸς QT ἁρμοδίως OV tolerabilis *l* ‖ 33 οἱ ἄνθρ. *om.* Q ‖ 37 οἱ μαθ. αὐτοῦ : ualde *l* ‖ 38 ὅταν

étaient ses serviteurs. Près du fleuve, une petite servante éthiopienne s'approcha et toucha sa mélote. Le vieillard la réprimanda; mais la servante lui dit : «Si tu es moine, va à la montagne.» Touché de componction par cette parole, le vieillard se dit en lui-même : «Arsène, si tu es moine, va à la montagne.» Et là-dessus, Alexandre et Zoïle le rencontrèrent. Tandis qu'ils se jetaient à ses pieds, le vieillard lui aussi se prosterna et ils pleurèrent ensemble. Et le vieillard leur dit : «N'avez-vous pas appris que j'étais malade?» Ils dirent que oui. Et le vieillard dit : «Et pourquoi n'êtes-vous pas venus me voir?» Abba Alexandre lui dit : « Parce que ton éloignement de nous n'a pas été facile, et beaucoup n'en ont pas été aidés : ils ont dit que s'ils n'avaient pas désobéi au vieillard, il ne se serait pas séparé d'eux.» Il leur dit : «Je l'ai su, moi aussi; mais désormais les hommes vont dire que la colombe n'a pas trouvé où poser ses pieds; et qu'elle est revenue auprès de Noé dans l'arche[a].» Ainsi consolés, ils demeurèrent avec lui jusqu'à sa mort. Lorsqu'il fut près de mourir, ses disciples furent bouleversés, et il leur dit : «Ce n'est pas encore le moment; lorsqu'il viendra, je vous le dirai. Mais je serais jugé avec vous devant le tribunal du Christ si vous donniez mon cadavre à quelqu'un.» Ils lui disent : «Que faire alors, puisque nous ne savons pas ensevelir? Et le vieillard dit : «Ne savez-vous pas attacher une corde à mon pied et me tirer sur la montagne?» Quand il fut sur le point de rendre l'esprit, les frères le virent pleurer et lui dirent : «En vérité, père, toi aussi tu as peur?» Et il leur dit : «En vérité, la crainte qui est mienne à cette heure m'accompagne depuis

δὲ ἔλθῃ TMSH || 41 ἐνταφιάζειν : ἐνταφιάσαι σε YQR || 42 τοὺς πόδας TH || 43-44 παραδ. τὸ πν. : τελευτᾶν MS || 46 ἐν ἀληθείᾳ *om.* YSVH

a. Cf. Gn 8, 9

μετ' ἐμοῦ ἐστιν ἀφ' οὗ ἐγενόμην μοναχός. Καὶ οὕτως ἐκοιμήθη. Οὗτος δὲ ὁ λόγος τοῦ γέροντος ἦν· Ἀρσένιε, διὸ ἐξῆλθες; Καὶ ὅτι· Λαλήσας μετεμελήθην πολλάκις,
50 σιωπήσας δὲ οὐδέποτε. Ἀκούσας δὲ ὁ ἀββᾶ Ποιμὴν ὅτι ἐκοιμήθη ἀββᾶ Ἀρσένιος δακρύσας εἶπεν· Μακάριος εἶ, ἀββᾶ Ἀρσένιε, ὅτι ἔκλαυσας ἑαυτὸν εἰς τὸν ὧδε κόσμον· ὁ γὰρ μὴ κλαίων ἑαυτὸν ὧδε αἰωνίως ἐκεῖ κλαύσεται. Εἴτε οὖν ὧδε ἑκουσίως εἴτε ἐκεῖ ἀκουσίως, ἀδύνατον μὴ
55 κλαῦσαι ἀπὸ βασάνων.

11 Διηγήσατο ἀββᾶ Δανιὴλ περὶ τοῦ αὐτοῦ ἀββᾶ Ἀρσενίου ὅτι οὐδέποτε ἠθέλησε λαλῆσαί τι ζήτημα περὶ τῆς Γραφῆς, καίπερ δυνάμενος λαλῆσαι εἰ ἠθέλησεν. Ἀλλ' οὐδὲ ἐπιστολὴν ταχέως ἔγραφεν. Ὅτε δὲ ἤρχετο εἰς τὴν
5 ἐκκλησίαν διὰ χρόνου, ὀπίσω τοῦ στύλου ἐκαθέζετο ἵνα μή τις ἴδῃ τὸ πρόσωπον αὐτοῦ μηδὲ αὐτὸς ἄλλῳ πρόσχῃ. Ἦν δὲ τὸ εἶδος αὐτοῦ ἀγγελικὸν ὥσπερ τοῦ Ἰακώβ, ὁλοπόλιος, ἀστεῖος τῷ σώματι. Ξηρὸς δὲ ὑπῆρχεν. Εἶχε δὲ τὸν πώγωνα μέγαν φθάνοντα ἕως τῆς κοιλίας· αἱ δὲ
10 τρίχες τῶν ὀφθαλμῶν αὐτοῦ ἔπεσαν ἀπὸ τοῦ κλαυθμοῦ. Μακρὸς δὲ ἦν ἀλλ' ἐκυρτώθη ὑπὸ τοῦ γήρους. Τελευτᾷ δὲ ἐτῶν ἐνενήκοντα πέντε. Ἐποίησε δὲ εἰς τὸ παλάτιον τοῦ ἐν ὁσίᾳ τῇ μνήμῃ Θεοδοσίου τοῦ μεγάλου ἔτη τεσσαράκοντα, πατὴρ γενόμενος Ἀρκαδίου καὶ Ὁνωρίου
15 τῶν θειοτάτων· καὶ ἐν τῇ Σκήτει ἐποίησεν ἔτη τεσσαράκοντα, καὶ δέκα εἰς Τρώην τῆς ἄνω Βαβυλῶνος κατέναντι Μεμφέως, καὶ τρία ἔτη εἰς Κάνωπον Ἀλεξανδρείας, καὶ τὰ ἄλλα δύο ἦλθεν εἰς Τρώην πάλιν,

47 ἐγενόμην YR : ἐγενάμην V γέγονα *cett.* || *post* μοναχός *add.* et timeo ualde *l* || 49 μετεμελ. : μετενόησα QT -νόησας R -μελήθης H || πολλάκις : semper *l* || 51 ἀβ. Ἀρσ. Y *l* : *om. cett.* || 52 εἰς τὸν ὧδε κόσμον QR *l* : ὧδε εἰς τ. κ. *cett.* || 53-54 αἰωνίως – ὧδε *om.* V || 54 ἀκουσίως QRTH (tormentibus cogentibus *l*) : *om. cett.*

11 YOQRTMSVH *l*

1 *post* διηγήσατο *add.* δὲ YOTMSVH || 2 ἤθελεν TMVH || λαλῆσαί

que je suis devenu moine.» Et il s'endormit ainsi. Et telle était la parole du vieillard : «Arsène, pourquoi as-tu quitté?» Et : «Je me suis souvent repenti d'avoir parlé, mais de garder le silence jamais.» Et quand abba Poemen apprit qu'abba Arsène s'était endormi, il dit en pleurant : «Bienheureux es-tu, abba Arsène, d'avoir pleuré sur toi en ce monde! Car qui ne pleure pas sur lui-même ici-bas pleurera là-bas éternellement; soit donc ici de plein gré, soit là-bas contre son gré, il est impossible de ne pas pleurer à cause des tourments.»

11 Abba Daniel raconta du même abba Arsène qu'il ne voulut jamais répondre à une question sur l'Écriture, bien qu'il en fût capable s'il l'avait voulu. De même n'écrivait-il pas facilement de lettre. Et lorsque, de temps en temps, il venait à l'église, il s'asseyait derrière le pilier afin qu'on ne voie pas son visage et que lui-même ne fasse pas attention à autrui. Son aspect était angélique, comme celui de Jacob : les cheveux tout blancs, de la prestance corporelle; mais il était maigre; il avait une grande barbe qui lui couvrait jusqu'au ventre; à force de pleurer, ses cils étaient tombés; il était de haute taille, mais s'était courbé sous le poids de la vieillesse. Il mourut à quatre-vingt-quinze ans. Il en passa quarante dans le palais de Théodose le Grand, de sainte mémoire, servant de père aux divins Arcadios et Honorios; puis il passa quarante ans à Scété, dix à Troè au-dessus de Babylone en face de Memphis; trois à Canope d'Alexandrie, et les deux dernières années, il revint à Troè où il s'endormit,

Ars 42 (105 D-108 B)

τι *om.* QR ‖ περὶ YR : ἀπὸ Q *om. cett.* ‖ τῆς ἁγίας Γραφῆς MS ‖ 4-5 τὴν ἐκκλ. : conuentum *l* ‖ 7 εἶδος : πρόσωπον R uisio *l* ‖ *post* Ἰακὼϐ *add.* ἦν γὰρ QRT ‖ 10 τοῦ κλαυθμοῦ : τῶν δακρύων T ‖ 11 ὑπὸ : ἀπὸ OMH ‖ 13 ἐν ὁσίᾳ τῇ μν. : τῆς θείας μνήμης O ‖ 14 σεράκοντα *sic* Y σαράκοντα H ‖ 15 *post* θειοτ. *add.* βασιλέων QMSH ‖ 15-16 σαράκοντα H ‖ 18 πάλιν *om.* Q

καὶ ἐκεῖ ἐκοιμήθη τελέσας ἐν εἰρήνῃ καὶ φόβῳ Θεοῦ τὸν
20 δρόμον αὐτοῦ · «ὅτι ἀνὴρ ἀγαθὸς καὶ πλήρης πνεύματος
ἁγίου καὶ πίστεως ἦν[b].»

12 Διηγήσατο ἀββᾶ Ἰωάννης ὅτι · Ἀββᾶ Ἀνοὺβ καὶ ἀββᾶ
Ποιμὴν καὶ οἱ λοιποὶ ἀδελφοὶ αὐτῶν ἦλθον εἰς τόπον
καλούμενον Τερενοῦθιν ἕως ἂν σκοπήσωσι ποῦ ὀφείλουσι
μεῖναι. Καὶ ἔμειναν ἐκεῖ εἰς παλαιὸν ἱερὸν ὀλίγας ἡμέρας.
5 Εἶπε δὲ ἀββᾶ Ἀνοὺβ τῷ ἀββᾶ Ποιμένι · Ποιήσατε ἀγάπην ·
καὶ σὺ καὶ οἱ ἀδελφοί σου ἕκαστος καταμόνας ἡσυχάσῃ,
καὶ μὴ ἀπαντήσωμεν ἀλλήλοις τὴν ἑβδομάδα ταύτην. Καὶ
εἶπεν αὐτῷ ἀββᾶ Ποιμήν · Ὡς θέλεις ποιοῦμεν. Καὶ
ἐποίησαν οὕτως. Ἦν δὲ ἐκεῖ ἄγαλμα λίθινον ἐν τῷ ἱερῷ.
10 Καὶ ἠγείρετο ἀββᾶ Ἀνοὺβ κατὰ πρωὶ καὶ ἐλιθοβόλει τὸ
πρόσωπον τοῦ ἀγάλματος, καὶ καθ' ἑσπέραν ἔλεγεν αὐτῷ ·
Συγχώρησόν μοι. Καὶ ἐπλήρωσε τὴν ἑβδομάδα οὕτως ποιῶν.
Τῇ δὲ ἡμέρᾳ τοῦ σαββάτου ἀπήντησαν ἀλλήλοις, καὶ εἶπεν
ἀββᾶ Ποιμὴν τῷ ἀββᾶ Ἀνοὺβ · Εἶδόν σε, ἀββᾶ, τὴν
15 ἑβδομάδα ταύτην λιθάζοντα τὸ πρόσωπον τοῦ ἀγάλματος
καὶ πάλιν μετάνοιαν αὐτῷ ποιοῦντα · πιστὸς ἄνθρωπος
ταῦτα ποιεῖ; Καὶ ἀπεκρίθη ὁ γέρων · Τοῦτο τὸ πρᾶγμα
ἐποίησα δι' ὑμᾶς. Ὅτε εἴδετέ με λιθάζοντα τὸ πρόσωπον
τοῦ ἀγάλματος, μὴ ὠργίσθη ἢ ἐλάλησεν; Καὶ εἶπεν ἀββᾶ
20 Ποιμήν · Οὔ. Καὶ πάλιν ὅτε ἔβαλον αὐτῷ μετάνοιαν, μὴ
ἐταράχθη καὶ εἶπεν · Οὐ συγχωρῶ; Καὶ εἶπεν ἀββᾶ
Ποιμήν · Οὔ. Λέγει ἀββᾶ Ἀνούβ · Καὶ ἡμεῖς οὖν ἰδοὺ
ἐσμὲν ἑπτὰ ἀδελφοί · εἰ θέλετε ἵνα μείνωμεν μετ' ἀλλήλων,

19 τελειώσας QRT || 21 *post* ἦν *add.* κατέλιπε δέ μοι τὸν χιτῶνα αὐτοῦ τὸν δερμάτινον καὶ τρίχινον καμάσιν λευκὸν καὶ σανδάλια σεβένινα καὶ ἐγὼ ὁ ἀνάξιος ἐφόρεσα αὐτὰ ἵνα εὐλογηθῶ MS *cf. Alph.*

12 YOQRTMSVH *l*

2 ἀδελφοὶ αὐτῶν : τῶν πατέρων YQRT || *post* αὐτῶν *add.* ex uno utero nati monachi fuerunt in Scythi et quando illic uenit gens Mazicarum et desolauerunt locum ipsum primo discesserunt illinc et *l* || 4 μεῖναι : καθίσαι H || 5 ἀββᾶ : ὁ γέρων ἀββᾶ OMSVH || 10 ἀββᾶ : ὁ γέρων ἀββᾶ YOMSH || 16 ποιοῦντι YR || 17 ταῦτα : τοῦτο R || 18 ὅτε : ὅτι

achevant sa course dans la paix et la crainte de Dieu, *car c'était un homme bon, rempli de l'Esprit saint et de foi*[b].

12 Abba Jean raconta qu'abba Anoub, abba Poemen et leurs autres frères vinrent dans un lieu appelé Térénouthis jusqu'à ce qu'ils voient où ils devaient s'installer[1]. Et ils y demeurèrent quelques jours dans un vieux sanctuaire. Abba Anoub dit à abba Poemen : « Par charité, que toi et chacun de tes frères vivent dans le recueillement, chacun de son côté, sans que nous ne nous réunissions de toute cette semaine. » Abba Poemen lui dit : « Nous ferons comme tu veux. » Ainsi firent-ils. Or il y avait là, dans le sanctuaire, une statue en pierre ; et abba Anoub, en se levant le matin, jetait des pierres sur la figure de la statue, et le soir, il lui disait : « Pardonne-moi. » Et il passa toute la semaine en agissant ainsi. Le samedi, lorsqu'ils se réunirent, abba Poemen dit à abba Anoub : « Abba, je t'ai vu cette semaine jeter des pierres sur la figure de la statue et ensuite lui demander pardon ; un croyant agit-il ainsi ? » Le vieillard répondit : « Ce geste, je l'ai fait à cause de vous. Lorsque vous m'avez vu lapider la figure de la statue, s'est-elle mise en colère ou a-t-elle parlé ? » Abba Poemen répondit que non. « Et de même, lorsque je lui faisais la métanie, s'est-elle troublée et m'a-t-elle dit : Je ne te pardonne pas ? » Et abba Poemen dit que non. Abba Anoub dit : « Et nous, voici que nous sommes sept frères. Si vous voulez que nous demeurions

An 1
(129 A-C)

YOMSV ‖ λιθάζ. : λιθοβολοῦντα OMSVH ‖ 20 καὶ πάλιν : λέγει αὐτῷ ἀβ. Ἀνούβ QR ‖ ὅτε : ὅτι M ‖ 22 λέγει ἀβ. Ἀνούβ QRT *l* : *om. cett.*

b. Ac 11, 24

1. De nos témoins, seul *l* précise (comme le fait *Alph.*) que le groupe s'installe en ce lieu pour fuir les Maziques dévastant Scété ; l'épisode peut être situé en 407 (cf. Introduction, *SC* 387, p. 73-74).

γενώμεθα ὥσπερ τὸ ἄγαλμα τοῦτο ὅπερ ἐὰν ὑϐρισθῇ οὐ
25 ταράσσεται. Εἰ δὲ οὐ θέλετε γενέσθαι οὕτως, ἰδοὺ τέσσαρες πύλαι εἰσὶν ἐν τῷ ἱερῷ τούτῳ · ἕκαστος ὅπου θέλει ἀπέλθῃ. Καὶ ἔϐαλον ἑαυτοὺς χαμαὶ λέγοντες τῷ ἀϐϐᾶ Ἀνοὺϐ · Ὡς θέλεις ποιοῦμεν, πάτερ, καὶ ἀκούομεν ὡς λέγεις ἡμῖν. Εἶπε δὲ ἀϐϐᾶ Ποιμὴν ὅτι · Ἐμείναμεν μετ' ἀλλήλων τὸν πάντα
30 χρόνον ἡμῶν ἐργαζόμενοι κατὰ τὸν λόγον τοῦ γέροντος ὃν εἶπεν ἡμῖν, καταστήσαντος αὐτοῦ ἕνα ἐξ ἡμῶν οἰκονόμον. Καὶ πᾶν εἴ τι παρετίθει ἡμῖν ἠσθίομεν, καὶ ἀδύνατον ἦν τινὰ ἐξ ἡμῶν εἰπεῖν · Φέρε ἄλλο τί, ἢ εἰπεῖν ὅτι · Οὐ θέλω τοῦτο φαγεῖν. Καὶ ἐποιήσαμεν πάντα τὸν χρόνον
35 ἡμῶν ἐν ἀναπαύσει καὶ εἰρήνῃ.

13 Ἔλεγον περὶ τοῦ ἀϐϐᾶ Ἀμμωνᾶ ὅτι ἦλθόν τινες δικάσασθαι παρ' αὐτῷ. Ὁ δὲ γέρων ἀκούων ἐμωροποίει. Καὶ ἰδού τις γυνὴ ἔλεγε τῇ πλησίον αὐτῆς · Ὁ γέρων οὗτος σαλός ἐστιν. Ἤκουσεν οὖν αὐτῆς ὁ γέρων καὶ
5 φωνήσας αὐτὴν λέγει αὐτῇ · Πόσους κόπους ἐποίησα ἐν ταῖς ἐρήμοις ἵνα κτήσωμαι τὴν σαλότητα ταύτην, καὶ διὰ σὲ ἔχω ἀπολέσαι αὐτὴν σήμερον;

14 Διηγήσαντο περὶ ἐπισκόπου τινὸς τῆς Ὀξυρύγχου ὀνόματι Ἀπφὺ ὅτι ὅτε ἦν μοναχὸς πολλὰς σκληραγωγίας ἐποίει · ὅτε δὲ γέγονεν ἐπίσκοπος ἠθέλησε χρήσασθαι τῇ αὐτῇ σκληραγωγίᾳ ἐν τῷ κόσμῳ καὶ οὐκ ἴσχυσεν. Καὶ
5 ἔρριψεν ἑαυτὸν ἐνώπιον τοῦ Θεοῦ λέγων · Μὴ ἄρα διὰ τὴν ἐπισκοπὴν ἀπῆλθεν ἡ χάρις σου ἀπ' ἐμοῦ; Καὶ ἀπεκαλύφθη αὐτῷ · Οὐχί, ἀλλὰ τότε ἔρημος ἦν καί, μὴ ὄντος ἀνθρώπου, ὁ Θεός σου ἀντελαμϐάνετο · νῦν δὲ κόσμος ἐστὶν καὶ οἱ ἄνθρωποι ἀντιλαμϐάνονταί σου.

25 τέσσαραι R || 26 πύλαι : στοαὶ QRT ingressus ad aditum *l* || ἀπέλθῃ : μείνῃ Q ἀσμείνῃ R || *post* ἀπέλθῃ *add.* et quo uult uadat. illi autem haec audientes *l* || 28 πάτερ *om.* QR || ἀκούομεν : faciemus *l* || 29 μετ' ἀλλήλων *om.* YQRT || 31 ὃν εἶπεν ἡμῖν *om.* Q || 33 *post* τι *add.* ποτε YOMSVH

13 YOQRTMSVH *l*

ensemble, soyons comme cette statue : injuriée, elle ne se trouble pas. Mais si vous ne voulez pas devenir ainsi, il y a là quatre portes à ce sanctuaire : que chacun aille où il veut. » Alors ils se prosternèrent et dirent à abba Anoub : « Nous ferons comme tu veux, père, et nous écouterons ta parole. » Et abba Poemen dit : « Nous demeurâmes tout le temps ensemble, travaillant selon la parole que nous avait dite le vieillard. Il établit l'un de nous économe, et nous mangions tout ce qu'il nous apportait ; et aucun de nous ne pouvait dire : Apporte quelque chose d'autre, ou dire : Je ne veux pas manger de cela. Et nous passâmes tout notre temps dans le repos et la paix. »

13 On disait d'abba Ammonas que quelques personnes vinrent pour être jugées par lui. Mais en les écoutant le vieillard simulait la folie. Une femme dit alors à sa voisine : « Ce vieillard est stupide. » Le vieillard l'entendit, l'appela et lui dit : « Combien de peines ai-je endurées dans les déserts pour acquérir cette stupidité, et à cause de toi, je devrais la perdre aujourd'hui ? »

Amm 9 (121 C)

14 On racontait d'un évêque d'Oxyrynque nommé Apphy que, lorsqu'il était moine, il pratiquait beaucoup d'austérités, mais que, devenu évêque, il voulut dans le monde user de la même austérité et ne le put pas. Et il se prosterna devant Dieu en disant : « A cause de l'épiscopat, ta grâce se serait-elle éloignée de moi ? » Il eut alors cette révélation : « Non, mais alors c'était le désert, et comme il n'y avait personne, Dieu s'occupait de toi ; mais maintenant c'est le monde, et les hommes s'occupent de toi. »

Ap 1 (133 B-C)

1 Ἔλεγον : διηγήσαντο MSVH || Ammone *l* || 2 ἀκούων *om.* *l* || ἐμωροπ. : dissimulabat *l* || 6 τῇ ἐρήμῳ H || 7 σὲ : σοῦ QT

14 YOQRTMSVH *l*

1 τινος *om.* O *l* || 2 Ἀμφού QT Ἄμφοι R Ἄμφυ VH Affy *l* || μοναχὸς : εἰς τὴν ἔρημον μόνος H || 4 ἐν τῷ κόσμῳ : in ciuitate quam in eremo *l* *om.* MS || 6 σου *om.* YOMSVH || ἀπ' : ἐξ RT

15 Εἶπεν ἀββᾶ Δανιὴλ ὅτι ἐν Βαβυλῶνι ἦν θυγάτηρ τινὸς πρωτεύοντος ἔχουσα δαιμόνιον. Εἶχε δὲ ὁ πατὴρ αὐτῆς ἀγαπητόν τινα μοναχόν· καὶ λέγει αὐτῷ· Οὐδεὶς δύναται θεραπεῦσαι τὴν θυγατέρα σου εἰ μὴ οὓς οἶδα ἀναχωρητάς. 5 Καὶ ἐὰν αὐτοὺς παρακαλέσῃς, οὐκ ἀνέχονται τοῦτο ποιῆσαι διὰ ταπεινοφροσύνην. Ἀλλὰ τοῦτο ποιήσωμεν· ὅταν ἔλθωσιν εἰς τὴν ἀγοράν, ποιήσατε ἑαυτοὺς ὡς θέλοντάς τι ἀγοράσαι ἐξ αὐτῶν. Καὶ ὅταν ἔλθωσιν λαβεῖν τὴν τιμὴν τῶν σκευῶν, λέγομεν αὐτοῖς ἵνα ποιήσωσιν εὐχήν, καὶ πιστεύω ὅτι 10 θεραπεύεται. Καὶ ἐξελθόντες ἐν τῇ ἀγορᾷ, εὗρον ἕνα μαθητὴν τῶν γερόντων καθήμενον ἵνα πωλήσῃ τὰ σκεύη αὐτῶν. Καὶ ἔλαβον αὐτὸν μετὰ τῶν σπυρίδων ὡς ὀφείλοντα λαβεῖν τὸ τίμημα αὐτῶν. Καὶ ὅτε εἰσῆλθεν ὁ μοναχὸς εἰς τὸν οἶκον ἦλθεν ἡ δαιμονιζομένη καὶ ἔδωκε ῥάπισμα τῷ 15 μοναχῷ. Ὁ δὲ ἔστρεψε καὶ τὴν ἄλλην σιαγόνα κατὰ τὴν ἐντολήν[c]. Καὶ βασανισθεὶς ὁ δαίμων ἔκραζε λέγων· Ὦ βία, ἡ ἐντολὴ τοῦ Ἰησοῦ ἐκβάλλει με. Καὶ εὐθέως ὁ δαίμων ἐξῆλθεν καὶ ἐκαθαρίσθη ἡ κόρη. Καὶ ὡς ἦλθον οἱ γέροντες ἀνήγγειλαν αὐτοῖς τὸ γενόμενον. Καὶ ἐδόξασαν 20 τὸν Θεόν καὶ εἶπον· Ἔθος ἐστὶ τῇ ὑπερηφανείᾳ τοῦ διαβόλου πίπτειν ἐκ τῆς ταπεινώσεως τοῦ Χριστοῦ.

16 Εἶπε γέρων· Ἀρχὴ σωτηρίας ἡ ἑαυτοῦ κατάγνωσις.

17 Εἶπεν ἀββᾶ Καρίων ὅτι· Πολλοὺς κόπους σωματικοὺς πλέον τοῦ υἱοῦ μου Ζαχαρίου ἐποίησα, καὶ οὐκ ἔφθασα εἰς τὰ μέτρα αὐτοῦ ἐν τῇ ταπεινώσει αὐτοῦ καὶ ἐν τῇ σιωπῇ αὐτοῦ.

15 YOQRTMSVH *l*

5 παρακαλέσωμεν Q ‖ 7 εἰς τὴν ἀγοράν : afferantes uenalia quae operantur *l* ‖ 8 *post* ἔλθωσιν *add.* in domo *l* ‖ 10 εἰς τὴν ἀγοράν YQRT ‖ 12 αὐτῶν : αὐτοῦ QR ‖ *post* αὐτὸν *add.* secum in domo *l* ‖ 13-14 ὅτε – ἦλθεν : ἐλθοῦσα Q ‖ 14 καὶ *om.* Q ‖ 16-17 ὁ δαίμων – εὐθέως *om.* H ‖ 17-18 ὁ δαίμων ἐξ. καὶ *om.* *l* ‖ 18 κόρη : γύνη OMSVH ‖ 18-19 οἱ γέροντες : ad senes *l* ‖ 20-21 τῇ ὑπερηφανείᾳ [τὴν ... -νείαν MS] τοῦ διαβόλου : τῷ διαβόλῳ YQRT ‖ 21 τοῦ Χρ. : mandatorum Christi Iesu *l*

15 Abba Daniel dit que la fille d'un notable, à Babylone, était possédée par un démon. Or son père avait beaucoup d'affection pour un moine qui lui dit : « Personne ne peut guérir ta fille, sinon des anachorètes que je connais ; mais si tu leur demandes de le faire, ils refuseront par humilité. Agissons donc ainsi : lorsqu'ils viendront au marché, faites comme si vous vouliez leur acheter quelque chose ; et lorsqu'ils viendront chercher le prix des objets, nous leur dirons de faire une prière, et je crois qu'elle sera guérie. » Ils sortirent sur le marché et trouvèrent un disciple des vieillards assis à vendre leurs produits. Et ils l'emmenèrent avec ses corbeilles comme pour en recevoir le prix. Lorsque le moine entra dans la maison, la possédée vint et lui donna un soufflet. Mais lui, il tendit aussi l'autre joue, selon le commandement[c]. Bafoué, le démon s'écriait : « Ô violence, le commandement de Jésus me chasse ! » Le démon partit aussitôt, et la jeune fille fut purifiée. Lorsque vinrent les vieillards, on les informa de l'événement, et ils rendirent gloire à Dieu et dirent : « Il est habituel que l'orgueil du diable tombe par l'humilité du Christ. »

Dan 3 (153 C-156 A)

16 Un vieillard dit : « Le blâme de soi-même est le commencement du salut[1]. »

17 Abba Carion dit : « J'ai accompli plus de labeurs corporels que mon fils Zacharie, et je ne suis pas arrivé à sa mesure pour son humilité et son silence. »

Car 1 (249 C-D)

16 YOQRTMSV *l*
1 ἑαυτοῦ : αὐτοῦ MS
17 YQRTMSVH *l*
1 καρίων : Serapion *l* || 2 μου *om.* Y || 3 αὐτοῦ² *om.* MSVH || 3-4 καὶ ἐν τῇ σιωπῇ αὐτοῦ *om.* QRT

c. Cf. Mt 5, 39

1. Repris de Nil (Évagre), *cap. par.* 1 (*PG* 79, 1249 C).

18 Καθημένου ποτὲ τοῦ ἀββᾶ Ζαχαρίου εἰς Σκῆτιν, ἦλθεν εἰς αὐτὸν θεωρία καὶ ἀνήγγειλε τῷ ἀββᾶ Καρίωνι. Ὁ δὲ γέρων πρακτικὸς ἦν καὶ οὐδὲν τούτων ᾔδει ἀκριβῶς. Καὶ ἔδειρεν αὐτὸν λέγων ὅτι· Ἀπὸ δαιμόνων ἐστίν. Παρέμεινε 5 δὲ ὁ λογισμός. Ἦλθεν οὖν πρὸς τὸν ἀββᾶ Ποιμένα νυκτός, καὶ εἶπεν αὐτῷ πάντα καὶ πῶς καίεται τὰ ἐντὸς αὐτοῦ. Εἰδὼς δὲ ὁ γέρων ὅτι ἀπὸ Θεοῦ ἐστιν, ἔπεμψεν αὐτὸν πρός τινα γέροντα καὶ εἶπεν αὐτῷ· Εἴ τι λέγει σοι, ποίησον; Καὶ ἀπελθὼν πρὶν αὐτὸν ἐξετάσαι τι, προλαβὼν 10 ὁ γέρων εἶπεν αὐτῷ πάντα ὅτι· Ἡ θεωρία ἀπὸ τοῦ Θεοῦ ἐστιν, ἀλλ' ὕπαγε, ὑποτάγηθι τῷ πατρί σου.

19 Εἶπεν ἀββᾶ Μωυσῆς τῷ ἀββᾶ Ζαχαρίᾳ· Εἰπέ μοι τί ποιήσω. Ὁ δὲ ἀκούσας ἔρριψεν ἑαυτὸν χαμαὶ εἰς τοὺς πόδας αὐτοῦ λέγων· Σὺ ἐμὲ ἐρωτᾷς, πάτερ; Λέγει αὐτῷ ὁ γέρων· Πίστευέ μοι, τέκνον μου Ζαχαρία, εἶδον τὸ 5 Πνεῦμα τὸ ἅγιον κατελθὼν εἰς σέ, καὶ ἐκ τούτου ἀναγκάζομαι ἐρωτῆσαί σε. Τότε λαβὼν ὁ Ζαχαρίας τὸ κουκούλιον ἑαυτοῦ ἀπὸ τῆς κεφαλῆς αὐτοῦ ἔθηκεν ὑπὸ τοὺς πόδας καὶ πατήσας αὐτὸ εἶπεν· Ἐὰν μὴ συντριβῇ ὁ ἄνθρωπος οὕτως, οὐ δύναται εἶναι μοναχός.

20 Εἶπεν ἀββᾶ Ποιμὴν ὅτι ἠρώτησεν ἀββᾶ Μωυσῆς τὸν ἀδελφὸν Ζαχαρίαν μέλλοντα τελευτᾶν λέγων· Τί ὁρᾷς; Λέγει αὐτῷ· Οὐ βέλτιον σιωπᾶν, πάτερ; Καὶ εἶπεν αὐτῷ· Ναί, τέκνον· σιώπα. Καὶ τῇ ὥρᾳ τοῦ θανάτου αὐτοῦ, 5 καθεζόμενος ἀββᾶ Ἰσίδωρος ἀναβλέψας εἰς τὸν οὐρανὸν εἶπεν· Εὐφραίνου, εὐφραίνου, τέκνον μου Ζαχαρία, ὅτι ἠνεώχθησάν σοι αἱ πύλαι τῆς βασιλείας τῶν οὐρανῶν.

18 YOQRTMSVH

1 καθεζομένου QR ‖ 2 δὲ *om.* Y ‖ 8 *post* σοι *add.* ὁ γέρων QRT ‖ 10 πάντα *om.* RMSVH

19 YOQRTMSVH *l*

1 Μωϋσῆς : Ποιμὴν M ‖ ἀββᾶ^{2} : fratri *l* ‖ 2 χαμαὶ *om.* QT ‖ 4 τέκνον μου *om.* H ‖ 5 κατελθὸν O^{pc} ‖ 7 κουκόλλιον Y ‖ 7-8 ἔθηκεν

18 Au temps où abba Zacharie demeurait à Scété, il lui vint une vision; et il en informa abba Carion. Or le vieillard était un homme d'œuvres, et il manquait de pénétration en ces domaines. Il le rabroua vivement, lui disant que cela venait des démons. Mais la pensée persista. Aussi alla-t-il de nuit chez abba Poemen, et il lui dit tout et comment il brûlait intérieurement. Voyant que cela venait de Dieu, le vieillard l'envoya chez un autre vieillard en lui disant : « Quoi qu'il te dise, fais-le. » Il y alla; et avant qu'il l'ait questionné, ce vieillard lui dit tout : « Cette vision vient de Dieu; mais va, soumets-toi à ton père. »

Zac 4 (180 B-C)

19 Abba Moïse dit à abba Zacharie : « Dis-moi ce que je dois faire. » Mais lui, en entendant cela, se jeta par terre à ses pieds et lui dit : « C'est moi que tu interroges, père? » Le vieillard lui dit : « Crois-moi, Zacharie, mon enfant, j'ai vu l'Esprit-Saint descendre sur toi; aussi suis-je contraint à t'interroger. » Alors Zacharie retira son capuchon de sa tête, le mit à ses pieds et le foula en disant : « Si l'homme n'est pas ainsi piétiné il ne peut être moine. »

Zac 3 (180 A-B)

20 Abba Poemen dit qu'abba Moïse interrogea le frère Zacharie sur le point de mourir, disant : « Que vois-tu? » Il lui dit : « Ne vaut-il pas mieux me taire, père? » Et il lui dit : « Oui, mon enfant, tais-toi. » Et au moment de sa mort, abba Isidore qui était assis là leva les yeux au ciel et dit : « Réjouis-toi, réjouis-toi, Zacharie, mon enfant, car les portes du royaume des cieux sont ouvertes pour toi. »

Zac 5 (180 C)

– πατήσας : κατεπάτησε καὶ H ‖ 7 ὑπὸ : ἐπὶ YOQRT ‖ 8 ἐὰν : εἰ YOQR ‖ *post* συντριβῇ *add.* ἑαυτὸν Q *in marg.*

20 YOQRTMSVH *l*

4 *post* τέκνον *add.* καὶ QR καὶ εἶπε Y ‖ 5 τοὺς οὐρανοὺς OMS

21 Εἶπεν ἀββᾶ Ἡσαίας· Τὸ ἀγαπᾶν τὴν δόξαν τῶν ἀνθρώπων τίκτει τὸ ψεῦδος, τὸ δὲ ἀνατρέψαι αὐτὴν ἐν ταπεινώσει ποιεῖ τὸν φόβον τοῦ Θεοῦ μείζονα ἐν τῇ καρδίᾳ. Μὴ θελήσῃς οὖν φίλος γενέσθαι τῶν ἐνδόξων τοῦ κόσμου, 5 ἵνα μὴ ἡ δόξα τοῦ Θεοῦ ἀμβλυνθῇ ἀπὸ σοῦ.

22 Εἶπε πάλιν· Ποιῶν τὰς λειτουργίας σου, ἐὰν ποιήσῃς ἐν ταπεινοφροσύνῃ ὡς ἀνάξιος ὤν, δεκταί εἰσιν παρὰ τῷ Θεῷ. Εἰ δὲ ἀναβῇ τι ἐπὶ τὴν καρδίαν σου ὑπερήφανον καὶ συγκαταθῇ ἢ καὶ μνησθῇς ἑτέρου κοιμωμένου ἢ 5 ἀμελοῦντος καὶ κατακρίνῃς τινά, γνῶθι ὅτι ἀργός ἐστιν ὁ κόπος σου.

23 Εἶπε πάλιν διὰ τὴν ταπεινοφροσύνην ὅτι γλῶσσαν οὐκ ἔχει πρός τινα φθέγξασθαι ὡς ἀμελοῦντα, ἢ ἀντιλέξαι τῷ καταπονοῦντι αὐτόν· Οὔτε ὀφθαλμοὺς ἔχει ἰδεῖν ἄλλου ἐλάττωμα ἢ κατανοῆσαί τινα· Οὔτε ὦτα ἔχει ἀκοῦσαι τὰ 5 μὴ ὠφελοῦντα αὐτοῦ τὴν ψυχήν· Οὔτε πρᾶγμα ἔχει μετά τινος πλὴν τῶν ἰδίων ἁμαρτιῶν, ἀλλὰ πρὸς πάντας ἀνθρώπους ἐστὶν εἰρηνικὸς διὰ τὴν ἐντολὴν τοῦ Θεοῦ καὶ οὐ διά τινα ἑτέραν προσπάθειαν. Ἐὰν γὰρ νηστεύσῃ τις ἓξ ἓξ καὶ ἐκδῷ ἑαυτὸν εἰς μεγάλους κόπους ἐκτὸς τῆς 10 ὁδοῦ ταύτης, μάταιοί εἰσιν πάντες οἱ κόποι αὐτοῦ.

24 Εἶπε πάλιν· Ὁ κτησάμενος ταπεινοφροσύνην ἐπιγινώσκει τὰς ἑαυτοῦ ἁμαρτίας· εἰ δὲ συνδράμῃ τῇ ταπεινοφροσύνῃ καὶ τὸ πένθος, καὶ παραμείνωσιν αὐτῷ τὰ ἀμφότερα, ἐκβάλλουσιν ἐκ τῆς ψυχῆς αὐτοῦ πάντα δαιμονικὸν 5 λογισμόν, καὶ τρέφουσιν τὴν ψυχὴν ἐκ τῆς ἰδίας τιμῆς καὶ ἐκ τῶν ἁγίων ἀρετῶν. Τῷ γὰρ ἔχοντι πένθος καὶ ταπεινοφροσύνην οὐ μέλει περὶ ὀνειδισμοῦ ἀνθρώπων. Αὗται

21 OMSVH
2-3 ἐν τῇ ταπεινοφροσύνῃ M || 5 ἀμβλυθῇ O
22 OMSVH
1 ποιῇς MS

21 Abba Isaïe dit : « Aimer la gloire des hommes engendre le mensonge, mais la changer en humilité fait croître la crainte de Dieu dans le cœur. Ne veuille donc pas devenir ami des personnes célèbres dans le monde afin que la gloire de Dieu ne soit pas amoindrie en toi. » Isa XIII, 4b

22 Il dit encore : « Quand tu accomplis tes liturgies, si tu le fais dans l'humilité en pensant être indigne, elles sont agréées par Dieu. Mais si monte en ton cœur quelque pensée d'orgueil et que tu y consentes, ou si tu te souviens d'un autre qui dort ou est négligent et que tu le juges, sache qu'inutile est ta peine. » Isa XXV, 52

23 Il dit encore à propos de l'humilité : « Elle n'a pas de langue pour accuser quelqu'un de négligence ou contredire l'importun ; elle n'a pas d'yeux pour voir la défaillance d'autrui ou observer quelqu'un ; elle n'a pas d'oreilles pour entendre ce qui n'est pas utile à son âme ; elle n'a d'affaire avec personne, sauf pour ses propres fautes, mais elle est pacifique envers tous les hommes à cause du commandement de Dieu et non pour une autre inclination. En effet, si quelqu'un jeûne pendant six jours et se livre à de grandes peines en dehors de cette voie, vaines sont toutes ses peines. » Isa XXV, 53

24 Il dit encore : « Celui qui a obtenu l'humilité connaît ses propres fautes ; et si à l'humilité se joint l'affliction et que les deux demeurent en lui, elles chassent de son âme toute pensée démoniaque et nourrissent l'âme de leur propre valeur et des saintes vertus. En effet, à qui possède affliction et humilité, peu importe le blâme des Isa XXVI, 2b

23 OMSVH
2 ἀμελοῦντι OVH || 3 ἰδεῖν : θεωρῆσαι V βλέπειν H *om.* O || ἄλλου *om.* H || 4 ἐλαττώματα OV || 8 ἑτέραν *om.* H || νηστεύῃ MS || τις *addidi* || 9-10 ἐκτὸς – ταύτης *om.* MS
24 OMSVH

γὰρ πανοπλίαι αὐτοῦ γίνονται, καὶ φυλάττουσιν αὐτὸν ἀπὸ ὀργῆς καὶ ἀνταποδόσεως, καὶ διδάσκουσιν αὐτὸν ὑποφέρειν
10 τὰ ἐπερχόμενα αὐτῷ. Ποῖον γὰρ ὄνειδος ἢ θυμὸς δύναται προσεγγίσαι τῷ πενθοῦντι ὑπὲρ τῶν ἰδίων ἁμαρτημάτων ἐνώπιον τοῦ Θεοῦ;

25 Εἶπε πάλιν · Τὸ παραρρίψαι ἑαυτὸν ἐνώπιον τοῦ Θεοῦ ἐν γνώσει καὶ τὸ ὑπακοῦσαι τῶν ἐντολῶν ἐν ταπεινοφροσύνῃ φέρουσιν τὴν ἀγάπην, καὶ ἡ ἀγάπη φέρει τὴν ἀπάθειαν.

26 Ὁ αὐτὸς ἠρωτήθη · Τί ἐστι ταπείνωσις; Καὶ εἶπεν · Ταπείνωσίς ἐστιν τὸ λογίσασθαι ἑαυτὸν ἁμαρτωλότερον εἶναι πάντων ἀνθρώπων, καὶ τὸ ἐξουθενεῖν ἑαυτὸν ὡς μηδὲν καλὸν ποιοῦντα ἐνώπιον τοῦ Θεοῦ. Τὸ δὲ ἔργον τῆς
5 ταπεινώσεώς ἐστι τοῦτο · ἡ σιωπή, καὶ τὸ μὴ μετρεῖν ἑαυτὸν ἔν τινι, καὶ τὸ μὴ φιλονεικεῖν, ἡ ὑποταγή, τὸ βλέμμα ἔχειν χαμαί, τὸ πρὸ ὀφθαλμῶν ἔχειν τὸν θάνατον, τὸ μὴ ψεύδεσθαι, τὸ μὴ ἀργολογεῖν, τὸ μὴ ἀντιλέγειν τῷ μείζωνι, τὸ μὴ θέλειν στῆσαι τὸν λόγον αὐτοῦ, τὸ ὑποφέρειν
10 ὕβριν, τὸ μισῆσαι τὴν ἀνάπαυσιν, τὸ βιάζεσθαι ἑαυτὸν ἐν παντὶ πράγματι, τὸ νήφειν, τὸ κόψαι τὸ ἴδιον θέλημα, τὸ μὴ παροξῦναι τινά, τὸ μὴ φθονεῖν τινί.

27 Εἶπε πάλιν · Ποίησον τὴν δύναμίν σου γενέσθαι ἀψήφιστον ἵνα δυνηθῇς σχολάσαι εἰς τὸ κλαῦσαι, καὶ φρόντισον πάσῃ δυνάμει σου μὴ φιλονεικῆσαι περὶ τῆς πίστεως μηδὲ δογματίσαι ἀλλ' ἀκολουθῆσαι τῇ καθολικῇ Ἐκκλησίᾳ ·
5 οὐδεὶς γὰρ δύναταί τι καταλαβεῖν τῆς θεότητος.

28 Εἶπε πάλιν · Ὁ κτώμενος τὴν ταπεινοφροσύνην ἑαυτῷ ἐπιφέρει τὴν μέμψιν τοῦ ἀδελφοῦ, λέγων ὅτι · Ἐγὼ

10 θυμὸν S ‖ 11 ἁμαρτιῶν VH
25 OMSV
26 OMSVH
1 ὁ αὐτὸς ἠρ. : ἠρωτήθη δέ O ‖ *post* ἐστι *add.* ἡ MVH ‖ ταπειν. : ταπεινοφροσύνη H ‖ 2 εἶναι *om.* MVH ‖ 7 χαμαί : κάτω O ‖

hommes : elles sont devenues son armure, le protègent de la colère et de la revanche et lui apprennent à supporter ce qui lui arrive. Car quelle injure ou mouvement de colère peut toucher celui qui s'afflige de ses propres fautes en présence de Dieu ? »

25 Il dit encore : « Se jeter devant Dieu avec science et obéir aux commandements avec humilité apporte la charité, et la charité apporte l'impassibilité. » Isa XXV, 2

26 Au même on demanda : « Qu'est-ce que l'humilité ? » Et il dit : « L'humilité, c'est de se considérer comme plus pécheur que tous les autres hommes, et de se déprécier soi-même comme ne faisant rien de bien devant Dieu. Et l'œuvre de l'humilité, la voici : le silence, ne se mesurer soi-même en rien, ne pas contester, la soumission, garder le regard par terre, avoir la mort devant les yeux, ne pas mentir, ne pas parler en vain, ne pas s'opposer au plus grand, ne pas vouloir maintenir sa parole, supporter l'injure, haïr le repos, se faire violence en tout, être vigilant, retrancher sa volonté propre, n'irriter personne, n'envier personne. » Isa IV, 1-3

27 Il dit encore : « Fais ton possible pour passer inaperçu afin de pouvoir t'adonner aux larmes ; et de tout ton possible aie soin de ne pas discuter ou dogmatiser sur la foi, mais de suivre l'Église catholique car personne ne peut rien saisir de la divinité. » Isa XXV, 18

28 Il dit encore : « Celui qui possède l'humilité s'attribue à lui-même le reproche de son frère, disant : C'est moi Isa XXV, 28b

8 ἀντιλέγειν : λέγειν H ‖ 9 αὐτοῦ : ἑαυτοῦ O ‖ 11 τὸ[2] : τοῦ S ‖ 12 τινί : τινά O

27 OVH

3 τῆς *om.* VH ‖ 5 τι *om.* H

28 OMSVH

ἐσφάλην. Ὁ δὲ τοῦ ἀδελφοῦ καταφρονῶν ἔχει ἑαυτὸν ὅτι σοφός ἐστιν καὶ οὐδέποτε ἔπληξέ τινα. Ὁ δὲ ἔχων τὸν
5 φόβον τοῦ Θεοῦ φροντίζει περὶ τῶν ἀρετῶν μή που μία αὐτῶν ἀπέφυγεν αὐτόν.

29 Εἶπε πάλιν· Μὴ λαλείτω σου ἡ γλῶσσα ἀλλ' ἡ πρᾶξις· ἔστω σου ὁ λόγος ταπεινὸς ὑπὲρ τὴν πρᾶξιν· μὴ λαλήσῃς ἐκτὸς συνειδήσεως· μὴ διδάξῃς δίχα ταπεινώσεως ἵνα ὑποδέξηται ἡ γῆ τὸν σπόρον σου.

30 Εἶπε πάλιν· Οὐκ ἔστι σοφία τὸ λαλῆσαι· σοφία δέ ἐστι τὸ γνῶναι τὸν καιρὸν ὅτε δεῖ λαλῆσαι. Ἐν γνώσει σιώπα, ἐν γνώσει λάλει. Πρόσεχε πρὸ τοῦ λαλῆσαι καὶ ἀποκρίνου τὰ δέοντα. Γενοῦ ἄγνωστος ἐν γνώσει ἵνα
5 ἐκφύγῃς ἐκ πολλῶν κόπων· ἑαυτῷ γὰρ ἐγείρει κόπους ὁ ἐμφανίζων ἑαυτὸν ἐν γνώσει. Μὴ καυχῶ ἐν γνώσει σου· οὐδεὶς γὰρ οὐδὲν οἶδεν. Τέλος δὲ πάντων τὸ μέμφεσθαι ἑαυτὸν καὶ τὸ εἶναι ὑποκάτω τοῦ πλησίον καὶ προσκολλᾶσθαι τῇ θεότητι.

31 Ὁ μακάριος Θεόφιλος ὁ ἀρχιεπίσκοπος παρέβαλέ ποτε εἰς τὸ ὄρος τῆς Νιτρίας· Καὶ ἦλθεν ὁ ἀββᾶ τοῦ ὄρους πρὸς αὐτόν. Καὶ λέγει αὐτῷ ὁ ἀρχιεπίσκοπος· Τί εὗρες ἐν τῇ ὁδῷ ταύτῃ πλέον, πάτερ; Λέγει αὐτῷ ὁ γέρων·
5 Τὸ αἰτιᾶσθαι καὶ μέμφεσθαι ἑαυτὸν πάντοτε. Λέγει αὐτῷ ὁ ἀρχιεπίσκοπος· Ὄντως ἄλλη ὁδὸς οὐκ ἔστιν εἰ μὴ αὕτη.

32 Εὐκαίρησεν ἀββᾶ Θεόδωρος μετὰ τῶν ἀδελφῶν, καὶ ἐσθιόντων αὐτῶν κατ' εὐλάβειαν ἐλάμβανον οἱ ἀδελφοὶ τὰ

4 σοφός : σοφώτερός S ‖ 6 αὐτῶν *om.* O
29 OMSV
1 εἶπε πάλιν *om.* S ‖ 2 σου *om.* MV ‖ ταπεινὸς *om.* MSV
30 OVH
3 πρὸ τοῦ : πρὸς τὸ V ‖ 5 γὰρ *om.* O ‖ 9 προσκολασαι V ‖ *post* θεότητι *add.* καλόν V

qui ai tort, tandis que celui qui méprise son frère se considère comme sage et n'ayant jamais fait de mal à personne. Mais celui qui a la crainte de Dieu se soucie des vertus de peur que l'une d'elles ne lui échappe.»

29 Il dit encore : «Que ce ne soit pas ta langue qui parle, mais tes actes; que ton discours soit plus humble que tes actes; ne parle pas inconsidérément; n'enseigne pas sans humilité, afin que la terre reçoive ta semence.»

30 Il dit encore : «Ce n'est pas sagesse que de parler; mais la sagesse est de savoir le moment où il faut parler. Tais-toi consciemment, parle consciemment. Réfléchis avant de parler et réponds ce qui convient. Deviens sciemment ignorant afin de fuir de nombreuses peines. Car il se suscite des peines, celui qui se manifeste dans la science. Ne te flatte pas de ta science, car personne ne sait rien. La fin de tout, c'est de se mépriser soi-même, d'être en-dessous de son prochain et d'adhérer à la divinité.»

31 Le bienheureux Théophile l'archevêque se rendit un jour à la montagne de Nitrie; et l'abba de la montagne vint à sa rencontre. L'archevêque lui dit : «Dans cette voie que tu suis, qu'as-tu trouvé de plus, père?» Le vieillard lui dit : «De m'accuser et de me faire sans cesse reproche à moi-même.» L'archevêque lui dit : «En vérité, il n'y a pas d'autre voie que celle-ci.»

Thp 1 (197 C-D)

32 Abba Théodore se distrayait avec les frères; et tandis qu'ils mangeaient avec piété, les frères prenaient les

ThP 6 (188 D)

31 OVH *l*
1 et postea episcopus *l* || 6 ὄντως *om. l*
32 YOQRTMSV *l*
1-2 εὐκαίρησεν – αὐτῶν : quando abbas Theodorus cum fratribus manducabat *l* || *post* ἀδελφ. *add.* εἰς Σκήτην YQRT || 2 κατ' εὐλάβειαν *om.* YOQRT

ποτήρια σιωπῶντες καὶ οὐκ ἔλεγον συγχώρησον. Καὶ εἶπεν ἀββᾶ Θεόδωρος · Ἀπώλεσαν οἱ μοναχοὶ τὴν εὐγένειαν αὐτῶν
5 τοῦ μὴ λέγειν συγχώρησον.

33 Ἔλεγον περὶ τοῦ αὐτοῦ ἀββᾶ Θεοδώρου ὅτι γενόμενος διάκονος εἰς Σκῆτιν οὐκ ἠθέλησε καταδέξασθαι διακονεῖν · εἰς πολλοὺς οὖν τόπους ἔφυγεν. Καὶ πάλιν ἔφερον αὐτὸν οἱ γέροντες λέγοντες · Μὴ καταλίπῃς τὴν διακονίαν σου. Λέγει
5 αὐτοῖς ἀββᾶ Θεόδωρος · Ἐάσατέ με καὶ δέομαι τοῦ Θεοῦ εἰ πληροφορήσει με στῆναι εἰς τὸν τόπον τῆς διακονίας μου. Καὶ δεόμενος τοῦ Θεοῦ ἔλεγεν · Ὁ Θεός, εἰ θέλημά σου ἐστὶν ἵνα στῶ εἰς τὸν τόπον τῆς λειτουργίας μου, πληροφόρησόν με. Καὶ ἐδείχθη αὐτῷ στῦλος πυρὸς ἀπὸ
10 τῆς γῆς ἕως τοῦ οὐρανοῦ, καὶ φωνὴ γέγονεν · Εἰ δύνασαι γενέσθαι ὡς ὁ στῦλος οὗτος, ὕπαγε, διακόνει. Ὁ δὲ ἀκούσας ἔκρινε μηκέτι καταδέξασθαι. Καὶ ἐλθόντος αὐτοῦ εἰς τὴν ἐκκλησίαν, ἔβαλον αὐτῷ μετάνοιαν οἱ ἀδελφοὶ λέγοντες · Εἰ οὐ θέλεις διακονεῖν, κἂν τὸ ποτήριον κάτεχε. Καὶ οὐκ
15 ἠνέσχετο λέγων · Ἐὰν μή με ἀφῆτε, ἀναχωρῶ ἐκ τοῦ τόπου τούτου. Καὶ οὕτως αὐτὸν ἀφῆκαν.

34 Εἶπεν ἀββᾶ Ἰωάννης ὁ Κολοβός ὅτι · Ἡ πύλη τοῦ Θεοῦ ἐστιν ἡ ταπείνωσις, καὶ οἱ πατέρες ἡμῶν διὰ πολλῶν ὕβρεων χαίροντες εἰσῆλθον εἰς τὴν πόλιν τοῦ Θεοῦ.

35 Εἶπε πάλιν · Ἡ ταπεινοφροσύνη καὶ ὁ φόβος τοῦ Θεοῦ ὑπεράνω εἰσὶν πασῶν τῶν ἀρετῶν.

36 Εἶπεν ἀββᾶ Ἰωάννης ὁ Θηβαῖος · Ὀφείλει ὁ μοναχὸς πρὸ πάντων τὴν ταπεινοφροσύνην κατορθῶσαι. Αὕτη γὰρ

3 *post* ἔλεγον *add.* sicut mos est *l* ‖ 3-5 καὶ εἶπεν *ad fin. om. l* ‖ 4 ἀββᾶ *om.* Y ‖ 5 τοῦ μὴ λέγειν : μὴ λέγοντες Q ‖ μὴ *eras.* O

33 YOQRTMSVH *l*

1 ἔλεγε O ‖ αὐτοῦ O *l*: *om. cett.* ‖ 2 ἐν σκήτῃ H ‖ οὖν *om.* O ‖ 3 ἔφυγε : φυγὼν Q ‖ 5 καὶ δέομαι : δεηθῆναι Q ‖ τοῦ : τοῦ προσώπου τοῦ MSV ‖ 6 διακονίας Q ministerii *l*: λειτουργίας *cett.* ‖ 7 ὁ θεός Y : domine (*post* ἐστιν) *l om. cett.* ‖ 8 τῆς λειτουργίας *om.* YOMSV ‖

coupes en silence, sans dire pardon. Et abba Théodore dit : « Les moines ont perdu leur noblesse en ne disant pas pardon. »

33 On disait du même abba Théodore que, devenu diacre à Scété, il refusa l'office de diacre et s'enfuit en divers lieux. Mais les vieillards le ramenèrent et lui dirent : « N'abandonne plus ta diaconie. » Abba Théodore leur dit : « Laissez-moi demander à Dieu qu'il m'assure que je doive occuper ma place dans la diaconie. » Et il pria Dieu en disant : « Dieu, si ta volonté est que je me tienne à ma place, assure-m'en. » Alors lui fut montrée une colonne de feu allant de la terre jusqu'au ciel, et il y eut une voix : « Si tu peux devenir comme cette colonne, va, sois diacre. » Entendant cela, il décida de ne jamais accepter. Et lorsqu'il vint à l'église, les frères lui firent la métanie et dirent : « Si tu ne veux pas être diacre, au moins tiens le calice. » Mais il s'y refusa disant : « Si vous ne me laissez, je vais quitter ce lieu. » Aussi le laissèrent-ils.

ThP 25 (193 A-B)

34 Abba Jean Colobos dit : « La porte de Dieu, c'est l'humilité ; et nos pères, à travers bien des injures, sont entrés joyeux dans la cité de Dieu. »

JnC S1b (*Recherches*, p. 23)

35 Il dit encore : « L'humilité et la crainte de Dieu sont au-dessus de toutes les vertus. »

JnC 22 (212 D)

36 Abba Jean le Thébain dit : « Le moine doit avant tout pratiquer l'humilité ; en effet, c'est le premier comman-

JnCe 2 (233 C-D)

10 *post* οὐρανοῦ *add.* φθάνων QRH || *post* γέγονε *add.* λέγουσα QT || 11-12 ἀκούσας *om.* Y || 12 δέξασθαι H || 14 διακονεῖν Y : -νῆσαι *cett.* || 16 τούτου *om.* O

34 YOQRTMSVH *l*

2 τανεινοφροσύνη H || 3 *post* ὕβρεων *add.* καὶ θλίψεων QRT || *post* εἰσῆλθον *add.* δι' αὐτῆς QRT || πόλιν : πύλην MS

35 YOQRTMSVH *l*

1 εἶπε πάλιν : ὁ αὐτὸς εἶπεν TMH

36 YOQRTMSVH *l*

ἐστιν ἡ πρώτη ἐντολὴ τοῦ Σωτῆρος λέγοντος · « Μακάριοι οἱ πτωχοὶ τῷ πνεύματι ὅτι αὐτῶν ἐστιν ἡ βασιλεία τῶν
5 οὐρανῶν[d]. »

37 Ἀδελφὸς ἠρώτησε τὸν ἀββᾶ Ἰσαάκ · Ποίῳ τρόπῳ ἔρχεται ἄνθρωπος εἰς ταπεινοφροσύνην ; Λέγει ὁ γέρων · Διὰ τοῦ φόβου τοῦ Θεοῦ. Λέγει ὁ ἀδελφός · Καὶ διὰ ποίου πράγματος ἔρχεταί τις εἰς τὸν φόβον τοῦ Θεοῦ ; Λέγει ὁ
5 γέρων · Τὸ κατ' ἐμέ, ἵνα συστείλῃ τις ἑαυτὸν ἀπὸ παντὸς πράγματος καὶ ἐκδώσῃ ἑαυτὸν κόπῳ σωματικῷ καί, ὡς ἡ ἰσχὺς αὐτοῦ ἐστιν, τῆς τοῦ σώματος ἐξόδου καὶ τῆς κρίσεως τοῦ Θεοῦ μνημονεύειν, καὶ ἀναπαύηται.

38 Συνήχθησάν ποτε πατέρες τῆς Σκήτεως συζητοῦντες περὶ τοῦ Μελχισεδέκ · καὶ ἐπελάθοντο καλέσαι τὸν ἀββᾶ Κόπριν. Ὕστερον δὲ καλέσαντες αὐτὸν ἠρώτουν περὶ τούτου. Ὁ δὲ τυπτήσας τὸ πρόσωπον αὐτοῦ ἐπὶ τρεῖς εἶπεν · Οὐαί
5 σοι, Κόπρι, ὅτι ἃ ἐνετείλατό σοι ὁ Θεὸς ποιῆσαι ἐγκατέλειπες, καὶ ἃ οὐ ζητεῖ παρὰ σοῦ ἐρευνᾷς. Καὶ ἀκούσαντες οἱ ἀδελφοὶ ἔφυγον εἰς τὰ κελλία ἑαυτῶν.

39 Διηγήσατο περὶ ἑαυτοῦ ἀββᾶ Μακάριος λέγων · Ὅτε ἤμην νεώτερος καὶ ἐκαθήμην εἰς τὸ κελλίον ἐν Αἰγύπτῳ, ἐκράτησάν με καὶ ἐποίησάν με κληρικὸν εἰς τὴν ἐκκλησίαν τῆς κώμης. Καὶ μὴ θέλων καταδέξασθαι ἔφυγον εἰς ἕτερον
5 τόπον. Ἦλθε δὲ πρός με τις κοσμικὸς εὐλαβὴς καὶ ἐλάμβανε τὸ ἐργόχειρόν μου καὶ διηκόνει μοι. Συνέβη δὲ

3 λέγοντος : γέγραπται γάρ QRT

37 YOQRTMSVH

4-5 λέγει ὁ γέρων *om.* V ‖ 6 ἐκδῶ MS ‖ 6-7 ὡς – ἐστιν Y : ὅση ἰσχὺς αὐτῷ ἐστιν OQTMSV ὅση ἐστιν ἡ ἰσχὺς αὐτοῦ R ἕως ἰσχύος αὐτῷ ἐστιν H ‖ 8 μνημονεύειν Y : -νεύσῃ Q -νευει RT φροντίζειν MS μεριμνῆσαι H *om.* OV ‖ ἀναπαύηται *scripsi* : -παίεται Y -παύεται *cett.*

38 YOQRTMSVH *l*

1 πατέρες : fratres *l* ‖ συζητοῦντες QRT et coeperunt intra se quaerere *l* : *om. cett.* ‖ 3 ἠρώτων OTMSVH ‖ 4 τυπήσας MS τύψας

dement du Seigneur qui dit : *Bienheureux les pauvres en esprit car à eux appartient le royaume des cieux*[d].»

37 Un frère interrogea abba Isaac : «De quelle façon parvient-on à l'humilité?» Le vieillard dit : «Par la crainte de Dieu.» Le frère dit : «Et par quelle œuvre parvient-on à la crainte de Dieu?» Le vieillard dit : «A mon avis, en se retirant de toute œuvre, en s'adonnant à la peine corporelle et, comme on en a la force, au souvenir de la sortie du corps et du jugement de Dieu, et en vivant dans le repos.»

Cro 3 (248 B-C)

38 Des pères se réunirent un jour à Scété pour discuter à propos de Melchisédech[1], et ils oublièrent d'inviter abba Coprès. L'invitant plus tard, ils l'interrogeaient à ce sujet. Mais lui, se frappant par trois fois le visage, dit : «Malheur à toi, Coprès; car ce que Dieu t'a commandé de faire, tu le laissais de côté, et ce qu'il ne te demande pas, tu cherches à le connaître!» En l'entendant, les frères s'enfuirent dans leurs cellules.

Cop 3 (252 D)

39 Abba Macaire racontait ceci à son propre sujet. Lorsque j'étais jeune et que je demeurais dans une cellule en Égypte, on me prit pour faire de moi un clerc de l'église du village. Ne voulant pas recevoir cette charge, je m'enfuis en un autre lieu. Et là, un laïc pieux vint me trouver; il se chargeait de mon travail manuel et me

Mac 1 (257 C-260 B)

H || πρόσωπον : στόμα OMSH OS *l* || 4-5 οὐαί σοι κόπρι *ter iterauit* QT *bis* R || 6 *post* ζητεῖ *add.* ὁ Θεὸς MSV

39 YOQRTMSVH *l*

1 Μάκαρις YOR || 2 ἐν τῷ κελλίῳ V || *post* Αἰγύπτῳ *add.* καὶ YOV

d. Mt 5, 3

1. Sur Melchisedech, voir XVIII, 5 et la note (dans le tome 3 à paraître).

ἀπὸ πειρασμοῦ διαβολικοῦ παρθένον τινὰ εἰς τὴν κώμην ἐκπεσεῖν. Καὶ λαβοῦσα κατὰ γαστρὸς ἠρωτᾶτο τίς εἴη ὁ τοῦτο πεποιηκώς. Ἡ δὲ εἶπεν · Ὁ ἀναχωρητής. Καὶ 10 ἐξελθόντες συνέλαβόν με οἱ τῆς κώμης καὶ ἐκρέμασαν ἐν τῷ τραχήλῳ μου ἠσβολωμένας χύτρας καὶ ὠτία κούφων καὶ περιεπόμπευσάν με ἐν τῇ κώμῃ κατὰ ἄμφοδον τύπτοντές με καὶ λέγοντες · Οὗτος ὁ μοναχὸς ἔφθειρεν ἡμῶν τὴν παρθένον, λάβετε αὐτόν, λάβετε. Καὶ ἐτύπτησάν 15 με παρὰ μικρὸν εἰς τὸ ἀποθανεῖν. Ἐλθὼν δὲ εἷς τῶν γερόντων λέγει αὐτοῖς · Ἕως πότε τύπτετε τὸν ξένον μοναχόν ; Ὁ δὲ διακονῶν μοι ἠκολούθει ὄπισθεν αἰδούμενος. Ἦσαν γὰρ ὑβρίζοντες αὐτὸν καὶ λέγοντες · Ἰδοὺ ὁ ἀναχωρητὴς ᾧ σὺ μαρτυρεῖς τί ἐποίησεν ; Καὶ λέγουσιν οἱ γονεῖς 20 αὐτῆς · Οὐκ ἀπολύομεν αὐτὸν ἕως οὗ δώσῃ ἐγγυητὴν ὅτι τρέφει αὐτήν. Καὶ εἶπον τῷ διακονοῦντί μοι καὶ ἐνηγγυήσατό με. Καὶ ἀπελθὼν εἰς τὸ κελλίον μου ἔδωκα αὐτῷ ὅσα εἶχον σπυρίδια λέγων · Πώλησον αὐτὰ καὶ δὸς τῇ γυναικί μου φαγεῖν. Καὶ ἔλεγον τῷ λογισμῷ · Μακάριε, 25 ἰδοὺ εὗρες σεαυτῷ γυναῖκα · χρεία ἐστιν ἐργάσασθαι περισσῶς ἵνα τρέφῃς αὐτήν. Καὶ εἰργαζόμην νύκτα καὶ ἡμέραν καὶ ἔπεμπον αὐτῇ. Καὶ ὅτε ἦλθεν ὁ καιρὸς τῆς ἀθλίας τεκεῖν, ἔμεινεν ἐπὶ πολλὰς ἡμέρας βασανιζομένη καὶ οὐκ ἔτικτεν. Καὶ λέγουσιν αὐτῇ · Τί ἐστι τοῦτο ; Ἡ 30 δὲ εἶπεν · Ἐγὼ οἶδα · ὅτι τὸν ἀναχωρητὴν ἐσυκοφάντησα καὶ ἐψευσάμην κατ' αὐτοῦ · καὶ οὗτος οὐκ ἔχει πρᾶγμα, ἀλλ' ὁ δεῖνα ὁ νεώτερος. Καὶ ἐλθὼν ὁ διακονῶν μοι χαίρων ἔλεγεν ὅτι · Οὐκ ἠδυνήθη τεκεῖν ἡ κόρη ἕως οὗ ὡμολόγησεν λέγουσα · Οὐκ ἔχει πρᾶγμα ὁ ἀναχωρητὴς ἀλλ' ἐψευσάμην 35 κατ' αὐτοῦ. Καὶ ἰδοὺ πᾶσα ἡ κώμη ἐλθεῖν θέλει ὧδε καὶ

8 ἐμπεσεῖν TMSH || 9 *post* ἀναχωρητής *add.* τοῦτο πεποίηκεν QRT qui mecum dormiuit *l* || 12 ἐπόμπευσαν V || ἐν τῇ κώμῃ *om.* YQRT || 17 ὄπισθεν : ὀπίσω OMSVH || 19 ἐμαρτυρεῖς TMVH || 21 διακον. μοι : διακονητῇ μου Q || 22 ἐγγυήσατο Q || 24 Μάκαρι YORV || 25 ἰδοὺ

servait. Or il arriva que, par une tentation diabolique, une vierge au village fauta ; comme elle devint enceinte, on lui demanda qui était le coupable. Elle dit : « L'anachorète. » Et les gens du village vinrent se saisir de moi, me suspendirent au cou des casseroles noircies de suif et des anses de jarres et me promenèrent par les rues dans tout le village en me frappant et en disant : « Ce moine a souillé notre vierge ; prenez-le, prenez-le. » Et ils me frappèrent presque à en mourir. Venant alors, l'un des vieillards leur dit : « Jusqu'à quand allez-vous frapper le moine étranger ? » Celui qui me servait suivait par derrière, plein de honte, car les gens l'injuriaient et lui disaient : « Vois ce qu'a fait cet anachorète pour lequel tu témoignes. » Et les parents de la jeune fille disaient : « Ne le relâchons pas tant qu'il ne s'est pas engagé à la nourrir. » Et je parlai à celui qui me servait, et il se porta garant. Rentrant dans ma cellule, je lui donnai toutes les corbeilles que j'avais en lui disant : « Vends-les et donne à manger à ma femme. » Et je me disais en pensée : « Macaire, voici que tu t'es trouvé une femme ; il te faut travailler davantage pour la nourrir. » Et je travaillais nuit et jour et lui envoyais mon travail. Lorsque vint pour la malheureuse le temps d'enfanter, elle resta plusieurs jours dans les douleurs sans accoucher. On lui demanda : « Que se passe-t-il ? » Elle dit : « Je sais ; c'est parce que j'ai calomnié l'anachorète, mentant contre lui. Mais il n'y est pour rien : c'est tel jeune homme. » Alors celui qui me servait vint plein de joie me dire : « La jeune fille n'a pu enfanter, jusqu'à ce qu'elle eut avoué : l'anachorète n'y est pour rien, mais j'ai menti contre lui. Et maintenant tout le village veut venir ici et te demander pardon. »

om. TMH || 27 ἡμέρα *sic* Y || 27-28 τῇ ἀθλίᾳ QRTMS || 30 *post* οἶδα *add.* quare torqueor diu. et interrogata a parentibus suis : quare? respondit *l* || 33 κόρη : παρθένος OQRTVH || 34 λέγουσα *om.* M || 35 *post* ὧδε *add.* glorificaturi Deum *l*

μετανοῆσαί σοι. Ἐγὼ δὲ ταῦτα ἀκούσας, ἵνα μὴ θλίψωσί με οἱ ἄνθρωποι ἀναστὰς ἔφυγον ὧδε εἰς Σκῆτιν. Αὕτη ἐστιν ἡ αἰτία δι' ἣν ἦλθον ὧδε.

40 Παρερχόμενός ποτε ἀπὸ τοῦ ἕλους ἐπὶ τὸ κελλίον ἑαυτοῦ ὁ αὐτὸς ἀββᾶ Μακάριος ἐβάσταζε θαλλία. Καὶ ἰδοὺ ὑπήντησεν αὐτῷ ἐν τῇ ὁδῷ ὁ διάβολος μετὰ δρεπάνου. Καὶ ὡς ἠθέλησεν αὐτὸν κροῦσαι οὐκ ἴσχυσεν. Καὶ λέγει 5 αὐτῷ · Πολλὴ βία ἀπὸ σοῦ, Μακάριε, ὅτι οὐ δύναμαι πρὸς σέ. Ἰδοὺ γὰρ εἴ τι ποιεῖς κἀγὼ ποιῶ · σὺ νηστεύεις κἀγὼ δὲ ὅλως οὐ τρώγω · ἀγρυπνεῖς, ἐγὼ δὲ ὅλως οὐ κοιμῶμαι · ἕν ἐστι μόνον ἐν ᾧ νικᾷς με. Λέγει αὐτῷ ἀββᾶ Μακάριος · Ποῖον τοῦτο ; Ὁ δὲ ἔφη · Ἡ ταπείνωσίς σου μόνον, καὶ 10 διὰ τοῦτο οὐ δύναμαι πρὸς σέ.

41 Εἶπεν ἀββᾶ Ματώης · Ὅσον ἄνθρωπος ἐγγίζει πρὸς τὸν Θεόν, τοσοῦτον ἁμαρτωλὸν βλέπει ἑαυτόν. Ἡσαΐας γὰρ ὁ προφήτης ἰδὼν τὸν Κύριον τάλαν καὶ ἀκάθαρτον ἑαυτὸν ἔλεγεν[e].

42 Ἀπῆλθεν ἀββᾶ Ματώης ἀπὸ τῆς Ῥαϊθοῦ εἰς τὰ μέρη Γεβάλων. Ἦν δὲ μετ' αὐτοῦ ὁ ἀδελφὸς αὐτοῦ. Καὶ κρατήσας ὁ ἐπίσκοπος τὸν γέροντα ἐποίησεν αὐτὸν πρεσβύτερον. Καὶ γευσαμένων αὐτῶν ὁμοῦ, ἔλεγεν ὁ 5 ἐπίσκοπος · Συγχώρησόν μοι, ἀββᾶ, οἶδα ὅτι οὐκ ἤθελες τὸ πρᾶγμα τοῦτο, ἀλλὰ διὰ τὸ εὐλογηθῆναι παρὰ σοῦ ἐτόλμησα τοῦτο ποιῆσαι. Εἶπεν δὲ αὐτῷ ὁ γέρων μετὰ ταπεινώσεως · Καὶ ὁ λογισμὸς ἤθελε μικρόν · πλὴν ἐγὼ εἰς τοῦτο θλίβομαι ὅτι χωρισθῆναι ἔχω τοῦ ἀδελφοῦ μου ·

37 ἀναστὰς : ἀνέστην [ἀνέστη V] καὶ OMSVH || ὧδε : ἐνταῦθα V *om.* QRT

40 YOQRTMSVH *l*

1 ποτε *om.* Q || ἕλους *scripsi* : ὅρους *codd.* a palude *l* || ἐπὶ : εἰς MSV || 2 αὐτὸς YQR *om. cett.* || Μάκαρις YORTV || *post* θαλλία *add.* σίτου H || 3 ἐν τῇ ὁδῷ *om.* Q || 5 Μάκαρι YOV || 8 Μάκαρις YORTV || 9 ἡ ταπ. σου : ἐν τῇ ταπεινώσει QRT

Mais moi, apprenant cela, de peur que les hommes ne m'affligent, je me levai et m'enfuis ici, à Scété. Tel est le motif de ma venue ici.

40 Le même abba Macaire se rendait un jour du marais à sa cellule en portant des joncs ; et sur le chemin le diable vint à sa rencontre avec une faux. Et comme il voulait le frapper, il ne le put pas ; il lui dit : « Une grande force sort de toi, Macaire, car je suis impuissant contre toi. En effet, tout ce que tu fais, je le fais moi aussi : tu jeûnes, moi je ne mange rien ; tu veilles, moi je ne dors pas du tout. Tu ne me bats que sur un point. » Abba Macaire lui demanda lequel ; et il dit : « Seulement ton humilité ; c'est à cause de cela que je suis impuissant contre toi. »

Mac 11 (268 B-C)

41 Abba Matoès dit : « Autant l'homme approche de Dieu, autant il se voit lui-même pécheur. En effet, Isaïe le prophète, voyant le Seigneur, se disait lui-même misérable et impur[e]. »

Mat 2 (289 C)

42 Abba Matoès alla de Rhaïthou vers la région de Gebalon, ayant avec lui son frère. Et l'évêque prit le vieillard et le fit prêtre. Et tandis qu'ils mangeaient ensemble, l'évêque disait : « Pardonne-moi, abba, je sais que tu ne voulais pas cela ; mais c'est parce que je voulais être béni par toi que j'ai osé le faire. » Le vieillard lui dit avec humilité : « Certes, ma pensée ne le voulait guère ; mais ce qui m'afflige, c'est d'être séparé de mon frère : je ne sup-

Mat 9 (292 C-293 A)

41 YOQR[T]MSVH *l*
2 Ἡσαΐας] *hic des.* T || γὰρ *om.* MS
42 YOQRMSVH *l*
2 γεϐαλῶν OVH *l* : βαϐυλῶνος R μαγδωλῶν MS Γαϐάλων *cett.* || 4 γευομένων OSH γενομένων MV || 9 τοῦ : ἀπὸ τοῦ V

e. Cf. Is 6, 5

10 οὐ γὰρ βαστάζω ποιεῖν ὅλας τὰς εὐχάς. Καὶ εἶπεν αὐτῷ ὁ ἐπίσκοπος· Εἰ οἶδας ὅτι ἄξιός ἐστιν, καὶ αὐτὸν χειροτονῶ. Λέγει ἀββᾶ Ματώης· Εἰ μὲν ἄξιός ἐστιν, οὐκ οἶδα· ἓν δὲ οἶδα ὅτι κάλλιόν μου ἐστιν. Ἐχειροτόνησε δὲ καὶ αὐτόν. Καὶ ἐκοιμήθησαν ἀμφότεροι μὴ ἐγγίσαντες θυσιαστηρίῳ 15 ἕνεκεν τοῦ ποιῆσαι προσφοράν. Καὶ ἔλεγεν ὁ γέρων· Πιστεύω εἰς τὸν Θεὸν ὅτι τάχα οὐκ ἔχω κρῖμα πολὺ διὰ τὴν χειροτονίαν ὁπότε οὐ ποιῶ προσφοράν. Τῶν γὰρ ἀμέμπτων ἐστὶν ἡ χειροτονία.

43 Ἔλεγον περὶ τοῦ ἀββᾶ Μωϋσέως ὅτι ὅτε γέγονε κληρικὸς ἐπέθηκαν αὐτῷ τὴν ἐπωμίδα. Καὶ λέγει αὐτῷ ὁ ἀρχιεπίσκοπος· Ἰδοὺ γέγονας ὁλόλευκος, ἀββᾶ Μωϋσῆ. Λέγει αὐτῷ ὁ γέρων· Ἆρα τὰ ἔξω, κῦρι πάπα, ἢ καὶ 5 τὰ ἔσω; Θέλων δὲ ὁ ἐπίσκοπος δοκιμάσαι αὐτὸν λέγει τοῖς κληρικοῖς· Ὅταν εἰσέρχηται ἀββᾶ Μωϋσῆς εἰς τὸ ἱερατεῖον, διώξατε αὐτὸν καὶ ἀκολουθήσατε αὐτῷ ἵνα ἀκούσητε τί λέγει. Εἰσῆλθεν οὖν ὁ γέρων, καὶ ἐπετίμησαν αὐτῷ καὶ ἐδίωξαν αὐτὸν λέγοντες· Ὕπαγε ἔξω, Αἰθίοψ. 10 Καὶ ἐξελθὼν ἔλεγεν ἑαυτῷ· Καλῶς σοι ἐποίησαν, σποδόδερμε μελανέ· μὴ ὢν ἄνθρωπος, τί εἰσέρχῃ ἐν μέσῳ ἀνθρώπων;

44 Εἶπεν ἀββᾶ Μωυσῆς· Ὁ ἔχων ταπείνωσιν ταπεινοῖ τοὺς δαίμονας· ὁ δὲ μὴ ἔχων ταπείνωσιν καταπαίζεται ὑπ' αὐτῶν.

45 Εἶπε πάλιν· Μὴ μόνον ταπεινολόγει ἀλλὰ καὶ ταπεινοφρόνει· ὑψωθῆναί σε γὰρ ἐν τοῖς κατὰ Θεὸν ἔργοις ἀδύνατόν ἐστιν χωρὶς ταπεινοφροσύνης.

10 *post* εὐχάς *add.* μόνος MS ‖ 14 προσεγγίσαντες QRH ‖ 15 ποιῆσαι YQ : ποιεῖν *cett.* ‖ 16 πιστεύω εἰς τὸν Θ. ὅτι *om.* MS ‖ 17 ὁπότε : ὅτι H

43 YOQRMSVH *l*

1 Μώσεως R ‖ *post* κληρικὸς *add.* καὶ YOQS ‖ 2 καὶ *om.* OQ ‖ 3 ἐπίσκοπος QR ‖ Μωσῆ YR ‖ 4 πάπα : πάντα V ‖ 6 Μωσῆς R ‖

porte pas de faire toutes les prières. » L'évêque lui dit : « Si tu l'en sais digne, je lui impose les mains à lui aussi. » Abba Matoès dit : « J'ignore s'il en est digne ; je sais une chose : il est meilleur que moi. » Et l'évêque lui imposa aussi les mains. Et ils moururent tous deux sans s'être approchés du sanctuaire pour faire l'offrande. Le vieillard disait : « J'ai confiance en Dieu, je ne subirai peut-être pas une grande condamnation pour cette imposition des mains, puisque je ne fais pas l'offrande. Car l'imposition des mains est pour ceux qui sont irréprochables. »

43 On disait d'abba Moïse que, lorsqu'il devint clerc, on lui imposa l'éphod. L'archevêque lui dit : « Te voilà devenu tout blanc, abba Moïse. » Le vieillard lui dit : « Est-ce extérieurement, seigneur pape, ou aussi intérieurement ? » Et voulant l'éprouver, l'évêque dit aux clercs : « Lorsque abba Moïse entrera dans le sanctuaire, chassez-le et suivez-le pour entendre ce qu'il dit. » Le vieillard entra donc ; et ils l'injurièrent et le chassèrent en lui disant : « Va dehors, Éthiopien. » Et il sortit en se disant à lui-même : « Bien fait pour toi, peau-de-cendre tout noir ; n'étant pas un homme, pourquoi viens-tu parmi les hommes ? »

Mos 4 (284 A-B)

44 Abba Moïse dit : « Qui a de l'humilité humilie les démons, mais qui n'a pas d'humilité est berné par eux. »

N 499

45 Il dit encore : « Sois humble non seulement dans tes paroles mais aussi dans tes sentiments, car sans humilité il t'est impossible d'être exalté dans les œuvres selon Dieu. »

9 καὶ ἐδίωξαν αὐτὸν *om.* MS || 10 ἐξελθὼν : ἐξερχόμενος QR || 11 εἰσέρχῃ : ἔρχῃ OMSVH

44 YOQRMSVH

1 Μωσῆς R || 2 *post* ταπείνωσιν *add.* ταπεινοῦται καὶ QRH || καταπαίζ. *om.* H || 3 αὐτῶν Y : τῶν δαιμόνων *cett.*

45 YOQRMSVH

1 καὶ *om.* MSVH

46 Τὰ περὶ τοῦ ἀββᾶ Νεσθερώου ἀκούων ἀββᾶ Ποιμὴν καθεζόμενος εἰς κοινόβιον ἐπεθύμησεν αὐτὸν ἰδεῖν, καὶ ἐδήλωσε τῷ ἀββᾷ αὐτοῦ ἵνα ἀποστείλῃ αὐτόν. Καὶ μὴ βουλόμενος ἀποστεῖλαι αὐτὸν μόνον, οὐκ ἀπέστειλεν. Μετὰ
5 δὲ ὀλίγας ἡμέρας, ὁ οἰκονόμος τοῦ κοινοβίου ἔχων λογισμὸν παρεκάλεσε τὸν ἀββᾶν αὐτοῦ ἀπολῦσαι αὐτὸν πρὸς τὸν ἀββᾶ Ποιμένα λέγων ἐξειπεῖν αὐτῷ τοὺς ἑαυτοῦ λογισμούς. Ὁ δὲ ἀπέλυσεν αὐτὸν εἰπών · Λάβε καὶ τὸν ἀδελφὸν μετὰ σοῦ ὅτι ἐδήλωσέ μοι ὁ γέρων περὶ αὐτοῦ, καὶ μὴ θαρρῶν
10 ἀπολῦσαι αὐτὸν μόνον οὐκ ἔπεμψα. Ὡς δὲ ἦλθον πρὸς τὸν γέροντα, ὁ οἰκονόμος ἐλάλησεν αὐτῷ τοὺς ἑαυτοῦ λογισμούς, καὶ ἐθεράπευσεν αὐτόν. Μετὰ δὲ τοῦτο ἠρώτα ὁ γέρων τὸν ἀδελφὸν λέγων · Ἀββᾶ Νησθερώου, πόθεν ἐκτήσω τὴν ἀρετὴν ταύτην ὅτι δήποτε συμβῇ θλῖψις εἰς
15 τὸ κοινόβιον, οὐ λαλεῖς οὐδὲ μεσάζεις; Καὶ πολλὰ βιασθεὶς ὁ ἀδελφὸς ὑπὸ τοῦ γέροντος εἶπεν · Συγχώρησόν μοι, ἀββᾶ, ὅτε εἰσῆλθον ἐν ἀρχῇ εἰς τὸ κοινόβιον, εἶπον τῷ λογισμῷ μου ὅτι · Καὶ σὺ καὶ ὁ ὄνος ἕν ἐστε · ὥσπερ γὰρ ὁ ὄνος δέρεται καὶ οὐ λαλεῖ, ὑβρίζεται καὶ οὐδὲν ἀποκρίνεται,
20 οὕτως καὶ σύ. Καθὼς καὶ ὁ ψαλμῳδὸς λέγει · « Κτηνώδης ἐγενήθην παρὰ σοὶ κἀγὼ διὰ παντὸς μετὰ σοῦ[f]. »

47 Ἔλεγον περὶ τοῦ ἀββᾶ Ὀλυμπίου εἰς Σκῆτιν ὅτι ἀπὸ δούλων ἦν, καὶ ἤρχετο κατ' ἐνιαυτὸν εἰς Ἀλεξάνδρειαν φέρων τὴν μισθοφορίαν αὐτοῦ τοῖς κυρίοις αὐτοῦ. Καὶ ὑπήντουν καὶ προσεκύνουν αὐτῷ. Ὁ δὲ γέρων ἔβαλεν ὕδωρ
5 εἰς τὸν νιπτῆρα καὶ ἔφερεν ἵνα νίψῃ τοὺς πόδας τῶν κυρίων αὐτοῦ. Οἱ δὲ πρὸς αὐτὸν ἔλεγον · Μή, πάτερ · βαρεῖς ἡμᾶς. Ὁ δὲ πρὸς αὐτοὺς ἔλεγεν · Ὁμολογῶ ὅτι

46 YOQRMSVH *l*

1 Νισθερῶ O[pc] Q[pc] (de) Nesterone *l* ‖ 2 καθεζομένου O[pc] RMSH -μενον V ‖ 3 καὶ : ὁ δὲ QR ‖ 5 ἔχων λογισμὸν *om. l* ‖ 10 ἔπεμψα : ἀπέλυσα QR ‖ ἦλθον Y : ἦλθεν *cett.* ‖ 13 Νισθερῶ Q[pc] H Νεσθερώου R Νισθερῶε MS Nestero *l* ‖ 14 ὅτι : καὶ ὅτε QR ὅτι ὅτε MS ‖ συμβῇ : κινηθῇ R ‖ 15 οὐ : οὐδὲν QR ‖ 17 ἐν ἀρχῇ YQR : τὴν ἀρχὴν *cett.* ‖

46 Abba Poemen, entendant parler d'abba Nesthérôs, alors qu'il demeurait dans un cénobion désira le voir; il le fit savoir à son abba afin qu'il l'envoie. Celui-ci, ne voulant pas le faire partir seul, ne l'envoya pas. Quelques jours plus tard, l'économe du cénobion, qui avait une pensée, demanda à son abba de le laisser aller chez abba Poemen pour s'ouvrir à lui de ses pensées. L'autre le laissa partir, disant : « Emmène aussi le frère, car le vieillard m'a manifesté le désir de le voir et, n'osant pas le laisser aller seul, je ne l'ai pas envoyé. » Lorsqu'ils vinrent chez le vieillard, l'économe lui exposa ses pensées, et il le guérit. Ensuite, le vieillard demandait au frère : « Abba Nesthérôs, d'où tires-tu cette vertu que, s'il arrive un sujet d'affliction dans le cénobion, tu ne parles ni n'interviens? » Comme le vieillard pressait beaucoup le frère, il dit : « Pardonne-moi, abba; lorsque j'entrai pour la première fois au cénobion, je me dis en pensée : toi et l'âne, vous ne faites qu'un; en effet, de même que l'âne, on le frappe sans qu'il parle, on l'injurie sans qu'il réponde, ainsi pour toi. Comme le dit aussi le psalmiste : *Je suis devenu une bête de somme auprès de toi, et moi je suis toujours avec toi*[f]. »

cf. Nis 2 (308 D-309 A)

47 On disait d'abba Olympios à Scété qu'il avait été esclave et allait chaque année à Alexandrie porter son salaire à ses maîtres. Ceux-ci venaient à sa rencontre et s'inclinaient devant lui. Mais le vieillard mettait de l'eau dans un bassin et l'apportait pour laver les pieds de ses maîtres. Ceux-ci lui disaient : « Non, père; tu nous gênes. » Mais il leur disait : « Je reconnais que je suis votre esclave,

Miôs 2 (301 C-D)

κοινοβ. : μοναστήριον R ‖ 18 καὶ[1] YO : *om. cett.* ‖ γὰρ Y *l* : οὖν MS *om. cett.* ‖ 20 ψαλμὸς V

47 YOQRTVH *l*

3 αὐτοῦ[1] YQ *l* *om. cett.* ‖ 7 βαρεῖς : non graues *l*

f. Ps 72, 22-23

δοῦλος ὑμῶν εἰμι, κύριοι, καὶ εὐχαριστῶ ὅτι ἀφήκατέ με ἐλεύθερον δουλεῦσαι τῷ Θεῷ· ἀλλὰ κἀγὼ νίπτω ὑμᾶς, 10 καὶ δέξασθε τὴν μισθοφορίαν μου. Οἱ δὲ ἐφιλονείκουν μὴ καταδεχόμενοι. Ἔλεγεν δὲ αὐτοῖς· Ἐὰν μὴ θέλητε καταδέξασθαι, κάθημαι ὧδε δουλεύων ὑμῖν. Καὶ εὐλαβούμενοι αὐτὸν παρεχώρουν αὐτῷ ὃ θέλει ποιεῖν, καὶ προέπεμπον αὐτὸν μετὰ τιμῆς καὶ χρειῶν πολλῶν ἵνα ποιήσῃ ὑπὲρ 15 αὐτῶν ἀγάπας. Καὶ διὰ τοῦτο γέγονεν ὀνομαστὸς εἰς Σκῆτιν.

48 Εἶπεν ἀββᾶ Ποιμὴν ὅτι ἄνθρωπος δεῖται τῆς ταπεινοφροσύνης διὰ παντός, καὶ τοῦ φόβου τοῦ Θεοῦ ὥσπερ τῆς πνοῆς τῆς ἐκπορευομένης ἐκ τοῦ στόματος αὐτοῦ.

49 Ἠρωτήθη ἀββᾶ Ποιμὴν ὑπὸ ἀδελφοῦ· Πῶς ὀφείλω εἶναι ἐν τῷ τόπῳ ἐν ᾧ κατοικῶ; Καὶ λέγει αὐτῷ ὁ γέρων· Ἔχε φρόνημα παροίκου ὅπου ἐὰν παροικῇς, ἵνα μὴ ζητήσῃς τὸν λόγον σου ἔμπροσθεν ἔχειν καὶ ἀναπαύῃ.

50 Εἶπε πάλιν· Τὸ ῥίψαι ἑαυτὸν ἐνώπιον τοῦ Θεοῦ καὶ τὸ μὴ ἑαυτὸν μετρεῖν καὶ τὸ βάλλειν ὀπίσω τὸ ἴδιον θέλημα ἐργαλεῖά εἰσιν τῆς ψυχῆς.

51 Εἶπε πάλιν· Μὴ μέτρει σεαυτὸν ἀλλὰ κολλήθητι τῷ καλῶς ἀναστρεφομένῳ.

52 Ἀδελφὸς ἠρώτησε τὸν αὐτὸν λέγων· Ἀββᾶ, τί με δεῖ προσέχειν καθήμενον ἐν τῷ κελλίῳ; Λέγει αὐτῷ ὁ γέρων· Ἐγὼ τέως ἄνθρωπός εἰμι ἐν βάθει βορβόρου ὢν ἕως

8 κύριοι *om.* *l* || εὐχαρ. ὅτι *om.* QT || 11 δὲ YQ : οὖν *cett.* || *post* αὐτοῖς *add.* credite mihi quia *l* || 12 εὐλαβούμ. : εὐλογούμενοι H || 13 ποιεῖν Y : ποιῆσαι *cett.* || 14 ποιῇ TH || 15 ἐγένετο TVH

48 YOQRTMSVH *l*

1 *post* δεῖται *add.* τῆς ταπεινώσεως καὶ YV || 3 τοῦ στόματος αὐτοῦ Y : τῆς ῥινὸς αὐτοῦ OMSVH τοῦ στ. καὶ τῆς ῥινὸς αὐτοῦ QT τῆς ῥινὸς τοῦ στ. αὐτοῦ R naribus *l*

49 YOQRTMSVH *l*

maîtres ; et je rends grâces de ce que vous m'avez laissé libre de servir Dieu. Mais moi aussi, je vous lave les pieds, et vous, recevez mon salaire. » Et comme ils insistaient pour ne pas le recevoir, il leur disait : « Si vous refusez de l'accepter, je reste ici à vous servir. » Et parce qu'ils le révéraient, ils le laissaient faire ce qu'il voulait et le raccompagnaient avec respect et beaucoup de biens afin qu'il puisse faire des aumônes pour eux. Et pour cette raison il devint célèbre à Scété.

48 Abba Poemen dit : « L'homme a autant besoin de l'humilité en tout et de la crainte de Dieu que du souffle qui sort de sa bouche. »

Poe 49 (333 B)

49 Abba Poemen fut interrogé par un frère : « Comment dois-je être dans le lieu où j'habite ? » Et le vieillard lui dit : « Aie la mentalité d'un étranger, où que tu séjournes, afin de ne pas chercher à mettre en avant ta parole, et tu auras le repos. »

Poe S4 (*Recherches*, p. 30)

50 Il dit encore : « Se prosterner devant Dieu, ne pas se mesurer soi-même et abandonner sa volonté propre sont les outils de l'âme. »

Poe 36 (332 B)

51 Il dit encore : « Ne te mesure pas toi-même, mais attache-toi à celui qui vit bien. »

Poe 73 (340 C)

52 Un frère interrogea le même : « Abba, à quoi me faut-il être attentif lorsque je demeure dans la cellule ? » Le vieillard lui dit : « Moi, je ne suis encore qu'un homme enfoncé

cf. PGr 2 (381 B-C)

2 ἐν *om.* OMSVH || 3 παροικῆς : κατοικῆς QRT || ἵνα : καὶ QRT || 4 ζήτει QRT || *post* ἔμπροσθεν *add.* σου MS τινος V || ἀνάπαυσιν H

50 YOQRTMSV *l*

2 μετρεῖν : extollere *l*

51 YOQRTV *l*

52 YOQRTMSVH

1 τὸν αὐτὸν YQR : αὐτὸν *cett.* || τί : τίνι TMH

τραχήλου καὶ φορτίον βαστάζω περὶ τὸν αὐχένα, καὶ πρὸς
5 τὸν Θεὸν κράζω· Ἐλέησόν με.

53 Εἶπε πάλιν ὅτι ἀδελφὸς ἠρώτησε τὸν ἀββᾶ Ἀλώνιον τί ἐστιν ἐξουδένωσις; Καὶ εἶπεν ὁ γέρων· Τὸ εἶναι ὑποκάτω τῶν ἀλόγων καὶ εἰδέναι ὅτι ἐκεῖνα ἀκατάκριτά εἰσιν.

54 Εἶπε πάλιν ὅτι καθεζομένων ποτὲ γερόντων καὶ ἐσθιόντων ἵστατο ὑπηρετῶν ὁ αὐτὸς ἀββᾶ Ἀλώνιος. Καὶ ἰδόντες αὐτὸν ἐπήνεσαν. Ὁ δὲ τὸ σύνολον οὐκ ἀπεκρίθη. Λέγει οὖν τις αὐτῷ κατ' ἰδίαν· Διατί οὐκ ἀπεκρίθης τοῖς γέρουσιν
5 ἐπαινέσασί σε; Λέγει αὐτῷ ἀββᾶ Ἀλώνιος· Εἰ ἀπεκρίθην αὐτοῖς εὑρισκόμην ὡς καταδεξάμενος τὸν ἔπαινον.

55 Εἶπε πάλιν· Ἡ γῆ ἐν ᾗ ἐνετείλατο ὁ Κύριος θυσίας ποιεῖν αὕτη ἐστὶ ταπεινοφροσύνη.

56 Εἶπε πάλιν· Ἄνθρωπος ἐὰν τὴν τάξιν αὐτοῦ φυλάσσῃ οὐ ταράσσεται.

57 Διηγήσατο ἀββᾶ Ἰωσὴφ ὅτι· Καθημένων ἡμῶν μετὰ τοῦ ἀββᾶ Ποιμένος ὠνόμασε τὸν ἀββᾶ Ἀγάθωνα. Καὶ λέγω αὐτῷ· Νεώτερός ἐστιν, καὶ διατί καλεῖς αὐτὸν ἀββᾶ; Καὶ εἶπεν ἀββᾶ Ποιμήν· Ὅτι τὸ στόμα αὐτοῦ ἐποίησεν
5 αὐτὸν καλεῖσθαι ἀββᾶ.

58 Ἔλεγον περὶ τοῦ ἀββᾶ Ποιμένος ὅτι οὐδέποτε ἠθέλησε δοῦναι τὸν λόγον αὐτοῦ ἐπάνω ῥήματος ἄλλου γέροντος, ἀλλὰ μᾶλλον ἐπῄνει.

53 YOQRTMSVH *l*
1 Ἀλωνᾶν YQRT Alonium *l*
54 YOQRTMSVH *l*
1 ποτε *om.* MS ‖ 2 ὑπηρετῶν *om.* YQRT ‖ ὁ αὐτὸς *om.* TMS ‖ Ἀλωνᾶς QRT ‖ 5 ἀβ. Ἀλ. : ὁ γέρων QRT
55 YQRT *l*
1 ἡ γῆ ἐν ᾗ *scripsi* : τῇ γῇ Y τῇ γῇ ἡ QRT terra ... in qua *l*

jusqu'au cou dans un bourbier, et je porte un fardeau sur la nuque, et je crie vers Dieu : Aie pitié de moi. »

53 Il dit encore qu'un frère demanda à abba Alonios ce qu'est l'anéantissement. Et le vieillard dit : « Se mettre en-dessous des êtres sans raison et savoir qu'ils sont irréprochables. » Poe 41 (332 C)

54 Il dit encore que, des vieillards étant un jour assis à manger, le même abba Alonios se leva pour servir. Ce que voyant, ils le complimentèrent ; mais lui, il ne répondit absolument rien. Alors quelqu'un lui dit en privé : « Pourquoi n'as-tu pas répondu aux vieillards qui te complimentent ? » Abba Alonios lui dit : « Si je leur répondais, je paraîtrais accepter le compliment. » Poe 55 (336 A)

55 Il dit encore : « La terre sur laquelle le Seigneur a ordonné de faire des sacrifices, c'est l'humilité. » N 656

56 Il dit encore : « Un homme qui garde son rang n'a pas de trouble. » Poe 167 (361 C)

57 Abba Joseph raconta : « Comme nous étions assis avec abba Poemen, il nomma abba Agathon. Je lui dis : C'est un jeune, pourquoi l'appelles-tu abba ? Et abba Poemen dit : Parce que sa bouche l'a fait appeler abba. » Poe 61 (336 D)

58 On disait d'abba Poemen qu'il ne voulut jamais parler sur une parole d'un autre vieillard, mais que plutôt il la louait. Poe 105 (348 C)

56 YOQRTV *l*
1 *post* πάλιν *add.* ὁ γέρων YV
57 YOQRTMSVH *l*
2 Ἀγάθοναν V ‖ 3 λέγω : λέγει O diximus *l*
58 YOQRTMSVH *l*
1 Ποιμήν YO[ac] R ‖ 2 ῥήματος : ῥήμασιν O ‖ 3 μᾶλλον ἐπῄνει : μᾶλλον καὶ ἐπ. OQRV καὶ ἐπ. μᾶλλον TMS

59 Παρέβαλέ ποτε ἀββᾶ Θεόφιλος ὁ ἀρχιεπίσκοπος εἰς τὴν Σκῆτιν. Συναχθέντες δὲ οἱ ἀδελφοὶ εἶπον τῷ ἀββᾷ Παμβώ· Εἰπὲ ἕνα λόγον τῷ πάπᾳ ὅπως ὠφεληθῇ εἰς τὸν τόπον. Λέγει αὐτοῖς ὁ γέρων· Εἰ οὐκ ὀφελεῖται ἐν τῇ σιωπῇ 5 μου οὐδὲ ἐν τῷ λόγῳ μου ὠφεληθῆναι ἔχει.

60 Διηγήσατο ὁ ἀδελφὸς Πιστὸς λέγων ὅτι· Ἀπήλθαμεν ἑπτὰ ἀδελφοὶ πρὸς τὸν ἀββᾶ Σισόην ἐν τῇ νήσῳ οἰκοῦντα τοῦ Κλύσματος, παρακαλοῦντες εἰπεῖν αὐτὸν ἡμῖν λόγον. Καὶ εἶπεν· Συγχωρήσατέ μοι, ὅτι ἰδιώτης ἄνθρωπος εἰμί· 5 ἀλλὰ παρέβαλον πρὸς τὸν ἀββᾶ Ὦρ καὶ πρὸς τὸν ἀββᾶ Ἀθρέ. Ἦν δὲ ἐν ἀσθενείᾳ ἀββᾶ Ὦρ δεκαοκτὼ ἔτη. Καὶ ἔβαλον αὐτοῖς μετάνοιαν εἰπεῖν μοι λόγον. Καὶ εἶπεν ἀββᾶ Ὥρ· Τί ἔχω εἰπεῖν σοι; Ἄπελθε, εἴ τι βλέπεις ποίησον. Ὁ Θεὸς ἐκείνου ἐστιν τοῦ πλεονεκτοῦντος ἤτοι βιαζομένου 10 εἰς πάντα ἑαυτόν. Οὐκ ἦσαν δὲ ἀπὸ μιᾶς ἐνορίας ἀββᾶ Ὦρ καὶ ἀββᾶ Ἀθρέ, ἐγένετο δὲ μεγάλη εἰρήνη μετάξυ αὐτῶν ἕως οὗ ἐξῆλθον ἀπὸ τοῦ σώματος. Καὶ γὰρ ἦν μεγάλη ἡ ὑπακοὴ τοῦ ἀββᾶ Ἀθρέ, καὶ πολλὴ ἡ ταπεινοφροσύνη τοῦ ἀββᾶ Ὥρ. Ἐποίησα γὰρ μικρὰς ἡμέρας 15 πρὸς αὐτοὺς ἀνιχνεύων αὐτούς, καὶ εἶδον μέγα θαῦμα ὃ ἐποίησεν ἀββᾶ Ἀθρέ. Ἤνεγκε γάρ τις αὐτοῖς μικρὸν ὀψάριον καὶ ἠβουλήθη αὐτὸ ποιῆσαι ἀββᾶ Ἀθρὲ τῷ γέροντι ἀββᾶ Ὥρ. Εἶχε δὲ τὴν μάχαιραν κόπτων τὸ ὀψάριον, καὶ ἐκάλεσεν αὐτὸν ἀββᾶ Ὦρ λέγων· Ἀθρέ, Ἀθρέ. Καὶ ἀφῆκεν 20 ἀββᾶ Ἀθρὲ εἰς μέσον τοῦ ὀψαρίου τὴν μάχαιραν καὶ οὐκ ἔκοψε τὸ ἐπίλοιπον, ἀλλ' ἦλθε πρὸς τὸν γέροντα. Καὶ ἐθαύμασα τὴν πολλὴν ὑπακοὴν αὐτοῦ διατί οὐκ εἶπεν· Μακροθύμησον ἕως οὗ κόψω τὸ ὀψάριον. Εἶπον δὲ τῷ ἀββᾷ Ἀθρέ· Ποῦ εὗρες τὴν ὑπακοὴν ταύτην; Καὶ εἶπέν

59 YOQRTVH *l*

1 ἀββᾶ : sanctae memoriae *l om.* QRT ‖ ἀρχιεπ. : episcopus Alexandrinus *l*

60 YOQRTMSVH *l*

1 Πιστὸς : Pystus *l* ‖ 2 ἀδελφοὶ : ἀναχωρηταὶ OMSVH fratres solitarii *l* ‖

59 Abba Théophile l'archevêque se rendit un jour à Scété. Les frères se réunirent et dirent à abba Pambo : « Dis une parole au pape, afin qu'il soit édifié en ce lieu. » Le vieillard leur dit : S'il n'est pas édifié de mon silence, il ne pourra pas non plus être édifié de ma parole. »

Thp 2 (198 D)

60 Le frère Pistos racontait ceci : Nous allâmes à sept frères chez abba Sisoès qui demeurait dans l'île de Clysma, lui demandant de nous dire une parole. Et il dit : Pardonnez-moi, je suis un homme fruste; mais je suis allé chez abba Or et abba Athré. Abba Or était malade depuis dix-huit ans. Et je leur fis la métanie pour qu'ils me disent une parole. Abba Or dit : « Qu'ai-je à te dire? Va et fais ce que tu vois. Dieu est avec celui qui se domine et se violente en tout. » Abba Or et abba Athré n'étaient pas de la même région, et pourtant il y eut entre eux une grande paix jusqu'à ce qu'ils quittent leur corps, car grande était l'obéissance d'abba Athré et grande l'humilité d'abba Or. Je passai quelques jours auprès d'eux sans les quitter d'une semelle, et je vis un grand prodige que fit abba Athré. Quelqu'un leur avait apporté un petit poisson, et abba Athré voulait le préparer pour le vieillard, abba Or. Il tenait un couteau et découpait le poisson lorsque abba Or l'appela : « Athré, Athré. » Abba Athré laissa le couteau dans le poisson sans achever de le découper, et vint auprès du vieillard. Et j'admirai sa grande obéissance, car il n'avait pas dit : Patiente que je découpe le poisson. Je dis donc à abba Athré : « Où as-tu trouvé une telle obéissance? » Il me dit : « Elle n'est pas mienne,

Ps 1 (372 C-373 B)

4 ἄνθρωπος *om.* QRT || 6 'Αθρέ : 'Εθρέ V || *post* ἔτη *add.* ἔχων YQR || 7 ἔδαλα Y || 9 τοῦ πλεον. ἤτοι *del.* Q || ἤτοι YS : ἢ τοῦ *cett.* || 11 *post* δὲ *add.* πολλὴ καὶ MS || εἰρήνη : gratia *l* || 13 'Εθρέ V || 14 γάρ : δὲ OH οὖν MSV || 15 καὶ ἀνιχνεύω Q || 16 *post* 'Αθρέ *add.* τῷ γέροντι ἀββᾷ ῎Ωρ MS || γὰρ *om.* OMSVH || 17 γέροντι *om.* V || 18 *post* ῎Ωρ *add.* διὰ τὴν ἀσθ. αὐτοῦ YQRT || 22 διατί YQR : διὸ H διοτι *cett.*

25 μοι· Οὐκ ἔστιν ἐμή, ἀλλὰ τοῦ γέροντός ἐστιν. Καὶ ἔλαβέ με λέγων· Δεῦρο βλέπε τὴν ὑπακοὴν αὐτοῦ. Καὶ ἔψησε τὸ μικρὸν ὀψάριον καὶ ἠφάνισεν αὐτὸ θέλων καὶ παρέθηκεν αὐτὸ τῷ γέροντι. Καὶ ἔφαγε μὴ λαλήσας. Καὶ εἶπεν αὐτῷ· Καλόν ἐστιν, γέρων; Καὶ ἀπεκρίθη· Καλόν ἐστι πάνυ. 30 Μετὰ ταῦτα ἤνεγκεν αὐτῷ μικρὸν καλὸν σφόδρα, καὶ εἶπεν· Ἠφάνισα αὐτό, γέρων. Καὶ ἀπεκρίθη αὐτῷ· Ναί, ναί, ἠφάνισας αὐτὸ μικρόν. Καὶ εἶπέ μοι ἀββᾶ Ἀθρέ· Εἶδες ὅτι ἡ ὑπακοὴ τοῦ γέροντός ἐστιν. Καὶ ἐξῆλθον ἀπ' αὐτῶν, καὶ εἴ τι εἶδον ἐποίησα κατὰ τὴν δύναμίν μου 35 φυλάξαι. Ταῦτα εἶπε τοῖς ἀδελφοῖς ἀββᾶ Σισόης. Εἷς δὲ ἐξ ἡμῶν παρεκάλεσεν αὐτὸν λέγων· Ποίησον ἀγάπην μεθ' ἡμῶν, εἰπὲ ἡμῖν καὶ αὐτὸς ἕνα λόγον. Καὶ εἶπεν· Ὁ κατέχων τὸ ἀψήφιστον ἐν τῇ γνώσει ἐπιτελεῖ πᾶσαν γραφήν. Ἕτερος ἐξ ἡμῶν εἶπεν αὐτῷ· Τί ἐστιν ξενιτεία, πάτερ; 40 Ὁ δὲ εἶπεν· Σιώπα καὶ εἰπέ· Οὐκ ἔχω πρᾶγμα ἐν παντὶ τόπῳ ὅπου ἐὰν ἀπέρχῃ· αὕτη ἐστὶν ἡ ξενιτεία.

61 Ἀδελφὸς ἠρώτησε τὸν ἀββᾶ Σισόην· Ποῖά ἐστιν ἡ ὁδὸς ἡ ἀπάγουσα εἰς τὴν ταπείνωσιν; Καὶ λέγει αὐτῷ ὁ γέρων· Ἡ ὁδὸς ἡ ἀπάγουσα εἰς τὴν ταπείνωσιν αὕτη ἐστίν· ἡ ἐγκράτεια καὶ τὸ εὔχεσθαι τῷ Θεῷ καὶ τὸ ἀγωνίζεσθαι 5 εἶναι ὑποκάτω παντὸς ἀνθρώπου.

62 Παρέβαλέ τις ἀδελφὸς πρὸς τὸν ἀββᾶ Σισόην εἰς τὸ ὄρος τοῦ ἀββᾶ Ἀντωνίου καί, λαλούντων αὐτῶν, ἔλεγε πρὸς τὸν ἀββᾶ Σισόην· Ἄρτι οὐκ ἔφθασας εἰς τὰ μέτρα τοῦ ἀββᾶ Ἀντωνίου, πάτερ; Καὶ λέγει ὁ γέρων· Πόθεν ἐγὼ εἶχον 5 φθᾶσαι εἰς τὰ μέτρα τοῦ ἁγίου; Εἰ εἶχον ἕνα λογισμὸν

26 δεῦρο : δεῦ YO[ac] || 27 *post* ὀψάριον *add.* male *l* || ἠφαν. αὐτὸ θέλων καὶ *om.* R || 30 μετὰ ταῦτα *om.* MS || αὐτῷ : δὲ αὐτῷ πάλιν MS || σφόδρα : πανύ MS || 31-32 ναί ναί YO ναί *cett.* || 32 μικρόν *om.* M || 34 κατὰ *om.* YOMSVH || 35 φυλάξαι YOR : ποιῆσαι *cett. om. l* || 36 ἡμῶν : αὐτῶν MSV || 36-37 μεθ' ἡμῶν (nobis *l*) : *om.* YQRT || 38 *post* πᾶσαν *add.* τὴν ἐντολὴν καὶ πᾶσαν τὴν QRT

mais c'est celle du vieillard.» Et il m'emmena en disant : «Viens voir son obéissance.» Et il fit cuire le petit poisson, volontairement l'abîma et le présenta au vieillard qui mangea sans rien dire. Il lui dit : «Est-il bon, vieillard?» Il répondit : «Il est très bon.» Ensuite, il lui en apporta un peu de très bon et lui dit : «Je l'ai abîmé, vieillard.» Et il lui répondit : «Oui, oui, tu l'as un peu abîmé.» Et abba Athré me dit : «Tu vois que l'obéissance est chez le vieillard.» Et je les quittai et fis mon possible pour garder ce que j'avais vu. Voilà ce qu'abba Sisoès dit aux frères. Mais l'un d'entre nous lui demanda : «Fais-nous la charité de nous dire toi aussi une parole.» Il dit : «Celui qui consciemment se compte pour rien accomplit l'Écriture.» Et un autre parmi nous lui dit : «Père, qu'est-ce que la vie à l'étranger?» Il dit : «Garde le silence, et, où que tu ailles, dis : cela ne me regarde pas; voilà la vie à l'étranger.»

61 Un frère interrogea abba Sisoès : «Quelle est la voie qui conduit à l'humilité?» Le vieillard lui dit : «La voie qui conduit à l'humilité est celle-ci : la maîtrise de soi, prier Dieu et combattre pour être inférieur à tout homme.»

Tit 7 (428 D-429 A)

62 Un frère alla trouver abba Sisoès sur la montagne d'abba Antoine. Tandis qu'ils parlaient, il dit à abba Sisoès : «N'as-tu pas maintenant atteint la mesure d'abba Antoine, Père?» Et le vieillard dit : «Comment parviendrais-je à la mesure du saint? Si j'avais une seule pensée d'abba

Sis 9 (393 B-C)

61 YOQRTMSVH
2 ἀπάγουσα : ἄγουσα H || *post* τὴν *add.* ζωὴν καὶ εἰς τὴν RT || ταπεινοφφοσύνην OQ || 2-3 καὶ λέγει – ταπείνωσιν : καὶ εἶπεν Q || 3 ταπεινοφφοσύνην ORTV || 4 τῷ θεῷ καὶ τὸ *om.* V || τὸ *om.* YO || ἀγωνίζ. *om.* MSV || 5 πάντων ἀνθρώπων Q
62 YOQRTMSVH *l*
4-5 πόθεν – ἁγίου *om. l* || 5 ἁγίου : ἀββᾶ 'Αντωνίου V || λογισμόν : τῶν λογισμῶν YOMSVH

τοῦ ἀββᾶ Ἀντωνίου ἐγινόμην ὅλος ὡς πῦρ. Πλὴν οἶδα ἄνθρωπον ὅτι μετὰ καμάτου πολλοῦ δύναται βαστάσαι τὸν λογισμὸν αὐτοῦ.

63 Ἠρώτησε δὲ αὐτὸν πάλιν ὁ ἀδελφὸς λέγων· Ἆρα οὕτως ἐπείραζεν ὁ Σατανᾶς τοὺς ἀρχαίους; Καὶ ἀπεκρίθη ἀββᾶ Σισόης· Ἄρτι πλέον, ὅτι ὁ καιρὸς αὐτοῦ ἤγγικεν καὶ ταράσσεται.

64 Παρέβαλον ἄλλοι τινὲς πρὸς αὐτὸν ἀκοῦσαι παρ' αὐτοῦ λόγον, καὶ οὐδὲν αὐτοῖς ἐλάλησεν. Πάντοτε δὲ ἔλεγεν· Συγχωρήσατέ μοι· Ἰδόντες δὲ αὐτοῦ τὰ σπυρίδια, εἶπον τῷ μαθητῇ αὐτοῦ Ἀβραάμ· Τί ποιεῖτε τὰ σπυρίδια ταῦτα; 5 Καὶ λέγει· Ὧδε κἀκεῖ ἀναλίσκομεν αὐτά. Ἀκούσας δὲ ὁ γέρων εἶπεν· Σισόης ἔνθεν καὶ ἔνθεν ἐσθίει. Οἱ δὲ ἀκούσαντες πάνυ ὠφελήθησαν καὶ ἀπῆλθον μετὰ χαρᾶς οἰκοδομηθέντες εἰς τὴν ταπείνωσιν αὐτοῦ.

65 Ἀδελφὸς ἠρώτησε τὸν ἀββᾶ Σισόην λέγων· Ὁρῶ ἑαυτὸν ὅτι ἡ μνήμη μου τῷ Θεῷ παραμένει. Καὶ λέγει ὁ γέρων· Οὐκ ἔστι μέγα τὸ εἶναι τὸν λογισμόν σου μετὰ τοῦ Θεοῦ. Μέγα δέ ἐστι τοῦτο· τὸ ὑποκάτω ἑαυτὸν ὁρᾷν πάσης τῆς 5 κτίσεως. Τοῦτο γὰρ καὶ ὁ σωματικὸς κόπος ὁδηγοί εἰσιν τῆς ταπεινοφροσύνης.

66 Εἶπεν ἡ μακαρία Συγκλητική· Ὥσπερ πλοῖον ἀδύνατον χωρὶς ἥλων κατασκευασθῆναι, οὕτως ἀμήχανον σωθῆναι χωρὶς ταπεινοφροσύνης.

6 ἀβ. Ἀντ. : ἁγίου V ‖ ὅλος : ὅλως R ‖ 7-8 τὸν λογ. αὐτοῦ : cogitationes suas *l*

63 YOQRTMSVH *l*

1 δὲ *om.* QRT ‖ 2 ἐπείρ. : ἐδίωκεν O persequebatur *l* ‖ *post* ἀρχαίους *add.* μοναχούς YQRT ‖ 3 ἤγγισεν M

64 YOQRTMSVH *l*

1 πρὸς αὐτὸν Y *l*: πρὸς τὸν ἀββᾶ Σισόην QRT *om. cett.* ‖ 3 αὐτοῦ τὰ σπυρ. : αὐτὸν τὰ σπυρίδια πλέκοντα MS ‖ 5 κἀκεῖσε RTMS ‖ 5-6 ὁ γέρων : ἐκεῖνος Y ‖ 6 καὶ ἔνθεν : κἀκεῖθεν TMS ‖ 7 καὶ ἀπ. μετὰ χαρᾶς *om.* R

Antoine, je deviendrais tout entier comme du feu. Pourtant, je connais quelqu'un qui, avec grande peine, peut porter sa pensée. ».

63 Le frère lui demanda encore : « Est-ce que Satan éprouvait de la même façon les anciens ? » Abba Sisoès répondit : « Il le fait davantage maintenant car son temps est proche et il est troublé. »

Sis 11 (396 A)

64 D'autres personnes vinrent auprès de lui pour entendre de lui une parole ; mais il ne leur parla pas, disant sans cesse : « Pardonnez-moi. » Voyant ses petites corbeilles, ils dirent à son disciple Abraham : « Pourquoi faites-vous ces petites corbeilles ? » Il dit : « Nous les vendons ici et là. » Entendant cela, le vieillard dit : « Sisoès mange de-ci de-là. » Eux furent très aidés d'entendre cela ; et ils partirent avec joie, édifiés de son humilité.

Sis 16 (397 A-B)

65 Un frère interrogea abba Sisoès en disant : « Je m'aperçois que ma mémoire demeure auprès de Dieu. » Et le vieillard dit : « Ce n'est pas une grande chose que ta pensée soit avec Dieu ; ce qui est grand, c'est de se voir soi-même inférieur à toute la création. Car cela et la peine corporelle conduisent à l'humilité. »

Sis 13 (396 A-B)

66 La bienheureuse Synclétique dit[1] : « De même qu'il est impossible sans chevilles de gréer un navire, de même ne peut-on être sauvé sans humilité. »

Syn S9 (*Recherches*, p. 35)

65 YOQRTMSVH *l*

1 *ante* ἀδελφὸς *add.* ἄλλος YQRT ‖ ἠρώτα O ‖ τὸν OR *l* : τὸν αὐτὸν *cett.* ‖ *post* ἑαυτὸν *add.* πάτερ QR ‖ 5 *post* κόπος *add.* corrigit et *l*

66 YOQRTMSVH *l*

1 μακαρία : beatae memoriae *l* ‖ *post* ἀδύνατον *add.* ἐστι T *l* ‖ 2 ἥλων : ὕλης RT

---

1. Repris de *Vita,* c. 56 (*PG* 28, 1521 B).

67 Εἶπεν ἀββᾶ Ὑπερέχιος· Δένδρον ζωῆς εἰς ὕψος ἐγειρόμενόν ἐστιν ἡ ταπεινοφροσύνη.

68 Εἶπε πάλιν· Μίμησαι τὸν τελώνην ἵνα μὴ τῷ φαρισαίῳ συγκατακριθῇς[g], καὶ Μωυσέως τὸ πρᾶον ἐπίλεξαι ἵνα τὴν καρδίαν σου ἀκρότομον οὖσαν εἰς πηγὰς ὑδάτων μεταβάλῃς[h].

69 Εἶπεν ἀββᾶ Ὀρσιήσιος· Πλίνθος ὠμὴ βαλλομένη εἰς θεμέλιον ἐγγὺς ποταμοῦ οὐχ ὑπομένει μίαν ἡμέραν, ὀπτὴ δὲ ὡς λίθος διαμένει. Οὕτως ἄνθρωπος σαρκικὸν φρόνημα ἔχων καὶ μὴ πυρωθεὶς κατὰ τὸν Ἰωσὴφ τῷ λόγῳ τοῦ
5 Θεοῦ[i] λύεται ἐπὶ ἀρχὴν προσελθών. Πολλοὶ γὰρ τῶν τοιούτων πειρασμοὶ ἐν μέσῳ τῶν ἀνθρώπων εἰσίν. Καλὸν δέ τινα τὰ ἴδια μέτρα ἰδόντα ἀποφεύγειν τὸ βάρος τῆς ἀρχῆς. Οἱ δὲ ἑδραῖοι τῇ πίστει ἀμετακίνητοί εἰσιν. Περὶ αὐτοῦ γὰρ τοῦ ἁγίου Ἰωσὴφ ἐὰν θέλῃ τις λαλῆσαι, λέγει
10 ὅτι οὐκ ἐπίγειος ἦν. Πόσα ἐπειράσθη καὶ ἐν ποίᾳ χώρᾳ ὅτε οὐκ ἦν ἴχνος θεοσεβείας; Ἀλλ' ὁ Θεὸς τῶν πατέρων αὐτοῦ ἦν μετ' αὐτοῦ καὶ ἐξείλατο αὐτὸν ἀπὸ πάσης θλίψεως[j]. Καὶ νῦν ἐστιν μετὰ τῶν πατέρων αὐτοῦ ἐν τῇ βασιλείᾳ τῶν οὐρανῶν. Καὶ ἡμεῖς τοίνυν ἐπιγνῶντες τὰ
15 ἑαυτῶν μέτρα ἀγωνισώμεθα· μόλις γὰρ οὕτως δυνησόμεθα ἐκφυγεῖν τὴν κρίσιν τοῦ Θεοῦ.

67 YOQRTMSV *l*

1 εἰς ὕψος *om.* Y || 2 ἡ ταπειν. : et ascendit ad eam humilitas monachi *l*

68 YOQRTMSVH *l*

1 μίμησον TMSVH || τῷ : σὺν τῷ QTH || 2 συγκατακρ. : κρίθῃς H καταδικασθῇς Q || Μωσέως R

69 YOQRTMSVH *l*

1 Ὀρσιήσιος V : Orsisius *l* Σισόης *cett.* || 2 ἡμέραν TMH *l* : ὥραν *cett.* || 3 *post* δὲ *add.* γενομένη καὶ τεθεῖσα QRT || *post* οὕτως *add.* οὖν QR καὶ MSV || 4 *post* πυρωθεὶς *add.* tentationum igne *l* || 5 προελθὼν TMSV || 6 εἰσίν : ὄντων OVH || 7 ἰδόντα YOH : εἰδότα MSV ἐπιγνῶντα QRT || 11 ὅτε : ὅπου QRTMS || 12 ἦν μετ' αὐτοῦ καὶ *om.* MS || πάσης : τῆς QT || 15 μόλις γὰρ οὕτ. δυν. *om.* MS

67 Abba Hypéréchios dit[1] : «L'humilité est l'arbre de vie dressé vers les hauteurs.»

68 Il dit encore[2] : «Imite le publicain pour ne pas être condamné avec le pharisien[g], et choisis la douceur de Moïse afin de changer ton cœur qui est très dur en sources d'eaux[h].»

=Syn 11 (425 B)

69 Abba Orsiésios dit[3] : «De la brique crue mise comme fondation près d'un fleuve ne résiste pas un seul jour; mais cuite, elle est dure comme de la pierre. Ainsi l'homme qui a une disposition d'âme charnelle et n'a pas été purifié comme Joseph par la parole de Dieu[i] est-il anéanti lorsqu'il accède à un poste de commandement. Car nombreuses sont les tentations de ceux qui vivent au milieu des hommes. Aussi est-il bon pour qui voit ses propres limites de fuir le poids du commandement; mais ceux qui sont fermes dans la foi demeurent inébranlés. Car si quelqu'un voulait parler du saint Joseph, il dirait qu'il n'était pas terrestre : combien fut-il tenté, et en quelle région où il n'y avait pas alors trace de piété? Mais le Dieu de ses pères était avec lui, et il le délivra de toute affliction[j]; aussi maintenant est-il avec ses pères dans le royaume des cieux. Quant à nous, donc, connaissant nos propres limites, combattons, car à peine pourrons-nous ainsi échapper au jugement de Dieu.»

Ors 1 (316 A-B)

g. cf. Lc 18, 14 h. cf. Ex 17, 6 i. cf. Ps 104, 19 j. cf. Ac 7, 9-10

1. Repris de *Hyp. Adhort.* 17 (*PG* 79, 1476 A).
2. *Ibid.*, 73-74a (*PG* 79, 1480 B); cette pièce se lit aussi dans *Alph.* sous le nom d'amma Synclétique (n° 11).
3. Repris de *Vita prima Pachomii,* § 126 (Halkin, p. 80); se lit aussi dans *Alph.* sous le nom d'abba Orsisios (n° 1), mais classé à la lettre *Omicron.*

70 Γέρων τις ἀναχωρητὴς πλαζόμενος ἐν τῇ ἐρήμῳ ἔλεγεν ἐν ἑαυτῷ ὅτι κατόρθωσε τὰς ἀρετάς. Καὶ ηὔξατο τῷ Θεῷ λέγων· Δεῖξόν μοι, Κύριε, ἐὰν ὑστερῶ τι, καὶ ποιήσω. Καὶ θέλων ὁ Θεὸς ταπεινῶσαι αὐτοῦ τὸν λογισμὸν εἶπεν 5 αὐτῷ· Ὕπαγε πρὸς τόνδε τὸν ἀρχιμανδρίτην, καὶ εἴ τι σοι λέγει ποίησον. Ἀπεκάλυψε δὲ ὁ Θεὸς τῷ ἀρχιμανδρίτῃ λέγων· Ἰδοὺ ὁ δεῖνα ὁ ἀναχωρητὴς ἔρχεται πρὸς σέ, εἰπὲ δὲ αὐτῷ λαβεῖν φραγέλλιον καὶ βόσκειν τοὺς χοίρους. Ἐλθὼν δὲ ὁ γέρων ἔκρουσε τὴν θύραν καὶ εἰσελθὼν πρὸς 10 τὸν ἀρχιμανδρίτην καὶ ἀσπασάμενοι ἀλλήλους ἐκαθέσθησαν. Καὶ λέγει ὁ ἀναχωρητής· Εἰπέ μοι τί ποιήσω ἵνα σωθῶ. Λέγει αὐτῷ· Εἴ τι οὖν ἐάν σοι εἴπω, ποιεῖς; Λέγει αὐτῷ· Ναί. Ὁ δὲ εἶπεν· Λάβε τὸ φραγέλλιον τοῦτο καὶ ὕπαγε βόσκε χοίρους. Ἀπελθὼν δὲ ὁ ἀναχωρητὴς ἔβοσκε χοίρους. 15 Οἱ δὲ ἰδόντες αὐτὸν καὶ ἀκούοντες περὶ αὐτοῦ, βλέποντες ὅτι βόσκει χοίρους ἔλεγον· Ἴδετε τὸν μέγαν ἀναχωρητὴν περὶ οὗ ἠκούσαμεν· ἰδοὺ ἐξέστη καὶ δαιμόνιον ἔχει καὶ βόσκει τοὺς χοίρους. Ἰδὼν δὲ ὁ Θεὸς τὴν ταπείνωσιν αὐτοῦ ὅτι οὕτως ὑπήνεγκε τοὺς ὀνειδισμοὺς τῶν ἀνθρώπων, 20 ἀπέλυσεν αὐτὸν πάλιν εἰς τὸν τόπον αὐτοῦ.

71 Τινὰ τῶν γερόντων μοναχὸν ἐρημίτην ἄνθρωπος δαιμονιζόμενος καὶ δεινῶς ἀφρίζων ἔτυψε κατὰ τῆς σιαγόνος. Ὁ δὲ γέρων ἀλλάξας τὴν ἄλλην παρέθηκεν[k]. Ὁ δὲ δαίμων μὴ φέρων τὴν πύρωσιν τῆς ταπεινώσεως ἀπέστη εὐθέως 5 ἀπ' αὐτοῦ.

70 YOQRTMSVH *l*

1 πελαζόμενος OV uacans *l* ‖ 3 ἐὰν ὑστερῶ τι : quod est perfectio animae *l* ‖ *post* ποιήσω *add.* αὐτό QRT ‖ 4 καὶ θέλων : θέλων οὖν R ‖ αὐτοῦ τὸν λογ. : αὐτὸν Q ‖ 5 ὕπαγε : ἄπελθε MS ‖ *post* τόνδε *add.* τὸν ἀναχωρητὴν MS ‖ 9 τὴν : εἰς τὴν QRT ‖ εἰσελθὼν YQ : εἰσῆλθε *cett.* ‖ 10 ἐκάθησαν QTMS ‖ 11 *post* μοι *add.* πάτερ QRT ‖ 12 *post* αὐτῷ *add.* ὁ ἀρχιμανδρίτης QR ‖ οὖν *om.* QRVH ‖ 13 *post*

70 Un vieillard qui errait dans le désert en anachorète se disait qu'il pratiquait les vertus; et il pria Dieu, disant : «Seigneur, montre-moi en quoi je suis déficient, et je le ferai.» Et Dieu, voulant humilier sa pensée, lui dit : «Va chez tel archimandrite et fais ce qu'il te dira.» Et Dieu révéla à l'archimandrite : «Voici que tel anachorète vient chez toi; dis-lui de prendre un fouet et de paître les cochons.» Lorsque vint le vieillard, il frappa à la porte et entra chez l'archimandrite; ils s'embrassèrent et s'assirent. Et l'anachorète dit : «Dis-moi que faire pour être sauvé.» Il dit : «Si je te dis quelque chose, le feras-tu?» Il répondit que oui. L'autre dit : «Prends ce fouet et va paître les cochons.» Et l'anachorète paissait les cochons. Mais ceux qui le connaissaient et avaient entendu parler de lui, voyant qu'il paissait des cochons, disaient : «Voilà le grand anachorète dont nous avons entendu parler. Le voilà qui délire et a un démon : il fait paître les cochons.» Et Dieu, voyant son humilité qui lui faisait supporter les sarcasmes des gens, le renvoya à nouveau à son lieu. N 132 E

71 Un homme possédé du démon et qui écumait affreusement frappa à la joue un des vieillards, moine ermite. Le vieillard en retour tendit l'autre joue[k]. Et le démon, ne supportant pas la brûlure de l'humilité, se retira aussitôt. N 298

ναί *add.* πάτερ QR || ὁ δὲ εἶπεν *om.* V || ὕπαγε YQR : ἄπελθε *cett.* || 14 ἀπελθὼν – χοίρους *om.* QT *l* || 15 ἰδόντες : γνωρίζοντες QRT || περὶ YQR : τὰ περὶ *cett.* || 16 μέγαν *om.* T || 17 ἰδοὺ : πῶς QRT

71 YOQRTMSVH *l*

1 μοναχὸν : -χῷ R -χῶν TMS ἄνθρωπον H || 2 *post* σιαγόνος *add.* τοῦ γέροντος T || 4 ἀπέστη : ἤλετο M || 5 ἀπ' αὐτοῦ : παρ' αὐτοῦ O ἀπὸ τοῦ πάσχοντος QRT πάραυτα *sic* H

---

k. Cf. Mt 5, 39

72 Εἶπε γέρων· Ὅταν λογισμὸς ὑψηλοφροσύνης ἢ ὑπερηφανίας ὑπεισέλθῃ σοι ἐρεύνησόν σου τὸ συνειδός, εἰ πάσας τὰς ἐντολὰς ἐφύλαξας εἰ ἀγαπᾷς τοὺς ἐχθρούς σου καὶ λυπῇ ἐπὶ τῇ ἐλαττώσει αὐτῶν, καὶ εἰ ἔχεις ἑαυτὸν δοῦλον 5 ἄχρειον[l] καὶ πάντων ἁμαρτωλότερον· καὶ μηδέποτε ἑαυτῷ μέγα φρονήσῃς ὡς πάντα κατορθώσας, εἰδὼς ὅτι ὁ τοιοῦτος λογισμὸς πάντα καταλύει.

73 Εἶπε γέρων· Μὴ εἴπῃς ἐν τῇ καρδίᾳ σου κατὰ τοῦ ἀδελφοῦ σου λέγων ὅτι· Νηφαλαιώτερός εἰμι καὶ ἀσκητικώτερος, ἀλλ' ὑποτάσσου τῇ χάριτι τοῦ Χριστοῦ ἐν πνεύματι πτωχείας καὶ ἀγάπης ἀνυποκρίτου ἵνα μὴ 5 πνεύματι καυχήσεως περιπέσῃς καὶ ἀπολέσῃς σου τὸν κόπον. Γέγραπται γάρ· « Ὁ δοκῶν ἑστάναι, βλεπέτω μὴ πέσῃ[m] », « ἅλατι δὲ ἠρτυμένος[n] » ἔσῃ ἐν Κυρίῳ.

74 Εἶπε γέρων· Ὁ πλείω τῆς ἀξίας τιμώμενος ἢ ἐπαινώμενος πολὺ ζημιοῦται· ὁ δὲ μηδὲ ὅλως τιμώμενος ὑπὸ ἀνθρώπων ἄνωθεν δοξάζεται.

75 Ἀδελφὸς ἠρώτησε γέροντα λέγων· Καλόν ἐστιν ποιῆσαι μετανοίας πολλάς; Λέγει αὐτῷ ὁ γέρων· Ὁρῶμεν Ἰησοῦν τὸν τοῦ Ναυῆ ὅτι κειμένῳ αὐτῷ ἐπὶ πρόσωπον ὤφθη αὐτῷ ὁ Θεός.

76 Ἠρωτήθη γέρων· Διατί οὕτως πολεμούμεθα ὑπὸ τῶν δαιμόνων; Ὁ δὲ εἶπεν· Ἐπειδὴ τὰ ὅπλα ἡμῶν

72 YOQRTVH *l*

2 ὑπῆλθε R ἐπεισέλθῃ H intrauerit *l* ‖ ἐρεύνησον YQR : ἐρεύνα *cett.* ‖ 3 *post* σου *add.* si gaudes in aduersarii tui glorificatione *l* ‖ 5 *post* πάντων *add.* ἀνθρώπων QRT ‖ μηδέποτε ἑαυτῷ : μηδὲ τότε QRT τότε μηδὲ [μήτε V] οὕτως VH sed nunc si ita de te *l* ‖ 6 ὡς πάντα κατ. *om.* QRT ‖ ὁ τοιοῦτος Y *l*: οὗτος ὁ *cett.* ‖ 7 πάντα : τὰ πάντα R

73 YOQRTVH *l*

2 λέγων *om.* O ‖ 2-3 νηφαλ. ... ἀσκητ. : sobrius et continentior et intelligentior *l* ‖ 3 ἐν *om.* QRT ‖ 6 γέγρ. – πέσῃ *om.* *l* ‖ 7 ἅλατι : spiritali sale *l* ‖ ἅλατι *ad fin. om.* O ‖ ἠρτυμένῳ Y ‖ ἔσῃ : ἔσο QT ἔσω R

72 Un vieillard dit : « Chaque fois qu'une pensée de vanité ou de supériorité pénètre en toi, scrute ta conscience pour savoir si tu as gardé tous les commandements, si tu aimes tes ennemis et t'affliges de leur faiblesse, et si tu te considères comme un serviteur inutile[l] et plus pécheur que tous ; et n'aie jamais une grande idée de toi-même, comme si tu avais tout accompli, sachant qu'une telle pensée dissout tout. »

N 299 =Or 11 (440 B)

73 Un vieillard dit : « Ne dis pas en ton cœur, parlant contre ton frère : Je suis plus vigilant et plus ascète ; mais soumets-toi à la grâce du Christ, en esprit de pauvreté et d'amour non feint, afin de ne pas succomber à l'esprit de gloriole et de ne pas perdre ta peine. Car il est écrit : *Celui qui croit tenir debout, qu'il veille à ne pas tomber*[m] ; et : *Sois assaisonné de sel*[n] dans le Seigneur. »

N 331 =Or 13 (440 C)

74 Un vieillard dit : « Celui qui est honoré et loué plus qu'il ne le mérite en subit grand dommage ; mais celui qui n'est pas du tout honoré par les hommes est glorifié là-haut. »

N 300 =Or 10 (440 B)

75 Un frère demanda à un vieillard : « Est-il bien de faire beaucoup de métanies ? » Le vieillard lui dit : « Nous voyons Jésus, le fils de Navè : c'est quand il était face contre terre que Dieu se fit voir de lui. »

N 301

76 On demanda à un vieillard : « Pourquoi sommes-nous ainsi combattus par les démons ? » Il dit : « Parce que nous

N 302

74 YOQRTV *l*
2 πολὺ : πολλὰ QT amplius *l* || 3 δοξασθήσεται T glorificabitur *l*
75 YOQRTMSV *l*
2 αὐτῷ : αὐτοῦ Y *om.* O || 3 αὐτῷ OR *l* : *om. cett.*
76 YOQRTMSVH *l*

l. Cf. Lc 17, 10 m. 1 Co 10, 12 n. Col 4, 6

ἀπορρίπτομεν, τὴν ἀτιμίαν καὶ τὴν ταπείνωσιν καὶ τὴν ἀκτημοσύνην καὶ τὴν ὑπομονήν.

77 Ἀδελφὸς εἶπε γέροντι· Ἐάν τις ἀξιολόγους ἐνέγκῃ μοι ἔξωθεν, θέλεις, ἀββᾶ, εἴπω αὐτῷ ἵνα μή μοι αὐτοὺς φέρῃ; Λέγει ὁ γέρων· Μή. Καὶ εἶπεν ὁ ἀδελφός· Διατί; Καὶ λέγει ὁ γέρων· Καθότι οὐδὲ ἡμεῖς ἠδυνήθημεν ταῦτα 5 φυλάξαι· μήποτε λέγοντες τῷ πλησίον μὴ ποιεῖν τοῦτο εὑρεθῆμεν ἡμεῖς μετὰ ταῦτα ποιοῦντες αὐτό. Λέγει ὁ ἀδελφός· Τί οὖν δεῖ ποιεῖν; Λέγει ὁ γέρων· Ἐὰν θέλωμεν σιωπᾶν, ὁ τρόπος ἀρκεῖ τῷ πλησίον.

78 Ἠρωτήθη γέρων· Τί ἐστιν ταπείνωσις; Ὁ δὲ εἶπεν· Ἐὰν ἁμαρτήσῃ εἰς σὲ ὁ ἀδελφός σου καὶ συγχωρήσῃς αὐτῷ πρὸ τοῦ σοι μετανοῆσαι αὐτόν.

79 Εἶπε γέρων· Ἐν παντὶ πειρασμῷ μὴ μέμφου ἄνθρωπον ἀλλὰ σεαυτὸν μόνον λέγων ὅτι· Διὰ τὰς ἁμαρτίας μου ταῦτά μοι συνέβη.

80 Εἶπε γέρων· Οὐδέποτε τὴν τάξιν μου παρέβην εἰς ὕψος περιπατῆσαι° οὐδὲ κατενεχθεὶς εἰς ταπείνωσιν ἐταράχθην. Ἡ γὰρ φρόντις μου πᾶσά ἐστιν δέεσθαι τοῦ Θεοῦ ἕως ἂν ἐκβάλῃ με ἀπὸ τοῦ παλαιοῦ ἀνθρώπου.

81 Ἀδελφὸς ἠρώτησε γέροντα λέγων· Τί ἐστι ταπεινοφροσύνη; Λέγει ὁ γέρων· Ἵνα εὖ ποιήσῃς τοῖς ποιοῦσί

4 καὶ τὴν ὑπομονήν *om.* T

77 YOQTVH *l*

1 ἀξιολόγους : cogitationes *l* ‖ 2 ἀββᾶ *om.* YOQ ‖ 3-4 μή – γέρων *om.* V ‖ 4 ταῦτα : τοῦτο TVH ‖ 5 τοῦτο : ταῦτα QT ‖ 6 *post* λέγει *add.* οὖν YOQ ‖ 8 σιωπῆσαι V

78 YOQRTVH *l*

1 ἀδελφὸς εἶπε γέροντι R ‖ 3 πρὸ τοῦ : πρῶτον H ‖ αὐτόν *om.* OVH

rejetons nos armes : l'ignominie, l'humilité, la pauvreté et l'endurance. »

77 Un frère dit à un vieillard : « Si quelqu'un me rapporte du dehors des compliments, veux-tu, abba, que je lui dise de ne plus me les rapporter ? » Le vieillard dit que non, et le frère demanda pourquoi. Le vieillard dit : « Comme nous-mêmes nous ne pourrions l'observer, il y aurait à craindre qu'après avoir dit à notre prochain de ne plus le faire nous nous trouvions le faire nous-mêmes. » Le frère dit : « Que faut-il donc faire ? » Le vieillard dit : « Si nous voulons nous taire, ce comportement suffit au prochain. » N 303

78 On demanda à un vieillard : « Qu'est-ce que l'humilité ? » Et il dit : « Si ton frère pèche contre toi et que tu lui pardonnes avant qu'il ne te le demande. » N 304

79 Un vieillard dit : « En toute tentation, ne blâme pas autrui mais toi-même, disant : c'est à cause de mes fautes que cela m'est arrivé. » N 305 =Or 12

80 Un vieillard dit : « Jamais je n'ai dépassé mon rang pour marcher dans les hauteurs[o], ni, contraint à l'humilité, ne me suis troublé, car mon seul souci est de supplier Dieu jusqu'à ce qu'il me fasse sortir du vieil homme. » N 660

81 Un frère demanda à un vieillard : « Qu'est-ce que l'humilité ? Le vieillard dit : « Faire du bien à ceux qui te N 305 A (*Recherches*, p. 90, n. 1)

79 YOQRTMSV *l*
2 μόνον *om.* QR ‖ 3 συνέβη : συμβαίνει ORMSV
80 YOQRTMSV *l*
1 γέρων : πάλιν YQR ‖ οὐδέπω Y ‖ τὴν τάξιν μου παρέβην : ὑπερέβην YQRT ‖ 2 περιπατήσας MS ‖ 4 ἀπὸ : ἐκ OMSV *om.* QRT
81 YOQRTVH *l*

o. Cf. Ps 130, 1

σοι κακά. Λέγει ὁ ἀδελφός· Καὶ ἐὰν μὴ φθάσῃ τις εἰς
τὸ μέτρον τοῦτο, τί ποιήσει; Λέγει ὁ γέρων· Φευγέτω
5 ἑλόμενος τὸ σιωπᾶν.

82 Ἄλλος ἀδελφὸς ἠρώτησεν αὐτὸν λέγων· Εἰπὲ ἡμῖν περὶ
σωτηρίας, ἀββᾶ· ἀλλὰ κἂν εἴπῃς οὐ κρατοῦμεν ὅτι ἁλμυρά
ἐστιν ἡ γῆ ἡμῶν.

83 Ἀδελφὸς ἠρώτησε γέροντα λέγων· Τί ἐστι τὸ ἔργον
τῆς ξενιτείας; Ὁ δὲ λέγει αὐτῷ· Οἶδα ἀδελφὸν ξενιτεύ-
σαντα καὶ εὑρέθη εἰς τὴν ἐκκλησίαν καὶ κατὰ συγκυρίαν
εὑρέθη ἀγάπη, καὶ ἐκάθισε μετὰ τῶν ἀδελφῶν ἐπὶ τῆς
5 τραπέζης φαγεῖν. Εἶπαν δέ τινες· Τίς καὶ τοῦτον κατέσχεν;
Καὶ λέγουσιν αὐτῷ· Ἔγειρε, ὕπαγε ἔξω. Καὶ ἀναστὰς
ἀπῆλθεν. Ἕτεροι δὲ λυπηθέντες ἀπῆλθον καὶ ἐκάλεσαν
αὐτόν. Καὶ μετὰ τοῦτο ἠρώτησέ τις αὐτὸν λέγων· Ἆρα
τί ἐστιν ἐν τῇ καρδίᾳ σου ὅτι ἐξεβλήθης καὶ πάλιν
10 εἰσήχθης; Ὁ δὲ λέγει· Ἐθέμην εἰς τὴν καρδίαν μου ὅτι
ἐν ἴσῳ κυνός εἰμι ὃς ὅταν ἐκβληθῇ πορεύεται, ὅταν δὲ
κληθῇ ἔρχεται.

84 Ἦλθόν ποτέ τινες ἐν Θηβαΐδι πρός τινα γέροντα ἔχοντες
μεθ' ἑαυτῶν δαιμονιζόμενον ἵνα θεραπεύσῃ αὐτόν. Ὁ δὲ
γέρων πολλὰ παρακληθεὶς λέγει τῷ δαίμονι· Ἔξελθε ἀπὸ
τοῦ πλάσματος τοῦ Θεοῦ. Καὶ εἶπεν ὁ δαίμων τῷ γέροντι·
5 Ἐξέρχομαι· ἐρωτῶ δὲ σὲ ἓν ῥῆμα, καὶ εἰπέ μοι τίνες
εἰσὶν τὰ ἐρίφια τὰ ἐν τῷ Εὐαγγελίῳ[P] καὶ τίνες εἰσὶν τὰ
ἀρνία. Καὶ εἶπεν ὁ γέρων· Τὰ μὲν ἐρίφια ἐγώ εἰμι, τὰ
δὲ ἀρνία ὁ Θεὸς οἶδεν. Καὶ ἀκούσας ὁ δαίμων ἐβόησε

3 καὶ YO *om. cett.* || 4 λέγει ὁ γ. *om.* O

82 OQRTV

1 ἄλλος *om.* R || αὐτὸν : γέροντα ORV || 2 ἀλλὰ *om.* OV || 3 γῆ : πηγῆ R

83 YOQRTMSVH *l*

1-2 ἀδελφὸς – ξενιτείας *om.* H || 1 ἀδελφὸς – γέροντα : γέροντά τις ἠρώτησε περὶ τῆς ξενιτείας YQRT || 4 εὑρέθη : ἀπήντησεν OMSVH ||

font du mal.» Le frère dit : «Et si on ne parvient pas à cette mesure, que faire?» Le vieillard dit : «Que l'on fuie, choisissant de se taire.»

82 Un autre frère lui demanda : «Dis-nous une parole de salut, abba; pourtant, même si tu la dis nous ne la retenons pas, car notre terre est une saumure.»

83 Un frère interrogea un vieillard : «Quelle est l'œuvre de vivre en étranger?» Il lui dit : «Je connais un frère vivant en étranger qui se trouva dans une église quand par hasard il y eut une agape; et il s'assit à table avec les frères pour manger. Certains dirent : qui a invité aussi celui-là? Et ils lui dirent : lève-toi, va-t'en. Se levant, il partit. Mais d'autres en furent attristés et allèrent l'appeler. Après cela, on lui demanda : qu'avais-tu dans le cœur lorsque tu as été chassé et ensuite réintroduit? Il dit : J'avais mis dans mon cœur que je suis semblable à un chien, si on le chasse il s'en va, si on l'appelle il vient.» N 306

84 Des gens vinrent un jour chez un vieillard en Thébaïde, emmenant avec eux un possédé du démon afin qu'il le guérisse. Le vieillard, lorsqu'ils eurent beaucoup insisté, dit au démon : «Sors de la créature de Dieu.» Et le démon dit au vieillard : «Je vais sortir; mais je te pose une question : dis-moi qui sont les boucs dans l'Évangile[p] et qui sont les brebis.» Le vieillard dit : «Les boucs, c'est moi; les brebis, Dieu le sait.» Entendant cela, le démon N 307

8 τοῦτο : τὸ φαγεῖν YQRT || 9 ἐξεβλήθης : ἐξέβης OH || 10 εἰσήχθης : εἰσῆλθες QRT || 11 ἐν ἴσῳ κυνός : ἰσωκυνός QT ἴσος κυνός MSV || 12 εἰσέρχεται

84 YOQRTMSVH *l*

3 πολλὰ *om.* M || 5 ἐρωτήσω YQRT || 6 τὰ ἐν τῷ Εὐαγγ. *om. l*

p. Cf. Mt 25, 32-33

φωνῇ μεγάλῃ λέγων· Ἰδοὺ διὰ τὴν ταπείνωσίν σου
10 ἐξέρχομαι. Καὶ ἐξῆλθεν αὐτῇ τῇ ὥρᾳ.

85 Ἔμενέ τις μοναχὸς αἰγύπτιος ἐν προαστείῳ Κωνσταντινουπόλεως ἐπὶ τοῦ νέου Θεοδοσίου τοῦ βασιλέως. Διερχόμενος δὲ τὴν ὁδὸν ἐκείνην ὁ βασιλεὺς κατέλιπε πάντας, καὶ ἔρχεται μόνος καὶ κρούει εἰς τὴν θύραν τοῦ μοναχοῦ.
5 Ὁ δὲ ἀνοίξας ἐπέγνω μὲν τίς ἦν, ἐδέξατο δὲ αὐτὸν ὡς ἕνα ταξεώτην. Ὡς οὖν εἰσῆλθεν, ἐποίησαν εὐχὴν καὶ ἐκάθησαν; Καὶ ἤρξατο ὁ βασιλεὺς ἐξετάζειν αὐτὸν πῶς οἱ πατέρες οἱ ἐν Αἰγύπτῳ· Ὁ δὲ εἶπεν· Πάντες εὔχονται ὑπὲρ τῆς βασιλείας σου. Καὶ εἶπεν αὐτῷ· Φάγε μικρόν.
10 Καὶ ἔβρεξεν αὐτῷ ἄρτον, καὶ ἔβαλεν ὀλίγον ἔλαιον καὶ ἅλας, καὶ ἔφαγεν. Καὶ ἐπέδωκεν αὐτῷ ὕδωρ, καὶ ἔπιεν. Εἶπεν δὲ αὐτῷ ὁ βασιλεύς· Οἶδας τίς εἰμί; Ὁ δὲ εἶπεν· ὁ Θεὸς οἶδέν σε τίς εἶ. Τότε λέγει αὐτῷ· Ἐγώ εἰμὶ Θεοδόσιος ὁ βασιλεύς. Καὶ εὐθέως προσεκύνησεν αὐτῷ ὁ
15 γέρων. Καὶ λέγει αὐτῷ ὁ βασιλεύς· Μακάριοι ὑμεῖς οἱ ἀμέριμνοι τοῦ βίου. Ἐπ' ἀληθείας, ἐν τῇ βασιλείᾳ ἐγεννήθην, καὶ οὐδέποτε ἀπήλαυσα αὐτοῦ τοῦ ἄρτου καὶ τοῦ ὕδατος ὡς σήμερον. Πάνυ γὰρ ἡδέως ἔφαγον; Καὶ ἤρξατο ἀπὸ τότε τιμᾶν αὐτὸν ὁ βασιλεύς. Ὁ δὲ γέρων ἀναστὰς
20 ἔφυγεν καὶ πάλιν ἀπῆλθεν εἰς Αἴγυπτον.

86 Ἔλεγον οἱ γέροντες· Ὅταν μὴ πολεμώμεθα, τότε μᾶλλον ταπεινωθῶμεν. Ὁ Θεὸς γὰρ εἰδὼς ἡμῶν τὴν ἀσθένειαν σκέπει ἡμᾶς. Ἐὰν οὖν καυχώμεθα ἐπὶ τούτῳ ἀφαιρεῖ ἀφ' ἡμῶν τὴν σκέπην αὐτοῦ καὶ λοιπὸν ἀπολλύμεθα.

9 λέγων *om.* OMSVH
85 YOQRTMSVH *l*
4 μόνος : μοναχὸς V ‖ εἰς *om.* MVH ‖ 6 ἐποίησεν OQRTVH ‖ 9 ὑπὲρ τῆς βασ. σου : pro salute uestra *l* ‖ σου *om.* QRT ‖ *post* βασιλ. σου *add.* imperator autem circumspiciebat in cella eius si quid haberet et nihil illic uidit nisi paruam sportellam habentem modicum panis et lagenam aquae *l* ‖ 13 τίς εἶ *om.* YOMSVH ‖ 14-15 καὶ εὐθέως –

s'écria d'une forte voix : « Voici qu'à cause de ton humilité je m'en vais. » Et à l'heure même il partit.

85 Un moine égyptien demeurait dans un faubourg de Constantinople au temps de l'empereur Théodose le Jeune. Passant par ce chemin, l'empereur abandonna tout le monde et vient frapper seul à la porte du moine. En lui ouvrant, celui-ci le reconnut mais l'accueillit comme s'il était un officier. Une fois introduit, ils firent la prière et s'assirent. Et l'empereur commença à le questionner : « Comment vont les pères en Égypte ? » Le moine dit : « Tous prient pour ton empire », et il ajouta : « Mange un peu. » Il lui trempa du pain, y ajouta un peu d'huile et de sel ; et l'autre mangea. Et il lui donna de l'eau pour boire. Puis l'empereur lui dit : « Tu sais qui je suis ? » Il dit : « Dieu te connaît. » Alors il lui dit : « Je suis Théodose l'empereur. » Aussitôt le vieillard lui fit la prostration, et l'empereur lui dit : « Heureux êtes-vous, vous qui n'avez pas les soucis de la vie ! En vérité, je suis né dans la royauté ; pourtant, jamais je n'ai joui du pain et de l'eau comme aujourd'hui. Car j'ai mangé fort agréablement. » Et l'empereur se mit alors à l'honorer. Alors le vieillard se levant s'enfuit et retourna en Égypte. N 308

86 Les vieillards disaient : « Lorsque nous ne sommes pas combattus, humilions-nous plus encore, car Dieu, sachant notre faiblesse, nous protège. Si donc nous nous en glorifions, il nous retire sa protection, et alors nous sommes perdus. » N 309

βασιλεύς *om.* MS || 16 *post* βίου *add.* et non cogitatis de hoc saeculo *l* || 17 αὐτοῦ τοῦ Y : τοιούτου R τοῦ *cett.* || 20 ἦλθεν OVH

86 YOQRTMSVH *l*

1 μὴ *om.* *l* || πολεμώμεθα OQS : -μούμεθα *cett.* || 3 σκέπει : σκεπάζει QT σκεπάσῃ R || ἀφαιρεῖ : αἵρει QRT || ἀφ' *om.* Y

87 Τινὶ ἀδελφῷ ἐφάνη ὁ διάβολος μετασχηματισάμενος εἰς ἄγγελον φωτός, καί φησι πρὸς αὐτόν· Ἐγώ εἰμι Γαβριὴλ ὁ ἀρχάγγελος, καὶ ἀπεστάλην πρὸς σέ. Ὁ δὲ εἶπεν αὐτῷ· Ὅρα μὴ πρὸς ἄλλον ἀπεστάλης· ἐγὼ γὰρ οὐκ εἰμὶ 5 ἄξιος ἄγγελον ἰδεῖν. Ὁ δὲ εὐθέως ἀφανὴς ἐγένετο.

88 Ἔλεγον οἱ γέροντες· Κἂν ἀληθῶς ἄγγελός σοι φανῇ, μὴ παραδέξῃ, ἀλλὰ ταπείνωσον ἑαυτὸν λέγων· Οὐκ εἰμὶ ἄξιος ἄγγελον ἰδεῖν ἐν ἁμαρτίαις ζῶν.

89 Διηγήσαντο περί τινος γέροντος ὅτι καθεζόμενος εἰς τὸ κελλίον αὐτοῦ καὶ ἀγωνιζόμενος ἔβλεπε τοὺς δαίμονας φανερῶς καὶ εὐτέλιζεν αὐτούς. Ἔβλεπε δὲ ἑαυτὸν ὁ διάβολος ἡττόμενον ὑπὸ τοῦ γέροντος, καὶ ἐλθὼν ἐνεφάνησεν ἑαυτὸν 5 λέγων· Ἐγώ εἰμι ὁ Χριστός. Ἰδὼν δὲ αὐτὸν ὁ γέρων ἐκάμμυσε τοὺς ὀφθαλμοὺς αὐτοῦ. Εἶπεν δὲ αὐτῷ ὁ διάβολος· Τί καμμύεις τοὺς ὀφθαλμούς σου; ἐγώ εἰμι ὁ Χριστός. Ἀποκριθεὶς δὲ γέρων εἶπεν αὐτῷ· Ἐγὼ τὸν Χριστὸν ὧδε οὐ θέλω ἰδεῖν. Ἀκούσας δὲ ταῦτα ὁ διάβολος 10 ἀφανὴς ἐγένετο.

90 Γέροντι ἑτέρῳ ἔλεγον οἱ δαίμονες θέλοντες αὐτὸν ἀπατῆσαι· Θέλεις ἰδεῖν τὸν Χριστόν; Ὁ δὲ εἶπεν αὐτοῖς· Ἀνάθεμα ὑμῖν καὶ ᾧ λέγετε. Τῷ δὲ ἐμῷ Χριστῷ πιστεύω εἴποντι· « Ἐάν τις ὑμῖν εἴπῃ· Ἰδοὺ ὧδε ὁ Χριστὸς ἢ 5 ἐκεῖ, μὴ πιστεύσητε[q].» Καὶ εὐθέως ἀφανεῖς ἐγένοντο.

91 Διηγήσαντο περὶ ἄλλου γέροντος ὅτι ἐποίησε νηστεύων ἑβδομήκοντα ἑβδομάδας ἅπαξ τῆς ἑβδομάδος ἐσθίων. Ἠτεῖ

87 YOQRTMSVH *l*
1 ἀδελφῷ : τῶν ἀδελφῶν OSV τῶν πατέρων YQR ‖ μετασχηματισθεὶς QRT ‖ 2 πρὸς αὐτόν *om.* TMS ‖ 3 ἀρχάγγ. : angelus *l* ‖ 5 ἄγγ. ἰδεῖν : ut angelus mittatur ad me *l*
88 YOQRTMSVH *l*
3 ζῶν : ἀεὶ ζῶν H
89 YOQRTMSVH *l*

87 A un frère le diable apparut déguisé en ange de lumière et lui dit : «Je suis Gabriel l'archange, et j'ai été envoyé vers toi.» L'autre lui dit : «Vois que tu ne sois pas envoyé à un autre, car moi je ne suis pas digne de voir un ange.» Et aussitôt il devint invisible. N 310

88 Les vieillards disaient : «Même si un ange t'apparaissait véritablement, ne le reçois pas, mais humilie-toi en disant : Je ne suis pas digne de voir un ange, moi qui vis dans les péchés.» N 311

89 On disait d'un vieillard que, tandis qu'il demeurait dans sa cellule et combattait, il voyait clairement les démons et les méprisait. Et le diable, se voyant vaincu par le vieillard, vint en personne se manifester disant : «Moi, je suis le Christ.» A sa vue, le vieillard ferma les yeux. Le diable lui dit : «Pourquoi fermes-tu les yeux? Je suis le Christ.» Le vieillard lui répondit : «Moi je ne veux pas voir le Christ ici-bas.» Entendant cela, le diable devint invisible. N 312

90 A un autre vieillard qu'ils voulaient tromper, les démons dirent : «Veux-tu voir le Christ?» Il leur dit : «Anathème à vous et à celui que vous dites! Pour moi, je crois au Christ qui a dit : *Si on vous dit que le Christ est ici ou qu'il est là, ne le croyez pas* [q]. Aussitôt ils devinrent invisibles. N 313

91 On disait d'un autre vieillard qu'il passa soixante-dix semaines à jeûner, ne mangeant qu'une fois la semaine. N 314

1-2 ἐν τῷ κελλίῳ ἑαυτοῦ O ‖ 3 αὐτούς : ἑαυτόν H ‖ 9 ὧδε *om.* V ‖ *post* ἰδεῖν *add.* sed in illa uita *l*

90 YOQRTMSVH *l*

1-2 θέλ. αὐτὸν ἀπατ. *om.* MS ‖ 2 ἀπατῆσαι : πλανῆσαι OQTH ‖ 3 *post* λέγετε *add.* Χριστῷ QRT ‖ 4 τις ὑμῖν εἴπῃ : ὑμῖν εἴπωσιν YQRT ‖ 5 ἀφανὴς ἐγένετο QRV

91 YOQRTMSVH *l*

---

q. Mt 24, 23

δὲ παρὰ τοῦ Θεοῦ περί τινος ῥήματος τῆς Γραφῆς, καὶ οὐκ ἀπεκάλυψεν αὐτῷ ὁ Θεός. Λέγει οὖν ἐν ἑαυτῷ· Ἰδοὺ
5 τοσοῦτος κάματος, καὶ οὐδὲν ἤνυσα. Ὑπάγω οὖν πρὸς τὸν ἀδελφόν μου καὶ ἐρωτῶ αὐτόν. Καὶ ὡς ἔκλεισε τὴν θύραν τοῦ ἀπελθεῖν ἀπεστάλη πρὸς αὐτὸν ἄγγελος Κυρίου λέγων· Αἱ ἑβδομήκοντα ἑβδομάδες ἃς ἐνήστευσας οὐκ ἤγγισαν πρὸς τὸν Θεόν· ὅταν δὲ ἐταπείνωσας ἑαυτὸν
10 ἀπελθεῖν πρὸς τὸν ἀδελφόν σου, ἀπεστάλην τοῦ ἀναγγεῖλαι σοι τὸν λόγον. Καὶ πληροφορήσας αὐτὸν περὶ οὗ ἐζήτει λόγου ἀπέστη ἀπ' αὐτοῦ.

92 Ἔλεγον περί τινος τῶν πατέρων ὅτι ἠτήσατο τὸν Θεὸν ἐπὶ ἑπτὰ ἔτη περί τινος χαρίσματος καὶ ἐδόθη αὐτῷ. Ἀπῆλθεν οὖν πρός τινα μέγαν γέροντα καὶ ἀνήγγειλεν αὐτῷ διὰ τὸ χάρισμα. Ἀκούσας δὲ ὁ γέρων ἐκεῖνος
5 ἐλυπήθη λέγων· Μέγας κόπος. Καὶ εἶπεν αὐτῷ· Ὕπαγε ποίησον ἄλλα ἑπτὰ ἔτη παρακαλῶν τὸν Θεὸν ἵνα ἀρθῇ ἀπὸ σοῦ· οὐ συμφέρει γάρ σοι. Ἀπελθὼν οὖν ἐποίησεν οὕτως ἕως οὗ ἀρθῇ ἀπ' αὐτοῦ.

93 Ἔλεγέ τις τῶν πατέρων ὅτι ἐάν τις μετὰ φόβου Θεοῦ καὶ ταπεινώσεως ἐπιτάξῃ ἀδελφῷ πρᾶγμα ποιῆσαι, ὁ λόγος ἐκεῖνος ὁ διὰ τὸν Θεὸν ἐξερχόμενος ποιεῖ τὸν ἀδελφὸν ὑποταγῆναι καὶ ποιῆσαι. Εἰ δέ τις θέλων κελεῦσαι ἀδελφῷ
5 οὐ κατὰ φόβον Θεοῦ ἀλλ' ὡς δι' αὐθεντίαν θέλων ἐξουσιάζειν αὐτοῦ, ὁ Θεὸς ὁ βλέπων τὰ κρυπτὰ τῆς καρδίας οὐ πληροφορεῖ αὐτὸν ἀκοῦσαι οὐδὲ ποιῆσαι· φανερὸν γάρ ἐστι τὸ ἔργον τὸ διὰ τὸν Θεὸν γινόμενον καὶ φανερὸν τὸ τῆς αὐθεντίας. Τὸ γὰρ τοῦ Θεοῦ ταπεινόν ἐστι μετὰ

5 *post* κάματος *add.* ἐγένετο O sumpsi *l* ‖ οὖν *om.* QR ‖ 7 τοῦ : αὐτοῦ Q ‖ πρὸς αὐτὸν : αὐτῷ OMSVH ‖ 8 τὰς ... ἑβδομάδας V ‖ 9 ἤγγισαν : ἠνύσας T te fecerunt proximum *l* ‖ ὅταν : ὅτε QR

92 YOQRTMSVH

3 μέγαν *om.* QR ‖ 4 διὰ τὸ χ. : περὶ τοῦ χαρίσματος H ‖ ὁ γέρων *om.* MS ‖ *post* ἐκεῖνος *add.* διὰ τὸ χάρισμα R ‖ 5 κόπος : ὁ κόπος Q ‖ 7 γάρ *om.* Q ‖ οὖν : δὲ QR ‖ 8 ἀρθῇ : ἤρθη OR

Il interrogeait Dieu sur une parole de l'Écriture; mais Dieu ne la lui révéla pas. Il se dit donc : « Après tant de peine, je n'ai rien obtenu. Je vais donc chez mon frère pour l'interroger. » Il fermait la porte pour partir lorsqu'un ange du Seigneur lui fut envoyé disant : « Les soixante-dix semaines que tu as jeûné n'ont pas approché de Dieu; mais lorsque tu t'es humilié à aller chez ton frère, j'ai été envoyé pour t'annoncer le sens de la parole. » Et il satisfit sa recherche sur la parole et se retira.

92 On disait de l'un des pères qu'il supplia Dieu pendant sept ans pour un charisme qui lui fut donné. Il se rendit alors chez un grand vieillard et le mit au courant du charisme. L'ayant écouté, ce vieillard dit avec tristesse : « Grande fatigue ! » Et il lui dit : « Va, passe sept autres années à supplier Dieu qu'il te le retire, car il ne te convient pas. » Il partit donc et fit ainsi jusqu'à ce que le charisme lui soit retiré. N 380

93 L'un des pères disait que si quelqu'un commande à un frère avec crainte de Dieu et humilité de faire quelque chose, cette parole proférée à cause de Dieu fait que le frère se soumet et agit. Mais s'il veut commander au frère non selon la crainte de Dieu, mais comme autoritairement pour se le soumettre, Dieu, qui voit les secrets du cœur, ne persuade le frère ni d'écouter ni d'agir. On voit bien, en effet, l'œuvre accomplie à cause de Dieu et celle qui vient de l'autoritarisme : celle qui vient de Dieu est humble N 315

93 YOQRTMSVH *l*

1 ἔλεγε V *l*: ἔλεγον *cett.* || τις V *l*: τινες YQRT περί τινος OMS τινες περί τινος H || *post* πατέρων *add.* εἰπόντος O ὅτι ἔλεγεν MS || 4 καὶ : τοῦ QT *om.* R || *post* ποιῆσαι *add.* τὸν λόγον QRT αὐτό MS quod fuerit imperatum *l* || 5 δι' : κατὰ QRT || αὐθεντίας MS || 6 κατεξουσιάζειν QT || κρυπτὰ *om.* QRT || 7 φανερὸν γὰρ : ὅτι φανερόν YOMSVH

10 παρακλήσεως, τὸ δὲ μετὰ αὐθεντίας καὶ θυμοῦ καὶ ταραχῆς ἐκ τοῦ πονηροῦ ἐστιν.

94 Εἶπε γέρων· Θέλω ἥττημα μετὰ ταπεινώσεως ἢ νίκην μετὰ ὑπερηφανίας.

95 Εἶπε γέρων· Μὴ καταφρονήσῃς τοῦ παρεστῶτός σοι· οὐκ οἶδας γὰρ εἰ ἐν σοί ἐστιν τὸ πνεῦμα τοῦ Θεοῦ ἢ ἐν ἐκείνῳ. Λέγω δὲ παρεστῶτά σοι τὸν διακονοῦντά σοι.

96 Ἀδελφὸς ἠρώτησε γέροντα λέγων· Ἐὰν οἰκήσω μετὰ ἀδελφῶν καὶ ἴδω πρᾶγμα παρὰ τὸ πρέπον, θέλεις λαλήσω; Λέγει αὐτῷ ὁ γέρων· Ἐὰν ὦσι μείζονες ἢ συνηλικιῶται σου, σιωπῶν μᾶλλον ἕξεις ἀνάπαυσιν. Ἐν τούτῳ γὰρ 5 ἐλάττωνα σεαυτὸν ποιήσεις καὶ ἀμέριμνον. Λέγει ὁ ἀδελφός· Τί οὖν ποιήσω, πάτερ, ὅτι ταράττουσί με τὰ πνεύματα; Λέγει ὁ γέρων· Εἰ κάμνεις ὑπόμνησον ἅπαξ ταπεινοφρονῶν, ἐὰν δὲ μὴ ὑπακούσωσί σου ἄφες τὸν κόπον σου ἐνώπιον τοῦ Θεοῦ, καὶ αὐτὸς σὲ ἀναπαύει⸢. Τοῦτο 10 γάρ ἐστι τὸ ῥίψαι ἑαυτὸν ἐνώπιον τοῦ Θεοῦ καὶ καταλιπεῖν τὸ ἴδιον θέλημα. Πρόσεχε δὲ μὴ ἐκφανῇς, ὅπως κατὰ Θεὸν γένηται ἡ μέριμνά σου. Ὡς δὲ ὁρῶ καλὸν τὸ σιωπᾶν μᾶλλον· ταπεινοφροσύνη γάρ ἐστιν.

97 Ἄλλος ἀδελφὸς ἠρώτησε γέροντα λέγων· Τί ἐστιν ἡ κατὰ Θεὸν προκοπὴ τοῦ ἀνθρώπου; Λέγει ὁ γέρων· Προ-

10 καὶ² *om.* MS

94 YOQRTV *l*

1 ἥττημα : ἧτταν R uinci *l* || ταπεινοφροσύνης O || νίκην : uincere *l*

95 YOQRTVH *l*

1 γέρων : πάλιν YQRT || 2 γὰρ : δὲ V || 3 ἐκείνῳ : αὐτῷ T || παρεστῶτα YOR : τὸν παρ. *cett.*

96 YOQRTVH *l*

2 τὸ : τὸ μὴ V || *post* πρέπον *add.* γινόμενον QRT || 3 συνηλικιῶτες R συνηλίκες OVH || 5 ποιεῖς QR || 7 ὑπόμνησον : ὑπόμενε εἰς Y καὶ

et suppliante; mais celle qui est faite avec autoritarisme, emportement et trouble provient du mauvais.»

94 Un vieillard dit: «Je préfère une défaite avec humilité à une victoire avec orgueil.» N 316

95 Un vieillard dit: «Ne méprise pas ton compagnon, car tu ne sais pas si l'esprit de Dieu est en toi ou en lui. Par 'ton compagnon', je veux dire celui qui te sert.» N 317

96 Un frère demanda à un vieillard: «Si j'habite avec des frères et que je vois quelque chose d'inconvenant, veux-tu que je le dise?» Le vieillard lui dit: «S'il y en a qui sont plus âgés ou du même âge que toi, garde plutôt le silence et tu seras en repos, car alors tu te rendras plus petit et sans souci.» Le frère dit: «Que ferai-je donc, père, car les esprits me troublent?» Le vieillard dit: «Si tu souffres, avertis-les une seule fois, humblement; et s'ils ne t'écoutent pas, dépose ta peine devant Dieu et lui-même te reposera[r]. Car c'est cela se prosterner devant Dieu et abandonner son vouloir propre. Mais évite l'ostentation afin que ton souci soit selon Dieu. A ce que je vois, il vaut mieux se taire, car c'est l'humilité.» N 318

97 Un autre frère demanda à un vieillard: «Qu'est-ce que le progrès de l'homme selon Dieu?» Le vieillard dit: «Le N 381

ὑπομένης V || 8 ταπεινοφρ.: ταπεινοφροσύνην V || ἀκούσωσί T || 9 ἀναπαύσει V || 11 δὲ *om.* YOTVH || μὴ ἐκφανῇς *om.* *l* || 13 γάρ *om.* R || *post* ἐστιν *add.* taciturnitas *l*

97 YOQRTVH *l*

1 ἄλλος: quidam *l* *om.* OVH || *post* ἠρώτησε *add.* τὸν αὐτὸν YQRT || 2 κατὰ Θεὸν *om.* *l* || *post* γέρων *add.* κατὰ Θεὸν YQRT

r. Cf. Ps 54, 23

κοπὴ τοῦ ἀνθρώπου ἐστὶν ἡ ταπείνωσις. Ὅσον γὰρ ταπεινοῦται ὁ ἄνθρωπος, τοσοῦτον εἰς προκοπὴν ἀνάγεται.

98 Εἶπέ τις τῶν πατέρων ὅτι · Ἐὰν εἴπῃ τίς τινι συγχώρησόν μοι μετὰ ταπεινωφροσύνης καίει τοὺς δαίμονας.

99 Εἶπε πάλιν · Ἐὰν κτήσῃ σιωπὴν μὴ ἔχε σεαυτὸν ὡς ἀρετὴν κατορθωκότα, ἀλλὰ λέγε ὅτι · Ἀνάξιός εἰμι τοῦ λαλεῖν.

100 Ἔλεγε γέρων · Εἰ μὴ ἔβαλεν ὁ ἀρτοκόπος σκέπασμα τοῖς ὀφθαλμοῖς τοῦ κτήνους ἐστρέφετο ἂν καὶ τὸν κόπον αὐτοῦ ἤσθιεν. Οὕτως καὶ ἡμεῖς λαμβάνομεν σκεπάσματα κατ' οἰκονομίαν Θεοῦ ἵνα μὴ βλέποντες ἃ ἐργαζόμεθα 5 καλὰ μακαρίσωμεν ἑαυτοὺς καὶ ἀπολέσωμεν τὸν μισθὸν ἡμῶν. Διὰ τοῦτο ἀφιέμεθα μίαν μίαν ἐν ῥυπαροῖς λογισμοῖς, καὶ αὐτὰ μόνον βλέπομεν ἵνα ἑαυτοὺς κατακρίνωμεν. Καὶ αὐτὰ τὰ ῥυπαρὰ γίνεται σκεπάσματα τοῦ μικροῦ ἀγαθοῦ. Ὅταν γὰρ μέμφηται ἑαυτὸν ἄνθρωπος οὐκ ἀπόλλει τὸν 10 κόπον αὐτοῦ.

101 Εἶπε γέρων · Θέλω διδαχθῆναι ἢ διδάξαι.

102 Εἶπε πάλιν · Μὴ δίδασκε πρὸ καιροῦ · εἰ δὲ μὴ ὅλον τὸν χρόνον σου ἔσῃ ἐλαττούμενος ἐν συνέσει.

103 Ἠρωτήθη γέρων · Τί ἐστι ταπείνωσις; Καὶ ἀπεκρίθη · Ἡ ταπείνωσις μέγα ἔργον καὶ θεϊκόν. Ἡ δὲ ὁδὸς τῆς

3 τοῦ ἀνθρ. *om.* QRT || 3-4 ὅσον *ad fin.* : τοσοῦτον εἰς προκοπὴν ἀνάγεται ὅσον κατάγεται εἰς ταπείνωσιν H *om.* QRT || 4 ὁ ἄνθρ. *om.* OV

98 YOQRTMSVH *l*

1 τις τῶν πατ. : γέρων O quidam senex *l* || εἴπῃ τις : εἴπῃς Q || 2 μοι *om.* Y || *post* μετὰ *add.* ταπεινώσεως καὶ H || καίεις Q

99 YOQRTMSV *l*

1 πάλιν : γέρων O *l* || 1-2 ὡς ἀρετὴν *om.* V || 2 κατορθῶν OMSV || *post* εἰμί *add.* καὶ YOMSV

100 YOQRTMSVH *l*

1 γέρων : πάλιν Q || σκεπάσματα MS || 2 τὸν κόπον : τοὺς κόπους

progrès de l'homme, c'est l'humilité. Plus en effet l'homme s'humilie, plus il progresse.»

98 L'un des pères dit : «Si quelqu'un dit à un autre : Pardonne-moi, avec humilité, il brûle les démons.» P 279 (*Recherches*, p. 90)

99 Il dit encore : «Si tu acquiers le silence, ne te considère pas comme ayant accompli une vertu, mais dis : Je suis indigne de parler.» N 321

00 Un vieillard disait : «Si le meunier ne mettait pas des œillères à son mulet, celui-ci se retournerait et mangerait sa peine. De même, selon l'économie divine, nous recevons nous aussi des œillères pour ne pas voir ce que nous faisons de bien, nous en glorifier et perdre notre salaire. Aussi sommes-nous parfois abandonnés aux pensées impures et ne voyons-nous que cela afin de nous condamner nous-mêmes. Ces impuretés sont des œillères pour notre peu de bien. En effet, quand l'homme se blâme lui-même, il ne perd pas sa peine.» N 322

01 Un vieillard dit : «Je préfère être enseigné qu'enseigner.» N 668

02 Il dit encore : «N'enseigne pas avant le temps, sinon toute ta vie tu seras diminué en intelligence.» N 669

03 On demanda à un vieillard : «Qu'est-ce que l'humilité?» Et il répondit : «L'humilité est une œuvre grande et divine. N 323

QRT || 3 σκέπασμα H || 4 Θεοῦ : ἐκ τοῦ Θεοῦ QRT || 5 *post* καλὰ *add.* καὶ T *l* μὴ H || 6 *post* λογισμοῖς *add.* καταρυποῦσθαι QRT || 7 αὐτὰ : αὐτὸ Q αὐτὸν R || μόνον *om. l* || 8 παραγίνεται V

101 YOQRTV *l*

1 εἶπε : εἴρηκε O

102 YOQRTV *l*

1 εἶπε πάλιν : ὁ αὐτὸς εἶπεν R

103 YOQRTMSVH *l*

1 ἀπεκρίθη YO : ἀποκριθεὶς εἶπεν *cett.*

ταπεινώσεώς ἐστιν αὕτη· οἱ κόποι οἱ σωματικοί, καὶ τὸ ἔχειν ἑαυτὸν ἁμαρτωλὸν καὶ ὑποκάτω πάντων. Καὶ εἶπεν 5 ὁ ἀδελφός· Τί ἐστιν ὑκοκάτω πάντων; Ὁ δὲ γέρων εἶπεν· Τοῦτο ἔστι· τὸ μὴ προσέχειν ἁμαρτίαις ἀλλοτρίαις ἀλλὰ ταῖς ἑαυτοῦ πάντοτε καὶ δέεσθαι τοῦ Θεοῦ ἀδιαλείπτως.

104 Μοναχός τις τραῦμα λαβὼν παρά τινος κατασχὼν τὸ τραῦμα μετανοίας ἔβαλε τῷ πλήξαντι.

105-106 Ἠρώτησεν ἀδελφός τινα γέροντα λέγων· Εἰπέ μοι ἓν πρᾶγμα ἵνα τηρήσω αὐτὸ καὶ ζητήσω δι' αὐτοῦ πάσας τὰς ἀρετάς. Καὶ εἶπεν ὁ γέρων· Ἐξουδένωσιν καὶ ὕβριν καὶ ζημίαν ὁ ὑποφέρων δύναται σωθῆναι.

107 Εἶπε γέρων· Μὴ ἔχε γνῶσιν μετὰ ἡγουμένου μηδὲ πύκναζε πρὸς αὐτόν. Ἐκ τούτου γὰρ καὶ παρρησίαν ἕξεις καὶ τοῦ ἡγεῖσθαι ἄλλων ἐπιθυμήσεις.

108 Εἶπε πάλιν ὅτι ὀφείλει τις ἐπαινούμενος λογίζεσθαι τὰς ἁμαρτίας ἑαυτοῦ καὶ ὅτι οὐκ ἔστιν ἄξιος τῶν λεγομένων.

109 Ἦν τις ἀδελφὸς ἐν κοινοβίῳ καὶ ὅλα τὰ βάρη τῶν ἀδελφῶν ἔβαλεν ἐπάνω ἑαυτοῦ ὥστε καὶ ἕως πορνείας κατηγορεῖν ἑαυτοῦ. Τινὲς δὲ τῶν ἀδελφῶν ἀγνοοῦτες τὴν πρᾶξιν αὐτοῦ ἤρξαντο γογγύζειν κατ' αὐτοῦ λέγοντες· 5 Πόσα κακὰ ποιεῖ οὗτος καὶ οὐδὲ ἐργάζεται. Ὁ δὲ ἀββᾶς γινώσκων τὴν πρᾶξιν αὐτοῦ ἔλεγε τοῖς ἀδελφοῖς· Θέλω

4 *post* πάντων *add.* ἀνθρώπων MS ‖ 7 ἑαυτοῦ : αὐτοῦ OH ἑαυτῶν M
104 YOQRTMSV
2 μετάνοιαν OTMSV ‖ *post* πλήξαντι *add.* αὐτόν OTMSV
105-106 YOQRTMSV*[l]*
1-3 ἠρώτησεν – καί[1] *om.* MS ‖ 2 αὐτὸ *om.* TV ‖ 3 ὁ γέρων *om.* O ‖ 4 ὑποφέρων : ὑπομένων TMSV
107 YOQRTMSV *l*
108 YOQRTMSVH
1 πάλιν YQR : γέρων *cett.* ‖ 2 ἑαυτοῦ : αὐτοῦ Q

Et le chemin de l'humilité est le suivant : les peines corporelles et se considérer comme pécheur et inférieur à tous. » Et le frère dit : « Qu'est-ce que c'est : inférieur à tous ? » Le vieillard dit : « C'est ceci : ne pas prêter attention aux fautes d'autrui mais aux siennes propres et prier Dieu sans cesse. »

04 Un moine ayant reçu un coup de quelqu'un l'encaissa et fit des métanies à celui qui le frappait. N 329

5-106 Un frère demanda à un vieillard : « Dis-moi une pratique, que je l'observe et que, par elle, je recherche toutes les vertus. » Et le vieillard dit : « Celui qui supporte anéantissement, injure et tort peut être sauvé[1]. » N 324-325

07 Un vieillard dit : « Ne sois pas intime avec l'higoumène et ne le fréquente pas trop, car tu en tireras de l'assurance et tu désireras commander aux autres. » N 326

08 Il dit encore[2] : « Celui qui est loué doit penser à ses propres fautes et qu'il n'est pas digne de ce qu'on dit. » Jac 2 (232 C)

09 Il y avait au cénobion un frère qui prit sur lui-même tous les griefs des frères au point de s'accuser même de fornication. Certains frères, ignorants de sa pratique, commencèrent à murmurer contre lui disant : « Que de mal il fait, sans du tout travailler ! » Mais l'abba, qui savait sa pratique, disait aux frères : « Je préfère l'unique natte qu'il N 328

109 YOQRTMSVH *l*
2 ἑαυτοῦ[1] YO : αὐτοῦ *cett.* || 2-3 ὥστε – ἑαυτοῦ *om.* QT || 3 κατηγόρει Y || 4 λέγοντες : καὶ λέγειν TMS || 5 οὐδὲ : οὐδὲν TMSH

1. Sont contractés ici en un seul deux apophtegmes (N 324 et N 325). Les mss MS ne connaissent pas le n° 105 dont un accident a, dans tous les autres mss grecs, éliminé un fragment ; seul *l* donne les deux pièces, mais avec des variantes importantes qui ne sont pas notées dans l'apparat critique.

2. *Alph.* attribue cette sentence à abba Jacques (n° 2).

τὸ ἓν ψιαθίον αὐτοῦ ὃ ποιεῖ μετὰ ταπεινώσεως ἢ ὅλα τὰ ὑμῶν μετὰ ὑπερηφανείας. Καὶ θέλων πληροφορῆσαι αὐτοὺς ἤνεγκε τὰ ἔργα αὐτῶν ὅλα καὶ τὸ ἓν ψιαθίον τοῦ
10 ἀδελφοῦ. Καὶ ἅψας πῦρ ἔρριψεν αὐτὰ ἐν αὐτῷ καὶ ἐκαύθησαν ὅλα παρεκτὸς τοῦ ψιαθίου οὗ ἐποίησεν ὁ ἀδελφός. Καὶ τοῦτο ἰδόντες οἱ ἀδελφοί, ἐφοβήθησαν καὶ ἔβαλον μετάνοιαν τῷ ἀδελφῷ, καὶ ἔσχον αὐτὸν οἱ ἀδελφοὶ λοιπὸν ὡς πατέρα.

110 Ἠρωτήθη γέρων · Πῶς τινες λέγουσιν ὅτι · Βλέπομεν ὀπτασίας ἀγγέλων; Καὶ ἀπεκρίθη λέγων · Μακάριός ἐστιν ὁ βλέπων τὰς ἁμαρτίας ἑαυτοῦ πάντοτε.

111 Ἀδελφὸς ἐλυπεῖτο κατὰ ἀδελφοῦ, καὶ ἀκούσας ἐκεῖνος ἦλθε μετανοῆσαι αὐτῷ. Ὁ δὲ οὐκ ἤνοιξεν αὐτῷ τὴν θύραν. Ἀπῆλθεν οὖν πρός τινα γέροντα καὶ εἶπεν αὐτῷ τὸ πρᾶγμα. Καὶ ἀποκριθεὶς ὁ γέρων εἶπεν · Ὅρα μή τι ἔχεις ἐν τῇ
5 καρδίᾳ σου μεμφόμενος τοῦ ἀδελφοῦ σου ὡς ὅτι ἐκεῖνός ἐστιν αἴτιος, ἑαυτὸν δὲ δικαιοῖς · καὶ διὰ τοῦτο οὐκ ἐπληροφορήθη ἀνοῖξαί σοι. Πλὴν τοῦτο ποίησον ὃ λέγω σοι. Κἂν ἐκεῖνος ἥμαρτεν εἰς σέ, ἄπελθε θὲς εἰς τὴν καρδίαν σου ὅτι σὺ ἥμαρτες εἰς αὐτόν, καὶ τὸν ἀδελφόν σου
10 δικαίωσον, καὶ τότε ὁ Θεὸς πληροφορεῖ αὐτὸν ὁμονοῆσαί σοι. Καὶ διηγήσατο αὐτῷ ὁ γέρων ὑπόδειγμα τοιοῦτον λέγων · Δύο τινες ἦσαν κοσμικοὶ εὐλαβεῖς καὶ συμφωνήσαντες ἐξῆλθον καὶ γεγόνασι μοναχοί · καὶ ζήλῳ φερόμενοι καὶ τὴν εὐαγγελικὴν φωνὴν ἀγνοοῦντες εὐνούχισαν ἑαυτοὺς
15 δῆθεν διὰ τὴν βασιλείαν τῶν οὐρανῶν[s]. Καὶ ἀκούσας ὁ

8-9 θέλων πληρ. αὐτοὺς : ut demonstraret ex Dei iudicio qualis esset frater ille *l* ‖ 9 ὅλα : ὅλων V πάντα H ‖ 11 ἐκάησαν QRT ἐκατεκαύθησαν O ‖ 13 *post* καὶ *add.* τοῦ λοίπου QR ‖ 13-14 οἱ ἀδελφοὶ λοίπον *om.* QRT

110 YOQRTMSVH *l*

1 *post* γέρων *add.* παρά τινος YQRT ‖ 2 λέγων : ὁ γέρων OQH ‖ 3 ἑαυτοῦ Y : αὐτοῦ *cett.*

fait avec humilité à toutes celles que vous faites avec orgueil. » Et voulant les convaincre, il fit apporter tous leurs travaux et l'unique natte du frère et, ayant allumé du feu, il les y jeta. Et tout brûla sauf la natte qu'avait faite le frère. Ce que voyant, les frères furent dans la crainte, firent la métanie au frère et le tinrent désormais pour un père.

10 On demanda à un vieillard : « Comment certains disent-ils : nous avons des visions d'anges ? » Et il répondit : « Heureux celui qui a sans cesse la vision de ses propres fautes ! » N 332

11 Un frère était fâché contre un autre frère qui, l'apprenant, alla lui demander pardon ; mais il ne lui ouvrit pas sa porte. Aussi alla-t-il chez un vieillard, et il lui dit l'affaire. Le vieillard lui répondit : « Vois si tu n'as pas quelque chose dans le cœur qui te fait mépriser ton frère pensant que lui est coupable et toi-même juste, et que pour ce motif il n'a pas cru devoir t'ouvrir. Aussi, fais ce que je te dis : même si lui a péché contre toi, mets-toi dans le cœur que c'est toi qui as péché contre lui, et justifie ton frère ; alors Dieu le convaincra de s'entendre avec toi. » Et le vieillard lui raconta l'exemple suivant. Il y avait deux séculiers pieux qui d'un commun accord partirent se faire moines. Emportés par leur ardeur, mais méconnaissant la parole évangélique, ils se castrèrent eux-mêmes ayant en vue le royaume des cieux[s]. Lors- N 319a + 324b + 319b

111 YOQRTMSVH *l*
3 ἀπῆλθεν ... καὶ εἶπεν : ἀπελθὼν ... διηγήσατο YQRT || 4 καὶ – εἶπεν *om. l* || ὅρα : ἄρα TMS || μή τι ἔχεις : quasi iustam habeas causam apud temetipsum *l* || 5 τὸν ἀδελφόν M || 6 ἑαυτὸν δὲ δικ. *om.* MS || 7 τοῦτο ποίησον : hoc est *l* || 10 πληροφορῆσαι H || ὁμονο. : μετανοῆσαι QRT || 12 δύο *om.* M || 14 καὶ : κατὰ OMSVH || *post* ἀγνοοῦντες *add.* δὲ OMSVH

s. Cf. Mt 19, 12

ἀρχιεπίσκοπος ἀφώρισεν αὐτούς. Ἐκεῖνοι δὲ δοκοῦντες ὅτι καλὸν ἐποίησαν ἠγανάκτησαν κατ' αὐτοῦ λέγοντες ὅτι· Ἡμεῖς εὐνουχίσαμεν ἑαυτοὺς διὰ τὴν βασιλείαν τῶν οὐρανῶν καὶ οὗτος ἐχώρισεν ἡμᾶς. Ἄγωμεν ἐντύχωμεν
20 κατ' αὐτοῦ τῷ ἀρχιεπισκόπῳ Ἱεροσολύμων. Καὶ ἀπελθόντες ἀνήγγειλαν αὐτῷ πάντα. Λέγει αὐτοῖς ὁ ἀρχιεπίσκοπος· Κἀγὼ ὑμᾶς χωρίζω. Καὶ ἐπὶ τούτῳ πάλιν λυπηθέντες ἀπῆλθον ἐν Ἀντιοχείᾳ πρὸς τὸν ἀρχιεπίσκοπον καὶ εἶπον αὐτῷ τὰ καθ' ἑαυτούς. Κἀκεῖνος ὁμοίως ἐχώρισεν αὐτούς.
25 Καὶ λέγουσιν πρὸς ἀλλήλους· Ἄγωμεν εἰς Ῥώμην πρὸς τὸν πατριάρχην, κἀκεῖνος ἐκδικήσει ἡμᾶς ἀπὸ πάντων τούτων. Ἀπελθόντες δὲ πρὸς τὸν μέγαν ἀρχιεπίσκοπον Ῥώμης ἀπήγγειλαν αὐτῷ ἃ ἐποίησαν αὐτοῖς οἱ ἀρχι-επίσκοποι, καί· Ἤλθομεν πρός σε, φασίν, ὅτι σὺ εἶ
30 κεφαλὴ πάντων. Εἶπεν δὲ αὐτοῖς καὶ αὐτός· Κἀγὼ χωρίζω ὑμᾶς καὶ κεχωρισμένοι ἐστέ. Τότε ἀπορούμενοι πρὸς ἀλλήλους εἶπον· Οὗτοι εἷς τῷ ἑνὶ χαρίζονται διὰ τὸ ἐν συνόδοις συνάγεσθαι. Ἀλλὰ ἄγωμεν πρὸς τὸν ἅγιον τοῦ Θεοῦ Ἐπιφάνιον τὸν ἐπίσκοπον τῆς Κύπρου ὅτι προφήτης
35 ἐστὶν καὶ οὐ λαμβάνει πρόσωπον ἀνθρώπου. Ὡς δὲ ἤγγισαν τῇ πόλει αὐτοῦ ἀπεκαλύφθη αὐτῷ περὶ αὐτῶν, καὶ πέμψας εἰς ἀπάντησιν αὐτῶν εἶπεν· Μηδὲ εἰς τὴν πόλιν ταύτην εἰσέλθητε. Τότε ἐν ἑαυτοῖς γενόμενοι εἶπον· Ἐπ' ἀληθείας ἡμεῖς ἐσφάλημεν, τί οὖν ἑαυτοὺς δικαιοῦμεν; Ἔστω ἐκεῖνοι
40 ἀδίκως ἡμᾶς ἐχώρησαν, μὴ καὶ οὗτος ὁ προφήτης; Ἰδοὺ γὰρ ὁ Θεὸς ἀπεκάλυψεν αὐτῷ τὰ περὶ ἡμῶν. Καὶ κατέγνωσαν ἑαυτῶν σφόδρα περὶ τοῦ πράγματος οὗ

16 δὲ *om.* MS ‖ 17 καλὸν : καλῶς OQH bene *l* καλὸν ἔργον MS ‖ 19 ἐχώρισεν : ἀφώρισεν MSH ‖ 22 χωρίζω : ἀφωρίζω MS ‖ 23 πρὸς τὸν Ἀντιοχείας ἀρχιεπ. *tr.* QR ‖ 24 *post* αὐτούς *add.* καὶ ἀπέρχονται πρὸς τὸν Κωνσταντινουπόλεως καὶ λέγουσιν καὶ αὐτῷ τὰ καθ' ἑαυτοὺς καὶ ὡσαύτως καὶ αὐτὸς ἐχώρισεν αὐτούς QT καὶ λέγουσιν ἀπέλθωμεν εἰς Κωνσταντινούπολιν· ὁμοίως δὲ κακεῖνος ἐχώρισεν αὐτούς R ‖ 26 ἐκδικᾷ O ἐκδικεῖ MSVH ‖ 27 μέγαν : summum *l om.* QRT ‖ ἀρχιεπ.

qu'il l'apprit, l'archevêque les excommunia. Mais eux, estimant qu'ils avaient bien agi, s'irritèrent contre lui disant : « Nous nous sommes castrés à cause du royaume des cieux, et lui il nous excommunie. Allons en appeler contre lui à l'archevêque de Jérusalem. » Et ils allèrent lui exposer toute l'affaire. L'archevêque leur dit : « Moi aussi, je vous excommunie. » Affligés de cette nouvelle réponse, ils allèrent à Antioche chez l'archevêque et lui dirent leur affaire. Lui aussi les excommunia semblablement. Ils se dirent : « Allons à Rome chez le patriarche, et lui nous rendra justice de tous ceux-ci. » Ils allèrent donc chez le grand archevêque de Rome, l'informèrent de ce que les archevêques leur avaient fait et dirent : « Nous sommes venus à toi parce que tu es la tête de tous. » Mais il leur dit à son tour : « Moi aussi je vous excommunie, et vous restez excommuniés. » Alors, désemparés, ils se dirent : « Ces gens se font réciproquement des amabilités parce qu'ils se rencontrent dans les synodes. Allons donc chez le saint de Dieu Épiphane, l'évêque de Chypre : c'est un prophète et il ne fait pas acception de personne. Ils approchaient de sa ville lorsqu'il eut une révélation à leur sujet ; et il envoya quelqu'un à leur rencontre leur dire : « N'entrez même pas dans cette ville. » Rentrant alors en eux-mêmes ils se dirent : « En vérité nous avons péché ; pourquoi nous justifier ? Il se peut que les autres nous aient excommuniés injustement, mais pas ce prophète. Car voilà que Dieu lui a révélé notre affaire. » Et ils se condamnèrent sévèrement de ce qu'ils

om. QRT || 29 φασίν *scripsi* : φησιν *codd.* || 30 ἡ κεφαλὴ SVH || 31 *post* ἀπορούμενοι *add.* excommunicati totius rationis *l* || 32 χαρίζεται R deferunt et consentiunt *l* || 33-34 τοῦ Θεοῦ *om.* YQRT || 34 ἀρχιεπίσκοπον QT || 38 τότε ἐν ἑ. γεν. : οἱ δὲ MS || 39 ἐσφάλαμεν O || τί οὖν : καὶ κακῶς QRT || ἔστω : εἴτω Y || 40 οὗτος : οὕτως YQT αὐτὸς R || 41 τὰ *om.* OMSVH

ἐποίησαν. Τότε ἰδὼν ὁ καρδιογνώστης Θεὸς ὅτι ἐν ἀληθείᾳ κατέγνωσαν ἑαυτῶν ἐπληροφόρησεν τὸν ἐπίσκοπον
45 Ἐπιφάνιον, καὶ πέμψας ἀφ' ἑαυτοῦ ἤνεγκεν αὐτοὺς καὶ παρακαλέσας ἐδέξατο εἰς κοινωνίαν, καὶ ἔγραψε τῷ ἀρχιεπισκόπῳ Ἀλεξανδρείας λέγων· Δέξαι τὰ τέκνα σου, μετενόησαν γὰρ ἐν ἀληθείᾳ. Εἶπεν δὲ ὁ γέρων ὅτι· Τοῦτό ἐστιν ἡ θεραπεία τοῦ ἀνθρώπου καὶ τοῦτο θέλει ὁ Θεὸς
50 ἵνα ἄνθρωπος βάλῃ τὸ σφάλμα αὐτοῦ ἐπάνω ἑαυτοῦ καὶ δέηται τοῦ Θεοῦ. Ἀκούσας δὲ ταῦτα ὁ ἀδελφὸς ἐποίησε κατὰ τὸν λόγον τοῦ γέροντος, καὶ ἀπελθὼν ἔκρουσεν εἰς τὴν θύραν τοῦ ἀδελφοῦ. Ἐκεῖνος δὲ ὡς μόνον ᾔσθετο αὐτοῦ ἔσωθεν πρῶτος αὐτῷ μετενόησεν, ἤνοιξέν τε εὐθέως
55 καὶ ἠσπάσαντο ἀλλήλους ἐκ ψυχῆς καὶ γέγονεν ἀμφοτέροις εἰρήνη μεγάλη.

112 Δύο μοναχοὶ ἦσαν καὶ κατὰ σάρκα ἀδελφοί, καὶ ἤθελεν ὁ διάβολος χωρίσαι αὐτοὺς ἀπ' ἀλλήλων. Ἐν μιᾷ οὖν ἧψεν ὁ μικρότερος τὸν λύχνον καὶ ἤνεγκεν ἐπὶ τὴν λυχνίαν. Καὶ ἐνεργήσας ὁ δαίμων ἔστρεψε τὴν λυχνίαν. Καὶ ἔτυψεν
5 αὐτὸν ὁ ἀδελφὸς αὐτοῦ ἐν ὀργῇ. Ἐκεῖνος δὲ ἔβαλεν αὐτῷ μετάνοιαν λέγων· Μακροθύμησον ἐπ' ἐμέ, ἄδελφε, καὶ πάλιν ἀνάπτω αὐτόν. Καὶ ἰδοὺ δύναμις Κυρίου ἦλθεν καὶ ἐβασάνιζε τὸν δαίμονα ἕως πρωΐ. Καὶ ἐλθὼν ὁ δαίμων ἀνήγγειλε τῷ ἄρχοντι αὐτοῦ τὸ γενόμενον. Καὶ ἤκουσεν
10 ὁ ἱερεὺς τῶν Ἑλλήνων τοῦ δαίμονος διηγουμένου. Καὶ ἀπελθὼν γέγονε μοναχός. Καὶ ἐκράτησεν ἐξ ἀρχῆς τὴν ταπείνωσιν λέγων· Ἡ ταπείνωσις λύει πᾶσαν τὴν δύναμιν τοῦ ἐχθροῦ ὥσπερ καὶ αὐτὸς ἤκουσα αὐτῶν λεγόντων ὅτι· Ὅτε ταράσσομεν τοὺς μοναχοὺς στρέφεται εἷς ἐξ αὐτῶν
15 καὶ βάλλει μετάνοιαν καὶ καταργεῖ πᾶσαν τὴν δύναμιν ἡμῶν.

43 Θεὸς *om. l* ‖ 44 κατέγνωσαν : μετέγν. H ‖ ἐπίσκοπον V *l*: ἀββᾶν *cett.* ‖ 48 μετενό. γὰρ : μετανοοῦντα H ‖ 50-51 ἐπάνω – Θεοῦ : ante Deum *l* ‖ 54 πρῶτος αὐτῷ [αὐτ. *om.* H] μετενόησεν OH *l*: *om. cett.* ‖ 55 ἀμφοτ. : ἐν ἀμφοτ. RT

avaient fait. Alors Dieu qui connaît les cœurs, voyant qu'ils se condamnaient sincèrement eux-mêmes, convainquit l'évêque Épiphane qui prit l'initiative de les faire venir et, après une exhortation, les reçut à la communion et écrivit en ces termes à l'archevêque d'Alexandrie : « Reçois tes enfants, car ils se sont sincèrement repentis. » Et le vieillard dit : « Telle est la guérison de l'homme et ce que Dieu demande : que l'homme se charge lui-même de sa faute et prie Dieu. » Entendant cela, le frère agit selon la parole du vieillard et alla frapper à la porte de son frère. Et celui-ci, à peine l'entendit-il de l'intérieur, qu'il lui demanda pardon le premier et ouvrit aussitôt. Ils s'embrassèrent cordialement et s'établit entre eux une grande paix.

12 Il y avait deux moines, frères aussi selon la chair, que le diable voulait séparer l'un de l'autre. Or le plus jeune alluma une fois la lampe et la mit sur le lampadaire. Et le démon fit en sorte que le lampadaire se renverse. En colère, son frère le frappa. Mais il lui fit la métanie disant : « Prends-moi en patience, frère, je vais la rallumer. » Et voici que la puissance du Seigneur vint et torturait le démon jusqu'au matin. Alors le démon alla annoncer à son chef ce qui s'était passé. Et le prêtre des Grecs, qui entendit le démon faire son récit, partit se faire moine. Dès le début il s'appliqua à l'humilité disant : « L'humilité défait toute la puissance de l'ennemi, car je les ai entendus moi-même le dire : Lorsque nous troublons les moines, l'un d'eux se retourne, fait la métanie et annihile toute notre force. » N 77

112 YOQRTMSVH *l*

1 *post* ἀδελφοί *add.* habitabant simul *l* || ἠθέλησεν MS θέλων QRT || 2 ἀποχωρίσαι O || ἐν μιᾷ οὖν : ὡς QRT || 3 ἄνηψεν OMSVH || 3-4 καὶ ἤνεγκεν – λυχνίαν *om.* V || 4 καὶ[1] *om.* QRT || 10 ἑλλήνων : εἰδόλων QRT paganorum *l* || 13 αὐτὸς : αὐτῶν Y || αὐτῶν : τῶν δαιμόνων YQRT || 15 βάλλει : ποιεῖ QRT

113 Εἶπεν ἀββᾶ Λογγῖνος· Ἡ εὐλάβεια μετὰ ταπεινοφροσύνης πανταχοῦ καλή ἐστιν. Ἔστι γάρ τις χαριεντιζόμενος καὶ δοκῶν ἔχειν χάριν. Ἐὰν δὲ ἐπὶ πόλυ τοῦτο ποιῇ, μέμφεται. Ὁ δὲ εὐλαβὴς ἀσφαλιζόμενος ἑαυτὸν
5 ἐν ταπεινοφροσύνῃ πάντοτε ἔχει τιμήν.

114 Εἶπε πάλιν ὅτι ἡ ταπείνωσις ἰσχύει ὑπὲρ πᾶσαν δυναστείαν. Διηγήσατο γάρ τις τῶν πατέρων ὅτι δύο ἐπίσκοποι ἦσαν ἐγγύτερον ἀλλήλων καὶ εἶχόν ποτε ὀλιγωρίαν πρὸς ἀλλήλους. Ἦν γὰρ ὁ εἷς πλουσίος καὶ
5 δυνάστης, ὁ δὲ ἕτερος ταπεινός. Καὶ ἐζήτει ὁ δυνάστης κακοποιῆσαι τὸν ταπεινόν. Καὶ ὡς ἤκουσεν ὁ ταπεινόφρων ἔλεγε τῷ κλήρῳ αὐτοῦ εἰδὼς ὃ μέλλει ποιεῖν· Ἔχομεν νικῆσαι χάριτι Θεοῦ. Οἱ δὲ ἔλεγον· Δέσποτα, τίς δύναται μετ' ἐκείνου; Αὐτὸς δὲ ἔλεγεν· Μείνατε, τέκνα, καὶ ἔχετε
10 ἰδεῖν τὸ ἔλεος τοῦ Θεοῦ. Ἐπιτηρήσας οὖν καιρὸν ὅτε εἶχεν ἐκεῖνος πανήγυριν ἁγίων μαρτύρων, λαμβάνει τὸν κλήρον ἑαυτοῦ καὶ λέγει αὐτοῖς· Ἀκολουθήσατέ μοι, καὶ εἴ τι βλέπετέ με ποιοῦντα ποιήσατε καὶ ὑμεῖς, καὶ ἔχομεν νικῆσαι αὐτόν. Οἱ δὲ ἔλεγον· Ἄρα τί ἔχομεν ποιῆσαι;
15 Καὶ ἔρχονται πρὸς αὐτὸν καὶ παρερχομένης τῆς λίτης καὶ τῆς πόλεως συνηθροισμένης, πίπτει εἰς τοὺς πόδας αὐτοῦ μετὰ τοῦ κλήρου αὐτοῦ λέγων· Συγχώρησον ἡμῖν, δέσποτα, δοῦλοί σου ἐσμέν. Ἐκεῖνος δὲ ἐκπλαγεὶς εἰς ὃ ἐποίησεν καὶ κατανυγεὶς τοῦ Θεοῦ μεταβαλόντος τὴν καρδίαν αὐτοῦ
20 ἐπιλαμβάνεται τῶν ποδῶν αὐτοῦ λέγων· Σύ μου εἶ δεσπότης καὶ πατήρ. Καὶ ἐκ τότε γέγονε μεταξὺ αὐτῶν μεγάλη ἀγάπη. Καὶ ἔλεγε τῷ κλήρῳ αὐτοῦ ὁ ταπεινόφρων· Οὐκ ἔλεγον ὑμῖν, τέκνα, ὅτι νικῆσαι ἔχομεν διὰ τῆς χάριτος

113 YOQRTMSVH

1-2 ταπεινώσεως T ‖ 2 καλή MS : καλόν *cett.* ‖ 3-4 ἔχειν – μέμφεται : ἐπὶ πολὺ τοῦτο ποιεῖν καὶ μεμπταῖός ἐστιν QRT ‖ 4 μέμφεται : -φονται αὐτὸν MS

114 YOQRTMSVH

1 ταπεινοφροσύνη MS ‖ 2 δυναστείαν : δύναμιν QV ‖ 3 ποτε : πάντοτε V ‖ 4 ὀλιγωρίαν : *λιδωρίαν Q ‖ πρὸς : εἰς S ‖ 6 ταπεινόν :

13 Abba Longin dit : « La circonspection jointe à l'humilité est partout belle. Que quelqu'un, en effet, plaisante et semble être gracieux : s'il le fait longtemps, on le méprise ; mais celui qui se tient sur ses gardes et se fortifie dans l'humilité obtient toujours l'estime. »

14 Il dit encore que l'humilité a pouvoir sur toute domination. Un des pères raconta en effet que deux évêques voisins eurent une fois une altercation. Le premier était riche et puissant, l'autre humble ; et le puissant cherchait à faire du tort à l'humble. Lorsque celui qui était humble l'apprit, sachant ce qu'il allait faire, il dit à ses clercs : « Nous allons vaincre par la grâce de Dieu. » Ils lui dirent : « Maître, qui peut contre celui-là ? » Il dit : « Attendez, mes enfants, vous allez voir la pitié de Dieu. » Attendant le moment où l'autre célébrait la fête des saints martyrs, il prend ses clercs et leur dit : « Suivez-moi et ce que vous me verrez faire, faites-le vous aussi ; et nous allons le vaincre. » Ils disaient : « Qu'avons-nous donc à faire ? » Et ils vont vers l'autre évêque et, tandis que se déroulait la prière et que la ville était rassemblée, il se jette à ses pieds avec ses clercs en disant : « Pardonne-nous, maître, nous sommes tes serviteurs. » Mais l'autre, stupéfait de ce qu'il faisait et rempli de componction, car Dieu avait changé son cœur, lui saisit les pieds en disant : « C'est toi qui es mon maître et mon père. » Et désormais il y eut beaucoup d'amour entre eux. Et l'humble dit à ses clercs : « Ne vous disais-je pas, mes enfants, que nous allions vaincre par la

ἄλλον OMSVH || ὡς *om.* OMSVH || ταπεινόφρων : ἄλλος καὶ OMSVH || 7 κληρικῷ H || εἰδὼς ὃ μ. ποιεῖν *om.* O || 8 Θεοῦ : Χριστοῦ MS || 9 μετ' ἐκείνου : αὐτῷ OVH αὐτῷ ἀπαντῆσαι MS || 10 ἐπιτηρ. οὖν καιρὸν : καὶ O || ἐπιτηρεῖ MSVH || καιρὸν Y : ἡμέραν QRT καὶ *cett.* || 13 καὶ ὑμεῖς *om.* H || 15 καὶ ἔρχ. : ἔρχ. οὖν R || 16 συνθροισμένης : συνειλεγμένης OMSVH || 17-18 δέσποτα δ. σου ἐσμεν *om.* QT || 18 πλαγεὶς H || 22 ταπεινόφρων YH : ταπεινὸς *cett.*

τοῦ Θεοῦ; Καὶ ὑμεῖς οὖν ὅταν ἔχητε ἔχθραν πρός τινα,
25 τοῦτο ποιῆτε καὶ νικᾶτε διὰ τῆς χάριτος τοῦ Κυρίου ἡμῶν Ἰησοῦ Χριστοῦ.

115 Εἶπεν ἀββᾶ Μαρκιανός· Εἰ ταπεινοφροσύνης ἐπεμελούμεθα, οὐκ ἂν ἐδεήθημεν παιδείας. Πάντα γὰρ τὰ δεινὰ διὰ τὴν ἔπαρσιν ἡμῖν συμβαίνει. Εἰ γὰρ τῷ ἀποστόλῳ ἄγγελος Σατὰν ἐδόθη ἵνα μὴ ἐπαρθῇ ἀλλ' ἵνα κολαφίζῃ[t],
5 πόσῳ μᾶλλον ἡμῖν τοῖς ἐπηρμένοις αὐτὸς ὁ Σατανᾶς δοθήσεται εἰς τὸ καταπατεῖν ἡμᾶς ἕως οὗ ταπεινωθῶμεν.

116 Ἔλεγον περὶ τοῦ ἀββᾶ Σεραπίωνος ὅτι οὕτως ἐγένετο ὁ βίος αὐτοῦ ὡς ἑνὸς τῶν πετεινῶν, μὴ κτησάμενος ὅλως πρᾶγμα τοῦ αἰῶνος τούτου, μηδὲ εἰς κελλίον ὅλος καρτερήσας ἀλλὰ σινδόνα φορῶν καὶ μικρὸν Εὐαγγέλιον
5 οὕτως ἐγύρευεν ὡς ἀσώματος. Πολλάκις οὖν εὕρισκον αὐτὸν ἔξωθεν κώμης ἢ ἐν τῇ ὁδῷ καθήμενον καὶ δεινῶς κλαίοντα. Καὶ ἐρωτώμενος· Διατί οὕτως κλαίεις, γέρων; Ἀπεκρίνατο καὶ αὐτός· Ὁ δεσπότης μου ἐπίστευσέ μοι τὸν πλοῦτον αὐτοῦ καὶ ἀπώλεσα καὶ ἐσκόρπισα αὐτὸν καὶ βούλεται
10 τιμωρῆσαι καὶ ἀπολέσαι με. Ἐκεῖνοι οὖν ἀκούοντες ἐνόμιζον περὶ χρυσίου λέγει. Καὶ πολλάκις ῥίπτοντες αὐτῷ μικρὸν ἄρτον ἔλεγον· Δέξαι, ἄδελφε· καὶ περὶ τοῦ πλούτου οὗ ἀπώλεσας ὁ Θεὸς πέμψαι σοι ἔχει. Καὶ ἀπεκρίνατο ὁ γέρων· Ἀμήν.

117 Ἄλλοτε πάλιν παριὼν ἐν Ἀλεξανδρείᾳ συνήντησε ῥιγῶντι πτωχῷ καὶ στὰς καθ' ἑαυτὸν ἐλογίζετο· Πῶς ἐγὼ ὁ δοκῶν

24 Θεοῦ : Χριστοῦ OMSV
115 YOQRTMSVH
1 Μάρκος R ‖ εἰ : ἐὰν V ‖ 3 ἡμῖν Y ἡμῶν *cett.* ‖ 4 ἀλλ' ἵνα κολαφ. *om.* MS ‖ κολαφίζῃ : κουφίζῃ T ‖ 5 πόσῳ : πολλῷ MS ‖ ἡμῖν : ἡμῶν MS ‖ 6 δοθῇ Q ‖ οὗ : ἄν RT *om.* Q
116 H
117 H

grâce de Dieu? Aussi vous-mêmes, chaque fois que vous aurez de l'inimitié contre quelqu'un, faites cela et soyez vainqueurs par la grâce de notre Seigneur Jésus Christ[1].»

115 Abba Marcien dit[2] : «Si nous avions le souci de l'humilité, nous n'aurions pas besoin de correction, car tous les dangers nous viennent de l'orgueil. Si en effet un ange de Satan a été donné à l'Apôtre pour qu'il ne s'enorgueillisse pas, mais soit giflé[t], combien plus, à nous qui sommes enorgueillis, Satan lui-même nous sera-t-il donné pour nous fouler aux pieds jusqu'à ce que nous soyons devenus humbles!»

116 On disait d'abba Sérapion que sa vie était semblable à celle d'un oiseau : il n'acquit aucun des biens de ce monde ni ne demeura en cellule, mais portant une pièce d'étoffe et un petit Évangile il allait et venait comme s'il n'avait pas de corps. Aussi le trouvait-on souvent hors d'un village ou assis sur le bord d'un chemin pleurant amèrement. Et si on lui demandait : «Pourquoi pleures-tu ainsi, vieillard?» Il répondait : «Mon maître m'a confié ses biens, et je les ai perdus et gaspillés; aussi veut-il me punir et me perdre.» Ceux qui l'entendaient croyaient qu'il parlait d'un dépôt d'or, et souvent ils lui jetaient un peu de pain en disant : «Prends, frère; et pour les biens que tu as perdus, Dieu t'en enverra.» Et le vieillard répondait : «Amen.» N 565

117 Une autre fois encore, circulant à Alexandrie, il rencontra un pauvre qui grelottait. S'arrêtant, il réfléchissait en lui-même : «Comment est-ce que moi, qui passe pour un N 566

---

t. Cf. 2 Co 12, 7

---

1. Récit tiré de (ou repris par) JEAN MOSCHOS, *Pré spirituel,* c. 210.
2. Sentence reprise, avec modification du nom (sauf dans le ms. R), de MARC LE MOINE, *Opuscule* IX, 4 (*SC* 455, p. 164-166).

ἀσκητὴς εἶναι καὶ ἐργάτης χιτῶνα φορῶ, καὶ οὗτος ὁ πτωχὸς – μᾶλλον δὲ ὁ Χριστὸς – ἀπὸ ῥίγους ἀποθνήσκει;
5 Φύσει, ἐὰν ἀφήσω αὐτὸν ἀποθανεῖν ὡς φονεὺς κρίνομαι ἐν τῇ ἡμέρᾳ τῆς κρίσεως. Καὶ ἀποδυσάμενος ὡς καλὸς ἀθλητὴς δέδωκεν τὸ ἱμάτιον ὃ ἐφόρει τῷ πτωχῷ, καὶ ἐκάθητο γυμνὸς ἔχων ἐν τῇ μάλῃ αὐτοῦ τὸ μικρὸν Εὐαγγέλιον ὅπερ ἀεὶ ἐβάσταζεν. Παρερχόμενος οὖν ὁ λεγόμενος
10 ἐπὶ τῆς εἰρήνης ὡς εἶδεν αὐτὸν γυμνὸν λέγει πρὸς αὐτόν· Ἀββᾶ Σεραπίον, τίς σὲ ἀπέδυσεν; Καὶ ἐξενεγκὰς τὸ μικρὸν Εὐαγγέλιον λέγει πρὸς αὐτόν· Οὗτός με ἀπέδυσεν. Καὶ ἀναστὰς ἐκεῖθεν ὑπαντᾷ ἄλλῳ τινὶ ὑπὸ ἄλλου κρατουμένῳ διὰ χρέως καὶ μὴ ἔχοντι ἀποδοῦναι. Πωλήσας οὖν τὸ
15 Εὐαγγέλιον, οὗτος ὁ ἀθάνατος Σεραπίων δέδωκεν εἰς τὸ χρέως τοῦ βιαζομένου πτωχοῦ ἀνθρώπου, καὶ ἀπῆλθεν εἰς τὸ κελλίον αὐτοῦ γυμνός. Ὡς οὖν εἶδεν αὐτὸν ὁ μαθητὴς αὐτοῦ γυμνὸν λέγει πρὸς αὐτόν· Ἀββᾶ, ποῦ τὸ μικρὸν κολόβιον; Καὶ λέγει πρὸς αὐτὸν ὁ γέρων· Προέπεμψα
20 αὐτό, τέκνον, ὅπου χρήζομεν αὐτό. Λέγει πρὸς αὐτὸν ὁ ἀδελφός· Ποῦ τὸ μικρὸν Εὐαγγέλιον; Ἀπεκρίθη ὁ γέρων· Φύσει, τέκνον, αὐτὸν τὸν λέγοντά μοι καθ' ἡμέραν· « Πώλησόν σου τὰ ὑπάρχοντα καὶ δὸς πτωχοῖς[u] » αὐτὸν ἐπώλησα καὶ ἔδωκα ἵνα ἐν ἡμέρᾳ κρίσεως εὕρωμεν περισ-
25 σοτέραν παρρησίαν πρὸς αὐτόν.

118 Ἀδελφὸς οἰκῶν εἰς τὰ Μονίδια πολλάκις ἐξ ἐνεργείας τοῦ διαβόλου ἔπιπτεν εἰς πορνείαν, καὶ ἔμενε βιαζόμενος ἑαυτὸν μὴ καταλεῖψαι τὸ ἅγιον σχῆμα. Ἀλλὰ βαλλὼν τὴν μικρὰν αὐτοῦ λειτουργίαν παρεκάλει τὸν Θεὸν μετὰ
5 στεναγμοῦ καὶ ἔλεγεν· Κύριε, ὁρᾷς τὴν ἀνάγκην μου, βιάσαι με· Κύριε, κἂν θέλω κἂν μὴ θέλω, σῶσόν με· Ὡς πηλὸς τὴν ἁμαρτίαν ποθῶ, ἀλλὰ σὺ ὡς Θεὸς δυνατὸς κώλυσόν με· Ἐὰν γὰρ τὸν δίκαιον ἐλεήσῃς μόνον, οὐδὲν

118 H

u. Mt 19, 21

ascète faisant des œuvres, je porte une tunique, tandis que ce pauvre – ou plutôt le Christ – meurt de froid? En vérité, si je le laisse mourir, je serai condamné comme meurtrier au jour du jugement. » Et se déshabillant, comme un bel athlète, il donna au pauvre le vêtement qu'il portait et était assis nu, ayant sous le bras le petit Évangile qu'il emportait toujours. Or celui qu'on appelle « préposé à la paix[1] » passant par là et le voyant nu lui dit : « Abba Sérapion, qui t'a ôté ton vêtement? » Sortant son petit Évangile, il lui dit : « Celui-ci m'a ôté mon vêtement. » Et se levant de là, il rencontre quelqu'un arrêté par un autre à cause d'une dette qu'il ne pouvait rembourser. Vendant alors l'Évangile, cet immortel Sérapion le donna pour la dette du pauvre homme à qui l'on faisait violence, et il alla nu à sa cellule. Lorsque son disciple le vit nu, il lui dit : « Abba, où est ton petit colobion? » Le vieillard lui dit : « Mon enfant, je l'ai envoyé d'avance là où j'en aurai besoin. » Le frère lui dit : « Où est ton petit Évangile? » Le vieillard répondit : « En vérité, mon enfant, celui qui chaque jour me dit : *Vends ce que tu as et donne-le aux pauvres*[u], je l'ai vendu et donné afin qu'au jour du jugement nous trouvions une plus grande assurance auprès de lui. »

118 Un frère habitant aux Monidia tombait souvent, par l'instigation du diable, dans la fornication, et il persistait à se forcer pour ne pas abandonner le saint habit; mais, faisant sa petite liturgie, il suppliait Dieu en gémissant et disait : « Seigneur, tu vois ma nécessité, contrains-moi; Seigneur, que je le veuille ou ne le veuille pas, sauve-moi. Fange que je suis, j'aspire à la faute; mais toi, qui es un Dieu puissant, empêche-m'en. Si en effet tu n'as pitié que du juste, cela n'a rien de grand, et que tu sauves le pur n'a N 582

1. Il s'agit de l'officier chargé de la discipline ecclésiastique à Alexandrie.

μέγα · καὶ ἐὰν τὸν καθαρὸν σώσῃς, οὐδὲν θαῦμα · ἄξιοι
10 γὰρ τοῦ ἐλεηθῆναί εἰσιν. Εἰς ἐμέ, δέσποτα, τὸν ἀνάξιον θαυμάστωσον τὰ ἐλέη σου, καὶ εἰς τοῦτο δεῖξον τὴν φιλανθρωπίαν σου ὅτι «ἕνεκα σοῦ ἐγκατελέλειπται ὁ πτωχός[v]». Ταῦτα οὖν καθ' ἡμέραν εἴτε ἔπιπτεν, εἴτε οὐκ ἔπιπτεν ἔλεγεν. Ἐν μιᾷ οὖν πεσὼν εἰς τὴν κατὰ συνήθειαν ἁμαρτίαν
15 νυκτὸς ἀνέστη εὐθέως καὶ ἤρξατο τοῦ κανόνος. Ὁ δὲ δαίμων θαυμάσας τὴν ἐλπίδα καὶ τὴν ἀναίδειαν αὐτοῦ τὴν πρὸς τὸν Θεὸν φαίνεται αὐτῷ ὀφθαλμοφανῶς καὶ λέγει αὐτῷ · Ἐν ὅσῳ ψάλλεις, πῶς οὐκ ἐρυθριᾷς ὅλως στῆναι ἔμπροσθεν τοῦ Θεοῦ, ἢ ὀνομάσαι τὸ ὄνομα αὐτοῦ; Λέγει
20 αὐτῷ ὁ ἀδελφός · Τὸ κελλίον τοῦτο χαλκεῖόν ἐστιν · μίαν σφῦραν διδεῖς καὶ μίαν λαμβάνεις · ὑπομένω οὖν ἕως θανάτου πρὸς σὲ παλαίων καὶ ὅπου λοιπὸν σφαδῶ, καὶ ὅρκοις σε πληροφορῶ · μὰ τὸν ἐλθόντα σῶσαι ἁμαρτωλοὺς εἰς μετάνοιαν[w] οὐ μὴ παύσωμαι κατὰ σοῦ προσευχόμενος
25 τῷ Θεῷ ἕως οὗ παύσῃ καὶ σὺ πολεμῶν με, καὶ ἴδωμεν τίς νικᾷ, σὺ ἢ ὁ Θεός. Ταῦτα ἀκούσας ὁ δαίμων λέγει αὐτῷ · Καὶ ὄντως λοιπὸν οὐκέτι πολεμῶ σε ἵνα μὴ διὰ τῆς ὑπομονῆς σου στέφανόν σοι προξενήσω. Καὶ ἀνεχώρησεν ἀπ' αὐτοῦ ὁ δαίμων ἀπὸ τῆς ἡμέρας ἐκείνης. Ἰδοὺ
30 ποῖον ἀγαθόν ἐστιν ἡ ὑπομονή, καὶ τὸ μὴ ἀπογινώσκειν ἑαυτῶν κἂν συμβῇ πολλάκις πεσεῖν ἡμᾶς εἰς πολέμους καὶ ἁμαρτίας καὶ πειρασμούς. Ἐλθόντος οὖν τοῦ ἀδελφοῦ εἰς κατάνυξιν τοῦ λοιποῦ ἐκάθητο κλαίων τὰς ἁμαρτίας αὐτοῦ. Ὅτε οὖν ἔλεγεν αὐτῷ ὁ λογισμὸς ὅτι · Καλῶς κλαίεις,
35 ἔλεγεν καὶ αὐτός · Ἀνάθεμα τὸ καλὸν τοῦτο. Τί γὰρ χρῄζει ὁ Θεὸς ἵνα ἀπολέσῃ τις τὴν ψυχὴν αὐτοῦ καὶ κάθηται θρηνῶν δι' αὐτήν, καὶ ἢ σώζῃ ἑαυτὴν τοῦ λοιποῦ ἢ οὐ σώζῃ;

119 Ἀδελφὸς ἐκάθητο καταμόνας ἐν τῇ αὐτῇ μονῇ τῶν Μονιδίων, καὶ αὕτη ἦν ἡ εὐχὴ αὐτοῦ πάντοτε · Κύριε, ὅτι

119 H

rien d'étonnant, car ils sont dignes qu'on les prenne en pitié. Maître, rends admirables tes miséricordes envers moi qui en suis indigne, et en cela montre ta philanthropie : *que le pauvre s'abandonne à toi*[v]. » Et qu'il tombe ou ne tombe pas, il disait cela chaque jour. Une fois donc, tombant la nuit dans sa faute habituelle, il se leva aussitôt et commença son office. Mais le démon, s'étonnant de son espérance et de son impudence à l'égard de Dieu, lui apparaît visiblement et lui dit : « Tandis que tu psalmodies, comment ne rougis-tu pas seulement de te tenir en présence de Dieu ou de prononcer son nom ? » Le frère lui dit : « Cette cellule est un atelier de forgeron : tu donnes et tu reçois des coups de marteau. Je persévère donc à lutter contre toi jusqu'à la mort, lorsque finalement je te poignarderai ; et je t'en fais le serment, par celui qui vient sauver les pécheurs en les appelant à la pénitence[w] : je ne cesserai pas de prier Dieu contre toi tant que tu ne cesseras pas, toi non plus, de me combattre, et nous verrons qui vaincra, toi ou Dieu. » Entendant cela, le diable lui dit : « Vraiment, je ne vais plus désormais te combattre afin de ne pas te procurer une couronne par ton endurance. » Et de ce jour-là le démon s'éloigna de lui. Vois quelle bonne chose est l'endurance et de ne pas nous décourager même s'il nous arrive de tomber souvent dans des combats, des fautes, des tentations. Parvenant ainsi à la componction, le frère demeurait désormais à pleurer ses péchés. Et lorsque sa pensée lui disait : « Tu pleures bien », il répliquait : « Anathème à ce bien ; car en quoi Dieu a-t-il besoin que quelqu'un perde son âme et demeure à se lamenter à cause d'elle, et même que finalement il se sauve ou ne se sauve pas ? »

119 Un frère demeurait solitaire dans le même monastère des Monidia, et telle était sans cesse sa prière : « Sei- N 583

v. Ps 9, 35 w. Cf. Lc 5, 32

οὐ φοβοῦμαί σε ἀλλὰ πέμψον μοι κεραυνὸν ἢ ἄλλην περίστασιν ἢ ἀσθένειαν ἢ δαίμονα· τάχα κἂν οὕτως ἔρχεται 5 εἰς φόβον ἡ πεπωρωμένη μου ψυχή. Ταῦτα ἔλεγε καὶ παρεκάλει τὸν Θεὸν ἐκτενῶς λέγων· Οἶδα ὅτι ἀδύνατόν ἐστιν ἵνα συγχωρήσῃς μοι, πολλὰ γὰρ ἥμαρτον εἰς τὸ ὄνομά σου, δέσποτα, πολλὰ καὶ κακά· ἀλλ' ἐὰν δέχεται διὰ τοὺς οἰκτιρμούς σου, συγχώρησόν με· εἰ δὲ οὐ τοῦτο 10 ἐνδέχεται παίδευσόν μοι ὧδε, δέσποτα, καὶ ἐκεῖ μὴ παιδεύσῃς με· εἰ δὲ καὶ τοῦτο ἀδύνατον ἀπόδος μοι ὧδε μέρος καὶ ἐκεῖ κούφισόν μοι κἂν μικρὸν τῆς κολάσεως. Μόνον ἄρξου ἀπὸ τοῦ νῦν παιδεύειν με, ἀλλὰ μὴ τῷ θυμῷ σου, δέσποτα, ἀλλὰ τῇ φιλανθρωπίᾳ σου. Οὕτως ἐπιμείνας 15 ἐπὶ ἐνιαυτὸν ὅλον ἀπαύστως μετὰ συντριμμοῦ καρδίας δυσωπῶν τὸν Θεὸν ἐν νηστείαις καὶ πολλῇ ταπεινώσει λογισμὸν ἔσχηκεν ἐν ἑαυτῷ λέγων· Ἆρα τί ἐστιν ὁ λόγος ὃν εἶπεν ὁ Χριστός· «Μακάριοι οἱ πενθοῦντες ὅτι αὐτοὶ παρακληθήσονται[x]»; Ἐν μιᾷ οὖν καθημένου αὐτοῦ χαμαὶ 20 καὶ θρηνοῦντος κατὰ συνήθειαν ἀπὸ ἀθυμίας ἀπενύσταξε καὶ ἰδοὺ ἐφίσταται αὐτῷ καὶ λέγει αὐτῷ ὁ Χριστός ἱλαρᾷ τῇ φωνῇ καὶ τῷ προσώπῳ· Τί ἔχεις, ἄνθρωπε; Τί οὖν κλαίεις; Λέγει αὐτῷ ὁ ἀδελφός· Ὅτι ἔπεσα, Κύριε. Λέγει αὐτῷ ὁ φανείς· Ἔγειρε. Ἀπεκρίθη ἐκεῖνος· Οὐ δύναμαι 25 ἐὰν μὴ δώσῃς μοι χεῖρα. Καὶ ἐκτείνας τὴν χεῖρα αὐτοῦ ἀνέστησεν αὐτόν, καὶ λέγει αὐτῷ πάλιν ἱλαρῶς· Τί κλαίεις, ἄνθρωπε; καὶ τί λυπῇ σε; Καὶ ἀπεκρίθη ὁ ἀδελφός· Οὐ θέλεις, Κύριε, ἵνα κλαύσω καὶ λυπηθῶ ὅτι τοσαῦτά σε ἐλύπησα; Τότε ἐκτείνας τὴν χεῖρα αὐτοῦ ὁ φάνεις αὐτῷ 30 ἔθηκε τὴν παλάμην αὐτοῦ ἐν τῇ καρδίᾳ αὐτοῦ καὶ ἤλειφεν αὐτὴν λέγων· Μὴ θλίβῃς, μὴ θλίβῃς, βοηθεῖ ὁ Θεὸς λοιπὸν ὅτι σὺ ἐλυπήθης, οὐκέτι ἐγὼ λυποῦμαι κατὰ σοῦ· διὰ

13 ἄρξου *correxi*: ἄρξομαι H

gneur, puisque je ne te crains pas, envoie-moi la foudre ou une autre catastrophe ou une maladie ou un démon; peut-être ainsi mon âme endurcie en viendra-t-elle à la crainte.» Il parlait ainsi et suppliait Dieu instamment en disant : «Je sais qu'il est impossible que tu me pardonnes, car nombreuses sont mes fautes contre ton nom, maître, nombreuses et graves. Mais si ma prière est reçue à cause de ta pitié, pardonne-moi; et si elle n'est pas reçue, châtie-moi ici, maître, et ne me châtie pas là-bas; et si même cela n'est pas possible, accorde-m'en une part ici, et là-bas atténue au moins un peu mon châtiment. Commence dès à présent à me châtier, maître, non par ta colère mais par ta philanthropie.» Persévérant ainsi toute l'année sans s'interrompre, suppliant Dieu d'un cœur brisé dans les jeûnes et une grande humilité, il eut une pensée en lui-même : «Que signifie donc cette parole qu'a dite le Christ : *Bienheureux les affligés, car ils seront consolés*[x]?» Une fois donc qu'il était assis par terre à se lamenter selon son habitude, découragé, il s'assoupit; et voici que le Christ se présente à lui et lui dit d'une voix et d'un visage joyeux : «Qu'as-tu, homme, pourquoi pleures-tu?» Le frère lui dit : «Parce que j'ai péché, Seigneur.» Celui qui était apparu lui dit : «Lève-toi.» L'autre répondit : «Je ne le puis si tu ne me donnes pas la main.» Tendant la main, il le releva et lui dit à nouveau joyeusement : «Pourquoi pleures-tu, homme? Qu'est-ce qui te chagrine?» Le frère répondit : «Ne veux-tu pas, Seigneur, que je pleure et que je sois dans la peine de t'avoir tellement peiné?» Alors, étendant la main, celui qui lui était apparu lui mit sa paume sur le cœur et lui fit une onction en disant : «Ne t'afflige pas, ne t'afflige pas, Dieu te secourt; puisque tu as été dans la peine, moi je ne serai plus peiné contre toi. A cause de toi,

x. Mt 5, 4

γάρ σὲ τὸ αἷμα μου ἔδωκα, πόσῳ μᾶλλον τὴν φιλανθρωπίαν μου καὶ ἑκάστῃ ψυχῇ μετανοούσῃ; Καὶ ἐλθὼν εἰς ἑαυτὸν
35 ὁ ἀδελφὸς ἐκ τῆς ὀπτασίας εὗρε τὴν καρδίαν αὐτοῦ πάσης χαρᾶς πεπληρωμένην, καὶ ἐπληροφορήθη ὅτι ἐποίησε μετ' αὐτοῦ ὁ Θεὸς ἔλεος, καὶ ἔμεινε διαπαντὸς ἐν πολλῇ ταπεινώσει εὐχαριστῶν τῷ Θεῷ.

120 Ἀδελφὸς παρέβαλέ τινι τῶν πατέρων καὶ λέγει αὐτῷ· Τί ἔνι, πάτερ; Πῶς ἔχεις; Ἀπεκρίθη ὁ γέρων· Κακῶς. Λέγει ὁ ἀδελφός· Διὰ τί, ἀββᾶ; Τότε λέγει ὁ γέρων· Ἰδοὺ τριάκοντα χρόνοι καὶ καθ' ἡμέραν ἱστάμενος ἐνώπιον
5 τοῦ Θεοῦ ἐν τῇ εὐχῇ μου ἑαυτῷ καταρῶμαι καὶ λέγω τῷ Θεῷ· « Μὴ οἰκτειρήσῃς πάντας τοὺς ἐργαζομένους τὴν ἀνομίαν[y] » καὶ « πάντας τοὺς ἁμαρτωλοὺς καὶ ἐξολοθρεύσῃς[z] » καὶ « ἐπικατάρατοι οἱ ἐκκλίνοντες ἀπὸ τῶν ἐντολῶν σου[a] ». Καὶ πάλιν ψευδόμενος καθ' ἡμέραν τῷ
10 Θεῷ λέγω· « Ἀπολεῖς πάντας τοὺς λαλοῦντας τὸ ψεῦδος[b] », καὶ μνησικακῶν τῷ ἀδελφῷ μου λέγω τῷ Θεῷ· « Ἄφες ἡμῖν ὡς καὶ ἡμεῖς ἀφίωμεν[c] · » καὶ πᾶσαν τὴν μέριμναν ἔχων εἰς τὸ φαγεῖν λέγω ὅτι· « Ἐπελαθόμην τοῦ φαγεῖν τὸν ἄρτον μου[d] · » καὶ κοιμώμενος ἕως πρωὶ ψάλλω
15 « μεσονύκτιον ἐξεγειρόμην τοῦ ἐξομολογεῖσθαί σοι[e] · » κατάνυξιν ὅλως οὐ κέκτημαι καὶ λέγω· « Ἐκοπίασα ἐν τῷ στεναγμῷ μου[f] » καὶ πάλιν· « Ἐγενήθη τὰ δάκρυά μου ἄρτος ἡμέρας καὶ νυκτός[g] » καὶ ἐν τῇ καρδίᾳ μου λογιζόμενος πονηρὰ λέγω τῷ Θεῷ ὅτι· « Ἡ μελέτη τῆς
20 καρδίας μου ἐνώπιόν σου διαπαντός[h] · » καὶ πάλιν νηστείαν ὅλως οὐ κέκτημαι λέγω· « Τὰ γόνατά μου ἠσθένησαν ἀπὸ νηστείας[i] · » καὶ ὅλος γέμων ὑπερηφανίας καὶ ἄνεσιν σαρκὸς ἑαυτῷ μόνον ἐμπαίζω ψάλλων· « Ἰδὲ τὴν ταπείνωσίν μου

120 H
8 ἐπικατάρατοι *correxi* : -ρατο H

en effet, j'ai donné mon sang; combien plus aussi ma philanthropie à toute âme qui se convertit?» Revenant à lui après cette vision, le frère trouva son cœur plein de toute joie, et il eut la certitude que Dieu avait eu pitié de lui; et il demeura tout le temps dans une grande humilité, rendant grâce à Dieu.

120 Un frère se rendit chez l'un des pères et lui dit : «Qu'y a-t-il, père? Comment vas-tu?» Le vieillard répondit : «Mal.» Le frère dit : «Pourquoi, abba?» Alors le vieillard dit : «Depuis trente ans, me tenant chaque jour en face de Dieu, je me maudis moi-même dans ma prière et je dis à Dieu : *N'aie pas pitié de tous les artisans d'iniquité*[y], et même *extermine tous les pécheurs*[z], et *que soient maudits ceux qui se détournent de tes commandements*[a]; ou encore, moi qui suis un menteur, chaque jour je dis à Dieu : *Tu détruis tous ceux qui disent le mensonge*[b]; et en ayant de la rancune contre mon frère, je dis à Dieu : *Pardonne-nous comme nous aussi nous pardonnons*[c]; et mettant toute ma préoccupation dans le manger, je dis : *J'ai oublié de manger mon pain*[d]; et couché jusqu'au matin, je chante : *Au milieu de la nuit je m'éveillais pour te rendre grâce*[e]; Je n'ai aucune componction et je dis : *Je me suis fatigué à gémir*[f], et encore : *Mes larmes sont devenues mon pain jour et nuit*[g]; et ayant dans le cœur des pensées mauvaises, je dis à Dieu : *La méditation de mon cœur est devant toi sans cesse*[h]; encore, ne pratiquant pas du tout le jeûne, je dis : *Mes genoux faiblissent à cause du jeûne*[i]; et moi qui ne suis plein que d'orgueil et de relâchement de la chair, je me moque seulement de moi-même en chantant : *Vois mon humilité*

N 587

y. Ps 58, 6 z. Ps 144, 20 a. Ps 118, 21 b. Ps 5, 7
c. Mt 6, 12 d. Ps 101, 5 e. Ps 118, 62 f. Ps 6, 7
g. Ps 41, 4 h. Ps 18, 15 i. Ps 108, 24

καὶ τὸν κόπον μου, καὶ ἄφες πάσας τὰς ἁμαρτίας μου[j]·»
25 καὶ πάλιν ὅλως ἀνέτοιμος ὑπάρχων λέγω· «Ἑτοίμη ἡ καρδία μου, ὁ Θεός, ἑτοίμη ἡ καρδία μου[k].» Καὶ ἁπλῶς πᾶσα ἡ λειτουργία μου, εἰς ἔλεγχον καὶ κατάκριμά μου κατεστάθη. Λέγει ὁ ἀδελφὸς τῷ γέροντι· Νομίζω, πάτερ, περὶ ἑαυτοῦ μόνου ὁ Δαυὶδ ταῦτα πάντα εἴρηκεν. Τότε
30 στενάξας ὁ γέρων εἶπεν· Πίστευσόν μοι, τέκνον, φύσει ἐὰν μὴ φυλάξωμεν ἅπερ ἐνώπιον τοῦ Θεοῦ ψάλλομεν εἰς ἀπώλειαν ὑπάγομεν.

121 Ἀδελφὸς ἠρώτησε γέροντα λέγων· Πῶς, πάτερ, ἡ γενεὰ αὕτη οὐ δύναται κρατῆσαι τὴν ἄσκησιν τῶν πατέρων; Καὶ λέγει αὐτῷ ὁ γέρων· Ὅτι οὐκ ἀγαπᾷ τὸν Θεὸν οὐδὲ φεύγει τοὺς ἀνθρώπους, οὐδὲ μισεῖ τὴν ὕλην τοῦ κόσμου·
5 ἄνθρωπος γὰρ φεύγων τοὺς ἀνθρώπους καὶ τὴν ὕλην ἀφ' ἑαυτοῦ ἔρχεται αὐτῷ ἡ ἄσκησις. Ὥσπερ γὰρ ἄνθρωπος οὐ δύναται σβέσαι τὸ πῦρ ἅπτον ἐν τῷ ἀγρῷ αὐτοῦ, ἐὰν μὴ προλάβῃ καὶ κόψῃ τὴν ὕλην ἔμπροσθεν αὐτοῦ, οὐ σβέννυσιν αὐτό, οὕτως καὶ ἄνθρωπος ἐὰν μὴ ἀπέλθῃ εἰς
10 τόπον ὅπου μετὰ κόπου εὑρίσκει καὶ αὐτὸν τὸν ἄρτον αὐτοῦ οὐ δύναται κτήσασθαι τὴν ἄσκησιν· ψυχὴ γὰρ ἐὰν μὴ βλέπῃ οὐδὲ ταχὺ ἐπιθυμεῖ.

122 Γέρων τις ἐκάθητο μέγας ἐν Συρίᾳ ἐν τοῖς ὁρίοις Ἀντιοχείας. Εἶχε δὲ ἀδελφὸν συνοικοῦντα αὐτῷ. Ἦν δὲ ὁ ἀδελφὸς πρόχειρος εἰς τὸ κατακρῖναι ἐὰν ἔβλεπέ τινα πταίοντα. Πολλάκις οὖν ἐνουθέτει αὐτὸν ὁ γέρων περὶ
5 τούτου λέγων· Φύσει, τέκνον, πλανᾶσαι καὶ μόνον ὅτι ἀπόλλεις σου τὴν ψυχήν, ἐπεὶ οὐδεὶς οἶδε τὰ τοῦ ἀνθρώπου εἰ μὴ τὸ πνεῦμα τὸ ἐνοικοῦν ἐν αὐτῷ[l]. Καὶ γὰρ πολλοὶ πολλάκις ἐνώπιον ἀνθρώπων πολλὰ κακὰ ἐργαζόμενοι κρυπτῶς τῷ Θεῷ μετενόησαν καὶ προσεδέχθησαν. Καὶ τὴν
10 μὲν ἁμαρτίαν ἡμεῖς οἴδαμεν, τὰ δὲ ἄλλα ἀγαθὰ ἅπερ

121 H
122 H

et ma peine, et pardonne toutes mes fautes[j]; et encore, alors que je suis absolument indisponible, je dis : *Mon cœur est prêt, ô Dieu, mon cœur est prêt*[k]. Bref, toute ma liturgie s'est tournée contre moi en accusation et en condamnation. » Le frère dit au vieillard : « Je pense, père, que David n'a dit tout cela que de lui-même. » Alors le vieillard dit en gémissant : « Crois-moi, mon enfant ; en vérité, si nous ne pratiquons pas ce que nous chantons devant Dieu, nous allons à notre perte. »

121 Un frère interrogea un vieillard, disant : « Père, comment la génération présente ne peut-elle maintenir l'ascèse des pères ? » Le vieillard lui dit : « Parce qu'elle n'aime pas Dieu, ni ne fuit les hommes, ni ne hait la matière du monde. Car à qui fuit les hommes et la matière, l'ascèse lui vient de lui-même. De même, en effet, qu'un homme ne peut éteindre un feu allumé dans son champ s'il ne commence par écarter la matière qui est devant lui : il ne l'éteint pas, de même si l'on ne va pas dans un lieu où l'on ne trouve qu'avec peine même son pain, on ne peut acquérir l'ascèse ; car l'âme ne désire guère ce qu'elle ne voit pas. » N 588

122 Un grand vieillard demeurait en Syrie aux alentours d'Antioche, et il avait un frère qui habitait avec lui. Or le frère était enclin à condamner celui qu'il voyait fautant. Souvent donc le vieillard l'exhortait sur ce point lui disant : « En vérité, mon enfant, tu te trompes, et peut-être que tu perds ton âme, puisque personne ne sait ce qu'il y a en l'homme sinon l'esprit qui habite en lui[l]. Souvent, en effet, beaucoup de gens ayant commis au vu des hommes beaucoup de mauvaises actions se sont secrètement convertis à Dieu et ont été accueillis. Nous, nous connaissons leur péché, mais leurs autres bonnes actions, N 589

j. Ps 24, 18 k. Ps 56, 8 l. Cf. 1 Co 2, 11

ἔπραξαν μόνος ὁ Θεὸς ἐπίσταται· πλὴν δὲ ὅτι πολλοὶ πᾶσαν τὴν ζωὴν αὐτῶν κακῶς ζήσαντες πολλάκις περὶ τὸν θάνατον καὶ τὰ τέλη αὐτῶν εἰς μετάνοιαν εὑρεθέντες ἐσώθησαν· ἔστι δὲ ὅτι καὶ δι' εὐχῆς ἁγίων ἁμαρτωλοὶ
15 ἐδέχθησαν. Διὰ τοῦτο οὐ χρὴ κἂν αὐτοῖς τοῖς ὀφθαλμοῖς αὐτοῦ ἴδῃ ἄνθρωπος μηδαμῶς κρίνῃ ἄνθρωπον· Εἷς ἐστιν ὁ κριτὴς ὁ υἱὸς τοῦ Θεοῦ. Πᾶς δὲ ἄνθρωπος κρίνων τινὰ ὡς ἀντίδικος καὶ ἀντίθεος τοῦ Χριστοῦ εὑρίσκεται ὅτι τὸ ἀξίωμα καὶ τὴν τιμὴν καὶ τὴν ἐξουσίαν ἣν ἔδωκεν αὐτῷ
20 ὁ Πατὴρ ἥρπασε, κριτὴς πρὸ τοῦ κριτοῦ γενόμενος.

123 Εἶπε πάλιν περὶ τῆς μνησικακίας ὅτι· Τὸ μηδ' ὅλως μάχεσθαι ἢ λυπῆσαί τινα ἢ λυπηθῆναι πρός τινα μόνον τῶν ἀγγέλων ἐστίν· τὸ δὲ πρὸς ὀλίγον ταράττεσθαι καὶ εὐθέως διαλλάττεσθαι τῶν καλῶν ἀγωνιστῶν ὑπάρχει ἴδιον·
5 τῷ δὲ ταρασσομένῳ καὶ θλιβομένῳ τινὶ προσχρονῶν ἢ πρὸς ἡμέραν τὴν λύπην καὶ τὴν ὀργὴν κατέχων, οὗτος ἀδελφὸς τῶν δαιμόνων γίνεται· Οὐ δύναται γὰρ ἄφεσιν ἁμαρτιῶν αἰτήσασθαι ἢ λαβεῖν παρὰ τῷ Θεῷ ἐφ' ὅσον αὐτὸς οὐ συγχωρεῖ τῷ ἀδελφῷ αὐτοῦ κἂν ἡμάρτησε πρὸς
10 αὐτόν.

124 Εἶπε πάλιν ὅτι· Ὁ κλέπτων ἢ ὁ ψευδόμενος, ἢ ὁ ἄλλην ἁμαρτίαν ποιῶν πολλάκις εὐθέως τῇ τελέσει τῆς ἁμαρτίας ἢ στενάζει ἢ μέμφεται ἑαυτόν, καὶ ἔρχεται εἰς μετάνοιαν· ὁ δὲ μησικακίαν κρατῶν ἐν τῇ ψυχῇ εἴτε
5 τρώγει εἴτε πίνει εἴτε καθεύδει εἴτε περιπατεῖ ὥσπερ ἰὸν πάντοτε ἕλκει ἔσωθεν. Ἀχώριστον γὰρ τὴν ἁμαρτίαν ἔχει, καὶ ἡ εὐχὴ αὐτοῦ κατάρα αὐτῷ γίνεται, καὶ ὅλως ὁ κόπος

11 ἔπραξαν *correxi* : -ξεν H || 20 πρὸ *correxi* : πρα H
123 H
124 H
6 ἕλκει *corr.* J. Paramelle : ἕλει H

---

1. Si le sens est à peu près clair, la construction de la phrase ne l'est pas, surtout avec un verbe προσχρονέω qui n'est attesté nulle part,

Dieu seul les sait; outre que beaucoup, ayant mal vécu pendant toute leur vie, souvent à l'approche de la mort et de la fin de leur vie ont été trouvés faisant pénitence et ont été sauvés; à cela s'ajoute que, par la prière des saints, des pécheurs ont été accueillis. C'est pour cela que, même si on voit de ses propres yeux, il ne faut jamais juger quelqu'un. Il y a un seul juge, le Fils de Dieu. Et tout homme qui en juge un autre se trouve être comme «anti juge» et «anti dieu» du Christ car, se faisant juge de préférence au juge, il s'est emparé de la dignité, de l'honneur et de la puissance que le Père lui a donnés.»

123 Il dit encore à propos de la rancune: «Ne jamais se battre ni peiner quelqu'un ni être peiné contre quelqu'un est le propre des seuls anges; se troubler un peu et aussitôt se réconcilier est le propre des bons combattants; mais lorsqu'on est troublé et affligé, si l'on garde sa tristesse et sa colère pendant un temps[1] – même une journée –, on devient frère des démons. Car on ne peut demander ni recevoir de Dieu le pardon de ses péchés aussi longtemps que soi-même on ne pardonne pas à son frère, même s'il a péché contre nous.»

124 Il dit encore: «Celui qui vole, ment ou fait quelque autre faute, à peine celle-ci commise, la déplore souvent, s'en fait reproche et vient à la pénitence; mais celui qui garde en son âme de la rancune, qu'il mange, boive, dorme ou marche, accueille toujours en lui une sorte de poison. Il ne peut, en effet, se débarrasser de sa faute, et sa prière lui devient une malédiction; et en un mot, N 590

y compris dans le *TLG* version E. On attendrait ici une phrase en τὸ δὲ comme les précédentes, avec des infinitifs et non des participes; enfin le τῷ et le τινί semblent faire double emploi. Nous avons préféré malgré tout conserver le texte de H, l'unique manuscrit à contenir la fin de ce chapitre XV, depuis le n° 116. [BM]

αὐτοῦ εἰς οὐδὲν λογίζεται παρὰ τῷ Θεῷ. Κἂν τὸ αἷμα αὐτοῦ ἐκχύσει διὰ τὸν Χριστὸν ἀπρόσδεκτός ἐστιν ἡ 10 προσευχὴ αὐτοῦ.

125 Εἶπε γέρων ὅτι · Οὐδέν ἐστιν ἀκαθαρτώτερον ἀνθρώπου ἁμαρτωλοῦ, οὔτε ὁ κύων οὔτε ὁ χοῖρος · ἐκεῖνα γὰρ ἄλογά ἐστι καὶ τὴν ἰδίαν τάξιν φυλάττουσιν · ὁ δὲ ἄνθρωπος κατ' εἰκόνα Θεοῦ γενόμενος τὴν ἰδίαν τάξιν οὐκ ἐφύλαξεν.

126 Εἶπε πάλιν · Οὐαὶ τῇ ψυχῇ τῇ συνειθισάσῃ εἰς τὴν ἁμαρτίαν · ὁμοία ἐστιν κυνὸς συνειθισάντος ἐν μακελλαρίῳ ἐν τῷ βρώματι · καὶ πολλάκις διωκόμενος καὶ μαστιζόμενος, κἂν πρὸς ὥραν ἀναχωρήσει ἀλλὰ πάλιν ὑπὸ τὴν συνήθειαν 5 καὶ τὸν βρῶμον ὑποστρέφει καὶ ἐκεῖ κάθηται ἕως οὗ ἀποθάνει.

127 Εἶπε πάλιν τῷ μαθητῇ αὐτοῦ · Οὐαὶ ἡμῖν, τέκνον, ὅτι οὐ φοβούμεθα τὸν Θεὸν οὐδὲ ὡς κύνα. Λέγει αὐτῷ ὁ μαθητής αὐτοῦ · Μὴ οὕτως λέγε, πάτερ, ὅτι βλασφημεῖς. Λέγει αὐτῷ ὁ γέφων · Βλασφημῶ οὐ βλασφημῶ, ἓν οἶδα 5 ὅτι πολλάκις ἐν νυκτὶ ἀπῆλθον εἰς τόπον τοῦ ἁμαρτῆσαι καὶ πλησιάσας ὡς ἤκουσα φωνὴν κυναρίων εἰς τὸν τόπον εὐθέως ὑπέστρεψα δειλιάσας αὐτούς, καὶ ὃ οὐκ ἐποίησεν φόβος Θεοῦ ἴσχυσε φόβος θηρίων.

128 Εἶπε πάλιν ὅτι · Εἰ ἀγαπῶμεν τὸν Θεὸν ὡς ἀγαπῶμεν τοὺς ἀνθρώπους μακάριοί ἐσμεν · Ἐγὼ γὰρ ἰδὼν πολλοὺς λυπησάντας τοὺς φίλους αὐτῶν καὶ οὐκ ἐπαύσαντο νυκτὸς καὶ ἡμέρας κινοῦντες παρακλήσεις καὶ δῶρα πέμποντας 5 ἕως οὗ ἐποίησαν αὐτοὺς διαλλαγῆναι · τὸν δὲ Θεὸν θλιβόμενον καθ' ἡμῶν οὐδεμίαν μέριμναν ἔχομεν τοῦ δυσωπῆσαι αὐτὸν ἵνα διαλλάγῃ πρὸς ἡμᾶς.

125 H
126 H
127 H
128 H

sa peine n'est comptée pour rien par Dieu. Même s'il versait son sang pour le Christ, sa supplication ne serait pas recevable. »

125 Un vieillard dit : « Rien n'est plus impur qu'un homme pécheur, ni le chien ni le cochon, car ceux-ci sont des animaux sans raison et ils gardent leur propre rang ; mais l'homme devenu à l'image de Dieu n'a pas gardé son propre rang. »

126 Il dit encore : « Malheur à l'âme qui s'est habituée au péché ! Elle ressemble à un chien qui s'est habitué à l'étal du boucher pour y manger : souvent chassé et battu, même s'il s'éloigne sur le moment, il revient cependant à cause de l'habitude et de la nourriture, et il y reste jusqu'à ce qu'il crève. »

127 Il dit encore à son disciple : « Malheur à nous, mon enfant, parce que nous avons moins peur de Dieu que d'un chien. » Son disciple lui dit : « Ne parle pas ainsi, père, car tu blasphèmes. » Le vieillard lui dit : « Blasphème ou pas, je sais une chose : souvent je suis allé de nuit quelque part pour y pécher ; et lorsqu'en approchant j'entendis l'aboiement de petits chiens, je m'en retournai aussitôt ayant peur d'eux ; et ce que la crainte de Dieu n'a pas fait, la crainte des bêtes l'a pu[1]. »

128 Il dit encore : « Si nous aimons Dieu comme nous aimons les hommes, heureux sommes-nous. J'en vois en effet beaucoup qui, ayant peiné leurs amis, n'eurent de cesse, nuit et jour, de les supplier et de leur envoyer des cadeaux jusqu'à ce qu'ils les fassent changer de sentiments. Mais lorsqu'il s'agit de Dieu fâché contre nous, nous n'avons aucun souci de le supplier qu'il se réconcilie avec nous[2]. »

1. Cf. JEAN CLIMAQUE, Échelle sainte I (*PG* 88, 637 B).
2. Cf. JEAN CLIMAQUE, Échelle sainte I (*PG* 88, 637 C).

129 Ἀδελφὸς σπουδαῖος ἦλθεν ἀπὸ τῆς ξένης καὶ ἔμεινεν εἰς μικρὸν κελλίον καταμόνας ἐν τῷ Σινᾷ ὄρει. Καὶ ὡς ἦλθε τῇ πρώτῃ ἡμέρᾳ ἵνα καθήσῃ εὗρεν εἰς μικρὸν ξύλον ἐπιγεγραμμένον ὑπὸ τοῦ ποτὲ μείναντος ἐκεῖ ἀδελφοῦ
5 οὕτως· Μωυσῆς Θεοδώρου πάρειμι καὶ μαρτυρῶ. Καὶ τιθεὶς ὁ ἀδελφὸς τὸ ξύλον ἡμέριον πρὸ τῶν ὀφθαλμῶν αὐτοῦ ἠρῶτα ὡς πάροντα τὸν γράψαντα· Ποῦ εἶ ἄρα, ἄνθρωπε, ὅτι λέγεις· Πάρειμι καὶ μαρτυρῶ; Ἆρα εἰς ποῖον κόσμον εἶ ἐν τῇ ὥρᾳ ταύτῃ; Ἆρα ποῦ ἐστιν ἡ
10 χεὶρ ἡ γράψασα; Καὶ οὕτως πᾶσαν τὴν ἡμέραν ποιῶν καὶ τοῦ μνήματος μνημονεύων διέμεινε θρηνῶν. Εἶχε δὲ καὶ ἐργόχειρον καλλιγραφίον καὶ ἐλάμβανε παρὰ πολλῶν ἀδελφῶν χαρτία καὶ ἐπιταγὴν γραψίμων. Ἀπέθανεν οὖν μηδενὶ μηδὲν γράψας, καὶ ἔγραψε εἰς τὰ χαρτία ἑκάστου
15 λέγων· Συγχωρήσατέ μοι, κύρι ἄδελφε, ὅτι μικρὸν ἔργον εἶχον μετά τινος καὶ διὰ τοῦτο οὐκ εὐκαίρησα γράψαι. Τούτου πλησίον ἔμενεν ἄλλος ἀδελφός, καὶ μιᾷ ἀπερχομένου εἰς τὸ κάστρον λέγει τῷ ἀδελφῷ τῷ καλλιγράφῳ· Ποίησον ἀγάπην, ἄδελφε, καὶ φρόντισον περὶ τοῦ κήπου ἕως ὅτε
20 ἔρχομαι. Λέγει αὐτῷ ὁ ἀδελφός· Πίστευσον, ὅσον δύναμαι οὐκ ἀμελήσω. Καὶ ἀπελθόντος τοῦ ἀδελφοῦ λέγει ἐν ἑαυτῷ ἐκεῖνος· Ταπεινέ, ἕως ὅτε εὗρες εὐκαιρίαν, φρόντισον περὶ τοῦ κήπου. Καὶ σταθεὶς ἀπὸ ἑσπέρας εἰς κανόνα μεχρὶ πρωίας οὐκ ἐπαύσατο μετὰ δακρύων ψάλλων καὶ εὐχόμενος,
25 ὡσαύτως καὶ ὅλην τὴν ἡμέραν· ἦν γὰρ ἁγία κυριακή. Ἐλθὼν δὲ ὀψὲ ὁ ἀδελφὸς εὗρεν ὅτι τὰ χυροχρύλια ἠφάνισαν τὸν κῆπον καὶ λέγει αὐτῷ· Ὁ Θεὸς συγχωρήσῃ σε, ἄδελφε, ὅτι οὐκ ἐφρόντισας τοῦ κήπου. Ὁ δὲ λέγει· Ὁ Θεὸς εἶδεν, ἀββᾶ, ὅτι κατὰ τὴν δύναμίν μου ἐποίησα καὶ
30 ἐπότισα καὶ ἐφύλαξα, ἀλλ' εἴδει ὁ Θεὸς καὶ δώσει ἡμῖν καὶ ποιήσει κάρπον τὸ μικρὸν κηπίον. Λέγει ὁ κηπουρός·

129 H
6 τιθεὶς *correxi* (*cf.* N 519-520) : τίθον H ‖ 19 ἕως ὅτε *correxi* : ὡς ὅτι H ‖ 30 *post* ἐπότισα *add.* καὶ ἐποίησα H

129 Un frère fervent vint de l'étranger et demeura solitaire dans une petite cellule sur le mont Sinaï. Lorsqu'il arriva le premier jour pour y demeurer, il trouva un morceau de bois sur lequel le frère qui était là auparavant avait écrit : « Moïse de Théodore, je suis présent et je témoigne. » Et se mettant chaque jour la tablette devant les yeux, le frère interrogeait le scribe comme s'il était présent : « Où es-tu, homme, que tu dises : je suis présent et je témoigne? Dans quel monde es-tu à l'heure présente? Où est la main qui a écrit? » Ainsi passait-il toute la journée, se souvenant du tombeau et se lamentant. Son travail manuel était la calligraphie, et il recevait de beaucoup de frères des feuilles et des commandes de copies. Il mourut donc sans avoir rien écrit pour personne. Et il écrivit ceci sur les feuilles de chacun : « Pardonnez-moi, maître et frère, car j'avais un petit travail avec quelqu'un et, pour ce motif, je n'ai pas eu le temps d'écrire. » Dans son voisinage demeurait un autre frère[1]. Une fois qu'il se rendait au camp, il dit au frère calligraphe : « Fais-moi la charité, frère, d'avoir l'œil sur mon jardin le temps que je vienne. » Le frère lui dit : « Fais-moi confiance, autant que je le puis je ne le négligerai pas. » Le frère parti, l'autre se dit en lui-même : « Pauvre homme, tant que tu en trouves l'opportunité, occupe-toi du jardin. » Et debout depuis le soir jusqu'au matin pour l'office, il ne cessa de psalmodier et de prier en pleurant, et aussi toute la journée car c'était le saint dimanche. Rentrant donc le soir, le frère trouva que des porcs-épics avaient saccagé le jardin; et il lui dit : « Que Dieu te pardonne, frère, car tu ne t'es pas soucié du jardin. » L'autre dit : « Dieu a vu, abba, que j'ai fait mon possible et que j'ai arrosé et surveillé; mais Dieu le sait et il nous donnera et fera fructifier le petit jardinet. » Le jardinier dit : « En vérité, frère, il est

N 519-520

1. Selon N 520, ce frère s'appelle Elisios.

Φύσει, ἄδελφε, ὅλον ἠρημώθη. Λέγει αὐτῷ ὁ καλλιγράφος· Οἶδα κἀγώ, ἀλλὰ πιστεύω ὅτι πάλιν ἀνθήσει. Λέγει ὁ κύριος τοῦ κήπου· Δεῦρο ποτίσωμεν. Λέγει αὐτῷ ὁ
35 ἀδελφός· Πότισον σὺ ἄρτι, κἀγὼ ποτίζω τὸ κήπιον τῇ νυκτί. Γενομένης δὲ ἀβροχίας ἐλυπεῖτο ὁ κηπουρὸς καὶ λέγει τῷ γείτονι αὐτοῦ τῷ καλλιγράφῳ· Πίστευσον, ἄδελφε, εἰ μὴ ὁ Θεὸς βοηθήσει οὐ κάμνομεν ὕδωρ ἐφέτος. Λέγει αὐτῷ ὁ ἀδελφός· Οὐαὶ ἡμῖν ἐὰν ξηρανθῶσιν αἱ πηγαὶ τοῦ
40 κήπου, ἀληθῶς οὐκ ἔχομεν σωτηρίαν. Αὐτὸς δὲ περὶ τῶν δακρύων ἔλεγεν. Ὅτε δὲ ἔμελλεν ἀποθνήσκειν ὁ καλὸς οὗτος ἀγωνιστὴς ἐκάλεσε τὸν γείτονα αὐτοῦ λέγων· Ποίησον, ἄδελφε, ἀγάπην καὶ μηδενὶ εἴπῃς ὅτι ἀσθενῶ, ἀλλὰ παράμεινον ὧδε τὴν σήμερον καὶ ὅταν ἐκδημήσω
45 πρὸς Κύριον, ἆρόν μου τὸ σῶμα καὶ ῥίψον αὐτὸ γυμνὸν εἰς τὴν ἔρημον ἵνα φάγωσιν αὐτὸ τὰ θηρία καὶ πετεινὰ διότι ἥμαρτεν τῷ Θεῷ πολλὰ καὶ οὐκ ἔστιν ἄξιον τοῦ ταφῆναι. Λέγει αὐτῷ ὁ κηπουρός· Πίστευσον, ἀββᾶ, διακρίνεται ἡ ψυχή μου τοῦτο ποιῆσαι τὸ πρᾶγμα. Ἀπεκρίθη
50 αὐτῷ ὁ ἀσθενῶν· Τὸ κρῖμα τοῦτο ἐπάνω μου καὶ λόγον σοι δίδωμι ὅτι ἐάν μου ἀκούσῃς καὶ ποιήσῃς οὕτως καὶ δυνηθῶ βοηθῶ σοι κἀγώ. Ἀποθανόντος δὲ αὐτοῦ τῇ αὐτῇ ἡμέρᾳ ἐποίησεν ὁ ἀδελφὸς οὕτως ὡς διέταξεν αὐτῷ καὶ ἔρριψεν τὸ σῶμα αὐτοῦ γυμνόν· ἔμειναν γὰρ ἀπὸ εἴκοσι
55 μηλίων τοῦ κάστρου. Τῇ οὖν τρίτῃ ἡμέρᾳ φαίνεται αὐτῷ κατὰ τοὺς ὕπνους ὁ ἀπελθὼν πρὸς Κύριον καὶ λέγει αὐτῷ· Ὁ Θεός, ἄδελφε, ἐλεήσει σε ὡς ἠλέησάς με· Πίστευσόν μοι, μέγα ἔλεος ἐποίησεν ὁ Θεὸς ὑπὲρ οὗ ἔμεινε τὸ σῶμά μου ἄταφον, λέγων μοι· Ἴδε διὰ τὴν πολλήν σου
60 ταπείνωσιν κελεύω εἶναι μετὰ Ἀντωνίου. Καὶ ἰδοὺ παρεκάλεσα περὶ σοῦ τὸν Θεόν· ἀλλ' ὕπαγε ἄφες τὸν κῆπον τοῦτον καὶ φρόντισον τοῦ ἄλλου κήπου. Καὶ γὰρ ἐν τῇ ὥρᾳ ὅταν ἐξῆλθεν ἡ ψυχή μου ἐθεώρουν ὅτι τὰ δάκρυα μου ἔσβεσαν τὸ πῦρ ὅπου ἔμελλον ἀπελθεῖν.

37 καλλιγράφῳ *scripsi* : καλῷ H ‖ 42 ἐκάλεσε *correxi* : κάλεσε H ‖ 54 ἔρριψεν *correxi* : ἐρρίψεντος H ‖ 61 παρεκάλεσα *correxi* : ἐπαρεκ. H

complètement dévasté.» Le calligraphe lui dit : «Je le sais, moi aussi mais je crois qu'à nouveau il fleurira.» Le propriétaire du jardin dit : «Viens, arrosons-le.» Le frère lui dit : «Arrose-le, toi, maintenant, et moi j'arroserai le jardinet durant la nuit.» Mais comme il ne pleuvait pas, le jardinier s'en affligeait et dit à son voisin le calligraphe : «Crois-moi, frère, si Dieu ne vient pas à notre secours, nous n'obtiendrons pas d'eau cette année.» Le frère lui dit : «Malheur à nous si s'assèchent les sources du jardin; vraiment, nous n'avons plus de salut.» Mais lui, il parlait des larmes. Et lorsqu'il fut sur le point de mourir, ce bon combattant appela son voisin pour lui dire : «Fais-moi la charité, frère, de ne dire à personne que je suis malade; mais reste ici aujourd'hui, et lorsque j'émigrerai vers le Seigneur, prends mon corps et jette-le nu dans le désert afin que les bêtes sauvages et les oiseaux le mangent car il a beaucoup péché contre Dieu et il n'est pas digne de la sépulture.» Le jardinier lui dit : «Crois-moi, abba, mon âme hésite à faire cela.» Le malade lui répondit : «Je prends sur moi cette décision, et je te donne ma parole que si tu m'écoutes et fais ainsi et que je le puisse, je vais t'aider moi aussi.» Et lorsqu'il mourut le jour même, le frère fit comme il lui avait ordonné et il jeta son corps nu – car ils demeuraient à vingt milles du camp. Le troisième jour, celui qui était parti vers le Seigneur lui apparaît en songe et lui dit : «Dieu aura pitié de toi, frère, comme tu as eu pitié de moi. Crois-moi, Dieu m'a fait une grande miséricorde pour le fait que mon corps soit demeuré sans sépulture, me disant : «Vois, à cause de ta grande humilité, j'ordonne que tu sois avec Antoine. Et j'ai supplié Dieu pour toi. Mais va, abandonne ce jardin et soucie-toi de l'autre jardin. Car à l'heure où mon âme s'en allait, je voyais que mes larmes éteignirent le feu où je devais aller.»

130 Ἀδελφὸς εἰς τὸ ὄρος τῶν ἐλαιῶν καθήμενος κατῆλθεν ἐν μιᾷ εἰς τὴν ἁγίαν πόλιν, καὶ προσελθὼν τῷ ἄρχοντι ἐξομολογήσατο αὐτῷ τὰς ἁμαρτίας αὐτοῦ ἐξειπὼν αὐτῷ · Κόλασόν με κατὰ τὸν νόμον. Ὁ δὲ ἄρχων θαυμάσας 5 διεκρίθη ἐν ἑαυτῷ καὶ λέγει τῷ ἀδελφῷ · Ὄντως, ἄνθρωπε, λοιπὸν ὅτι σὺ ἀφ' ἑαυτοῦ ἐξομολογῇς σου οὐ τολμῶ κρῖναι σε πρὸ τοῦ Θεοῦ · ἴσως γὰρ καὶ συνεχώρησέ σοι ὁ Θεός. Καὶ ἀπελθὼν ὁ ἀδελφὸς ἔβαλεν ἑαυτῷ σίδηρα εἰς τοὺς πόδας καὶ εἰς τὸν τράχηλον καὶ ἐνέκλεισε ἑαυτὸν εἰς 10 κελλίον · καὶ εἴποτε ἠρώτα αὐτὸν ἄνθρωπος λέγων · Ἀββᾶ, τίς ἔβαλέ σοι τὴν τοιαύτην ἀνάγκην τῶν σιδήρων, ἔλεγεν ὅτι ὁ ἄρχων. Πρὸ οὖν μιᾶς ἡμέρας τῆς τελευτῆς αὐτοῦ ἠνοίχθησαν ἀφ' ἑαυτῶν τὰ σίδηρα καὶ ἔπεσαν ἐξ αὐτοῦ. Καὶ ἰδὼν ἐθαύμασα καὶ εἶπον αὐτῷ · Τίς ἔλυσε 15 τὰ σίδηρα ἀπὸ σοῦ; Λέγει μοι · Ὁ λύσας τὰς ἁμαρτίας μου. Ἐφάνη γάρ μοι χθὲς λέγων · Ἰδοὺ διὰ τὴν ὑπομονήν σου ἔλυσα πάσας τὰς ἁμαρτίας σου. Καὶ ἥψατο τῷ δακτύλῳ αὐτοῦ τῶν σιδήρων καὶ εὐθέως ἔπεσαν ἀπ' ἐμοῦ. Καὶ ταῦτα εἰπὼν ὁ ἀδελφὸς εὐθέως ἀπῆλθεν πρὸς Κύριον.

131 Ἦν τις ταξεώτης πάμπολλα δεινὰ πράξας καὶ παντοίῳ τρόπῳ μολύνας τὸ σῶμα. Κατανυγεὶς δὲ ἐκ τοῦ Θεοῦ ἀπελθὼν ἀπετάξατο, κτίσας ἑαυτῷ κελλίον εἰς ἔρημον τόπον κάτω εἰς χείμαρρον ἐκάθητο φροντίζων τῆς ἰδίας 5 ψυχῆς. Μαθόντες οὖν τινες τῶν γνωρίμων ἤρξαντο πέμπειν αὐτὸν ἄρτους καὶ φοίνικας καὶ τὴν χρείαν αὐτοῦ. Ὡς δὲ εἶδεν ἑαυτὸν ἐν ἀναπαύσει μηδὲν λείποντα, λέγει ἑαυτῷ · Οὐδὲν ποιοῦμεν ἡ ἀνάπαυσις αὕτη τῆς ἐκεῖθεν ἀναπαύσεως ἐκβάλλει ἡμᾶς · ταύτης δὲ ἐγὼ ἄξιος οὐκ εἰμί. Καταλειπὼν 10 οὖν τὸ κελλίον ἑαυτοῦ ἀνεχώρησεν λέγων · Ἄγωμεν, ψυχή, εἰς θλῖψιν ἵνα μὴ ἐμπέσωμεν εἰς θλῖψιν ἐκεῖ · ἐμοὶ γὰρ χόρτος καὶ ἡ τροφὴ τῶν ἀλόγων πρέπει ἐπειδὴ τὰ ἔργα καὶ τὸν βίον τῶν ἀλόγων ἔπραξα.

130 H
6 ἑαυτοῦ *correxi* : ἑαυτῷ H

30 Un frère qui demeurait sur le Mont des Oliviers descendit une fois dans la Sainte Ville et alla chez l'archonte lui confesser ses fautes, lui déclarant : « Châtie-moi selon la loi. » Étonné, l'archonte discerna en lui-même et dit au frère : « En réalité, homme, maintenant que tu avoues toi-même, je n'ose pas te juger avant Dieu. Car peut-être Dieu t'a-t-il pardonné. » Et le frère partit et se mit des chaînes aux pieds et au cou et se reclut en cellule ; et si quelqu'un lui demandait : « Abba, qui t'a imposé une telle contrainte des fers ? », il disait : « L'archonte. » Or un jour avant sa mort ses fers se détachèrent d'eux-mêmes et tombèrent. Ce que voyant, je m'en étonnai et je lui dis : « Qui a délié tes fers ? » Il me dit : « Celui qui a délié mes fautes. Il m'apparut en effet hier et me dit : Voici qu'à cause de ton endurance j'ai délié toutes tes fautes. Et de son doigt il toucha les fers qui aussitôt tombèrent. » Disant cela, le frère s'en alla aussitôt vers le Seigneur. N 527

31 Il y avait un officier qui avait fait beaucoup de mauvaises actions et souillé son corps de multiples façons. Mais touché par Dieu de componction, il partit faire son renoncement. Il se construisit une cellule dans un lieu désert près d'un torrent et y demeura à se soucier de sa propre âme. Certains qui le connaissaient l'apprirent et se mirent à lui envoyer des pains, des dates et ce dont il avait besoin. Lorsqu'il se vit dans un repos où rien ne lui manquait, il se dit : « Nous ne faisons rien ; un tel repos nous exclut du repos de là-bas ; en outre, je ne le mérite pas. » Abandonnant donc sa cellule, il s'en alla disant : « Allons, mon âme, dans la tribulation, afin de ne pas tomber là-bas dans la tribulation. Car l'herbe et la nourriture des bêtes me conviennent puisque j'ai agi et vécu comme les bêtes. » N 528

131 H
1 ταξεώτης *scripsi* (*cf.* N 528) : ἀξιώτης H

132 Ἦν τις ἀδελφὸς ἀμελὴς λοιπὸν ἐν τῷ μοναχικῷ ὑπάρχων. Τούτου μέλλοντος ἀποθνήσκειν παρεκάθηντό τινες τῶν πατέρων. Καὶ θεωρῶν αὐτὸν ὁ γέρων ἱλαρῶς καὶ μετὰ χαρᾶς ἐκδημοῦντα τοῦ σώματος καὶ βουλόμενος 5 οἰκοδομῆσαι τοὺς ἀδελφοὺς λέγει αὐτῷ· Ἄδελφε, πίστευσον πάντες γινώσκομεν ὅτι οὐ πάνυ σπουδαῖος ἐγένου εἰς τὴν ἄσκησιν· καὶ πόθεν οὕτως προθύμως πορεύῃ; Λέγει οὖν ὁ ἀδελφός· Πίστευσον, πάτερ, ἀλήθειαν εἶπες· πλὴν ἀφ' ἧς ἐγενόμην μοναχός, οὐκ οἶδα ὅτι ἔκρινα ἄνθρωπον 10 πταίοντα οὐδὲ ἐμνησικάκησα ἀνθρώπῳ, ἀλλ' εὐθὺς τῇ αὐτῇ ἡμέρᾳ διηλλάγην αὐτῷ καὶ βούλομαι εἰπεῖν τῷ Θεῷ· Σὺ εἶπας, δέσποτα· « Μὴ κρίνετε καὶ οὐ μὴ κριθῆτε[m] », καί· « Ἄφετε καὶ ἀφεθήσεται ὑμῖν[n]. » Πάντων δὲ οἰκοδομηθέντων λέγει αὐτῷ ὁ γέρων· Εἰρήνη σοι, τέκνον, ὅτι 15 καὶ δίχα κόπου ἐσώθης.

133 Τούτῳ παρέβαλεν ἀδελφὸς αἰγύπτιος πολεμηθεὶς εἰς πορνείαν καὶ παρεκάλεσε τὸν γέροντα εὔξασθαι αὐτῷ ἵνα κουφισθῇ ὁ πόλεμος ἀπ' αὐτοῦ. Καὶ παρεκάλεσε τὸν Θεὸν ὑπὲρ αὐτοῦ ἡμέρας ἑπτά. Τῇ δὲ ὀγδόῃ ἡμέρᾳ ἠρώτησε 5 τὸν ἀδελφόν· Πῶς ὁ πόλεμος, ἄδελφε; Καὶ λέγει αὐτῷ ἐκεῖνος· Κακῶς, φύσει ὅλως οὐκ ᾐσθάνθην κουφισμόν. Ὁ οὖν γέρων ἐξενίσθη, καὶ ἰδοὺ φαίνεται αὐτῷ ὁ Σατανᾶς τῇ νυκτὶ καὶ λέγει αὐτῷ· Πίστευσον, γέρων, ἀπὸ πρώτης ἡμέρας ὅτε ἐδεήθης τοῦ Θεοῦ ἀνεχώρησα ἐξ αὐτοῦ, ἀλλ' 10 ἴδιον δαίμονα ἔχει καὶ ἴδιον πόλεμον ἐκ τῆς γούλας αὐτοῦ, ἐπεὶ ἐγὼ πρᾶγμα οὐκ ἔχω εἰς τὸν πόλεμον τοῦτον ἀλλ' αὐτὸς ἑαυτὸν πολεμεῖ τρώγων καὶ πίνων καὶ κοιμώμενος πολλά.

132 H
133 H
1 τούτῳ *correxi* : τοῦτο H

---

m. Mt 7, 1 n. Mt 6, 14

32 Il y avait un frère devenu assez négligent dans sa vie monastique. Lorsqu'il fut proche de la mort, plusieurs pères l'entourèrent. Et le vieillard[1], le voyant quitter son corps gaiement et avec joie, et voulant édifier les frères, lui dit : « Crois-moi, frère, nous savons tous que tu ne fus pas très courageux dans l'ascèse ; d'où vient que tu partes ainsi allègrement ? » Le frère dit donc : « Crois-moi, père, tu as dit la vérité. Mais, depuis que je suis devenu moine, je n'ai pas conscience d'avoir jugé quelqu'un qui péchait, et je n'ai gardé de la rancune contre personne, mais je me suis aussitôt réconcilié le jour même. Et je veux dire à Dieu : Tu as dit, maître, *Ne jugez pas, et vous ne serez pas jugés*[m] ; et : *Pardonnez et on vous pardonnera*[n]. » Tous en furent édifiés, et le vieillard lui dit : « Paix à toi, mon enfant, car tu es sauvé même sans labeur. » N 530

33 Un frère égyptien combattu par la fornication vint le[2] trouver et lui demanda de prier Dieu pour qu'il soit soulagé du combat. Et il supplia Dieu pour lui pendant sept jours. Le huitième jour, il demanda au frère : « Comment va le combat, frère ? » Celui-ci lui dit : « Mal. En réalité, je n'ai ressenti aucun soulagement. » Et le vieillard fut étonné lorsque, de nuit, lui apparaît Satan qui lui dit : « Crois-moi, vieillard, depuis le premier jour où tu as prié Dieu, je me suis éloigné de lui ; mais il a son propre démon et son propre combat venant de la goinfrerie. Car moi, je n'ai rien à faire dans ce combat ; mais il se combat lui-même en mangeant, buvant et dormant abondamment. » N 532

1. Est omis le début de ce récit, rapporté aussi en N 530, qui donne le nom du vieillard : abba Aréthas.

2. Il s'agit sans doute encore d'abba Aréthas, puisque N 530-536 (dont cette pièce est un extrait) constitue une petite série consacrée à ce vieillard.

134 Διηγήσατο ἡμῖν ἀββᾶ Θεόδωρος ὅτι ἦν τις ἀδελφὸς ἔχων χάρισμα κατανύξεως. Συνέβη οὖν ἐν μιᾷ τῶν ἡμερῶν καὶ ἀπὸ πόνου καρδίας ἦλθεν αὐτῷ δακρύων πλῆθος. Καὶ ἰδὼν ὁ ἀδελφὸς ἔλεγεν ἐν ἑαυτῷ · Ἀληθῶς τοῦτο σημεῖόν ἐστιν
5 ὅτι ἐγγύς ἐστι λοιπὸν ἡ ἡμέρα τοῦ θανάτου μου.

135 Ὄρος ἐστὶν ἐν τῇ Αἰγύπτῳ ἀπάγον ἐπὶ τὴν Σκῆτιν τὴν ἔρημον ὃ καλεῖται Φέρμη. Ἐν τούτῳ τῷ ὄρει καθέζονται ὡσεὶ πεντακόσιοι ἄνδρες ἀσκούμενοι ἐν οἷς καὶ Παῦλός τις οὕτω καλούμενος μοναχὸς ἄριστος ὃς ἐν ὅλῳ
5 τῷ χρόνῳ αὐτοῦ ταύτην ἔσχε τὴν πολιτείαν · Οὐκ ἔργου ἥψατό τινος, οὐκ ἔλαβέ τι παρά τινός ποτε παρεκτὸς οὗ ἔμελλεν ἐν αὐτῇ τῇ ἡμέρᾳ ἐσθίειν. Ἔργον δὲ αὐτῷ τῆς ἀσκήσεως γέγονε τὸ ἀδιαλείπτως προσεύχεσθαι. Τετυπωμένας εἶχεν εὐχὰς τριακοσίας, τοσαύτας ψήφους
10 συνάγων καὶ ἐν τῷ κόλπῳ κατέχων καὶ ῥίπτων καθ' ἑκάστην ἔξω τοῦ κόλπου μίαν ψῆφον. Οὗτος ὁ ἔνθεος ἄνθρωπος παραβαλὼν συντυχίας ἕνεκεν καὶ ὠφελείας πνευματικῆς τῷ ἁγίῳ Μακαρίῳ τῷ λεγομένῳ πολιτικῷ, λέγει αὐτῷ · Ἀββᾶ Μακάριε, θλίβομαι σφόδρα. Ἠνάγκασεν
15 οὖν αὐτὸν ὁ τοῦ Χριστοῦ δοῦλος εἰπεῖν τὴν αἰτίαν δι' ἣν θλίβεται. Ὁ δὲ λέγει αὐτῷ · Ἐν κώμῃ τινὶ παρθένος τις ἦν κατοικοῦσα τριακοστὸν ἔτος ἔχουσα ἀσκουμένη περὶ ἧς μοι πολλὰ διηγήσαντο ὅτι παρὲξ σαββάτου καὶ κυριακῆς οὐδέποτε γεύεται ἄλλην ἡμέραν ἀλλὰ τὸν σύμπαντα χρόνον
20 ἕλκουσα τὰς ἑβδομάδας διὰ πέντε ἐσθίουσα ἡμερῶν ποιεῖ εὐχὰς ἑπτακοσίας. Καὶ ἀπευδόκησα ἐγὼ ἐμαυτοῦ τοῦτο ἀκούσας ὅτι ἀνὴρ κατ' ἐκείνην τὴν ῥώμην δημιουργηθεὶς ὑπὲρ τῶν τριακοσίων εὐχῶν οὐκ ἠδυνήθην ποιῆσαι. Ἀποκρίνεται αὐτῷ ὁ ἅγιος Μακάριος λέγων αὐτῷ · Ἐγὼ
25 ἑξηκοστὸν ἔτος ἔχω ἀφ' οὗ τεταγμένας ἑκατὸν εὐχὰς ποιῶ καὶ τὰ πρὸς τὴν τροφὴν ἐργαζόμενος ταῖς χερσὶν καὶ τοῖς ἀδελφοῖς τὴν ὠφέλειαν τῆς συντυχίας ἀποδίδων, καὶ οὐ

134 H

134 Abba Théodore nous raconta qu'un frère avait un charisme de componction. Or il arriva un jour que la peine de son cœur lui fit venir une abondance de larmes. Ce que voyant, le frère se disait en lui-même : « En vérité, ceci est le signe que désormais le jour de ma mort est proche. »

N 537a

135 Il y a en Égypte une montagne aboutissant au désert de Scété, qu'on appelle Phermé. Sur cette montagne résident environ cinq cents ascètes dont un certain Paul, ainsi nommé, moine excellent qui durant toute sa vie eut cette pratique : il ne toucha à aucun travail et ne reçut jamais rien de personne en dehors de ce qu'il allait manger le jour même. Le travail de son ascèse était de prier sans cesse. Il s'était fixé trois cents prières, ramassant autant de cailloux qu'il tenait sur sa poitrine et les jetant un par un à chaque prière. Cet homme divin alla un jour rencontrer pour son utilité spirituelle le saint Macaire, celui qu'on appelle le citadin, et lui dit : « Abba Macaire, je suis très affligé. » Le serviteur du Christ le força alors à lui dire la cause de son affliction. L'autre lui dit : « Dans un village habite une vierge qui vit dans l'ascèse depuis trente ans et dont on m'a beaucoup parlé : hors le samedi et le dimanche elle ne mange aucun autre jour, mais passant tout le temps les semaines à attendre cinq jours pour manger, elle fait sept cents prières. Et moi, j'ai désespéré de moi-même en entendant cela, car moi qui ai été créé homme avec cette force, je n'ai pu en faire plus de trois cents. » Le saint Macaire lui répond : « Moi, depuis soixante ans, je fais cent prières que je me suis fixées, travaillant de mes mains pour me nourrir et rencontrant les frères pour leur utilité, et ma pensée ne me

Pall *HL* 20

135 H
2 Φέρμη *correxi* : Μέρφη H || 21 ἀπευδόκησα *correxi* : -δοκήσας H || 25 ἑζηκοστὸν *correxi* : ἑξήκοντον *sic* H

κρίνει με ὁ λογισμὸς ὡς ἀμελοῦντα· εἰ δὲ τριακοσίας εὐχὰς ποιῶν ὑπὲρ τοῦ συνειδότος κρίνῃ, τί εἰπεῖν σοι οὐκ 30 ἔχω.

136 Ἠρώτησεν αὐτὸν ἀδελφὸς περὶ τῆς ἀναισθησίας καὶ ἀπεκρίθη ὁ γέρων λέγων· Ἄδελφε, συνεχὴς ἀνάγνωσις τῶν θείων Γραφῶν συμβάλλεται μετὰ κατανυκτικῶν λογίων τῶν θεοφόρων πατέρων καὶ ἡ μνήμη τῶν φοβερῶν κριμάτων 5 τοῦ Θεοῦ καὶ ἔξοδος τῆς ψυχῆς ἡ ἀπὸ τοῦ σώματος καὶ τῶν μελλουσῶν ἀπαντᾶν αὐτῇ φοβερῶν δυνάμεων καὶ μεθ' ὧν ἔπραξεν τὴν πονηρίαν ἐν τῇ ὀλιγοχρονίᾳ καὶ ἐλεεινῇ ζωῇ ταύτῃ. Ἔτι δὲ καὶ πῶς μέλλωμεν παραστῆναι τῷ φοβερῷ καὶ ἀδεκάστῳ βήματι τοῦ Χριστοῦ καὶ μὴ μόνον 10 περὶ πράξεων ἀλλὰ καὶ λόγων καὶ ἐννοιῶν ἀπαιτεῖσθαι λόγον ἐνώπιον τοῦ Θεοῦ καὶ πάντων τῶν ἀγγέλων αὐτοῦ καὶ πάσης ἁπλῶς τῆς κτίσεως. Μνημόνευε δὲ συνεχῶς καὶ τῆς ἀποφάσεως ἐκείνης ἣν ἐρεῖ ὁ φοβερὸς καὶ δίκαιος κριτὴς τοῖς ἐξ εὐωνύμων· « Ἀπέσθατε ἀπ' ἐμοῦ οἱ 15 κατηραμένοι εἰς τὸ πῦρ τὸ αἰώνιον τὸ ἡτοιμασμένον τῷ διαβόλῳ καὶ τοῖς ἀγγέλοις αὐτοῦ°. » Καλὸν δὲ καὶ τῶν μεγάλων θλίψεων τῶν ἀνθρωπίνων μνημονεύειν ἵνα μόλις ἡ σκληρὰ καὶ ἀναίσθητος μαλαχθῇ ψυχὴ καὶ αἰσθανθῇ τῆς ἰδίας κακῆς καταστάσεως. Τὸ δὲ ἀσθενεῖν περὶ τὴν ἀγάπην 20 τῶν ἀδελφῶν ἐκ τοῦ δέχεσθαί σε τοὺς ἐξ ὑποψίας λογισμοὺς καὶ πιστεύειν τῇ ἰδίᾳ καρδίᾳ γίνεταί σοι καὶ ἐκ τοῦ μηδὲν θέλειν πάσχειν παρὰ προαίρεσιν. Θέλησον οὖν βοηθούμενος ὑπὸ τοῦ Θεοῦ προηγουμένως μὴ πιστεύειν ὅλως ταῖς ἰδίαις ἐπινοίαις, καὶ πάσῃ δυνάμει σπούδαζε ταπεινοῦσθαι τοῖς 25 ἀδελφοῖς καὶ κόπτειν ἑαυτοῦ τὸ ἴδιον θέλημα. Ἐὰν ὑβρίσῃ σέ τις αὐτῶν ἢ ἄλλος τίς ποτε θλίψῃ ὑπερεύχου αὐτοῦ,

136 H

2 συνεχὴς *conieci ex Doroth. 192 (SC 92, 512)* : σύνεσις H || 17-18 μόλις ἡ *conieci (cf. Doroth. 192)* : μόλκὴ *sic* H || 26 ποτε *conieci ex. Doroth. 192* : πον H || ὑπερεύχου : -έχου H

juge pas comme négligent. Mais si toi qui fais trois cents prières tu es jugé par ta conscience, je n'ai rien à te dire. »

136 Un frère l'interrogea[1] sur l'insensibilité, et le vieillard répondit : « Frère, la lecture assidue des divines Écritures s'y oppose, jointe aux sentences des pères théophores sur la componction ; et aussi le souvenir des redoutables jugements de Dieu et la sortie de l'âme du corps et sa prochaine rencontre des puissances redoutables avec lesquelles elle a fait le mal durant cette brève et pitoyable vie. Et aussi comment nous aurons à nous présenter au terrible et incorruptible tribunal du Christ pour y rendre compte devant Dieu, tous ses anges et, pour finir, toute la création, non seulement de nos actions, mais aussi de nos paroles et de nos pensées. Souviens-toi aussi sans cesse de cette réponse que le terrible et juste juge dira à ceux qui seront à sa gauche : *Écartez-vous de moi, maudits, allez au feu éternel préparé pour le diable et ses anges*[o]. Il est bon aussi de se souvenir des grandes afflictions humaines afin qu'avec peine l'âme endurcie et insensible s'adoucisse et prenne conscience de sa mauvaise disposition. Quant à l'affaiblissement de ta charité pour les frères, il te vient de ce que tu accueilles les pensées de soupçon, que tu te fies à ton propre cœur et ne veux rien subir de contraire à ton choix. Veuille donc, avec l'aide de Dieu, avant tout ne pas croire du tout en tes propres idées et, autant que tu le peux, tâche de t'humilier devant les frères et de retrancher ta volonté propre. Si l'un d'eux t'injurie ou qu'un autre un jour t'afflige, prie

o. Mt 25, 41

1. Il s'agit de DOROTHÉE DE GAZA, dont est reprise ici la *Lettre* 7 (éd. L. Regnault, *SC* 92, p. 512-514).

ὡς εἶπον οἱ πατέρες, ὡς μεγάλα σε εὐεργετοῦντος, ὡς ἰατροῦ τῆς φιλοδοξίας σου. Ἐκ τούτου γὰρ καὶ ὁ θυμός σου μειοῦται εἴ γε, κατὰ τοὺς ἁγίους πατέρας, θυμοῦ
30 χαλινὸς ἀγάπη. Πρὸ δὲ πάντων παρακάλει τὸν Θεὸν δοῦναί σοι νῆψιν καὶ σύνεσιν τοῦ εἰδέναι «τὸ θέλημα αὐτοῦ τὸ ἀγαθὸν καὶ εὐάρεστον καὶ τέλειον[p]», ἔτι δὲ καὶ δύναμιν εἰς τὸ καταρτισθῆναι εἰς πᾶν ἔργον ἀγαθόν[q].

27 ὡς[1] : ἃς H ‖ εὐεργετοῦντος : -τα H ‖ 28 ἰατροῦ : -τρὸς H

p. Rm 12, 2 q. Cf. He 13, 21

pour lui, comme ont dit les pères[1], comme s'il était ton grand bienfaiteur et le médecin de ta vanité. Ainsi, ta colère aussi s'apaise puisque, selon les saint pères, l'amour est le frein de la colère. Mais avant tout supplie Dieu qu'il te donne la vigilance et l'intelligence pour connaître *sa volonté bonne, agréable et parfaite*[p], et aussi la force pour être ordonné à toute œuvre bonne[q]. »

1. Les « saints pères » ici cités deux fois par Dorothée sont Évagre et Isaïe (cf. *SC* 92, p. 515, n. 1-2).

XVI

Περὶ ἀνεξικακίας

1 Παρέβαλόν ποτε ἀδελφοὶ τῷ ἀββᾶ Ἀντωνίῳ καὶ λέγουσιν αὐτῷ· Εἰπὲ ἡμῖν ῥῆμα πῶς σωθῶμεν. Λέγει αὐτοῖς ὁ γέρων· Ἠκούσατε τὴν Γραφὴν καλῶς ὑμῖν ἔχειν. Οἱ δὲ εἶπαν· Καὶ παρὰ σοῦ θέλομεν ἀκοῦσαι, πάτερ. Εἶπε 5 δὲ αὐτοῖς ὁ γέρων· Λέγει τὸ Εὐαγγέλιον· «Ἐάν τις σὲ ῥαπίσῃ εἰς τὴν δεξίαν σιαγόνα, στρέψον αὐτῷ καὶ τὴν ἄλλην[a].» Λέγουσιν αὐτῷ· Οὐ δυνάμεθα τοῦτο ποιῆσαι. Λέγει αὐτοῖς ὁ γέρων· Εἰ οὐ δύνασθε στρέψαι καὶ τὴν ἄλλην, κἂν τὴν μίαν ὑπομείνατε. Λέγουσιν αὐτῷ· οὐδὲ 10 τοῦτο δυνάμεθα. Λέγει αὐτοῖς ὁ γέρων· Εἰ τοῦτο οὐ δύνασθε ποιῆσαι, μὴ δῶτε ἀνθ' ὧν ἐλάβετε. Οἱ δὲ εἶπαν· Οὐδὲ τοῦτο δυνάμεθα. Λέγει οὖν ὁ γέρων τῷ μαθητῇ αὐτοῦ· Ποίησον τοῖς ἀδελφοῖς ὀλίγην ἀθήραν· ἀσθενοῦσι γάρ. Καὶ λέγει· Εἰ τοῦτο οὐ δύνασθε κἀκεῖνο οὐ θέλετε, 15 τί ὑμῖν ποιήσω; Εὐχῶν χρεία.

2 Ἔλεγον περὶ τοῦ ἀββᾶ Γελασίου ὅτι εἶχε βιβλίον ἐν δέρμασιν ἄξιον δεκαοκτὼ νομισμάτων. Εἶχε γὰρ τὴν

Tit. YOQRTMSVH *l*
De patientia *l* || ὁμιλία ις' *add.* S
1 YOQRTMSVH
1 ποτε *om.* OMSVH || 2 *post* ῥῆμα *add.* πάτερ QRT || 3 ὑμῖν : ἡμῖν V || ἔχειν : ἔχει O[pc] MS || 6 εἰς : ἐπὶ QR || δεξίαν σιαγόνα : σιαγ. ταύτην YV σιαγ. τ. δεξ. H || 10 *post* δυνάμ. *add.* ποιῆσαι MSV || 11 οἱ δὲ : καὶ O || 12 *post* δυναμ. *add.* ποιῆσαι MS || οὖν *om.* R || 14 καὶ λέγει *om.* OMSVH || θέλετε : δύνασθε Q || 15 τί ὑμῖν ποιήσω *om.* M

XVI

De l'endurance au mal

1 Des frères se rendirent un jour chez abba Antoine et lui disent : « Dis-nous une parole : comment être sauvés ? » Le vieillard leur dit : « Vous avez entendu l'Écriture : elle vous convient bien. » Ils dirent : « Mais nous voulons l'entendre de toi, père. » Alors le vieillard leur dit : « L'Évangile dit : *Si quelqu'un te frappe sur la joue droite, tends lui aussi l'autre*[a]. » Ils lui disent : « Nous ne pouvons faire cela. » Le vieillard leur dit : « Si vous ne pouvez tendre aussi l'autre, supportez au moins que l'on vous frappe sur une joue. » Ils lui disent : « Cela non plus, nous ne le pouvons. » Le vieillard leur dit : « Si vous ne pouvez pas faire cela, ne rendez pas les coups reçus. » Ils lui dirent : « Nous ne le pouvons pas non plus. » Alors le vieillard dit à son disciple : « Fais aux frères un peu de bouillie, car ils sont malades. » Et il dit : « Si vous ne pouvez ceci et ne voulez cela, que puis-je faire pour vous ? Vous avez besoin de prières. »

Ant 19 (81 B-C)

2 On disait d'abba Gélasios qu'il avait une Bible en peau estimée à dix-huit pièces d'argent. Elle contenait en effet

Gél 1 (145 B-148 A)

2 YOQRTMSVH *l*
2 ἄξιον *om.* Q

a. Mt 5, 39

παλαιὰν καὶ καινὴν διαθήκην γεγραμμένην πᾶσαν. Ἐκεῖτο δὲ ἐν τῇ ἐκκλησίᾳ ἵνα ὁ θέλων τῶν ἀδελφῶν ἀναγινώσκῃ.
5 Ἐλθὼν δέ τις ἀδελφὸς ξένος παρέβαλε τῷ γέροντι καὶ ἰδὼν τὸ βιβλίον ἐπεθύμησεν αὐτό. Καὶ κλέψας αὐτὸ ἐξῆλθεν. Ὁ δὲ γέρων οὐ κατεδίωξεν αὐτὸν καίπερ νοήσας. Ἀπελθὼν οὖν ἐκεῖνος εἰς τὴν πόλιν ἐζήτησεν πωλῆσαι αὐτό. Καὶ εὑρὼν τὸν θέλοντα ἀγοράσαι ἐζήτει τὴν τιμὴν αὐτοῦ δεκαὲξ
10 νομίσματα. Ὁ δὲ θέλων αὐτὸ ἀγοράσαι λέγει αὐτῷ· Δός μοι πρῶτον δοκιμάσω αὐτὸ καὶ οὕτως τὸ τίμημά σοι παρέχω. Δέδωκεν οὖν αὐτῷ τὸ βιβλίον. Ὁ δὲ λαβὼν ἤνεγκεν αὐτὸ τῷ ἀββᾶ Γελασίῳ δοκιμᾶσαι αὐτό, εἰρηκὼς αὐτῷ καὶ τὴν τιμὴν ἣν ἐζήτει ὁ πωλῶν. Ὁ δὲ γέρων λέγει αὐτῷ· Ἀγόρασον
15 αὐτό, καλὸν γάρ ἐστι καὶ ἄξιον ἧς εἴρηκε τιμῆς. Καὶ ἐλθὼν ὁ ἄνθρωπος εἶπε τῷ πωλοῦντι αὐτὸ ἄλλως καὶ οὐ καθὼς εἶπεν ὁ γέρων, λέγων· Ἰδοὺ ἔδειξα αὐτὸ τῷ ἀββᾶ Γελασίῳ καὶ εἶπέν μοι ὅτι πολλοῦ ἐστι καὶ οὔκ ἐστιν ἄξιον ἧς εἴρηκας τιμῆς. Ἐκεῖνος δὲ ἀκούσας εἶπεν· Οὐδὲν
20 ἄλλο εἶπέν σοι ὁ γέρων; Λέγει αὐτῷ· Οὐχί. Ὁ δὲ λέγει· Οὐ θέλω πωλῆσαι αὐτό. Καὶ κατανυγεὶς ὁ ἀδελφὸς ἦλθε πρὸς τὸν γέροντα μετανοῶν καὶ παρακαλῶν αὐτὸν δέξασθαι αὐτό. Ὁ δὲ γέρων οὐκ ἤθελε λαβεῖν τὸ βιβλίον. Τότε λέγει αὐτῷ ὁ ἀδελφὸς ὅτι· Ἐὰν μὴ λάβῃς αὐτό, οὐκ
25 ἔχω ἀναπαῆναι. Λέγει αὐτῷ· Εἰ οὐκ ἀναπαύῃ, ἰδοὺ δέχομαι αὐτό. Καὶ ἔμεινεν ὁ ἀδελφὸς ἐκεῖ ἕως τῆς τελευτῆς αὐτοῦ, ὠφεληθεὶς ὑπὸ τῆς ἐργασίας τοῦ γέροντος.

3 Factus est aliquando conuentus in Cellis pro causa quadam, et locutus est quidam abbas Euagrius, et dixit

3 διαθήκην : γραφὴν YORTH *om.* QV ‖ γεγρ. πᾶσαν : γραφῆσαν γράμμασιν ἑλληνικοῖς V ‖ 5 παρέβ. : παραβαλεῖν MS ‖ 5-6 καὶ ἰδὼν τὸ βιβλίον : ὡς οὖν [*om.* MS] εἶδεν αὐτὸ OMSVH ‖ 7 αὐτὸν : ὀπίσω αὐτοῦ OMSVH *om.* R ‖ 8 εἰς τὴν πόλιν *om.* YQRT ‖ 9 δεκαὲξ : δεκαοκτὼ V ‖ 11 μοι *om.* YOR ‖ 13 δοκιμ. αὐτό : ut probaret si bonus codex esset aut si tantum ualeret *l* ‖ 19 ἧς εἴρηκας τιμῆς : τιμήματος H ‖ 20 *post* ὁ δὲ *add.* ἀποκριθεὶς YQRTMSVH ‖ 25 ἰδοὺ *om.* V ‖ 27 ὑπὸ τῆς ἐργ. : de patientia *l*

l'ancien et le nouveau testament en entier. Elle était déposée à l'église afin que quiconque des frères le voulait puisse la lire. Or un frère étranger vint chez le vieillard et, ayant vu la Bible, la désira ; et il la vola et s'en alla. Le vieillard ne le poursuivit pas, bien qu'il l'eût remarqué. Celui-là donc, une fois parti à la ville, chercha à la vendre ; et, ayant trouvé acquéreur, il en demandait seize pièces d'argent. L'acheteur lui dit : « Donne-la moi d'abord que je l'expertise, et alors j'apporterai le prix. » Il lui donna donc la Bible. Celui-ci la prit et l'apporta à abba Gélasios pour qu'il l'examine, en lui disant aussi le prix que demandait le vendeur. Le vieillard lui dit : « Achète-la, car elle est belle et vaut le prix qu'il t'a dit. » Et notre homme alla parler différemment au vendeur et non selon ce que le vieillard lui avait dit : « Je l'ai montrée à abba Gélasios, dit-il, et il m'a dit que c'était cher et qu'elle ne valait pas le prix que tu avais dit. » Entendant cela, le frère dit : « Le vieillard ne t'a-t-il rien dit d'autre ? » Il lui dit que non. Alors l'autre dit : « Je ne veux plus la vendre. » Et plein de componction, le frère alla trouver le vieillard pour lui demander pardon et le supplier de reprendre la Bible. Mais le vieillard ne voulait pas prendre la Bible. Alors le frère lui dit : « Si tu ne la prends pas, je n'ai pas de paix[1]. » Il lui dit : « Si tu n'as pas de paix, alors je vais la reprendre. » Et le frère demeura là jusqu'à sa mort, édifié de la pratique du vieillard.

3 Il y eut une fois une assemblée aux Cellules pour un motif quelconque, et un certain abba Évagre y parla. Et

Év 7 (176 A)

3 *l*

1. La forme ἀναπαῆναι, fréquente dans les *Apophtegmes,* est un doublet du classique ἀναπαῦσαι. D'après le *TLG* (version E), on retrouve beaucoup cet aoriste ἀνεπάην dans la littérature chrétienne apocryphe et primitive (HERMAS 82, 1, 4 ; *Protév. Jacques,* p. 5, 9 pap. Bodmer, *Paralip. Jér.* 5, 2, 1, *Actes de Philippe* 148, 3), chez le Pseudo-Macaire (*Hom. Spir.* 1, 196 ; 4, 458 etc.), chez Palladios, Marc le Diacre ... [BM]

ei presbyter monasteriorum : Scimus, abba Euagri, quia si esses in patria tua, forte aut episcopus fueras, aut 5 multorum caput ; nunc autem hic uelut peregrinus es. Ille uero compunctus, non quidem turbulenter aliquid respondit, sed mouens caput, respiciensque in terram, digito scribebat, et dixit eis : Reuera ita est, Patres ; uerumtamen « *semel locutus sum,* in Scripturis uero 10 *secundo nihil adiiciam*[b]. »

4 Καθημένου ποτὲ τοῦ ἀββᾶ Ἰωάννου τοῦ Κολοβοῦ ἔμπροσθεν τῆς ἐκκλησίας ἐκύκλωσαν αὐτὸν οἱ ἀδελφοὶ καὶ ἐξήταζον τοὺς λογισμοὺς ἑαυτῶν. Καὶ ἰδών τις τῶν γερόντων πολεμηθεὶς εἰς φθόνον ἔλεγεν αὐτῷ · Τὸ βαυκάλιόν 5 σου, ἀββᾶ Ἰωάννη, φάρμακα γέμει. Λέγει αὐτῷ ἀββᾶ Ἰωάννης · Οὕτως ἐστί, πάτερ · καὶ τοῦτο εἶπες ὅτι τὰ ἔξω βλέπεις μόνον · εἰ δὲ ἔβλεπες τὰ ἔσω, τί εἶχες εἰπεῖν ;

5 Ἔλεγον περὶ τοῦ ἀββᾶ Ἰωάννου τοῦ Θηβαίου τοῦ μαθητοῦ τοῦ ἀββᾶ Ἀμῶϊ ὅτι δώδεκα ἔτη ἐποίησεν ὑπηρετῶν τῷ γέροντι ὅτε ἠσθένει, καὶ μετ᾽ αὐτοῦ ἦν εἰς τὸ χαράδριον καθήμενος. Καὶ ὁ γέρων ὀλιγώρει ἐπάνω 5 αὐτοῦ. Καὶ πολλὰ κοπιάσαντι μετ᾽ αὐτοῦ οὐδέποτε εἶπεν αὐτῷ · Σωθῇς. Ὅτε δὲ ἔμελλε τελευτᾶν, καθεζομένων τῶν γερόντων, ἐκράτησε τὴν χεῖρα αὐτοῦ καὶ λέγει αὐτῷ · Σωθῇς, σωθῇς. Καὶ παρέδωκεν αὐτὸν τοῖς γέρουσι λέγων · Οὗτος ἄγγελός ἐστιν καὶ οὐκ ἄνθρωπος.

6 Ἔλεγον περὶ τοῦ ἀββᾶ Ἰσιδώρου τοῦ πρεσβυτέρου τῆς Σκήτεως ὅτι εἴ τις εἶχεν ἀδελφὸν ἀσθενῆ ἢ ὀλίγωρον ἢ

4 YOQRTMSVH *l*
3 ἰδὼν : ἰδοὺ YQR ‖ 4 ἔλ. αὐτῷ : ἐλοιδόρησεν τὸν ἀββᾶ Ἰωάννην λέγων QRT ‖ 5 ἀββᾶ Ἰωάννη : Ἰωάννη OSVH πάτερ Ἰωάννη M *om.* QRT ‖ 5-6 λέγει – Ἰωάννης : ὁ δὲ ἀκούσας εἶπεν αὐτῷ RT ‖ 7 *post* ἔβλεπες *add.* καὶ YQMSV ‖ τί : τί ἂν H
5 YOQRTMSVH *l*
1 *post* Ἰωάννου *add.* Minore *l* ‖ 2 Ἀμῶϊ : Ammonii *l* ‖ δώδεκα : δέκα

le prêtre des monastères lui dit : « Nous savons, abba Évagre, que si tu étais dans ta patrie, tu serais sans doute évêque ou à la tête d'une multitude ; mais maintenant tu es ici comme un étranger. » Et lui, rempli de componction, ne répliqua rien avec emportement ; mais, hochant la tête et regardant à terre, il écrivait du doigt et leur dit : « C'est bien vrai, pères ; pourtant, *j'ai parlé une fois* mais, selon les Écritures, *je n'ajouterai rien une seconde fois*[b]. »

4 Une fois qu'abba Jean Colobos était assis devant l'église, les frères l'entourèrent et l'interrogeaient sur leurs pensées. Et voici que l'un des vieillards, combattu par la jalousie, lui disait : « Ton vase, abba Jean, est plein de poisons. » Abba Jean lui dit : « Il en est ainsi, père ; et tu as dit cela parce que tu ne vois que l'extérieur, mais si tu voyais l'intérieur, qu'aurais-tu à dire ? » JnC 8 (205 C-D)

5 On disait d'abba Jean le Thébain, le disciple d'abba Ammôè, qu'il passa douze ans à servir le vieillard lorsqu'il était malade et il était avec lui, se tenant sur une natte. Mais le vieillard ne faisait nul cas de lui et, bien qu'il peinât beaucoup avec lui, jamais il ne lui dit : « Sois sauvé. » Mais lorsqu'il fut sur le point de mourir, en présence des vieillards, il lui prit la main et lui dit : « Sois sauvé, sois sauvé. » Et il le confia aux vieillards en disant : « Celui-ci est un ange, non un homme. » JnT 1 (240 A-B)

6 On disait d'abba Isidore le prêtre de Scété que si quelqu'un avait un frère faible, négligeant ou insolent et qu'il IsiS 1 (220 B-C)

καὶ ὀκτῶ QT δεόκτῶ *sic* V ‖ 3-4 εἰς τὸ χαράδ. *om.* Q ‖ 4 χαλάδριον OH ‖ καθεζόμενος RT ‖ 4-5 ὀλιγ. ἐπ. αὐτοῦ : contristabatur pro eo *l* ‖ 7 *post* γερόντων *add.* loci *l* ‖ 8 σωθῆς *semel in* T *ter in l*

6 YOQRTMSVH *l*

2 εἴ τις *om.* H ‖ 2-3 ἀσθενῆ ἢ ὀλίγωρον ἢ ὑβριστὴν MS *l* : ἀντίλογον *cett.*

---

b. Jb 40, 5

ὑβριστὴν καὶ ἤθελεν ἐκβαλεῖν αὐτὸν ἔξω, ἔλεγεν ὁ γέρων· φέρετέ μοι αὐτόν. Καὶ ἐλάμβανεν αὐτὸν εἰς τὸ κελλίον
5 αὐτοῦ, καὶ διὰ τῆς μακροθυμίας ἔσωζε τὸν ἀδελφόν.

7 Ἔλεγον περὶ τοῦ ἀββᾶ Λογγίνου ὅτι διεβλήθη τις τῶν αὐτοῦ μαθητῶν ἵνα διώξῃ αὐτόν. Ἐλθόντες δὲ οἱ περὶ τὸν ἀββᾶ Θεόδωρον εἶπον αὐτῷ· Ἀββᾶ, ἀκούομεν περὶ τοῦ ἀδελφοῦ τούτου τίποτε πρᾶγμα· καὶ εἰ κελεύεις,
5 λαμβάνομεν αὐτὸν ἀπὸ σοῦ καὶ φερομέν σοι κάλλιον ἀδελφόν. Ὁ δὲ γέρων εἶπεν αὐτοῖς· Ἐγὼ οὐ διώκω αὐτόν· ἀναπαύει γάρ με. Ὡς δὲ ἤκουσεν τὴν αἰτίαν, ὁ γέρων εἶπεν· Οὐαί μοι, ὅτι ἐρχόμεθα ὧδε ἄγγελοι γενέσθαι καὶ γινόμεθα ἄλογα ἀκάθαρτα ζῶα.

8 Ἀββᾶ Μακάριος ἐν Αἰγύπτῳ ὢν ηὗρεν ἄνθρωπον ἔχοντα κτῆνος καὶ συλοῦντα τὸ κελλίον αὐτοῦ. Καὶ αὐτὸς ὡς ξένος παραστὰς τῷ πυλῶνι συνεγέμου τὸ κτῆνος, καὶ μετὰ πολλῆς ἡσυχίας προέπεμπεν αὐτὸν λέγων· « Οὐδὲν εἰσενέγ-
5 καμεν εἰς τὸν κόσμον[c]· » ὁ Κύριος ἔδωκεν· ὡς αὐτὸς ἠθέλησεν οὕτως καὶ ἐγένετο· εὐλογητὸς Κύριος ἐπὶ πᾶσιν[d].

9 Γενομένου ποτὲ συνεδρίου ἐν τῇ Σκήτει θέλοντες οἱ πατέρες δοκιμᾶσαι τὸν ἀββᾶ Μωυσῆν ἐξουδένωσαν αὐτὸν λέγοντες· Τί καὶ ὁ Αἰθίοψ οὗτος ἔρχεται εἰς τὸ μέσον ἡμῶν; Ὁ δὲ ἀκούσας ἐσιώπησεν. Μετὰ δὲ τὸ ἀπολυθῆναι
5 αὐτοὺς λέγουσιν αὐτῷ· Ἀββᾶ, ἄρτι οὐκ ἐταράχθης; Λέγει αὐτοῖς· « Ἐταράχθην ἀλλ'οὐκ ἐλάλησα[e]. »

3 ἐκβαλεῖν QRH expellere *l*: βαλεῖν *cett.* ‖ 4 *post* αὐτόν[1] *add.* ὧδε TMSH ‖ 4-5 καὶ ἐλαμβ. – αὐτοῦ *om.* MS ‖ εἰς τὸ κελλίον αὐτοῦ *om.* *l* ‖ 5 αὐτοῦ : ἑαυτοῦ R

7 YOQRTMSVH

4 τίποτε : τινα H *om.* O ‖ εἰ *om.* QT ‖ 5 *post* σοι *add.* ἄλλον QT ‖ 7 με γάρ *transp.* R ‖ 9 ἄλογα : ἄλ. καὶ MS *om.* RVH

8 YOQRTMSVH *l*

1 Μάκαρις RT ‖ 2-3 καὶ αὐτὸς – συεγέμου : παραστὰς οὖν καὶ αὐτός [ὡς ξένος *add.* R] τῇ θύρᾳ τοῦ κελλίου [αὐτοῦ *add.* Q] συνεγέμοι

voulait le renvoyer, le vieillard disait : « Amenez-le-moi. » Et il le prenait dans sa cellule et, par sa longanimité, il sauvait le frère.

7 On disait d'abba Longin que l'on calomniait un de ses disciples afin qu'il le chasse. Les compagnons d'abba Théodore vinrent lui dire : « Abba, nous entendons dire telle chose sur ce frère ; si tu le désires, nous te le retirons et nous t'amenons un frère meilleur. » Le vieillard leur dit : « Moi, je ne le chasse pas, car il me repose. » Et lorsqu'il en apprit le motif, le vieillard dit : « Malheur à moi ! Car nous venons ici pour devenir des anges, et nous devenons de stupides animaux impurs. » J 708

8 Lorsqu'il était en Égypte, abba Macaire trouva quelqu'un qui, avec un mulet, pillait sa cellule. Et lui-même, comme un étranger, se tenant à la porte, aidait à charger le mulet et, avec une grande paix, le reconduisait en disant : « *Nous n'avons rien apporté dans le monde*[c]. Le Seigneur a donné ; il advint comme lui-même l'a voulu ; que le Seigneur soit béni en tout[d]. » Mac 18 (269 B-C)

9 Un jour que l'on tenait conseil à Scété, les pères, voulant éprouver abba Moïse, le traitèrent avec mépris en disant : « Pourquoi cet Éthiopien aussi vient-il au milieu de nous ? » Mais lui, entendant cela, garda le silence. Une fois le conseil congédié, on lui dit : « Abba, tu n'as pas été troublé tout à l'heure ? » Il leur dit : « *J'étais dans le trouble, mais je n'ai pas parlé*[e]. » Mos 3 (284 A)

[-γόμει Q] QRT || 3 πυλῶντι MSH || συνεγέμου MSVH : συνεγέμοι RT συνεγόμει Q || 5 *post* κόσμον *add.* δῆλον ὅτι οὐδὲ ἐξενέγκωμεν MS

9 YOQRTMSVH *l*

1-2 οἱ πατέρες *om.* QRT senes *l* || 2 Μωσῆν QRT || 3 τί καὶ Y : ὅτι OM ὅτι καὶ QRTSV ἵνα τί καὶ H ut quid *l* || 4 ἀπολυθ. : ἀπελθεῖν QRT || αὐτοὺς : conuentus *l* *om.* Y || 5 ἀϐϐᾶ *om.* M *l*

---

c. 1 Tm. 6, 7 d. Cf. Jb 1, 21 e. Ps 76, 5

10 Ὁ ἀββᾶ Παῦλος ὁ Κοσμίτης καὶ Τιμόθεος ὁ ἀδελφὸς αὐτοῦ ἐκαθέζοντο ἐν Σκήτει, καὶ διαφόρως ἐγένετο μεταξὺ αὐτῶν ἀντιλογία. Λέγει ἀββᾶ Παῦλος· Ἕως πότε μένομεν οὕτως; Λέγει αὐτῷ ἀββᾶ Τιμόθεος· Ποίησον ἀγάπην, καὶ
5 ὅταν ἔρχωμαι ἐπάνω σου βάσταξόν με, καὶ ὅταν ἔρχῃ καὶ σὺ ἐπάνω μου βαστάξω σε κἀγώ. Καὶ ποιήσαντες οὕτως ἀνεπάησαν τὰς λοιπὰς ἡμέρας.

11 Ἔσχε Παήσιος ὁ ἀδελφὸς τοῦ ἀββᾶ Ποιμένος σχέσιν μετὰ τινῶν ἔξω τοῦ κελλίου αὐτοῦ. Ὁ δὲ ἀββᾶ Ποιμὴν οὐκ ἤθελεν. Καὶ ἀναστὰς ἔφυγε πρὸς τὸν ἀββᾶ Ἀμμωνᾶ καὶ λέγει αὐτῷ· Παήσιος ὁ ἀδελφός μου ἔχει μετὰ τινῶν
5 σχέσιν καὶ οὐκ ἀναπαύομαι. Λέγει αὐτῷ ἀββᾶ Ἀμμωνᾶς· Ποιμήν, ἀκμὴν ζῇς; Ὕπαγε, κάθου εἰς τὸ κελλίον σου καὶ θὲς εἰς τὴν καρδίαν σου ὅτι ἤδη ἔχεις ἐνιαυτὸν εἰς τὸ μνημεῖον.

12 Εἶπεν ἀββᾶ Ποιμήν· Πᾶς κόπος ὃς ἐὰν ἐπέλθῃ σοι ἡ νίκη αὐτοῦ ἐστι τὸ σιωπᾶν.

13 Ἀδελφὸς τις ἀδικηθεὶς ὑπὸ ἑτέρου ἀδελφοῦ ἦλθε πρὸς τὸν ἀββᾶ Σισόην τὸν Θηβαῖον καὶ λέγει αὐτῷ· Ἠδίκημαι παρά τινος ἀδελφοῦ καὶ θέλω κἀγὼ ἑαυτὸν ἐκδικῆσαι. Ὁ δὲ γέρων παρεκάλει αὐτὸν λέγων· Μή, τέκνον, κατάλειψον
5 δὲ μᾶλλον τῷ Θεῷ τὰ τῆς ἐκδικήσεως. Ὁ δὲ ἔλεγεν· Οὐ παύομαι ἕως ἂν ἐκδικήσω ἑαυτόν. Εἶπε δὲ ὁ γέρων· Εὐξώμεθα, ἄδελφε. Καὶ ἀναστὰς εἶπεν· Ὁ Θεός, ὁ Θεός, οὐκ ἔτι σου χρείαν ἔχομεν φροντίζειν ὑπὲρ ἡμῶν· Ἡμεῖς γὰρ τὴν ἐκδίκησιν ἑαυτῶν ποιούμεθα. Τοῦτο οὖν ἀκούσας

10 YOQRTMSVH
1 κοσμίτης : κομίτης O[pc] κωμήτης S ‖ 2 ἐγένοντο QV
11 YOQRTMSVH *l*
1 ποιμὴν YOR ‖ 1-2 σχέσιν μετὰ τινῶν : affectum cum quodam monacho *l* ‖ 3 Ἀμμωνᾶν OMSVH Ammonam *l* ‖ 4 τινῶν : τινὸς V quibusdam *l* ‖ 6 κάθου *om.* M *l*
12 YOQRTMSVH *l*
1 ὃς *om.* M ‖ 2 σιωπᾶν : πῶς εἶπαν H

10 Abba Paul le Cosmète et Timothée, son frère, demeuraient à Scété, et pour des motifs divers survint entre eux une dispute. Abba Paul dit : « Combien de temps demeurerons-nous ainsi ? » Abba Timothée lui dit : « Fais-moi la charité, et lorsque je m'opposerai à toi supporte-moi ; et, lorsqu'à ton tour tu t'opposeras à moi, moi aussi je te supporterai. » Et grâce à cette pratique, ils furent en paix le restant de leurs jours. PCo 1 (381 A)

11 Paèsios, le frère d'abba Poemen, eut des relations avec d'autres hors de la cellule. Or abba Poemen ne le voulait pas. Aussi se leva-t-il pour s'enfuir chez abba Ammônas et il lui dit : « Mon frère Paèsios a des relations avec d'autres, aussi n'ai-je pas de repos. » Abba Ammônas lui dit : « Poemen, tu vis encore ? Va, assieds-toi dans ta cellule et mets en ton cœur que tu es déjà depuis un an dans le tombeau. » Poe 2 (317 B)

12 Abba Poemen dit : « La victoire sur toute peine qui te survient, c'est de garder le silence. » Poe 37 (332 B)

13 Un frère à qui un autre frère avait fait du tort vint chez abba Sisoès le Thébain et lui dit : « J'ai subi un tort de la part d'un frère et je veux à mon tour me faire justice. » Le vieillard l'exhortait en disant : « Non, mon enfant, mais laisse plutôt à Dieu la vengeance. » Mais il disait : « Je n'aurai de cesse que je ne me sois vengé. » Le vieillard dit : « Prions, frère. » Et il se leva et dit : « Mon Dieu, mon Dieu, nous n'avons plus besoin que tu te soucies de nous, car nous nous faisons justice à nous mêmes. » Entendant cela, le frère tomba aux pieds du Sis 1 (392 B-C)

13 YOQRTMSVH *l*
1 τις *om.* RTMVH || ἀδελφοῦ *om.* YQRT || 3 τινος : τοῦ ὁ [ὁ *om.* T] δεῖνα QRT ἑτέρου H || 4 λέγων *om.* OQMSVH || 5 τῷ Θεῷ Y^mg *om.* T || 6 ἂν YH : οὗ *cett.* || 7 ὁ θεός² *om.* *l* || 8 ὑπὲρ *om.* OMSH || 9 ποιοῦμεν MS

10 ὁ ἀδελφὸς ἔπεσεν εἰς τοὺς πόδας τοῦ γέροντος εἰπών· Οὐκέτι δικάζομαι μετὰ τοῦ ἀδελφοῦ μου, συγχώρησόν μοι.

14 Φιλόπονόν τις ἑωρακὼς βαστάζοντα νεκρὸν ἐν κραββάτῳ λέγει αὐτῷ· Τοὺς νεκροὺς βαστάζεις· ὕπαγε, βάσταζον τοὺς ζῶντας.

15 Εἶπέ τις τῶν πατέρων· Ἐὰν ὑβρίσῃ σέ τις, εὐλόγησον αὐτόν· ἐὰν δέξηταί σε, καλῶς τοῖς ἀμφοτέροις, ἐὰν δὲ μὴ δέξηται, αὐτὸς λαμβάνει παρὰ τοῦ Θεοῦ τὴν ὕβριν καὶ σὺ τὴν εὐλογίαν.

16 Ἔλεγον περί τινος μονάζοντος ὅτι ὅσον ἐάν τις αὐτὸν ὕβριζεν ἢ ἐδόκει παροξύνειν, τοσοῦτον μᾶλλον πρὸς αὐτὸν ἔτρεχε λέγων ὅτι· Οἱ τοιοῦτοι αἴτιοι κατορθωμάτων γίνονται τοῖς σπουδαίοις, οἱ δὲ μακαρίζοντες ταράσσουσιν 5 τὴν ψυχήν. Γέγραπται γάρ· Οἱ μακαρίζοντες ὑμᾶς πλανῶσιν ὑμᾶς[f].

17 Εἶπέ τις γέρων· Ἐὰν λάβῃ τις μνήμην θλίψαντος αὐτὸν ἢ ἀτιμάσαντος ἢ λυπήσαντος ἢ ζημιώσαντος μεμνῆσθαι αὐτοῦ ὀφείλει ὡς ἰατροῦ πεμφθέντος ὑπὸ Χριστοῦ, καὶ ὀφείλει ἔχειν αὐτὸν ὡς εὐεργέτην. Αὐτὸ γὰρ τὸ θλίβεσθαί 5 σε ἐν τούτοις νοσούσης ἐστὶ ψυχῆς. Εἰ μὴ γὰρ ἐνόσεις, οὐκ ἔπασχες. Καὶ ὀφείλεις χαίρειν ἐν τῷ ἀδελφῷ ὅτι δι' αὐτοῦ γινώσκεις τὴν νόσον ἑαυτοῦ, καὶ εὔχεσθαι ὑπὲρ αὐτοῦ καὶ δέχεσθαι τὰ παρ' αὐτοῦ ὡς φάρμακον ἰαματικὸν πεμφθὲν ὑπὸ τοῦ Κυρίου. Ἐὰν δὲ λυπῆσαι κατ' αὐτοῦ

11 *post* μοι *add.* ἀββᾶ YRTH
14 YOQRTVH *l*
1 φιλόπονος RT religiosum *l*
15 YOQRTVH
3 *post* δέξηται *add.* σε TH ‖ 3-4 τὴν ὕβριν καὶ σὺ *om.* T
16 YOQRTMSVH *l*
1 ἐὰν YO : ἂν *cett. om.* S ‖ 2 πρὸς αὐτὸν *om.* QRT ‖ 3 ἔτρεχε : ἔχαιρε Q ‖ 5-6 ἡμᾶς ... ἡμᾶς H

vieillard en disant : « Je n'ai plus de litige avec mon frère ; pardonne-moi. »

14 Quelqu'un ayant vu un homme laborieux supportant un mort sur un brancard lui dit : « Tu supportes les morts ; va, supporte les vivants. » N 335

15 L'un des pères dit : « Si quelqu'un t'injurie, bénis-le ; s'il t'accueille, c'est bon pour les deux, et s'il ne t'accueille pas, c'est lui qui reçoit de Dieu l'injure, et toi la bénédiction. »

16 On disait d'un solitaire que plus quelqu'un l'injuriait ou semblait l'irriter, plus il courait à lui disant : « Ces gens-là provoquent le progrès des fervents, tandis que ceux qui complimentent troublent l'âme. Il est écrit en effet : Ceux qui vous complimentent vous égarent[f]. » N 336

17 Un vieillard dit : « Celui qui garde le souvenir de qui l'a affligé ou méprisé ou peiné ou lésé doit se souvenir de lui comme d'un médecin envoyé par le Christ, et il doit le tenir pour un bienfaiteur. Car le fait que tu en sois affligé est le signe d'une âme malade. Si en effet tu n'étais pas malade, tu ne souffrirais pas. Et tu dois te réjouir en ton frère puisque, grâce à lui, tu connais ta maladie, et prier pour lui et accueillir ce qui vient de lui comme un remède salutaire envoyé par le Seigneur. Mais si tu te fâches contre lui, c'est comme si tu disais

17 YOQRTMSVH

1 τις *om.* QT ‖ 2 ἢ λυπήσ. : ἢ λοιδορήσαντος OMSVH *om.* Q ‖ 3 Χριστοῦ : Θεοῦ MS ‖ 5-6 ἐνόσει ... ἔπασχεν V ‖ 6 οὐκ : οὐκ ἂν QRT ‖ ὀφείλει OMSVH ‖ 7 γινώσκει OVH γινωσκεῖν MS ‖ ἑαυτοῦ : αὐτοῦ OMSVH ‖ 8 *post* αὐτοῦ[1] *add.* ὀφείλεις QRT ‖ καὶ δέχ. τὰ παρ' αὐτοῦ *om.* MS ‖ ἰαματικὸν : ἰατρικὸν MS ‖ 9 ὑπὸ : παρὰ MSH ‖ λυπῆσαι : λυπῇ T λυπῆται V

f. Cf. Is 9, 15

10 δυνάμει λέγεις τῷ Ἰησοῦ· Οὐ θέλω δέξασθαί σου τὰ φάρμακα, σαπῆναι θέλω ἐν τοῖς τραύμασί μου.

18 Εἶπε πάλιν· Ὁ βουλόμενος ἰαθῆναι ἐκ τῶν δεινῶν τῆς ψυχῆς τραυμάτων ἵνα ἀπαλλαγῇ τῆς νόσου ὀφείλει ὑπομεῖναι τὰ ἐπιφερόμενα ὑπὸ τοῦ ἰατροῦ. Οὐδὲ γὰρ ὁ νοσῶν σωματικῶς ἡδέως ἔχει τὸ τέμνεσθαι ἢ καθάρσιον
5 λαβεῖν ἀλλὰ καὶ μέμνηται αὐτῶν μετὰ ἀηδίας· ὅμως πείθει ἑαυτὸν ὅτι χωρὶς τούτων ἀδύνατόν ἐστιν αὐτὸν ἀπαλλαγῆναι τῆς νόσου, καὶ ὑποφέρει τὰ παρὰ τοῦ ἰατροῦ προσφερόμενα, εἰδὼς ὅτι διὰ μικρᾶς ἀηδίας ἀπαλλαγήσεται πολυχρονίου ἀσθενείας. Καὶ καυτὴρ τοῦ Ἰησοῦ ἐστιν ὁ ἀτιμάζων σε
10 ἢ λοιδορῶν σε, ἀλλ' ἀπαλλάττει σε κενοδοξίας. Ὁ φεύγων πειρασμὸν ἐπωφελῆ φεύγει ζωὴν αἰώνιον. Τίς ἐδωρήσατο τῷ ἁγίῳ Στεφάνῳ τοιαύτην δόξαν οἵαν ἐκτήσατο διὰ τῶν λιθαζόντων αὐτόν[g];

19 Εἶπε πάλιν ὅτι· Τοὺς ἐμὲ κατηγοροῦντας οὐκ αἰτιῶμαι ἀλλ' εὐεργέτας καλῶ, καὶ οὐκ ἀποθοῦμαι τὸν ἰατρὸν τῶν ψυχῶν φάρμακον ἀτιμίας προσάγοντα κενοδόξῳ ψυχῇ.

20 Εἶπε πάλιν· Τὸν σταυρὸν τοῦ Χριστοῦ βλέπομεν καὶ τὰ πάθη αὐτοῦ ἀναγινώσκομεν, καὶ ἡμεῖς οὐδεμίαν ὕβριν ὑποφέρομεν.

10 δυν. λέγ. : δύνασε λέγειν H ‖ 10-11 τὰ φάρμ. : τὸ φάρμακον ἀλλὰ QRT ‖ 11 ἐν : ἐπὶ TMS

18 YOQRTMSVH

2 ἵνα ἀπ. τῆς νόσου *om.* QRT ‖ *post* ἐπιφερ. *add.* αὐτῷ QRT ‖ 4 σωματικῶς *om.* QT ‖ *post* τέμνεσθαι *add.* ἢ καίεσθαι QRT ‖ 5 αὐτῶν μετὰ *om.* H ‖ 6 αὐτὸν *om.* R ‖ 7 παρὰ : πάντα Q ‖ 8 ἀπαλλάττεται H ‖ *post* πολυχρ. *add.* ἀηδίας καὶ QRT ‖ 9 καὶ *om.* O ‖ 11 τίς : τίς ἂν QT ‖ 12 τοῦ ἁγίου στεφάνου H ‖ 13 λιθασάντων OMSVH

19 YORTMSV

1 πάλιν : γέρων T ‖ κατηγορ. : καταργοῦντας O ‖ 3 προσάγ. : προσφέροντα ἀκαθάρτῳ καὶ RT

20 YOQRTMSVH

1 πάλιν : γέρων QT ‖ Χριστοῦ : Κυρίου RTMS ‖ 2 πάθη : παθήματα MS ‖ *post* ἡμεῖς *add.* οἱ ταλαίπωροι QT ‖ 3 ὑποφ. : ὑπομένομεν QT

à Jésus : Je ne veux pas recevoir tes remèdes, je préfère la gangrène dans mes blessures[1]. »

18 Il dit encore : « Celui qui veut guérir des dangereuses blessures de l'âme, pour être débarrassé de sa maladie doit supporter les prescriptions du médecin. A celui en effet dont le corps est malade, se faire amputer ou prendre un purgatif non seulement n'est pas agréable, mais il s'en souvient même avec dégoût ; pourtant, il se persuade qu'il lui est autrement impossible d'être débarrassé de sa maladie, et il supporte les prescriptions du médecin, sachant que grâce à ce court dégoût il sera libéré d'une longue maladie. Or le cautère de Jésus, c'est celui qui te méprise ou t'injurie, car il te libère de la vaine gloire. Qui fuit l'épreuve profitable fuit la vie éternelle. Qui a accordé à saint Étienne une gloire comme celle qu'il acquit grâce à ceux qui le lapidèrent[g][2] ? »

19 Il dit encore : « Je n'en veux pas à ceux qui m'accusent, mais je les appelle mes bienfaiteurs, et je ne refuse pas le médecin des âmes s'il applique le remède du mépris à mon âme vaniteuse[3]. »

20 Il dit encore : « Nous voyons la croix du Christ et nous lisons sa passion, mais nous-mêmes nous ne supportons aucune injure[4]. »

g. Cf. Ac 7, 54-60

1. Repris de ZOSIME, *Alloquia,* 3 (*PG* 78, 1684 CD).
2. *Alloquia,* 3-4 (*PG* 78, 1685 AB). Dans le ms. Milan, *Ambros. F 140 Sup* (Cf. *Recherches...*, p. 202-203), la référence à saint Étienne est donnée comme une citation de « l'un des saints » (fol. 27r).
3. *Alloquia,* 4 (*PG* 78, 1685 B). Dans le même ms. de Milan, cette sentence est donnée comme une citation d'ÉVAGRE : Προσέφερεν ἀεὶ τὴν χρῆσιν τοῦ Εὐαγρίου ὅτι τοὺς ἐμὲ κατηγοροῦντας... (fol. 27rv).
4. *Alloquia,* 5 (*PG* 78, 1688 D – 1689 A).

21 Ἦλθόν ποτε λῃσταὶ ἐν μοναστηρίῳ γέροντός τινος καὶ εἶπον πρὸς αὐτόν· Πάντα τὰ ἐν τῇ κέλλῃ σου λαβεῖν ἥκαμεν. Ὁ δέ φησιν· Ὅσα ἂν δοκῇ ὑμῖν, τέκνα, λάβετε. Ἔλαβον οὖν ὅσα ηὗρον ἐν τῷ κελλίῳ καὶ ἀπῆλθον. 5 Ἐπελάθοντο δὲ μαρσίπιον ὃ ἦν κεκρυμμένον ἐκεῖ. Ὁ οὖν γέρων λαβὼν αὐτὸ κατεδίωξεν ὀπίσω αὐτῶν βοῶν καὶ λέγων· Τέκνα, λάβετε ὃ ἐπελάθεσθε ἐν τῷ κελλίῳ. Οἱ δὲ θαυμάσαντες τὴν ἀνεξικακίαν τοῦ γέροντος ἀπεκατέστησαν πάντα ἐν τῷ κελλίῳ καὶ μετενόησαν εἰπόντες πρὸς 10 ἀλλήλους· Ἄνθρωπος τοῦ Θεοῦ ἐστιν οὗτος.

22 Δύο ἦσαν μοναχοὶ οἰκοῦντες εἰς τόπον τινά, καὶ παρέβαλεν αὐτοῖς εἷς γέρων μέγας. Καὶ θέλων δοκιμάσαι αὐτοὺς ἔλαβε ῥάβδον καὶ ἤρξατο συντρίβειν τὰ λάχανα τοῦ ἑνός. Καὶ ἰδὼν αὐτὸν ὁ ἀδελφὸς ἐκρύβη. Καὶ ὡς ἀπέμεινε 5 μία ῥίζα, λέγει αὐτῷ ὁ ἀδελφός· Ἀββᾶ, ἐὰν θέλῃς, ἄφες αὐτὸ ἵνα ἑψήσω ἀπ' αὐτοῦ καὶ γευσώμεθα ὁμοῦ. Καὶ ἔβαλεν ὁ γέρων μετάνοιαν τῷ ἀδελφῷ λέγων· Διὰ τὴν ἀνεξικακίαν σου ἀναπέπαυται τὸ πνεῦμα τοῦ Θεοῦ ἐπὶ σέ, ἄδελφε.

23 Ἀδελφοὶ παρέβαλον γέροντι ἁγίῳ καθεζομένῳ εἰς ἔρημον τόπον, καὶ ηὗρον ἔξωθεν τοῦ μοναστηρίου αὐτοῦ παιδία βόσκοντα καὶ λαλοῦντα ἀπρεπῆ ῥήματα. Μετὰ οὖν τὸ ἀναθέσθαι αὐτῷ τοὺς λογισμοὺς ἑαυτῶν καὶ ὠφεληθῆναι 5 ἀπὸ τῆς γνώσεως αὐτοῦ, λέγουσιν αὐτῷ· Ἀββᾶ, πῶς ἀνέχῃ τῶν παιδίων τούτων καὶ οὐ παραγγέλλεις αὐτοῖς ἵνα μὴ στρηνιῶσιν; Καὶ εἶπεν ὁ γέρων· Φύσει, ἀδελφοί,

21 YOQRTMSVH *l*

1 γέροντος *om.* MS || 5 ἓν μαρσίπιον QRTM || 7 *post* κελλίῳ *add.* ὑμῶν QT[ac] ἡμῶν T[pc] || 9 *post* πάντα *add.* τὰ OMS || 10 ἐστιν : ὑπάρχει QT

22 YOQRTMSVH

1 ἦσαν δύο *transp.* O || μοναχοὶ ἦσαν *transp.* R || 2 εἷς : τις R || 6 ἀπ' *om.* Q || 7 ὁ γέρων *om.* O || 8 ἀναπαύεται RT || 9 ἀδελφέ *om.* H

23 YOQRTVH *l*

2 ἔξω O || 2-3 puerum pascentem ... et loquentem *l* || 3 *post* τὸ

21 Des brigands vinrent un jour dans le monastère d'un vieillard et lui dirent : « Nous sommes venus prendre tout ce qui se trouve dans ta cellule. » Il dit : « Mes enfants, prenez tout ce qu'il vous plaira. » Ils prirent donc ce qu'ils trouvèrent dans la cellule et partirent ; mais ils oublièrent une bourse qui y était cachée. Le vieillard la prit donc et courut derrière eux en criant : « Mes enfants, prenez ce que vous avez oublié dans la cellule. » Mais eux, étonnés de l'endurance au mal du vieillard, remirent tout en place dans la cellule et se repentirent, se disant les uns aux autres : « C'est un homme de Dieu. » N 337

22 Deux moines habitaient dans un endroit, et un grand vieillard vint chez eux. Voulant les mettre à l'épreuve, il prit un bâton et se mit à saccager les légumes du premier. Et le frère le vit et se cacha. Lorsqu'il ne resta qu'une seule pousse, le frère lui dit : « Abba, si tu veux, laisse-la afin que je la fasse cuire et que nous mangions ensemble. » Et le vieillard fit la métanie au frère en disant : « A cause de ton endurance au mal l'Esprit de Dieu repose sur toi, frère. » N 343

23 Des frères vinrent chez un saint vieillard qui demeurait dans un lieu désert ; et ils trouvèrent à l'extérieur de son monastère de petits pâtres qui disaient des paroles indécentes. Aussi, après lui avoir exposé leurs pensées et avoir tiré profit de sa science, ils lui dirent : « Abba, comment supportes-tu ces enfants et ne leur ordonnes-tu pas de cesser ces insolences[1] ? » Le vieillard dit : N 338

add. uiderunt senem et *l* || 4 ἑαυτῶν YQR : αὐτῶν *cett.* || 5 ἀπὸ τῆς γνώσεως : de responsione *l* || 6 οὐ : οὐδὲ OQRTH || 7 στρηνιῶσιν : οὕτως ἀσχημονοῦσιν R

1. « Cesser ce tapage » (ἵνα μὴ στρηνιῶσιν) : sur ce mot difficile à rendre voir les explications proposées par H. ROSWEYDE dans son *Onomasticon* (*PL* 74, 508).

ἔχω ἡμέρας θέλων παραγγεῖλαι αὐτοῖς, καὶ ἐπιτιμῶ ἑαυτῷ λέγων· Εἰ τὸ μικρὸν τοῦτο οὐ βαστάζω, πῶς ἐὰν ἐπέλθωσί
10 μοι μεγάλοι πειρασμοὶ βαστάξω; Διὰ τοῦτο οὐδὲν λέγω αὐτοῖς ἵνα γένηται νομὴ βαστάζειν τὰ ἐπερχόμενα.

24 Διηγήσαντο περί τινος γέροντος ὅτι εἶχε παιδίον συνοικοῦν, καὶ εἶδεν αὐτὸ ποιήσαντα ἔργον μὴ σύμφερον αὐτῷ, καὶ εἶπεν ἅπαξ· Μὴ ποιήσῃς τὸ πρᾶγμα τοῦτο. Καὶ οὐκ ἤκουσεν αὐτοῦ. Ὁ δὲ γέρων ἀπεμερίμνησεν αὐτοῦ
5 ἐπιρρίψας αὐτῷ τὸ ἴδιον κρῖμα. Κλείσας δὲ ὁ νεώτερος τὴν θύραν τοῦ κελλίου ἐν ᾧ ἦσαν τὰ ψωμία ἐπὶ ἡμέρας τρεῖς ἀφῆκε τὸν γέροντα νήστην. Καὶ οὐκ εἶπεν ὁ γέρων· Ποῦ ἦς; ἤ· Τί ἐποίεις ἔξω; Εἶχε δὲ ὁ γέρων γείτονα, καὶ ὡς ἤσθετο ὅτι ἐχρόνισεν ὁ νεώτερος ἐποίει μικρὸν ἔψημα
10 καὶ παρεῖχεν αὐτῷ διὰ τοῦ τείχους καὶ παρεκάλει αὐτὸν γεύσασθαι· καὶ ἔλεγε τῷ γέροντι· Ἐβράδυνεν ὁ ἀδελφός. Ὁ δὲ γέρων ἔλεγεν· Ὅταν εὐκαιρήσῃ παραγίνεται.

25 Διηγήσαντό τινες ὅτι φιλόσοφοί ποτε ἠθέλησαν δοκιμάσαι τοὺς μοναχούς. Παρέρχεται δὲ εἷς ἐστολησμένος καλῶς, καὶ λέγουσιν αὐτῷ· Σὺ δεῦρο ὧδε. Ὁ δὲ ὀργισθεὶς ὕβρισεν αὐτούς. Ἐπέρασε δὲ καὶ ἄλλος μοναχὸς μέγας Λυβικός,
5 καὶ λέγουσιν αὐτῷ· Σὺ μοναχὲ κακόγηρε, δεῦρο ὧδε. Ὁ δὲ μετὰ σπουδῆς ἀπῆλθεν. Καὶ δίδωσιν αὐτῷ ῥαπίσματα. Ὁ δὲ ἔστρεψεν αὐτοῖς καὶ τὴν ἄλλην σιαγόνα[h]. Οἱ δὲ εὐθέως ἀνέστησαν καὶ προσεκύνησαν αὐτῷ λέγοντες·

8-9 ἐπιτιμῶν ... λέγω YOVH ‖ 9-10 ἐπελθ. μοι μεγ. πειρασμοὶ *scripsi (cf. Nau 338)*: ἀπολυθῇ μοι πειρασμός [μέγας *add.* V] *codd.* maiorem tentationem si permiserit mihi Deus inferri *l* ‖ 10 *post* τοῦτο *add.* οὖν QRT ‖ 11 γέν. νομή: γένομαι ἔν ἕξει QRT

24 YOQTVH *l*

1 τινος *om.* O ‖ 4 αὐτοῦ² *om.* YOTVH ‖ 9 ἤσθετο: ἠσθάνετο OV ‖ 10 αὐτῷ: τῷ γέροντι Q

25 YOQRTMSVH *l*

1 *post* τινες *add.* τῶν πατέρων YQRT ‖ 2 εἷς SV *l*: τις *cett.* ‖ 3 σύ:

« Vraiment, frères, il y a des jours où je veux leur donner cet ordre ; mais je me fais reproche à moi-même en me disant : Si je ne supporte pas cette petite chose, comment supporterai-je de grandes tentations si elles surviennent ? Aussi je ne leur dis rien, pour m'habituer à supporter ce qui survient. »

24 On raconta d'un vieillard qu'il habitait avec un enfant et que, l'ayant vu faire quelque chose qui ne lui convenait pas, il lui dit une seule fois : « Ne fais pas cela. » Et l'autre ne l'écouta pas ; mais le vieillard ne se préoccupa pas de lui, le laissant à son propre jugement. Quant au jeune, il ferma à clé la porte de la cellule où se trouvaient les provisions et laissa le vieillard jeûner pendant trois jours[1]. Et le vieillard ne lui dit pas : « Où étais-tu ? » ou : « Que faisais-tu dehors ? » Or le vieillard avait un voisin qui, se rendant compte que le jeune tardait, préparait un peu de bouillie, la lui faisait passer par la murette et l'invitait à manger, disant au vieillard : « Le frère est en retard. » Mais le vieillard disait : « Lorsqu'il en aura la possibilité, il viendra. » N 341

25 Certains racontèrent que des philosophes voulurent un jour éprouver les moines. Et à l'un qui passait revêtu de beaux vêtements ils disent : « Toi, viens ici. » Mais lui se mit en colère et les injuria. Passa un autre moine, un grand Lybien ; et ils lui disent : « Et toi, mauvais vieillard de moine, viens ici. » Et il s'empressa de venir. Ils lui donnent des soufflets ; mais lui, il leur tendit aussi l'autre joue[h]. Aussitôt ils se levèrent et s'inclinèrent devant lui, disant : N 342

ἐσύ S || 4 μέγας *om.* QRT || λυδικός : rusticus genere *l* || 5 σύ : καὶ σύ Y ἐσύ OS καὶ σύ QTMVH || 6 ῥαπίσμα QRTM

h. Cf. Mt 5, 39

1. La série des anonymes (N 341) indique treize jours de jeûne forcé de l'ancien, et non pas trois, ce qui est plus vraisemblable.

Ἀληθῶς ἰδοὺ μοναχός. Καὶ καθίσαντες αὐτὸν ἐν μέσῳ
10 αὐτῶν ἠρώτησαν αὐτὸν λέγοντες· Τί πλέον ἡμῶν ποιεῖτε
εἰς τὴν ἔρημον ταύτην; Νηστεύετε, καὶ ἡμεῖς νηστεύομεν·
ἁγνεύετε, καὶ ἡμεῖς ἁγνεύομεν· καὶ εἴ τι ἐὰν ποιῆτε, καὶ
ἡμεῖς ποιοῦμεν. Τί οὖν περισσὸν ποιεῖτε εἰς τὴν ἔρημον
καθεζόμενοι; Λέγει αὐτοῖς ὁ γέρων· Εἰς τὴν χάριν τοῦ
15 Θεοῦ ἐλπίζομεν ἡμεῖς καὶ νοῦν τηροῦμεν. Λέγουσιν καὶ
αὐτοί· Ἡμεῖς τοῦτο φυλάξαι οὐ δυνάμεθα. Καὶ
ὠφεληθέντες ἀπέλυσαν αὐτόν.

26 Γέρων τις ἔχων δόκιμον μαθητήν, καὶ ἀπὸ ὀλιγωρίας
ποτὲ ἔδαλεν αὐτὸν ἔξω. Ὁ δὲ ἀδελφὸς ὑπέμενεν ἔξω
καθήμενος. Καὶ ἀνοίξας ὁ γέρων ηὗρεν αὐτὸν καὶ ἔδαλεν
αὐτῷ μετάνοιαν λέγων· Πέτρε, ἡ ταπείνωσις καὶ ἡ
5 μακροθυμία σου ἐνίκησε τὴν ἐμὴν ὀλιγωρίαν. Δεῦρο ἔσω,
ἀπὸ γὰρ τοῦ νῦν σὺ γέρων καὶ πατήρ, ἐγὼ δὲ νεώτερος
καὶ μαθητής, ὅτι ἐν τῷ ἔργῳ σου ὑπερέβης τὸ ἐμὸν γῆρας.

27 Ἔλεγέ τις τῶν γερόντων ὅτι· Ἤκουσα παρά τινων
ἁγίων ὅτι εἰσὶ νεώτεροι καὶ ὁδηγοῦσι γέροντας εἰς ζωήν.
Καὶ διηγήσατο οὕτως ὅτι ἦν τις μεθυστὴς γέρων, καὶ
εἰργάζετο ψιάθιον ἡμέριον, καὶ ἐπώλει αὐτὸ εἰς τὴν κώμην
5 καὶ ἔπινε τὴν τιμὴν αὐτοῦ. Ὕστερον δὲ ἦλθε πρὸς αὐτὸν
τις ἀδελφὸς καὶ ἔμεινε μετ' αὐτοῦ καὶ εἰργάζετο καὶ αὐτὸς
τὸ ψιάθιον. Καὶ ἐλάμβανεν ὁ γέρων καὶ ἐπώλει καὶ αὐτὸ

9 καθίσ. : ἐκάθισαν S ‖ 10 ἠρώτ. αὐτὸν *om.* S ‖ 11 εἰς τὴν ἔρ. ταύτην *om.* V ‖ ταύτην : καθεζόμενοι S *om.* OH ‖ 13 περισσότερον QT ‖ 14 καθεζόμ. *om.* SV ‖ 16 φυλάξαι : ποιῆσαι SV

26 YOQRTMSVH *l*

1 δόκιμον *om.* V ‖ *post* δόκιμον *add.* μοναχὸν YOMSVH ‖ ἀπὸ ὀλιγ. : contristatus *l* ‖ 2 ὑπέμεινε O ‖ 3 *post* αὐτὸν *add.* καθήμενον Y ‖ 4 *post* λέγων *add.* εὖ QRT ‖ πέτρε : tu pater meus es *l* ‖ 4-5 καὶ ἡ μακρ. S *l*: τῆς μακροθυμίας *cett.* ‖ 5 *post* δεῦρο *add.* λοιπὸν QRT ‖ 6 γὰρ *om.* YOMSVH ‖ *post* γέρων *add.* ὢν OSV μου εἶ YQRTM

27 YOQRTMSVH *l*

1 ἤκουσα : audierit *l* ‖ *post* τινῶν *add.* γερόντων H ‖ 3 διηγήσ. :

« Vraiment, voici un moine. » Et ils l'assirent au milieu d'eux et lui demandèrent : « Que faites-vous de plus que nous dans ce désert? Vous jeûnez; nous aussi, nous jeûnons. Vous êtes continents; nous aussi nous sommes continents. Et tout ce que vous faites, nous le faisons nous aussi. Que faites-vous donc de plus, vous qui demeurez dans le désert? » Le vieillard leur dit : « Nous, nous espérons en la grâce de Dieu et nous surveillons notre esprit. » Ils lui disent : « Cela, nous ne pouvons l'observer. » Et édifiés, ils le congédièrent.

26 Un vieillard avait un disciple éprouvé; et pour une mesquinerie, il le mit un jour à la porte. Mais le frère demeura assis dehors. Et, ouvrant la porte, le vieillard le trouva et lui fit la métanie en disant : « Pierre, ton humilité et ta persévérance ont vaincu ma propre étroitesse. Rentre; désormais, en effet, tu es le vieillard et le père, et moi je suis le jeune et le disciple, car dans ton œuvre tu as surpassé ma vieillesse. »

Rom 2 (389 A-B)

27 L'un des vieillards disait : « J'ai entendu dire par quelques saints qu'il y a des jeunes qui conduisent des vieillards à la vie[1]. » Et il raconta ceci. Il y avait un vieillard ivrogne qui chaque jour fabriquait une natte, la vendait au village et en buvait le prix. Plus tard, un frère vint à lui et demeura avec lui, fabriquant lui aussi une natte. Et le vieillard la prenait, la vendait elle aussi, buvait le prix des deux nattes

N 340

ἐδιγήσατο *sic* R narrauerunt *l* || 4 ἡμέριον : τὴν ἡμέραν H || κώμην : πόλιν SV || 7 *post* ψιάθιον *add.* ἡμέριον Q unam *l*

1. On peut rapprocher de l'*Évangile selon Thomas,* 4 : « L'homme vieux dans ses jours n'hésitera pas à interroger un petit enfant de sept jours à propos du lieu de la vie, et il vivra » (trad. C. Gianotto, Paris, Gallimard 1997, p. 34). [BM]

καὶ ἔπινε τὴν τιμὴν τῶν ἀμφοτέρων καὶ ἔφερε τῷ ἀδελφῷ μικρὸν ἄρτον κατ' ὀψέ. Καὶ τοῦτο ποιοῦντος αὐτοῦ ἐπὶ τρία
10 ἔτη, οὐδὲν ἐλάλησεν ὁ ἀδελφός. Καὶ μετὰ ταῦτα λέγει ἐν ἑαυτῷ · Ἰδοὺ γυμνός εἰμι καὶ τὸν ἄρτον μου μετὰ ἐνδείας ἐσθίω, ἀναστὰς οὖν πορευθῶ ἔνθεν. Καὶ πάλιν διελογίσατο ἐν ἑαυτῷ λέγων· Ποῦ ἔχω ἀπελθεῖν; Καθέζομαι πάλιν · ἐγὼ γὰρ τῷ θεῷ καθέζομαι κοινόβιον. Καὶ εὐθέως ἐφάνη αὐτῷ ἄγγελος
15 Κυρίου λέγων · Μηδαμοῦ ἀπέλθῃς, ἐρχώμεθα γὰρ αὔριον ἐπὶ σέ. Καὶ παρεκάλεσεν ὁ ἀδελφὸς τὸν γέροντα κατ' ἐκείνην τὴν ἡμέραν λέγων · Μηδαμοῦ ἀπέλθῃς, ἔρχονται γὰρ οἱ ἐμοὶ λαβεῖν με σήμερον. Ὡς οὖν ἦλθεν ἡ ὥρα τοῦ γέροντος ἀπελθεῖν, ἔλεγεν αὐτῷ · Οὐκ ἔρχονται σήμερον, τέκνον · ἐχρόνισαν
20 γάρ. Ὁ δὲ εἶπεν · Ναί, πάντως ἔρχονται. Καὶ λαλῶν μετ' αὐτοῦ ἐκοιμήθη. Ὁ δὲ γέρων κλαίων ἔλεγεν · Οἴμοι, τέκνον, ὅτι ἐν πολλοῖς ἔτεσιν ἤμην ζῶν ἐν ἀμελείᾳ · σὺ δὲ ἐν ὀλίγῳ χρόνῳ ἔσωσας τὴν ψυχήν σου ἐν ὑπομονῇ. Καὶ ἀπὸ τότε ὁ γέρων ἐσωφρονίσθη καὶ γέγονε δόκιμος.

28 Ἔλεγον περί τινος ἀδελφοῦ γειτνιόντος μεγάλῳ γέροντι ὅτι εἰσερχόμενος πρὸς αὐτὸν ἔκλεπτε εἴ τι εἶχεν ἐν τῷ κελλίῳ αὐτοῦ. Ἔβλεπε δὲ αὐτὸν ὁ γέρων καὶ οὐκ ἤλεγχεν αὐτόν, ἀλλ' εἰργάζετο περισσῶς λέγων · Πάντως χρείαν
5 ἔχει ὁ ἀδελφός. Καὶ πολλὴν θλῖψιν εἶχεν ὁ γέρων κοπιῶν καὶ μετὰ ἐνδείας εὑρίσκων τὸν ἄρτον αὐτοῦ. Μέλλοντος δὲ τοῦ γέροντος τελευτᾶν ἐκύκλωσαν αὐτὸν οἱ ἀδελφοί. Ἰδὼν δὲ τὸν κλέπτοντα αὐτὸν λέγει αὐτῷ · Ἔγγισον πρὸς μέ. Καὶ καταφιλῶν τὰς χεῖρας αὐτοῦ ἔλεγεν · Εὐχαριστῶ
10 ταῖς χερσὶ ταύταις, ἀδελφοί, ὅτι δι' αὐτῶν ὑπάγω εἰς τὴν

8 τῶν ἀμφοτ. Y : αὐτοῦ QT τῶν δύο *cett.* ‖ 10 καὶ μετὰ : μετὰ δὲ R ‖ 12 διελογίζετο H ‖ 12-13 ἐν ἑαυτῷ : καθ' ἑαυτὸν QR ‖ 15 Κυρίου SV *l* : *om. cett.* ‖ ἀπέλθῃς : ἀναχωρήσῃς OH ‖ ἔρχομαι YQRTM ‖ 17 ἡμέραν : ὥραν H ‖ λέγων μηδ. ἀπ. ... γὰρ : μηδαμοῦ ἀπελθεῖν λέγων ὅτι QRT ‖ 22 ἤμην : ἔμεινον H ‖ 24 *post* δόκιμος *add.* μοναχός YQRTM

28 YOQRTMSVH *l*

1 τινος *om.* O ‖ ἀδελφοῦ : μοναχοῦ QRT ‖ 3 ἤλεγξεν SVH ‖ 4 πάντως :

et ne rapportait au frère qu'un peu de pain le soir. Et il agit ainsi pendant trois ans sans que le frère ne lui dise rien. Mais ensuite il se dit en lui-même : « Voici que je suis nu et que je n'ai pas assez de pain à manger. Je vais donc me lever et partir d'ici. » Mais en sens inverse il se répondit à lui-même : « Où partir? Je vais plutôt demeurer ici, car c'est pour Dieu que je demeure en communauté de vie. » Et aussitôt lui apparut un ange du Seigneur disant : « Ne pars surtout pas, car demain nous venons à toi. » Et le frère supplia le vieillard ce jour-là, lui disant : « Ne t'éloigne pas, car les miens viennent me prendre aujourd'hui. » Et lorsque vint l'heure pour le vieillard de partir, il lui dit : « Ils ne viendront pas aujourd'hui, mon enfant, car ils ont été retardés. » L'autre dit : « Si, ils vont certainement venir. » Et tandis qu'il parlait avec lui, il mourut. Et le vieillard disait en pleurant : « Malheur à moi, mon enfant, car j'ai passé de nombreuses années en vivant dans la négligence ; tandis que toi, en peu de temps tu as sauvé ton âme par ton endurance. » Et désormais le vieillard s'assagit et devint éprouvé.

28 On disait d'un frère voisin d'un grand vieillard qu'il pénétrait chez lui et volait ce qu'il y avait dans sa cellule. Or le vieillard le voyait et ne lui en faisait pas reproche mais travaillait davantage, disant : « Sans doute le frère est-il dans le besoin. » Mais il en avait une grande affliction et peinait pour se procurer du pain en quantité insuffisante. Lorsqu'il fut sur le point de mourir, les frères entourèrent le vieillard. Alors, voyant son voleur, il lui dit : « Approche de moi. » Et en lui baisant les mains il disait : « Frères, je rends grâce à ces mains car par elles je vais au royaume des cieux. » Et l'autre fut touché de com- N 339

τάχα OSVH credo *l* || 8 ἰδὼν δὲ : ὁ δὲ χαίρων ἰδὼν Q ὁ δὲ γέρων ἰδὼν RT || 9 *post* μέ *add.* τέκνον YQRTM || καταφιλῶν Y tenuit et osculatus est *l* : καταλήσας *cett.* || 10 ἀδελφοί : frater *l*

βασιλείαν τῶν οὐρανῶν. Ὁ δὲ κατανυγεὶς καὶ μετανοήσας ἐγένετο καὶ αὐτὸς δόκιμος μοναχὸς ἀπὸ τῶν πράξεων ὧν εἶδε τοῦ μεγάλου γέροντος.

29 Εἶπεν ἀββᾶ Κασιανὸς ὅτι ἐπὶ τοῦ μεγάλου Ἰσιδώρου τοῦ πρεσβυτέρου τῆς Σκήτεως ἦν τις Παφνούτιος διάκονος ὃν καὶ διὰ τὴν ἀρετὴν αὐτοῦ ἐποίησαν πρεσβύτερον ἐπὶ τὸ διαδέξασθαι αὐτὸν μετὰ θάνατον. Ὁ δὲ οὐκ ἥψατο 5 τῆς χειροτονείας δι' εὐλάβειαν ἀλλ' ἔμεινε διάκονος. Τούτῳ οὖν κατ' ἐπιβουλὴν τοῦ ἐχθροῦ ἐφθόνησέ τις τῶν γερόντων. Καὶ πάντων ὄντων ἐν τῇ ἐκκλησίᾳ διὰ τὴν σύναξιν, ἀπελθὼν ὑπέβαλεν τὸ ἴδιον βιβλίον εἰς τὸ κελλίον τοῦ ἀββᾶ Παφνουτίου, καὶ ἐλθὼν ἀνήγγειλε τῷ ἀββᾶ Ἰσιδώρῳ 10 ὅτι· Τίς ποτε τῶν ἀδελφῶν ἔκλεψέ μου τὸ βιβλίον. Καὶ ἐθαύμασεν ἀββᾶ Ἰσίδωρος λέγων ὅτι οὐδέποτε γέγονέ τι τοιοῦτον ἐν τῇ Σκήτει· Λέγει οὖν αὐτῷ ὁ γέρων ὁ τὸ βιβλίον ὑποβαλών· Ἀπόστειλον δύο τῶν πατέρων μετ' ἐμοῦ ἵνα ἐρευνήσωμεν τὰ κελλία. Καὶ ἀπελθόντων αὐτῶν 15 ἔλαβεν αὐτοὺς ὁ γέρων εἰς τὰ κελλία τῶν ἄλλων, ὕστερον δὲ εἰς τὸ κελλίον τοῦ ἀββᾶ Παφνουτίου· καὶ εὑρίσκει τὸ βιβλίον καὶ ἤνεγκεν αὐτὸ τῷ πρεσβυτέρῳ εἰς τὴν ἐκκλησίαν. Καὶ ποιεῖ μετάνοιαν ἀββᾶ Παφνούτιος ἐπὶ παντὸς τοῦ λαοῦ τῷ ἀββᾶ Ἰσιδώρῳ τῷ πρεσβυτέρῳ λέγων· Ἡμάρτηκα, 20 δός μοι ἐπιτίμιον. Καὶ ἔδωκεν αὐτῷ τὸ ἐπιτίμιον ἐπὶ τρεῖς ἑβδομάδας μὴ κοινωνῆσαι αὐτόν. Καὶ ἐρχόμενος καθ' ἑκάστην σύναξιν πρὸ τῆς ἐκκλησίας ὑπέπιπτεν παντὶ τῷ λαῷ λέγων· Συγχωρήσατέ μοι ὅτι ἡμάρτηκα. Μετὰ δὲ τὰς τρεῖς ἑβδομάδας ἐδέχθη εἰς τὴν κοινωνίαν· καὶ εὐθέως 25 ἐδαιμονίσθη ὁ γέρων ὁ συκοφαντήσας αὐτόν, καὶ ἤρξατο ἐξομολογῆσθαι λέγων ὅτι· Ἐσυκοφάντησα τὸν δοῦλον τοῦ Θεοῦ. Καὶ γενομένης εὐχῆς ὑπὸ πάσης τῆς ἐκκλησίας περὶ

11 *post* ὁ δὲ *add.* νεώτερος YQRTM

29 YOQRTMSVH

1 *post* μεγάλου *add.* γέροντος H ‖ 2-3 διάκονος ὃν : διάκων ὤν H ‖ 3 αὐτοῦ *om.* YOVH ‖ ἐποίησαν YQR : -σεν *cett.* ‖ *post* ἐποίησαν *add.*

ponction et se repentit, et il devint lui aussi un moine éprouvé grâce à la façon de faire qu'il avait vue chez le grand vieillard.

29 Abba Cassien dit que, du temps du grand Isidore le prêtre de Scété, il y avait un certain diacre, Paphnuce, qu'on avait fait prêtre à cause de sa vertu, afin de lui succéder après sa mort. Cependant, par piété, il n'exerça pas l'ordination mais demeura diacre. Or, par une suggestion de l'ennemi, l'un des vieillards en fut jaloux ; et tandis que tous étaient à l'église pour la synaxe, il alla cacher son propre livre dans la cellule d'abba Paphnuce et vint informer abba Isidore que l'un des frères avait volé son livre. Abba Isidore en fut étonné, disant que jamais rien de tel ne s'était produit à Scété. Le vieillard qui avait caché le livre lui dit donc : « Envoie deux pères avec moi afin que nous fouillions les cellules. » Ils y allèrent, et le vieillard les conduisit dans les cellules des autres et ensuite à celle d'abba Paphnuce. Il trouve le livre, et l'apporta au prêtre à l'église. Et devant tout le monde abba Paphnuce fit la métanie à abba Isidore le prêtre, disant : « J'ai péché, donne-moi une pénitence. » Et il lui donna la pénitence de ne pas communier pendant trois semaines. Et, allant à chaque synaxe devant l'église, il s'inclinait devant tout le monde en disant : « Pardonnez-moi car j'ai péché. » Au bout des trois semaines, il fut reçu à la communion ; et aussitôt le vieillard qui l'avait dénoncé à tort fut possédé du démon et il se mit à avouer : « J'ai dénoncé à tort le serviteur de Dieu. » Et toute l'assemblée priait pour lui, mais il n'était pas guéri.

αὐτὸν R ‖ 4 διαδέξασθαι : διατάξ. H ‖ 5 δι' εὐλάβειαν *om.* R ‖ *post* διάκονος *add.* μόνον Q μόνον δι' εὐλάβειαν R ‖ 9 ἀπήγγειλε OR ‖ 13 πατέρων : ἀδελφῶν QRT ‖ 15 *post* ἄλλων *add.* ἀδελφῶν πρῶτον QRT ‖ 20 καὶ ἔδωκεν αὐτῷ τὸ ἐπιτίμιον *om.* H ‖ 26 ἐξομολογήσαθαι H

αὐτοῦ οὐκ ἐθεραπεύετο. Τότε ὁ μέγας Ἰσίδωρος λέγει ἐπὶ πάντων τῷ ἀββᾶ Παφνουτίῳ· Εὔξαι ὑπὲρ αὐτοῦ· σὺ γὰρ
30 ἐσυκοφαντήθης, καὶ εἰ μὴ διὰ σοῦ οὐ θεραπεύεται. Καὶ εὐξαμένου αὐτοῦ παραχρῆμα ὑγιὴς γέγονεν ὁ γέρων.

30 Ἀδελφὸς ἠρώτησέ τινα τῶν πατέρων· Πῶς ὁ διάβολος φέρει τοὺς πειρασμοὺς ἐπάνω τῶν ἁγίων; Λέγει αὐτῷ ὁ γέρων ὅτι· Ἦν τις τῶν πατέρων ὀνόματι Νίκων εἰς τὸ ὄρος τὸ Σινᾶ. Καί τις ἀπελθὼν εἰς σκηνήν τινος φαρανίτου
5 καὶ εὑρὼν τὴν θυγατέρα αὐτοῦ μόνην ἔπεσε μετ' αὐτῆς καὶ λέγει αὐτῇ· Εἰπὲ ὅτι· Ὁ ἀναχωρητὴς ὁ ἀββᾶ Νίκων ἐποίησέ μοι οὕτως. Καὶ ἡνίκα ἦλθεν ὁ πατὴρ αὐτῆς καὶ ἔμαθεν, λαβὼν τὸ ξίφος εἰσῆλθεν ἐπάνω τοῦ γέροντος. Καὶ κρουσάντος αὐτοῦ ἐξῆλθεν ὁ γέρων. Καὶ ἐκτείναντος αὐτοῦ
10 τὸ ξίφος ἵνα φονεύσῃ αὐτόν, ἀπεξυλώθη ἡ χεὶρ αὐτοῦ. Καὶ ἀπελθὼν ὁ φαρανίτης εἰς τὴν ἐκκλησίαν εἶπε τοῖς πρεσβυτέροις, καὶ ἔπεμψαν ἐπ' αὐτόν, καὶ ἦλθεν ὁ γέρων. Καὶ ἐπιθέντες αὐτῷ πολλὰς πληγάς, ἤθελον αὐτὸν διῶξαι. Καὶ παρεκάλεσεν αὐτοὺς λέγων· Ἄφετέ με ὧδε μετα-
15 νοῆσαι. Καὶ ἐχώρισαν αὐτὸν τρία ἔτη, καὶ ἔδωκαν ἐντολὴν ἵνα μηδεὶς αὐτῷ παραβάλῃ· Καὶ ἐποίησε τὰ τρία ἔτη ἐρχόμενος κατὰ κυριακὴν καὶ μετανοῶν· καὶ παρεκάλει λέγων· Εὔξασθε ὑπὲρ ἐμοῦ. Ὕστερον δὲ ἐδαιμονίσθη ὁ ποιήσας τὴν ἁμαρτίαν καὶ τὸν πειρασμὸν ἐπάνω τοῦ
20 ἀναχωρητοῦ βαλών· καὶ ὡμολόγησεν εἰς τὴν ἐκκλησίαν ὅτι· Ἐγὼ ἐποίησα τὴν ἁμαρτίαν καὶ εἶπον ἵνα συκοφαντήσῃ τὸν δοῦλον τοῦ Θεοῦ. Καὶ ἀπελθὼν πᾶς ὁ λαὸς μετενόησαν τῷ γέροντι λέγοντες· Συγχώρησον ἡμῖν, ἀββᾶ.

30 διὰ σοῦ : προσεύξει H

30 YOQRTMSVH

3-4 εἰς τὸ ὄρος τὸ Σ. *om.* V ‖ 4 σκηνήν : σκήτην YV οἰκίαν QRT ‖ 5 μόνην *om.* H ‖ 8 *post* ἔμαθε *add.* τοῦτο QRT ‖ λαβὼν : ἔλαβε [τὸ ξ.] καὶ Q ‖ εἰσῆλθε YOV : ἀπῆλθε *cett.* ‖ 10 ἀπεξυλώθη : ἀπεξηράνθη O ‖ 12 ἐπ' : εἰς H ‖ 13 ἐπιθέντες YOR : -τιθέντες *cett.* ‖ 16 τὰ *om.* YR ‖

Alors le grand Isidore dit à abba Paphnuce devant tout le monde : « Prie pour lui, car c'est toi qui as été dénoncé à tort, et il ne sera guéri que par toi. » Et aussitôt qu'il pria, le vieillard devint sain[1].

30 Un frère demanda à l'un des pères : « Comment le diable apporte-t-il les tentations aux saints ? » Le vieillard lui dit : Il y avait un père nommé Nicon sur le mont Sinaï. Et un homme allant à la cabane d'un habitant de Pharan et trouvant sa fille seule fauta avec elle et lui dit : « Dis : C'est l'anachorète, abba Nicon, qui m'a fait cela. » Et lorsque revint son père et qu'il l'apprit, il prit un poignard et alla chez le vieillard. Quand il frappa à la porte, le vieillard sortit ; et brandissant le poignard pour le tuer, sa main devint comme du bois. Alors l'homme de Pharan alla à l'église et parla aux prêtres, qui convoquèrent le vieillard. Lorsque celui-ci vint, ils lui infligèrent beaucoup de coups et voulaient le chasser. Mais il les supplia en disant : « Laissez-moi faire pénitence ici. » Et ils le tinrent à l'écart pour trois ans et ordonnèrent que personne ne vînt chez lui. Aussi passa-t-il trois années venant chaque dimanche faire pénitence en suppliant : « Priez pour moi. » Plus tard, celui qui avait commis la faute et rejeté la tentation sur l'anachorète fut possédé du démon et avoua à l'église : « C'est moi qui ai commis la faute et dit de dénoncer faussement le serviteur de Dieu. » Et tout le peuple alla se repentir auprès du vieillard en lui disant : « Pardonne-nous, abba. » Celui-ci leur dit :

Nic 1 (309 A-C)

17 *post* κυριακὴν *add.* εἰς τὴν ἐκκλησίαν QT || 20 ἀναχ. : γέροντος QT || 21-22 συκοφαντήσω QS || 23 μετενόησεν QRT μετανοῆσαι H

---

1. Reprise simplifiée de JEAN CASSIEN, *Conférences,* XVIII, 15, 2-7.

῾Ο δὲ λέγει αὐτοῖς· Τὸ μὲν συγχωρῆσαι, συγκεχώρηται
25 ὑμῖν· τὸ δὲ μεῖναι, οὐκέτι μένω μεθ' ὑμῶν, διότι οὐχ
εὑρέθη εἷς ἐξ ὑμῶν ἔχων διάκρισιν τοῦ συμπαθῆσαί μοι.
Καὶ οὕτως ἀνεχώρησεν ἐκεῖθεν. Καὶ εἶπεν ὁ γέρων τῷ
ἀδελφῷ· Θεωρεῖς πῶς ὁ διάϐολος φέρει τοὺς πειρασμοὺς
ἐπάνω τῶν ἁγίων;

26 *post* εὑρέθη *add.* κἂν QRT ‖ 27-28 τῷ ἀδελφῷ *om.* O

«Quant à pardonner, soyez pardonnés; mais quant à rester, je ne reste plus parmi vous car il ne s'est trouvé aucun de vous qui ait du discernement pour compatir avec moi.» Et ainsi il s'éloigna de ce lieu. Et le vieillard dit au frère : «Vois-tu comment le diable apporte les tentations aux saints?»

TABLE DES MATIÈRES

SOURCES CHRÉTIENNES

Fondateurs : † *H. de Lubac, s.j.*
† *J. Daniélou, s.j.*
† *C. Mondésert, s.j.*
Directeur : J.-N. Guinot

Dans la liste qui suit, dite « liste alphabétique », tous les ouvrages sont rangés par nom d'auteur ancien, les numéros précisant pour chacun l'ordre de parution depuis le début de la collection. Pour une information plus complète, on peut se procurer deux autres listes au secrétariat de « Sources Chrétiennes » – 29, rue du Plat, 69002 Lyon (France) – Tél. : 04 72 77 73 50 :

1. la « liste numérique », qui présente les volumes et leurs auteurs actuels d'après les dates de publication ; elle indique les réimpressions et les ouvrages momentanément épuisés ou dont la réédition est préparée.
2. la « liste thématique », qui présente les volumes d'après les centres d'intérêt et les genres littéraires : exégèse, dogme, histoire, correspondance, apologétique, etc.

LISTE ALPHABÉTIQUE (1-474)

SOUS PRESSE

FACUNDUS D'HERMIANE, **Défense des Trois Chapitres.** Tome II. A. Fraïsse-Bétoulières.

GRÉGOIRE LE GRAND, **Morales sur Job, 28-29.** Moniales de Wisques, C. Straw, A. de Vogüé.

Livre d'heures ancien du Sinaï. M. Ajjoub.

SOCRATE, **Histoire ecclésiastique.** P. Maraval †, P. Perrichon.

(Dans la collection «Sagesses Chrétiennes», septembre 2003 :
EUSÈBE DE CÉSARÉE, **Histoire ecclésiastique,** traduction seule.)

PROCHAINES PUBLICATIONS

AMBROISE DE MILAN, **Caïn et Abel.** M. Ferrari, L. Pizzolato, M. Poirier.
BÈDE LE VÉNÉRABLE, **Histoire des Angles.** A. Crépin, P. Monat.
BERNARD DE CLAIRVAUX, **Sermons divers, 1-22.** F. Callerot, P.-Y. Emery.
Code Théodosien, Livre XVI, R. Delmaire, K.L. Noethlichs, F. Richard.
CYRILLE D'ALEXANDRIE, **Lettres festales.** Tome IV. P. Évieux, M. Forrat.
FACUNDUS D'HERMIANE, **Défense des trois chapitres.** Tome III. A. Fraïsse.
GRÉGOIRE LE GRAND, **Homélies sur les Évangiles.** Tome I. R. Étaix, B. Judic, C. Morel.
ISIDORE DE SÉVILLE, **Sentences.** P. Cazier.
JEAN CHRYSOSTOME, **Lettres d'exil.** R. Delmaire, A.-M. Malingrey (†).
JÉRÔME, **Homélies sur Marc.** J.-L. Gourdain.
JÉRÔME, **Trois vies de moines.** P. Leclerc, E. Morales, A. de Vogüé.
ORIGÈNE, **Exhortation au martyre.** C. Morel, C. Noce.
TERTULLIEN, **Contre Marcion.** Tome V. R. Braun, C. Moreschini.
TYCONIUS, **Livre des règles.** J.-M. Vercruysse.

RÉIMPRESSIONS RÉALISÉES EN 2002

6. GRÉGOIRE DE NYSSE, **La création de l'homme.** J. Laplace, J. Daniélou.
17. BASILE DE CÉSARÉE, **Sur le Saint-Esprit.** B. Pruche.
35. TERTULLIEN, **Traité du baptême.** M. Drouzy, R. F. Refoulé.
67. ORIGÈNE, **Entretien avec Héraclide.** J. Scherer.
210. IRÉNÉE DE LYON, **Contre les hérésies,** Livre III. Tome I. L. Doutreleau, A. Rousseau.
211. IRÉNÉE DE LYON, **Contre les hérésies,** Livre III. Tome II. L. Doutreleau, A. Rousseau.
296. ÉGÉRIE, **Journal de voyage.** P. Maraval.

RÉIMPRESSIONS PRÉVUES EN 2003

52. JEAN CASSIEN, **Conférences.** Tome I. E. Pichery.
54. JEAN CASSIEN, **Conférences.** Tome II. E. Pichery.
74. LÉON LE GRAND, **Sermons, 38-64.** R. Dolle.
116. AUGUSTIN D'HIPPONE, **Sermons sur la Pâque.** S. Poque.
196. SYMÉON LE NOUVEAU THÉOLOGIEN, **Hymnes.** Tome III. J. Koder, J. Paramelle, L. Neyrand.
200. LÉON LE GRAND, **Sermons, 65-98.** R. Dolle.
222. ORIGÈNE, **Commentaire sur S. Jean, Livre XIII.** Tome III. C. Blanc.
223. GUILLAUME DE SAINT-THIERRY, **Lettre aux frères du Mont-Dieu.** J. Déchanet.
285. FRANÇOIS D'ASSISE, **Écrits.** T. Desbonnets, T. Matura, J.-F. Godet, D. Vorreux.
325. CLAIRE D'ASSISE, **Écrits,** M.-F. Becker, J.-F. Godet, T. Matura.

Composition
Abbaye de Melleray
C.C.S.O.M.
44520 La Meilleraye-de-Bretagne
